el ABC del PEDIATRA

el ABC del PEDIATRA

Carla Nieto Martínez

LIBSA

© 2011, Editorial LIBSA
San Rafael, 4
28108 Alcobendas. Madrid
Tel. (34) 91 657 25 80
Fax (34) 91 657 25 83
e-mail: libsa@libsa.es
www.libsa.es

ISBN: 978-84-662-2070-5

Colaboración en textos: Carla Nieto Martínez
Revisión de contenido: doctor Javier Cotelo Vila
Diseño de cubierta: Equipo de diseño LIBSA
Maquetación: Rosario María Díaz y Equipo de maquetación LIBSA
Documentación y fotografías: Archivo LIBSA

Impreso en España/*Printed in Spain*

Contenido

PRIMERA PARTE
LAS EDADES DEL NIÑO

**SEGUNDA PARTE
LAS CLAVES DE LA SALUD INFANTIL**

TERCERA PARTE
GUÍA DE SÍNTOMAS: CÓMO INTERPRETARLOS

CUARTA PARTE
ENFERMEDADES MÁS FRECUENTES
EN LA INFANCIA

Aftas • Apendicitis • Caries dental • Diarrea aguda • Enfermedad
celíaca • Enfermedad inflamatoria intestinal • Estenosis hipertrófica
del píloro • Estreñimiento • Fibrosis quística de páncreas
• Gastritis erosivo-hemorrágicas • Gastritis/úlcera gastroduodenal
• Hepatitis crónicas • Hepatitis víricas agudas
• Hernia de hiato • Hernia inguinal • Hipo • Invaginación
intestinal • Lengua saburral • Malformaciones digestivas
del recién nacido • Muguet • Reflujo gastroesofágico (RGE)

• Antiasmáticos y broncodilatadores • Antihistamínicos/antialérgicos
• Antiinflamatorios (orales y tópicos) • Laxantes • Antieméticos
• Tiroideos y antitiroideos • Antitusígenos • Estimulantes del apetito
• Antiflatulentos • Colirios oftálmicos • Antiparasitarios
• Antiepilépticos • Antisépticos/desinfectantes •Antifúngicos orales
y tópicos • Antidiarreicos • Antiacné • Antidiabéticos

Introducción

Todos los padres hemos echado de menos en algún momento que nuestros hijos, en vez del susodicho «pan», hubieran traído un manual de instrucciones debajo del brazo. Y es que desde el preciso instante de su nacimiento, todos los niños se convierten en una fuente inagotable de síntomas, reacciones, gestos, cambios repentinos, destrezas desarrolladas de la noche a la mañana, ingeniosas ocurrencias y todo un sinfín de «sorpresas» ante las que los padres no sabemos cómo reaccionar muchas veces.

Por eso, y aunque la salud del niño es la principal –y lógica– preocupación paterna, no hay que perder de vista otros muchos aspectos de su desarrollo que van a influir de forma directa en la formación integral de esa «personita», que en muy poco tiempo pasará de aporrear el sonajero en su corralito a convertirse en un mozalbete contestatario y aparentemente autónomo que, sin embargo, sigue necesitando que sus padres le presten toda su atención.

Ése es precisamente el objetivo de este manual: acompañaros en ese período que transcurre desde el nacimiento hasta los 14 años durante el cual vuestro hijo va a experimentar tal cúmulo de transformaciones físicas, cambios emocionales y experiencias vitales que difícilmente se volverán a repetir con la misma intensidad a lo largo de su vida.

En los cuatro bloques en los que está dividido este libro, descubriréis qué es lo que siente, cómo reacciona, que podéis esperar de él y, por supuesto, los aspectos más importantes a tener en cuenta respecto a su estado de salud en cada una de las fases de la infancia; encontraréis todo lo referente a sus necesidades nutricionales, cuándo, cómo y por qué vacunarle; qué medidas de seguridad son fundamentales para prevenir accidentes y cómo actuar cuando el niño está herido o ha sufrido cualquier otro percance; además de conocer de primera mano cómo interpretar los síntomas de una enfermedad y la forma de identificar y tratar las patologías más frecuentes en la infancia. Además de las enfermedades, se explican aspectos psicológicos a tener en cuenta en dichos tramos de edad: los juguetes más apropiados, los terrores nocturnos, el abuso del chupete, el ejercicio y deporte recomendables, pautas para la etapa escolar, los problemas propios de la adolescencia, la nutrición, etc. La guía de enfermedades y de fármacos está explicada de forma sencilla. De todas formas, recordamos que no hay que medicar a los niños sin una consulta previa a un profesional médico porque puede ser contraproducente.

Se completa el libro con una parte de apéndices dedicados a los hijos de padres separados, las peculiaridades del hijo único, cómo actuar con un niño adoptado, los celos entre hermanos y la alternativa de la homeopatía.

Este manual de consulta pretende ser una herramienta de ayuda para todos los padres, para aclararles dudas y para que se sientan más seguros a la hora de tomar decisiones de cómo actuar en aspectos físicos y psicológicos.

Parte I

Las edades del niño

✓ El recién nacido

Sus primeras horas • Un nuevo ser lleno de personalidad • La lactancia • El ombligo: cómo curarlo • Boca arriba o boca abajo: ¿cómo hay que acostarle? • La hora del baño • El cólico del lactante • Los patrones de sueño del recién nacido • La hora del juego • Los beneficios del masaje infantil

✓ El primer año del bebé

Cómo interpretar su llanto • Muerte súbita del lactante: ¿se puede prevenir? • Dermatitis del pañal • Costra láctea • Todo sobre la primera dentición • Del biberón a la cuchara • Juegos y juguetes: así ayudan a su desarrollo • El gateo • Sus primeros pasos • El chupete • Principales afecciones: cómo actuar • Enfermedades de las vías respiratorias inferiores • La fiebre • Señales de alarma • Dormir de un tirón

✓ De 1 a 3 años

Adiós al pañal • ¿Puede ya comer de todo? • Guarderías: cómo evitar contagios • Pesadillas y miedos nocturnos • Rabietas y pataletas infantiles • Virus e infecciones: cómo potenciar su inmunidad • La hora del juego

✓ De 4 a 8 años

Miedos y ansiedades: cómo controlarlos • El niño que moja la cama • El cambio de dentición • Morderse la uñas y otras «manías»: qué significan • Trastornos mentales: síntomas y pautas de actuación • La edad de las fracturas • El ejercicio físico • La importancia de la socialización • Enseñarle a ser independiente • La hora del juego • El niño en el colegio

✓ De 9 a 14 años

De la infancia a la pubertad • La primera menstruación • Alteraciones de la pubertad • Cómo hablar con un adolescente • Tabaquismo: prevenirlo desde ya • Drogas y alcohol: claves para afrontar el tema • Los trastornos de la conducta alimentaria • Nutrición: guerra a la comida basura • Vitaminas y minerales: imprescindibles • Piercings y tatuajes: cómo evitar riesgos • Las nuevas adicciones: lo que hay que saber • Molestias en la espalda: detectarlas a tiempo • Sexo: prepararles para unas relaciones seguras y responsables • Los amigos: un factor clave en esta etapa • La falta de autoestima: depresión, suicidio y otras consecuencias • El adolescente deprimido • El adolescente en la escuela: principales problemas • La hora del juego

El recién nacido

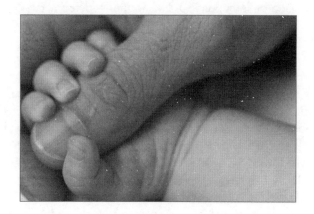

SEÑAS DE IDENTIDAD

Características. El peso medio es de 3.400 g, aunque los niños pesan algo más que las niñas. Las variaciones individuales dentro de la normalidad suelen ser muy amplias, entre 2.550 y 4.500 g. Entre el tercer y el sexto día es muy probable que haya una pérdida de peso de hasta un 10 por ciento respecto al que tenía al nacer, pero esta pérdida se recupera rápidamente al final de este período. La talla es de aproximadamente 50 cm y el perímetro craneal es de 34 cm.

Pruebas y controles. Durante las primeras horas de vida se le tomará la muestra de sangre del talón para la detección precoz de patologías congénitas. También puede recibir la primera dosis de la vacuna de la hepatitis B. Es importante detectar cualquier problema relacionado con la falta de ganancia de peso y comprobar el correcto funcionamiento de la vista y el oído, así como la evaluación de sus reflejos. Se recomienda que la visita al pediatra sea semanal.

Pautas de desarrollo. Puede ver bastante bien a unos 30 cm de distancia y reacciona a la luz y a lo que es brillante y rojo. Su capacidad auditiva es ya fisiológicamente madura en el momento del nacimiento. El sentido del tacto también está plenamente desarrollado, tal y como se comprueba en sus movimientos de respuesta a estímulos táctiles. Es sensible al gusto y los olores y ya puede distinguir entre dulce, salado, ácido o amargo.

Aspectos psicológicos. Necesita sentirse querido y arropado, de ahí la importancia de hablarle y acariciarle durante la toma del alimento. El ambiente que le rodea debe ser lo más armónico y acogedor posible, para reproducir así, en cierta medida, la sensación de seguridad que le proporcionaba el útero materno.

El bebé se considera recién nacido hasta que cumple un mes. Se trata tal vez del período más importante de toda su vida porque representa un espacio de tiempo corto en el que se suceden una serie de cambios rápidos y se pueden presentar algunos momentos críticos. Así, por ejemplo, es durante los 30 primeros días de vida cuando se descubren muchos defectos congénitos.

Del útero al mundo exterior: ese es el gran paso que tienen que dar los neonatos. La cálida placidez con la que disfrutaba «sumergido» en el líquido amniótico es sustituida ahora por un cúmulo de estímulos y sensaciones nuevas a las que se adapta sin dificultad.

SUS PRIMERAS HORAS

■ Durante las primeras 6-8 horas de vida, el niño tendrá que afrontar su primer gran reto: la transición de la vida intrauterina a la extrauterina, que se realiza en tres etapas:

- *Reactividad (15-30 minutos).* Nada más nacer, sus frecuencias respiratorias son irregulares y pueden alcanzar las 140 pulsaciones por minuto.

- *Inactividad (2 o más horas).* Después del período inicial, el bebé se irá durmiendo gradualmente. Su frecuencia cardiaca y respiratoria se adaptan al reposo.

- *Reactividad (4-5 horas).* Se despierta gradualmente para alimentarse de nuevo. Es aquí cuando se desencadenan la mayoría de los cambios para adaptarse al nuevo mundo.

Asimismo, en los momentos posteriores al parto, el niño es sometido a una serie de pruebas y análisis para comprobar su estado de salud y detectar alguna posible anomalía.

LOS PRIMEROS CONTROLES

■ Los primeros controles que se deben llevar a cabo en cualquier recién nacido son:

- *Peso.* Nada más nacer se registra su peso, lo que servirá luego para hacer el gráfico de su desarrollo. Si pesa menos de 2,5 kg podría necesitar cuidados especiales (incubadora), aunque eso depende del criterio del médico.

- *Medidas.* Primero se registra la circunferencia de la cabeza del bebé a partir de la cual se valorará su crecimiento cerebral en el futuro. Puede que su cabeza tenga una forma extraña debido a un parto demasiado largo, pero se corregirá por sí sola durante las primeras semanas. También se mide la longitud (talla) del bebé.

- *Antibiótico ocular.* En el momento del nacimiento, todo niño debe recibir profilaxis o prevención para la oftalmia neonatal, mediante la administración de una o dos gotas en cada ojo de un colirio antibiótico, ya que al paso de sus ojos a través del canal del parto pueden sufrir una contaminación de secreciones maternas. No observar esta simple medida preventiva puede dar lugar a lesiones graves que desemboquen incluso en la ceguera.

- *Vitamina K.* Se debe administrar a todo recién nacido, y en el propio paritorio, un miligramo de vitamina K con el objeto de prevenir la llamada enfermedad hemorrágica del recién nacido.

El primer examen completo

■ Una vez que el recién nacido está en el mundo, se procede a efectuarle las primeras pruebas, que son las siguientes:

- *Cara.* Se examinan sus ojos, la boca (para comprobar si tiene una fisura en el paladar) y también la fontanela, para asegurarse de que una membrana gruesa protege el cerebro.

- *Espalda.* Es importante comprobar que la columna vertebral del recién nacido es normal, así como que el ano esté en perfectas condiciones.

- *Órganos internos.* Se auscultan el corazón y los pulmones y se palpa la tripita para comprobar que tanto el hígado como los riñones tienen el tamaño adecuado y están en su sitio.

- *Genitales.* Pueden estar inflamados debido a los efectos de las hormonas maternas. Las niñas pueden tener una descarga

de color blanquecino o incluso de sangre. En cuanto a los niños, el especialista comprobará que los testículos han bajado al saco del escroto.

- *Extremidades.* Los brazos y las piernas del recién nacido son examinados para descubrir si existe alguna deformidad.

- *Caderas.* Mediante la maniobra de Ortolami, el pediatra intenta descartar una luxación de cadera (un problema de articulación del fémur con la pelvis). Se realiza observando si los pliegues del comienzo del glúteo son simétricos y separando las caderas. En esta revisión también se comprueba la perforación del ano y se descartan posibles problemas digestivos.

El test de Apgar

Se trata de un examen rápido cuya finalidad es evaluar el estado de salud y la condición física del recién nacido. Se realiza dos veces: inmediatamente después del parto y luego se repite a los cinco minutos. Se evalúan cinco categorías: la frecuencia cardiaca (se determina con el estetoscopio y es la evaluación más importante), el esfuerzo respiratorio, el tono muscular, la irritabilidad refleja (describe el nivel de irritación del recién nacido en respuesta a estímulos como un pinchazo suave) y el color.

A cada una de estas categorías se le asigna una puntuación de 0, 1 y 2, dependiendo de la condición observada en el recién nacido. La puntuación Apgar se obtiene de la suma de estos parámetros y está basado en la escala del 1 al 10, en la que el 10 corresponde al niño más saludable y los valores inferiores a 5 indican que el recién nacido necesita asis-

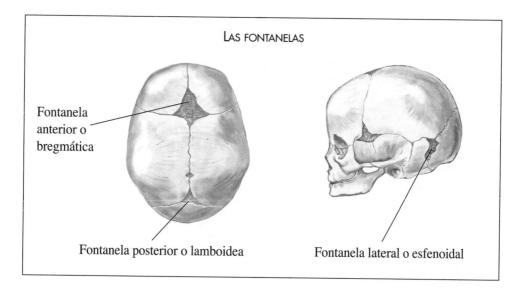

LAS FONTANELAS

Fontanela anterior o bregmática

Fontanela posterior o lamboidea

Fontanela lateral o esfenoidal

tencia médica inmediata para adaptarse al nuevo ambiente.

La puntuación Apgar de 1 minuto evalúa el nivel de tolerancia del recién nacido al proceso de nacimiento, mientras que el de los 5 minutos evalúa el nivel de adaptabilidad del niño al medioambiente.

La puntuación de 8 a 10 es normal e indica que el recién nacido se encuentra en buenas condiciones. La puntuación 10 es muy inusual, ya que casi todos los recién nacidos pierden un punto por tener los pies o las manos azulados. Cualquier resultado menor de 8 indica que el niño precisa ayuda para estabilizarse.

Este examen es muy importante, ya que constituye un instrumento de evaluación gracias al cual los médicos pueden determinar qué tipo de ayuda inmediata necesita el recién nacido para estabilizarse.

LA PRUEBA DEL TALÓN

A todos los recién nacidos se les realizan sistemáticamente unas pruebas cuyo objetivo es diagnosticar de forma precoz las llamadas enfermedades metabólicas. Se trata de unas enfermedades raras que pueden llegar a ser graves si no se diagnostican y se tratan lo más pronto posible; por lo tanto, es fundamental tener su diagnóstico nada más nacer. Una de ellas es la fenilcetonuria, que puede afectar al cerebro. Descubierta a tiempo, se cura fácilmente mediante un régimen alimentario especial.

Se diagnostican mediante una prueba sencilla y al alcance de todos que consiste en una pequeña punción en el talón del niño, realizada a ser posible en los primeros diez días de vida para recoger una muestra de sangre que luego será analizada.

Es recomendable que el niño haya ingerido previamente durante unos días leche, materna o artificial, ya que estas pruebas también detectan anomalías metabólicas. Una vez que se realiza la extracción, ésta se enviará al centro médico correspondiente, donde se procede a su valoración. En caso de que el resultado sea dudoso o positivo, se localiza inmediatamente a los padres para comunicárselo e indicarles los pasos a seguir.

A los dos o tres días después de llegar a casa hay que llevar al niño a la consulta del pediatra. Se trata de la primera toma de contacto, en la que el especialista pesará y medirá al niño, dando así continuidad a esa historia clínica que se inició en la Maternidad. Es muy importante que el pediatra disponga de los resultados de estas primeras pruebas y conozca todos los detalles que rodearon al embarazo y al parto.

UN NUEVO SER LLENO DE PERSONALIDAD

Características físicas
del recién nacido

- *La piel*. En el momento de nacer, la piel del bebé está cubierta por una capa de grasa especial llamada vermix caseosa, que le sirve de protección. Tiene un color blanco-amarillento, si bien es cierto que puede ser algo más oscura en situaciones patológicas. Tras eliminar esta capa, la piel muestra un color rojo más intenso durante unos días, pasando luego a ser más sonrosada y empezando a secarse e incluso descamarse. Además, la piel del recién nacido puede presentar otras peculiaridades:

  - *Lanugo*: se trata de un vello muy fino que cubre, por lo general, la cabeza, la frente y las mejillas, aunque puede extenderse a los hombros y la espalda. El lanugo desaparece y es sustituido por pelo velloso en el transcurso de las primeras semanas.
  - *Cianosis o amoratamientos*: los labios, las manos y los pies pueden volverse algo azulados cuando el

bebé tiene frío. Cede con el calor y suele desaparecer a los pocos días.

- *Coloración en arlequín*: consiste en un cambio de color en medio cuerpo del recién nacido, desde la cabeza hasta el pubis, de forma que queda una mitad enrojecida y la otra pálida. La mitad en la que se apoya el niño suele estar más roja durante aproximadamente 1 a 10 minutos, pudiendo repetirse más veces y desapareciendo al cambiar al pequeño de postura. No se considera patológica y desaparece en breve, a las pocas semanas.
- *Milliun facial*: son pequeñas pápulas blanco-amarillentas, como cabezas de alfiler, que contienen grasa. Están localizadas sobre todo en la nariz. Desaparecen en unas semanas.
- *Cutis marmorata*: la piel da una imagen como amoratada, en forma de red que simula los dibujos del mármol. Aparece de forma espontánea o frente al frío y a medida que crece el niño va desapareciendo.
- *Ictericia*: se detecta a partir del día uno al cuatro como efecto de la eliminación del exceso de glóbulos rojos. Desaparece en los días siguientes de forma espontánea y se acelera con la exposición del niño a la luz del sol.

- *La cabeza*. La cabeza del recién nacido, comparada con la del adulto, es bastante grande en proporción al resto del cuerpo. Los huesos del cráneo son suaves y moldeables, con separación entre las placas óseas, las cuales se cierran a medida que los huesos crecen y el cerebro alcanza su máximo crecimiento. Los espacios entre las placas óseas del cráneo se denominan suturas craneales y hay dos que son particularmente grandes, las fontanelas anterior y posterior, las cuales son puntos blandos que se pueden sentir al tocar la parte superior de la cabeza del bebé.

- *Los ojos.* Generalmente están cerrados y algo hinchados. Le resulta difícil abrirlos y, además, al intentarlo, se activa un espasmo de los párpados, por lo que los cierra más aún. Son frecuentes las hemorragias en las conjuntivas, las cuales desaparecen por sí solas y no tienen mayor importancia.

- *La boca.* En el labio superior aparece el llamado callo de succión, un engrosamiento que le facilita el amamantamiento. La lengua es fuerte y musculosa y a veces puede aparecer un frenillo lingual corto que no es en absoluto molesto para el niño.

- *El cuello.* En general, siempre es bastante corto, y no suele presentar muchas alteraciones.

- *El torax.* Tiene forma cilíndrica y a veces sobresale la punta del esternón por delante, pero las costillas se marcan poco, al estar el torax cubierto de grasa subcutánea.

- *El abdomen.* Es de aspecto voluminoso, debido al gran tamaño de las vísceras abdominales.

- *La postura.* Normalmente el niño tiene flexionados los brazos y las piernas y se encuentra curvado sobre sí mismo, reproduciendo la posición fetal.

REFLEJOS CON LOS DÍAS CONTADOS

Los primeros reflejos que manifiesta el recién nacido son en realidad respuestas automáticas que le permiten adaptarse al medio ambiente. Pero, además, aportan una información bastante valiosa sobre el desarrollo de su sistema nervioso. Pero curiosamente, a menos que exista algún tipo de patología anómala, estos reflejos desaparecen a los pocos meses.

- *Reflejo de mordida.* Si se estimula la cara externa de sus encías, el niño reacciona abriendo y cerrando la boca de forma rítmica.

- *Reflejo de succión.* Si se introduce el dedo meñique entre sus labios, el niño comienza a chupar porque su instinto le dice que es la hora de mamar.

- *Reflejo de moro.* Cuando se golpea la superficie sobre la que está tendido el niño se observa cómo éste, en una primera fase, mueve los brazos y abre la boca al mismo tiempo; inmediatamente después, flexiona los brazos y los cruza sobre el pecho a la vez que cierra la boca.

- *Reflejo de marcha automática.* Si se le sostiene por las axilas, él adelanta un pie, como si quisiera caminar.

- *Reflejo de huida.* Al pellizcar o punzar la planta del pie, el niño intentará retirar toda la pierna, flexionando sus articulaciones.

- *Reflejo de búsqueda.* Si se le tocan los labios, el niño abre la boca para mamar de forma instintiva.

LA LACTANCIA

A la hora de alimentar a un recién nacido hay tres opciones entre las que elegir: la lactancia materna, absolutamente recomendada por los expertos, debido a los múltiples beneficios que aporta a la salud presente y futura del niño; el biberón, con leche elaborada mediante fórmulas adaptadas a tal fin; y la llamada lactancia mixta o alimentación combinada entre ambas.

LECHE MATERNA: LA MEJOR OPCIÓN

La propia leche de la madre es la forma más natural de proporcionar al niño un alimento no sólo altamente nutritivo, sino que, además, le aporta múltiples beneficios para su organismo y le preserva de un número importante de patologías futuras.

No hay que olvidar otras ventajas más «prácticas» como el hecho de que es económica, se sirve siempre a la temperatura idónea, puede darse en cualquier sitio y no exige esterilización alguna.

Además, la leche materna suministra al bebé todos aquellos requerimientos proteicos, vitamínicos y calóricos que el recién nacido necesita; por esta razón, no es necesario complementarla con caldos, infusiones u otro tipo de alimentos.

LOS BENEFICIOS DE DAR EL PECHO

Numerosas investigaciones han demostrado los importantes beneficios que la lactancia materna aporta no sólo al bebé sino también a su madre:

Beneficios para el niño

- Le protege frente a muchas enfermedades como pueden ser catarros, bronquiolitis, neumonías, diarreas, otitis, infecciones de orina o síndrome de muerte súbita del lactante mientras el bebé está siendo amamantado.

- Le protege de patologías futuras tales como el asma, la alergia, la obesidad, la diabetes, la enfermedad de Crohn, la arterioesclerosis o el infarto de miocardio, entre otras.

- Está demostrado que la lactancia materna favorece el desarrollo intelectual futuro del niño.

- Hay diversos estudios que apuntan a que los bebés que han sido amamantados son menos violentos cuando llegan a la edad adulta.

- La lactancia materna en el prematuro mejora su peso y su estado de salud.

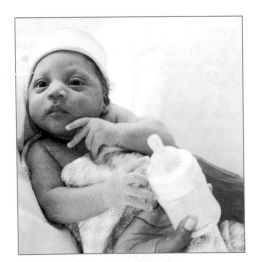

Los recién nacidos tienen un instinto muy desarrollado a la hora de tomar su comida, ya sea de un biberón o la leche materna.

- Potencia de manera considerable la relación afectiva madre-hijo.

- El reflejo de succión es más sano y fuerte que en el caso del biberón, lo que desarrolla de manera más satisfactoria los huesos y músculos de la cara, garantizando así la adecuada formación dentaria y el desarrollo del habla.

Beneficios para la madre

- Las mujeres que amamantan pierden el peso ganado durante el embarazo más rápidamente y es más difícil que padezcan anemia tras el parto.

- Tienen menos riesgos de hipertensión.

- Padecen menos episodios de depresión posparto.

- Se reduce el riesgo de padecer cáncer de mama y ovario.

- Están más protegidas frente a la osteoporosis.

LA TÉCNICA

El niño nace con unos instintos de agarre y succión muy fuertes, de ahí que baste con que sienta el pecho rozándole en la cara para que se gire instintivamente hacia él y, en la mayoría de los casos, succionará de forma inmediata nada más nacer. La madre, que debe estar lo más cómoda y relajada que pueda, debe mover al bebé hacia el pecho –no el pecho hacia el bebé– e intentar que coja tanto el pezón como la areola antes de empezar a succionar. Aunque hay pediatras partidarios de respetar unos intervalos fijos

entre las tomas, lo mejor es alimentar al bebé a demanda.

Con el paso del tiempo, la madre será perfectamente capaz de reconocer de manera rápida cuándo el bebé tiene hambre y cuándo no es así (cansancio, irritabilidad, sueño, gases, aburrimiento...).

Una vez que haya acabado, hay que separarlo del pecho deslizando un dedo entre su boca y el pezón para romper la succión. En caso de que se resista, el truco de taponar su naricita durante unos segundos es infalible. Lo que nunca hay que hacer es tirar de él para separarle.

Para saber si el niño se está alimentando adecuadamente hay que asegurarse de que se puede percibir claramente cómo traga y cómo se mueven sus sienes, así como notar unos leves tirones en el pezón. Si el niño succiona eficientemente y come cuanto y cuando quiere, tomará siempre la cantidad de leche que necesite.

No hay que preocuparse por la duración de cada una de las tomas: éstas pueden variar entre 10 minutos y una hora. Hay que dejarle mamar todo lo que quiera del primer pecho antes de cambiarle al otro, y empezar la toma siguiente por el último pecho del que se ha alimentado.

PROBLEMAS RELACIONADOS CON LA LACTANCIA

- *Congestión mamaria.* Este problema consiste en la congestión de los vasos sanguíneos de las mamas, las cuales se inflaman y endurecen y se produce dolor en los pezones, que no pueden protruirse para permitirle al bebé sujetarlos correctamente. Para aliviarla se debe extraer la leche con la ayuda de un extractor o sacaleches (manual o eléctrico). Tomar duchas calientes y usar compresas frías también pueden aliviar las molestias.

- *Conducto lácteo obstruido.* Puede producirse si el bebé no se alimenta bien o la madre utiliza un sujetador inadecuado. Sus síntomas son la sensibilidad, el calor y el enrojecimiento en una parte de la mama o una protuberancia palpable cerca de la piel.

- *Mastitis.* Se trata de una infección de la mama que produce síntomas parecidos a los de la gripe. Aunque la madre tenga que medicarse con antibióticos, la leche sigue siendo segura para el bebé; es más, el amamantamiento frecuente estimulará la curación.

- *Candidiasis oral.* Es una infección común por levaduras que puede pasar de la madre al bebé producida por la *Candida albicans*, una levadura que se desarrolla en áreas cálidas y húmedas. Los síntomas en la madre son los pezones de color rosado intenso que presentan sensibilidad y molestia sobre todo durante e inmediatamente después del amamantamiento. Los síntomas en el bebé son unas manchas blancas y un aumento en el enrojecimiento de la boca. También puede presentar un brote en la zona del pañal, cambio de ánimo así como deseos de succión con más frecuencia (ver «Enfermedades de la piel»).

EXTRAER Y CONSERVAR LA LECHE MATERNA

Si por alguna razón la madre debe ausentarse del hogar o si sigue dando el pecho cuando se reincorpora a su trabajo, puede extraerse la leche materna y conservarla en casa para luego dársela al bebé.

Estas son las condiciones para que se conserve sin alteraciones: puede mantenerse 10 horas a temperatura ambiente en un lugar fresco (20 ºC), y entre cuatro y ocho horas en lugares cálidos (más de 25 ºC); tres días en la parte baja del refrigerador (4-8 ºC) y tres meses en el congelador, siempre que se guarde en un envase de plástico duro (las cubiteras de hielo son una buena opción) o de cristal.

Para calentarla, en caso de que se haya guardado en el congelador, se descongela y se calienta bajo agua corriente tibia; nunca hay que dejar que hierva y se debe agitar antes de probar la temperatura.

Tampoco se aconseja utilizar el microondas para calentar la leche materna. Si la leche ha sido congelada y descongelada, se puede refrigerar hasta 24 horas, pero no debe volverse a congelar.

RELACIÓN DE CANTIDADES ORIENTATIVAS DE AGUA Y LECHE

Meses	Dosis
Recién nacido-3 meses	60-120 ml de agua + 2/4 medidas de leche
De 3 a 6 meses	150-180 ml de agua + 5/6 medidas de leche
De 6 a 12 meses	180-240 ml de agua + 6/8 medidas de leche

BIBERÓN: MANUAL DE USO

- *Cuál elegir*. Existe una amplia gama de biberones y tetinas en el mercado. Se pueden encontrar versiones con cuello ancho y estrecho, biberones con sensores de calor incorporados, etc. Por otro lado, existen tetinas de silicona, látex, ortodóncicas y anticólicos, así que la elección puede resultar difícil. Según los expertos, por regla general no existen biberones peores ni mejores, sino que todo depende de las necesidades concretas y del gusto personal. Por su parte, las diferentes tetinas permiten pasar la leche a un ritmo y volumen también diferente. La única forma de saber cuál conviene a cada niño es probar algunas hasta dar con la más apropiada.

- *Cómo prepararlo*. Antes de manipular el biberón, hay que lavarse las manos con agua y jabón y asegurarse de que las superficies de la cocina o lugar donde se vaya a preparar estén limpias y los biberones, tetinas y tapas esterilizadas. Hervir en una cacerola un poco de agua fresca embotellada y dejarla enfriar. Llenar el biberón, previamente esterilizado, con el agua hervida ya enfriada. Utilizar el cacito del preparado lácteo según las intrucciones del fabricante sobre la cantidad que hay que añadir al agua. Muy poca agua puede trastornar el estómago del bebé e incluso lastimar sus riñones, mientras que demasiada agua disminuye la calidad del alimento. Cerrar bien el biberón y agitarlo hasta que se disuelva la fórmula. En caso de que esté demasiado caliente, introducir el biberón en un recipiente con agua fría durante un par de minutos. En caso de que esté frío, introducirlo en agua caliente.

- *Almacenamiento*. Una vez preparados, los biberones se deben de almacenar en la parte más fría del frigorífico (preferentemente en las puertas). No deben conservarse más de 24 horas y en caso de que haya sobrado leche de una toma, hay que tirarla. La mejor forma de calentar los biberones es en agua caliente o al baño María; el uso de microondas no está recomendado.

- *El esterilizador*. El método y equipo elegido dependerá de factores personales: presupuesto, espacio y cantidad de tiempo disponible. La esterilización por ebullición consiste en colocar los biberones y las tetinas en una cacerola grande tapada y hervir durante 10 minutos (para las tetinas basta con tres). Este método tiene la desventaja de que las tetinas se desgastan antes y exige una cacerola destinada sólo a tal fin. El uso de soluciones esterilizadoras es una opción que consiste en la preparación de la solución en un recipiente cerrado de acuerdo con las instrucciones. En ella se sumergen biberones y tetinas durante el tiempo indicado, comprobando que no haya burbujas de aire dentro de los biberones.

  - Los *esterilizadores de vapor* cuentan con muchos seguidores debido sobre todo a su comodidad: se trata de unos recipientes eléctricos diseñados para esterilizar los biberones, tetinas y tapas. Basta con añadir un poco de agua y enchufarlo para que en pocos minutos esté todo esterilizado.
  - Los *esterilizadores para microondas* se basan en los mismos principios que la esterilización al vapor, pero utilizando como fuente de energía la potencia del microondas.

• *Fórmula infantil: probar y comparar.* La FDA (*Food and Drug Administration*) norteamericana exige que la fórmula infantil sea segura y contenga todos los ingredientes que el bebé necesita. Este requisito es cumplido por la totalidad de los productos que se ofrecen para su consumo en el mercado, así que tanto la elección de una marca como de la formulación (en polvo, líquido concentrado y listas para tomar) dependerán del criterio del pediatra y de las preferencias que demuestre el bebé.

CÓMO DÁRSELO SIN PROBLEMAS

De la misma manera que ocurre con el pecho, la hora del biberón debería constituir un momento de íntima comunicación entre madre (o padre) e hijo. Las prisas están contraindicadas.

Lo primero que hay que hacer es comprobar la temperatura de la leche poniendo un poco en la parte posterior de la muñeca: no tiene que estar caliente, sino a la misma temperatura que la corporal. Hay que mantener siempre su cabeza bien sujeta e inclinar el biberón para que la tetina se llene de leche ya que, en caso contrario, sólo succionará aire, lo que puede producirle gases y empeorar el cólico del lactante.

Puede ser conveniente hacer un pequeño descanso a mitad de la toma, para que el niño eche el aire, en vez de dejar que lo haga al terminar de comer.

LA LACTANCIA MIXTA

Si se le está dando el pecho y se tiene intención de darle el biberón de vez en cuando, es conveniente planificarlo desde el principio.

Para ello, hay que esperar a que el hábito del pecho esté bien establecido (aproximadamente a las seis semanas).

EL OMBLIGO: CÓMO CURARLO

El ombligo es la cicatriz que persiste en mitad del abdomen del bebé tras cortar el cordón umbilical en el momento del parto. Durante el embarazo, este cordón umbilical es el que une el feto a la placenta materna, y a través de él le llegan el oxígeno, las sustancias que le dan fuerza y, también, las nocivas, como el alcohol y la nicotina. Una vez que se corta, en el abdomen del niño queda un pequeño fragmento o muñón que es necesario cuidar para que el área cicatrice bien.

El cordón umbilical se desprende generalmente al cabo de cinco o seis días, pero a veces puede tardar hasta dos semanas. Se cae de forma natural, por lo que nunca hay que tirar de él. La cicatrización de la herida que queda se produce entre tres y cinco días después.

Durante el tiempo que tarda el cordón en sanar hay que mantenerlo lo más limpio y seco posible.

ATENCIÓN A ESTAS SEÑALES

■ Hay que consultar con el pediatra si se aprecia alguna de estas alteraciones en la zona del ombligo en los días posteriores al nacimiento:

• El cordón está pegajoso y supura demasiado. En este caso, se puede limpiar con una gasa estéril y un poco de agua fría previamente hervida y perfectamente esterilizada.

- El color rojizo de la piel sigue extendiéndose, sobre todo en la zona que rodea el ombligo.

- Aparecen unos granitos cerca del ombligo, parecidos al acné: puede ser señal de infección.

- Supura sangre. No es muy frecuente, pero puede indicar un problema de coagulación.

HERNIA UMBILICAL: QUÉ ES,
CÓMO TRATARLA

Una hernia umbilical es una protuberancia indolora situada alrededor del ombligo y causada por la debilidad de la pared abdominal, lo que lleva a los tejidos a crecer y sobresalir por debajo de la piel.

Por regla general, suele aparecer durante las primeras tres semanas de vida del bebé, y éste suele advertir de su presencia mediante el llanto.

El 10 por ciento de los niños de raza blanca y el 40 por ciento de los de raza negra tienen hernias umbilicales, por lo que se cree que son hereditarias. Afectan al doble de niños que de niñas y son más frecuentes si el cordón umbilical se ha infectado o si el bebé es prematuro.

Suelen ser tan pequeñas que a menudo sólo se aprecia un bultito protuberante en la tripa del bebé. No suelen causar problemas, pero en caso de que sea grande podría resultar incómoda, ya que a veces parte de los intestinos del bebé puede entrar o salir a través del anillo umbilical, causando cólicos e impidiendo el movimiento del pequeño sobre su tripa.

Cuando el niño llora, la hernia se hace más visible. Este hecho, aunque pueda parecer lo contrario, no produce dolor al bebé, y si se le da un baño caliente con un suave masaje en la tripita, se podrá calmar y reducir el tamaño del bulto.

Más del 90 por ciento de las hernias desaparecen antes de que los niños que las sufren cumplan los 3 años; la mayoría lo hacen en los primeros meses. En caso de que el bulto persista y el niño sea mayor de 3 años, habrá que consultar al pediatra, quien le enviará al cirujano.

En muy raras ocasiones necesitan tratamiento y desaparecen gradualmente a medida que los músculos del estómago del bebé se van fortaleciendo.

OTRAS ENFERMEDADES DEL OMBLIGO

- *Onfalitis.* Es una infección y se reconoce porque se aprecia un enrojecimiento y endurecimiento de la piel de alrededor del ombligo, acompañado de supuración o secreción sanguinolenta y muy maloliente. Cuando la infección está muy localizada en el ombligo, el tratamiento local suele ser suficiente. Si va acompañada de fiebre o decaimiento, hay que consultar al pediatra inmediatamente para que decida el tratamiento a seguir.

- *Granuloma umbilical.* A veces, cuando el cordón se separa, se queda adherido en el ombligo un trozo de tejido inflamado que supura. Es como una cereza pequeña, roja y húmeda, que presenta una secreción de color amarillento. En estos casos, suele tratarse de un granuloma, que resulta indoloro y debe ser tratado por el pediatra, quien aplica nitrato de plata para que se seque. No conviene aplicar ningún otro producto antes de que lo vea el médico.

BOCA ARRIBA O BOCA ABAJO: ¿CÓMO HAY QUE ACOSTARLE?

(Ver también: «La muerte súbita del lactante».)

Tradicionalmente, a los recién nacidos se les acostaba boca abajo para dormir con la intención de, en caso de que se produjera una regurgitación o vómito posterior a la comida, evitar el riesgo de asfixia por aspiración. Sin embargo, las últimas investigaciones al respecto han demostrado lo erróneo de esta creencia, confirmando que el hecho de acostar a los niños boca arriba no evidencia un aumento del riesgo de aspiración o problemas semejantes. De hecho, el cambio de postura recomendado por los pediatras en los últimos tiempos (la conveniencia de que los bebés duerman boca arriba) reduce entre un 30 y un 70 por ciento el riesgo del Síndrome de Muerte Súbita del Lactante (SMSL).

Sin embargo, hay algunos casos en los que el pediatra puede recomendar que los bebés duerman boca abajo:

- Si el bebé presenta trastornos tales como reflujo gastroesfágico grave o ciertas alteraciones en las vías aéreas respiratorias (malformaciones oro-mandibulares, síndrome de Pierre Robin), las cuales predisponen particularmente a la aspiración de los reflujos u otros problemas en caso de dormir boca arriba.

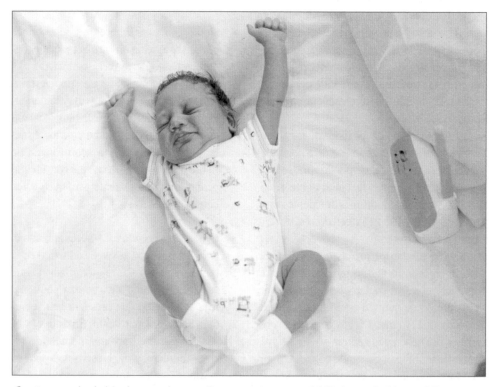

Conviene que los bebés duerman boca arriba para evitar casos del Síndrome de Muerte Súbita del Lactante (SMSL). Un pequeño intercomunicador nos mantiene en permanente contacto con ellos.

- También se recomienda que el bebé permanezca boca abajo durante algún tiempo mientras está despierto y siempre bajo la vigilancia de un adulto, para potenciar así el desarrollo motor del tronco.

- Se recomienda que el bebé esté colocado ocasionalmente boca abajo para evitar así el aplanamiento occipital que puede producirse en caso de que permanezca siempre boca arriba. De todas formas, se trata siempre de una alteración transitoria que desaparece en cuanto el niño comienza a sentarse.

- Si, por alguna razón, el niño tuviera que dormir de lado, hay que colocarlo de forma que su brazo inferior esté orientado hacia delante para evitar de esta manera que pueda girarse hacia abajo.

OTRAS PRECAUCIONES

- El niño debe dormir sobre un colchón firme u otra superficie plana, pues las cunas blandas aumentan el riesgo de asfixia.

- Hay que retirar todos los accesorios, almohadas, colchas y edredones a la hora de acostarle.

- Frente a otras alternativas, una cuna segura es el mejor lugar en el que puede dormir un bebé, así que hay que asegurarse de que no tenga ningún material roto, que entre los barrotes exista una separación de entre 5,5 y 7 cm.

LA HORA DEL BAÑO

El baño y el aseo diario son muy importantes, ya que no sólo aseguran la higiene del niño,

sino que también aumentan la resistencia de su piel frente a los cambios externos de temperatura.

En cuanto al momento más indicado para llevarlo a cabo, depende de las rutinas familiares, pero muchos expertos recomiendan bañar al niño antes de la toma de las 21-22

El aseo y el baño diario son muy importantes porque aumentan la resistencia de la piel a los cambios de temperatura.

horas, ya que de esta forma está más tranquilo y concilia mejor el sueño.

IMPORTANTE: TODO A MANO

- Sirve cualquier tipo de bañera, aunque tanto para los bebés más pequeños como para sus madres, las más aconsejables son las bañeras altas y plegables o las que van incorporadas a las cómodas-cambiador.

- La habitación o el cuarto de baño debe tener una temperatura cálida (22-25 °C).

- Es muy importante tener a mano todos los elementos que se van a necesitar antes de iniciar la tarea del baño: jabón líquido, esponja (mejor natural que sintética), toalla, crema hidratante, crema para el culete, colonia, cepillo, pañal, muda y ropa prevista para vestirle.

- No hace falta llenar toda la bañera: con un tercio es más que suficiente. Hay que verter primero el agua fría y después la caliente. Para comprobar si la temperatura es la adecuada, se puede meter el codo en la bañera y confirmar que está tibia o, mejor aún, utilizar un termómetro de bañera (debe marcar 37 °C).

- La piel del recién nacido es muy delicada, y por eso hay que usar un gel de baño específicamente formulado para él. Si su piel es excesivamente seca, se puede añadir en el agua un poco de aceite especial y aplicarle una loción hidratante también específica después del baño.

- Hay que meterlo en la bañera suavemente, sujetando sus hombros y el cuello con una mano y el culete con la otra. Nunca hay que retirar la mano con la que se sujetan los hombros y la cabeza. Para lavarlo hay que manejarle con la mano que queda libre. Se debe sacar de la bañera suavemente, y envolverle rápidamente con una toalla, para que no se enfríe, secándole con mucho cuidado y poniendo especial interés en los pliegues de brazos y piernas y en la zona de los genitales. Una vez seco, se recomienda extender un poco de loción hidratante por sus áreas más secas. Se puede aprovechar este momento para darle un suave masaje.

DE LA CABEZA A LOS PIES

- *Las uñas.* Puede que el bebé nazca con las uñas bastante largas, por lo que fácilmente puede arañarse, causarse heriditas e irritar su delicada piel. A los pocos días del nacimiento es preciso cortarle las uñas al niño, tanto de los dedos de las manos como de los pies. Es una medida en la que conviene extremar la delicadeza y la suavidad. Para ello, se emplean tijeras finas, bien afiladas, y se procede al corte de las uñas paralelamente al borde de su inserción en el pulpejo del dedo, pero alejados de dicho borde lo suficiente como para no provocar ningún dolor o molestia. Para evitar que se mueva o pueda hacerse daño, lo mejor es cortárselas cuando esté dormido. Por regla general, la frecuencia del corte es de una vez por semana. No es aconsejable el uso de objetos como limas o utensilios puntiagudos para la limpieza de las uñas. Es preferible usar un cepillo suave.

- *Los ojos.* Los recién nacidos son propensos a padecer infecciones oculares, por lo que hay que limpiarle los ojos con muchísimo cuidado. Para ello, se empapa un trozo de algodón o gasa en agua previamente hervida y dejada enfriar o en suero fisiológico. Se limpia de dentro hacia afuera, pasándolo por cada ojo, por el borde de los párpados y desde el ángulo interno hacia el exterior, arrastrando legañas y otras secreciones. Utilizar una gasa distinta para cada ojo porque, de lo contrario, se podrían transmitir infecciones de un ojo a otro.

- *La cara.* Muchos bebés al nacer presentan granos y erupciones producidas porque algunas hormonas de su madre siguen aún circulando por su organismo. Si su piel es excesivamente grasa o se irrita con frecuencia, se debe limpiar la cara dos veces al día con agua templada y secarle con una toalla suave. Una advertencia: no hay que apretar los granitos del *millium* ni echarles crema ni ningún tipo de producto. Basta con pasar una gasa o bolita de algodón humedecida en agua estéril por la barbilla, eliminando los restos de saliva, y otra por el pliegue del cuello, para quitar la suciedad acumulada.

- *El cabello.* Muchos bebés nacen con una ligera pelusilla. Durante las primeras semanas, hay que limpiarla con una toallita húmeda y jabonosa. Cuando ya le haya crecido el pelo «de verdad», hay que lavarlo con un champú suave, especialmente formulado para bebés y, por supuesto, que no escueza los ojos. También hay que peinarle siempre con un cepillo o peine especial para bebés.

- *Los oídos y la nariz.* Nunca hay que introducir bastoncillos de algodón ni otros instrumentos por los orificios de la nariz ni por los conductos del oído. Si la nariz presenta mucosidades, éstas se eliminan con suero fisiológico (de venta en farmacias) para deshacerlas y un aspirador nasal para extraerlas. En el caso de los oídos, si hay un exceso de cera y éste sale fuera, se limpia con una gasa.

CAMBIO DEL PAÑAL

Es muy importante que cada vez que se perciba que el niño está molesto o se detecte un olor «sospechoso», se compruebe si necesita o no un cambio de pañal. Hay que limpiarle con agua y jabón neutro. También son útiles las prácticas toallitas húmedas. A las niñas hay que limpiarlas de delante hacia atrás. Y a los niños de forma amplia, por toda la zona, incluyendo el escroto.

Para prevenir la dermatitis del pañal, una vez que el culete esté seco se puede aplicar una crema o pomada elaborada a base de óxido de zinc (consultar al farmacéutico). Los polvos de talco no están recomendados ni tampoco los aceites ni perfumes.

En la práctica diaria es costumbre poner la crema protectora cada vez que se cambia el pañal, pero esto no es necesario si los cambios son frecuentes y no se deja la piel mucho tiempo en contacto con los pañales mojados en la orina y en las heces. Las bacterias de la piel descomponen la orina y forman amoníaco, que es tóxico e irrita la piel del bebé, lo que puede provocar desde un leve enrojecimiento hasta la aparición de grietas, inflamación y ulceración. Para reducir este riesgo, hay que cambiar siempre el pañal tan pronto como esté mojado o sucio. Limpiar los pliegues de la piel a fondo y exponer la zona del pañal al aire libre siempre que sea posible. Si aparece alguna irritación, llevar al bebé al pediatra para que nos recomiende una crema específica.

EL CÓLICO DEL LACTANTE

El llamado cólico del lactante se manifiesta como un llanto inconsolable, sin causa claramente identificable, más frecuente a última hora de la tarde, que afecta a bebés sanos de entre 2 semanas y 4 meses de edad. Se trata de una dolencia benigna y sin mayores repercusiones sobre la salud del bebé, que tiende a desaparecer espontáneamente alrededor de los 4 meses.

Identificarlo es fácil: a un llanto desconsolado le acompaña la flexión de las piernas sobre el abdomen, meteorismo (gases), enrojecimiento de la cara y un endurecimiento de la tripa (si se le dan ligeros golpecitos, suena como un globo). Según los criterios diagnósticos, se considera que un lactante padece cólico cuando presenta tres horas de llanto al día durante, al menos, tres días a la semana, y a lo largo de tres semanas consecutivas.

Si bien se trata de una dolencia inocua para el niño, a los padres los sume en un estado de máximo nerviosismo, ya que a las peculiaridades del llanto en sí se unen la incertidumbre acerca de qué lo produce y el hecho de que éste suela presentarse a última hora de la tarde-noche, rompiendo los patrones de sueño familiar.

En este sentido, hace unos años un grupo de expertos de la Universidad de Western Ontario, en Londres, realizó un interesante estudio cuyas conclusiones resultaron sumamente alentadoras para los progenitores: el cólico forma parte del desarrollo normal del niño, desaparece siempre de forma espontánea y, además, no deja ningún tipo de secuelas psicológicas en los padres.

En busca de la causa

Aunque se han barajado distintas circunstancias que pueden desencadenar el cólico del lactante, lo cierto es que es un síndrome que incluye un amplio abanico de alteraciones, las cuáles se pueden dividir en dos grupos.

Causas gastrointestinales

- *Meteorismo.* Durante los primeros meses de vida, los lactantes no absorben totalmente la carga de lactosa que contienen tanto la leche materna como las fórmulas adaptadas (biberón), motivo por el que se produce una gran cantidad de gas intestinal. Asimismo, los niños que se alimentan a base de biberón son algo más proclives a padecer este síndrome, ya que el ansia con la que succionan la tetina puede hacer que traguen más aire del necesario.

- *Hipermotilidad intestinal.* El aumento de los movimientos intestinales también está relacionado con la aparición del cólico. En este caso, se puede calmar cambiando la postura del niño.

- *Intolerancia a la leche de vaca.* Aunque se da solo en un reducido número de lactantes, una mala tolerancia a la fórmula adaptada puede propiciar la aparición del cólico en el bebé. De hecho, una investigación sobre las causas de esta dolencia llevada a cabo por expertos del *Institute Research in Extramural Medicine*, de la Universidad de Amsterdan, en Holanda, concluyó que, una vez que se diagnostica el problema, podría ser útil intervenir en la dieta del lactante, probando durante una semana el uso de leche hipoalergénica. De todas formas, este tipo de intolerancia suele ser pasajera y siempre hay que consultar al pediatra antes de introducir algún cambio en la alimentación del bebé.

- *Tabaquismo materno.* Investigaciones que se han realizado al respecto, han demostrado que los hijos de madres fumadoras tienen el doble de riesgo de padecer cólico del lactante debido a que la nicotina incrementa los niveles de una proteína (llamada motilina) que está implicada en el control de la actividad intestinal, lo que favorece en parte la aparición de esta dolencia.

Causas de otro tipo

- *Hiperestimulación.* Algunos expertos del tema son de la opinión de que el cólico está producido por una sobreestimulación del bebé, y recuerdan la importancia de mantener unos hábitos más o menos estables durante el día, ya que, con toda probabilidad, alterar su rutina puede incrementar esta sobreexcitación.

- *Tensión excesiva de los padres.* Determinados aspectos psicosociales de los progenitores y un estado de nerviosismo elevado pueden incrementar el riesgo del cólico, debido a que la alteración del entorno incide directamente en los comportamientos del bebé.

- *Niños con poca necesidad de sueño.* Los lactantes que duermen poco, con un bajo umbral para despertarse y de llanto fácil, son más proclives a esta dolencia, sobre todo si se encuentran en ambientes que puedan propiciar estas características como, por ejemplo, padres con ansiedad debido a su inexperiencia.

CÓMO ALIVIARLE

Afortunadamente (y sin recurrir a ese «dedito» de anís que antaño recomendaban nuestras queridas abuelas) hay varias estrategias que pueden usar los padres para aliviar el cólico del lactante y conseguir el objetivo más inmediato: que el niño concilie el sueño.

No todos los bebés responden a dichas «estratagemas» de la misma manera, así que los padres deberán ir probando unas u otras hasta dar con la que resulte más efectiva en cada caso:

- *No dejarle llorar.* Cuanto más llore, más aire tragará y más se agravará el cuadro. Cogerle en brazos o acunarle puede contribuir a aliviarle.

- *Respetar las tomas.* Aunque en principio todo apunte a que tiene hambre (a causa del malestar, el niño no está hambriento, pero quiere succionar), lo mejor es seguir respetando el intervalo entre una toma y otra (2-3 horas).

- *Hacer pausas.* Muchos pediatras recomiendan realizar paradas a mitad de la toma para que así el niño digiera mejor. Hay que intentar que durante estas pausas expulse los gases. Para ayudarle, se le pone en posición vertical, sobre el hombro, y se le dan suaves golpes en la espalda con la palma de la mano algo hueca.

- *Contactar con él.* Acunar al bebé pegándolo contra la madre es una buena forma de calmarle, ya que sentir el calor y los latidos del corazón materno le da seguridad y, por tanto, le relaja. Muchas madres aseguran que el marsupio resulta excelente en estos casos.

- *Darle un masaje*. Un estudio realizado en el Hospital Universitario de Turku, Finlandia, demostró que tanto los masajes como las cunas móviles resultan muy efectivas en el alivio del cólico del lactante. En esta investigación, 28 bebés con cólicos recibieron masajes dos veces al día durante 54 minutos, y otros 30 fueron colocados en una cuna con vibraciones dos veces al día durante 42 minutos. Pasadas tres semanas, la incidencia del llanto a causa del cólico se redujo en un 92 por ciento en los bebés del grupo de los masajes y en un 89 por ciento en los del grupo de las cunas. Masajearle es fácil: basta con sentarlo en el regazo y hacer suaves movimientos musculares a la altura de la boca del estómago.

- *Cambiarle de postura*. Es importante buscar aquella posición en la que el niño parezca sentirse más aliviado y mantenerla. Estas son algunas de las más efectivas: sentarlo en un rincón del sofá rodeado de cojines durante aproximadamente 15 minutos; colocarlo erguido y mantenerlo en esta postura; tumbarlo sobre el regazo o sobre una bolsa de agua caliente (mucho cuidado con la temperatura).

- *Usar el biberón adecuado*. Se recomienda utilizar un biberón pequeño, de 125 ml, para evitar así que el bebé succione demasiado aire. También son efectivas las tetinas con regulador de flujo, que se adaptan a la succión del pequeño.

- *Probar con las infusiones*. Hay madres que aseguran que si se toman una manzanilla con anises o una infusión de hinojo unas horas antes de dar el pecho, notan que el efecto sedante pasa a sus hijos y se consiguen aliviar el cólico. Es cierto que

se trata de un remedio que siempre beneficia al estado nervioso de la madre, ayudándole a controlar sus niveles de ansiedad, lo cual, a su vez, repercute en el niño. Otro remedio que alivia a algunos bebés es darle un biberón con agua y unos pocos anises. Asimismo, hay fórmulas de venta en farmacia a base de una mezcla de plantas especialmente comercializadas para aliviar el cólico, pero no debemos olvidar que siempre hay que consultar al pediatra antes de usarlas.

- *Vigilar la dieta de la madre*. En el caso de la lactancia materna, se recomienda que la madre no consuma café, bebidas a base de cola y otros estimulantes, además de que se hace necesario evitar, en la medida de lo posible, los estados de fatiga y agotamiento.

- *Consultar a nuestro pediatra el uso de fármacos*. Ciertos medicamentos, como la diciclomina, dimeticona o simeticona, han demostrado ser eficaces en el tratamiento del cólico, pero por lo general el pediatra los suele prescribir sólo en los casos más serios.

CUÁNDO PUEDE SER ALGO MÁS SERIO

Si notamos que los síntomas típicos del cólico del lactante van acompañados de fiebre o erupciones, es muy importante consultar con nuestro pediatra.

De la misma manera, si pasado el cuarto mes de edad del niño, la sintomatología del cólico empeora o que tiende a no mejorar, hay que someter al bebé a estudio, ya que podría tratarse de un reflujo gastroesofágico, una dolencia cuyos principales síntomas pueden ser irritabilidad o rechazo al alimento, así como la continua alteración del sueño al poco tiempo de que el bebé haya efectuado su toma.

LOS PATRONES DE SUEÑO DEL RECIÉN NACIDO

Ya dentro del útero se observa cómo el niño alterna períodos de sueño con otros de actividad. Son los padres los que desde el primer día deben ir «entrenándole» en el hábito de dormir, con el objetivo de que el niño adquiera unos patrones más o menos fijos de sueño y se ajuste a ellos. Es muy importante que duerma las horas necesarias. No hay que olvidar que el sueño cumple una función reguladora y reparadora en el organismo. Además, es esencial para el control de la energía y la temperatura corporal. Según algunas investigaciones recientes, el sueño permite que el niño recuerde u olvide las experiencias de los días anteriores, de ahí que este proceso sea necesario para facilitar el aprendizaje y el desarrollo de la memoria.

LAS FASES DEL SUEÑO INFANTIL

El sueño está dividido fundamentalmente en dos etapas que se van profundizando progresivamente; duran cerca de 90 minutos cada una y siempre obedecen al mismo orden: sueño REM (liviano y corto), sueño NO REM (más profundo y largo). Todos los bebés transitan por ciclos de sueño superficial y profundo en una misma noche.

Conforme el bebé va creciendo, lo normal es que los sueños REM vayan disminuyendo y los NO REM vayan aumentando. Durante los 90 minutos de sueño profundo, acompañado en los extremos por el sueño liviano, el bebé experimenta un estado de semialerta, y

El bebé necesita mucha rutina en sus funciones diarias, entre ellas, la de dormir.

es en estos momentos cuando está propenso a despertarse; pero minutos después entrará en la fase más profunda, completando su descanso nocturno de casi 8 horas. Es importante que desde el principio los padres respeten estos intervalos no interrumpiéndolos, para que se conviertan en una costumbre. Está comprobado que si se respeta su ritmo todo resulta más fácil.

El recién nacido ya tiene un modo propio de dormir y de despertarse, y los padres deben generar el ambiente apropiado para que éste permanezca. Si al despertar el bebé no encuentra una respuesta inmediata, se verá obligado a encontrar su propia rutina para seguir durmiendo.

CARACTERÍSTICAS DEL SUEÑO DEL NEONATO

- El recién nacido no conoce la diferencia entre el día y la noche. Necesita dormir y alimentarse continuamente, por lo que el hecho de que sea de día o de noche no le afecta en principio.

- El patrón de sueño a esta edad es variable. Algunos pueden permanecer mucho tiempo durmiendo sin necesidad de comer, mientras que otros están somnolientos durante el día y se activan al llegar la noche. Por lo general, el recién nacido duerme entre 16 y 20 horas diarias, con períodos de sueño de una a cuatro horas seguidos de otros de vigilia de una a dos horas.

- Lo normal es que a lo largo del primer mes de vida el niño registre igual cantidad de sueño nocturno que diurno.

- Es normal que durante el sueño el niño «succione» en el aire, sonría, haga muecas de molestia, pujos, apriete los puños, mueva las piernas como si tuviera calambres...

- También es frecuente que mientras duerme el bebé haga pequeños movimientos o temblores breves en las piernas o los brazos. Es algo totalmente normal.

ACTITUDES A EVITAR

- Si bien es cierto que no se le debe poner horario al niño pequeño, tampoco hay que permitir que duerma durante todo el día y, en cambio, se mantenga despierto por la noche.

- Atender a sus demandas. No hay que dejar llorar al bebé; el entrenamiento para ir perfilando sus períodos de sueño y vigilia no debe ser excesivamente rígido: no tiene sentido ser inflexible en cuanto a los horarios con un niño menor de 2 meses. Si llora, hay que cogerle en brazos, sin miedo a «consentirle» en exceso.

- No hay que dejar que el bebé duerma más de tres horas seguidas durante la mañana.

Lo mejor es despertarlo suavemente y entretenerle. Es la forma de irle acostumbrando a que los períodos más largos de sueño siempre tiene que coincidir con la noche.

- Hay que evitar alimentarle cada vez se ponga a llorar. Su llanto no siempre estará producido por hambre, sino que puede que esté cansado, aburrido, triste o acalorado. Si se le alimenta constantemente de día, se corre el riesgo de que también lo pida continuamente alimento durante la noche; en este caso, no dormiría él ni los padres.

CÓMO ENSEÑARLE A DORMIR

Aunque hay algunos bebés que tienen una capacidad innata para conciliar el sueño durante el día o la noche, la capacidad para dormir debe ser desarrollada mediante el entrenamiento en las semanas siguientes al nacimiento. Las claves del éxito son paciencia, perseverancia y la consecución de dos objetivos muy concretos: enseñarle a distinguir el día y la noche y establecer una rutina bien definida.

Diferenciar entre el día y la noche

Es conveniente que durante el día se encuentre en un lugar de la casa distinto de aquel en donde pasa la noche. Se le puede situar en el cochecito o portabebés en distintos lugares de la casa, incluso cuando duerma. No es necesario que haya silencio absoluto en aquellos lugares en los que esté el bebé: se puede hablar en un tono de voz normal, no amortiguar los ruidos de las tareas habituales que se realizan en esos lugares e incluso poner música. Asimismo, cuando está despierto, hay que mimarle, hablarle, jugar con él y llenarlo de estímulos. Por el contrario, cuando llega la noche es conveniente que haya más silencio, menos luz, mayor tranquilidad y, sobre todo, que duerma en su cuna.

También es importante que durante el día se le hable continuamente mientras se le alimenta, y por la noche la madre se muestre más calmada y emplee un tono de voz más suave. Con el tiempo, el bebé comprenderá la diferencia y empezará de esta forma a dormir más de noche.

Establecer una rutina

El bebé debe asociar la hora de dormir con una rutina, ya que la repetición le da seguridad. Así, por ejemplo, se recomienda bañarlo antes de la última toma antes de irse a dormir, y hacerlo siempre en el mismo horario.

También es importante asegurarse de que el niño duerma con ropa cómoda, y que no pase ni frío ni calor.

Los expertos no recomiendan que el niño se duerma en brazos: lo mejor es acostarlo solo en su cuna y cantarle una nana o hablarle muy despacio.

Estrategias que funcionan

- Cogerle en brazos al menos tres horas al día coincidiendo con los momentos en que no esté llorando. Según los expertos, esta costumbre hace disminuir el llanto frenético.

- Intentar que la toma de la noche sea breve y carezca de estímulos. No encender las luces, ni hablarle ni arrullarle. Lo mejor es alimentarlo en silencio, para así no romper la atmósfera nocturna. El objetivo es enseñarle desde muy pequeño que la noche es para dormir.

- Lo mejor es acostarle en la cuna cuando esté somnoliento pero aún despierto. Su último recuerdo antes de dormirse debe ser la cuna y no la presencia de sus padres o el alimento (estas imágenes deben asociarse a su rutina diurna). Debe aprender a dormirse solo.

- Está comprobado que, cuando está en el útero, los movimientos que la madre hace al caminar producen sueño en el feto, así que pasear con él en brazos cuando acaba de nacer puede surtir el mismo efecto. Taparle también le ofrece una sensación de protección similar a la que sentía dentro del líquido amniótico.

- Una buena idea es darle la última toma a una hora avanzada de la noche (a las 22.00 o a las 23.00 horas), procurando en cualquier caso que esté despierto durante las dos horas previas.

LA HORA DEL JUEGO

LO QUE HAY QUE SABER

Durante las primeras semanas de vida, el niño pasa gran parte del tiempo durmiendo, de ahí que haya que aprovechar los momentos en los que esté despierto y espabilado para ofrecerle todo tipo de estímulos sonoros, visuales, sensoriales... Todos los expertos coinciden en afirmar la importancia de elegir los juguetes más adecuados a cada edad. Tan malo resulta dar un juguete antes de tiempo como hacerlo demasiado tarde. El juguete siempre debe estar acorde con la edad del niño, sus necesidades y capacidades (sensomotrices, cognitivas, afectivas y sociales), ofreciendo, ante todo, retos que estimulen el desarrollo de dichas capacidades. Un recién nacido es

El juego es una forma de aprendizaje sensorial, auditivo y visual muy importante para el bebé.

incapaz de manipular muchos juguetes, no controla su cuerpo y aún se encuentra en un período en el que está clasificando las sensaciones del mundo que le rodea. Ver y oír cosas es lo único que necesita para divertirse y para que se estimule su rápido desarrollo cerebral. ¿Los sonidos más interesantes? Sin duda, las voces de los padres.

El perfil de un recién nacido

- Muestra interés por una voz girando la cabeza hacia el sonido.

- Es sensible a los cambios de luz y brillo, pero su visión está aún borrosa.

- Al principio, lo ve todo en sombras de color gris.

- Utiliza distintos tipos de llanto según sus necesidades.

- Puede demandar la atención de los padres e incluso responder a los arrullos o cuando se le habla.

Los juguetes más indicados

- A esta edad, su mejor juguete sin duda son las voces que le resultan familiares, fundamentalmente las de los padres.

- Los móviles de cuna también están recomendados, siempre y cuando incluyan alguna melodía o notas musicales.

- Los recién nacidos oyen muy bien y les encantan las grabaciones con música y las canciones. Es buena idea tener un reproductor de música en su habitación.

LOS BENEFICIOS DEL MASAJE INFANTIL

En la cultura oriental, el masaje siempre ha formado parte de los cuidados del bebé desde el momento de nacer. Actualmente, esta técnica se está introduciendo en las sociedades occidentales debido al hecho de que los pediatras están descubriendo y demostrando los grandes beneficios que éste aporta a los niños.

El masaje supone una gran experiencia táctil para el bebé y refuerza los vínculos con sus padres. No se trata de una comunicación aislada ya que siempre va acompañado de voz, aliento, miradas, sonrisas y calor corporal; todo ello ayuda a completar la comunicación con el niño.

EFECTOS SOBRE EL ORGANISMO

Los efectos físicos del masaje son la estimulación de los diferentes sistemas corporales: nervioso, inmunológico, muscular, digestivo, circulatorio, hormonal, respiratorio y de eliminación de sustancias de desecho.

En respuesta al masaje, el cuerpo libera endorfinas, sustancias que proporcionan sensación de bienestar y calma, disminuyendo el dolor y la irritabilidad.

El masaje ayuda al bebé a aprender a relajarse, y el descanso es fundamental a estas edades, debido a que repara todos los cambios sufridos por el organismo durante los períodos de actividad, además de permitir fijar todo lo que se ha aprendido. Esta técnica ayuda a calmar al niño cuando está irritable y a estimularle sensitivamente para mejorar su aprendizaje.

También le ayudará a aliviar pequeños dolores digestivos, muy frecuentes en los niños (debido a que su sistema digestivo todavía está en desarrollo después del nacimiento). Gracias al mesaje diario se ayuda al bebé a expulsar los gases y a desarrollar una mejor digestión.

Por todo ello, los beneficios del masaje infantil son muchos, tanto en el campo físico como en el psicológico; todos ellos han sido ampliamente demostrados. El niño tendrá la oportunidad de aprender a sentirse amado y a devolver ese cariño, a confiar en los demás, a sentirse único, a descubrir sus límites, a comunicarse con sus padres a través de gestos, sonrisas y sonidos, a conocer las reacciones de su cuerpo ante las señales externas recibidas en su piel.

ASÍ LE BENEFICIA

- *Alivia trastornos típicos de los bebés.* Ayuda a aliviar los gases, los cólicos, el estreñimiento y, en general, los trastornos habituales del aparato digestivo. Produce sensación de bienestar y relajación, contribuyendo a que el niño esté más calmado y eliminando el estrés y los bloqueos que puede sufrir al estar todo el día en un medio desconocido hasta ahora para él y lleno de cosas nuevas. También le ayuda a dormir profundamente, reduciendo el insomnio y las pesadillas y mejorando el descanso. Alivia el dolor fuerte producido por el crecimiento de los primeros dientes.

- *Favorece el aparato locomotor y el movimiento.* Tonifica y ayuda al fortalecimiento de los músculos, favoreciendo su contracción y estiramiento y, por tanto, el movimiento en general. Fortalece la co-

lumna y favorece la estimulación temprana. Ayuda en los progresos físicos y motores de aquellos niños que tiene necesidades especiales, como es el caso de los
prematuros.

- *Beneficia el desarrollo de órganos y funciones vitales.* Facilita la maduración de
  aparatos aún en desarrollo, regulando y
  reforzando la función respiratoria, digestiva y circulatoria. Ayuda a estimular el
  sistema inmunológico. Influye en el desarrollo del sistema nervioso, excretor y
  hormonal, liberando sustancias responsables de las sensaciones de bienestar, como
  son las endorfinas. Favorece la ganancia
  de peso.

- *Potencia el desarrollo psicológico.* Estimula un desarrollo psíquico positivo.
  Favorece el desarrollo intelectual así
  como de adaptación al nuevo medio en
  el que se encuentra. Provoca un tiempo
  de disponibilidad y atención plenas hacia el niño, favoreciendo los vínculos y
  relaciones padres-hijo, aumentando la
  autoestima del bebé y la confianza entre
  padres-bebé.

- *Mejora las relaciones con el mundo que
  le rodea.* La comunicación no verbal es
  fundamental en el bebé, que aún es incapaz de hablar. El masaje intensifica la comunicación afectiva entre el bebé y las
  personas de su entorno. También forma-
  rán parte de esta comunicación la mirada,
  las sonrisas, los sonidos, el olor, las caricias y los demás estímulos. Permite a los
  padres comunicarse y contactar con el
  bebé, debido a sus posibilidades. Favorece la interacción con el medio que le rodea, tanto en términos de cantidad como
  de calidad.

BENEFICIOS PARA LOS PADRES

El masaje es una potente arma para ayudar a
los padres (sobre todo, los primerizos) a ganar confianza en sí mismos frente a la nueva
situación. Mediante el contacto pueden demostrar al bebé que están a su lado en esos
momentos de desasosiego. Por eso deben
aprender a realizar el masaje sin miedo ni ti-
tubeos, aunque al principio resulte difícil.
Saber que están ayudando a su hijo también
contribuirá a reducir la ansiedad paterna y a
mejorar su autoestima.

El estrés y las tensiones emocionales diarias se disuelven en ese tiempo de relajación
y masaje. Hay que aprender a relajarse para
no transmitir la tensión al bebé, que es capaz
de percibirla rápidamente. Este esfuerzo diario ayudará a los padres a controlar su propia
sobrecarga emocional. Tanto los padres como
el bebé percibirán los beneficios que produce
el masaje.

CÓMO APLICAR UN MASAJE

La posición del bebé

La forma de colocar al bebé no obedece a
estructuras fijadas, ya que en ello influirá la
edad del niño. Es importante conocer que
las posturas fundamentales donde el bebé
desarrolla su movimiento son: tumbado sobre la tripa o boca abajo y tumbado de espaldas o boca arriba. Es muy beneficioso
para el niño jugar con estas posiciones, sobre todo cuando es muy pequeño y aún no
puede sentarse, gatear o ponerse de pie. Se
le puede aplicar el masaje mientras juega en
una toalla sobre el suelo o sobre las rodillas
o el regazo de los padres. La posición debe
permitir que el padre o la madre y el niño se
miren a los ojos y establezcan contacto vi-

sual durante todo el tiempo que dure el masaje porque ayudará a crear el clima de confianza necesario.

En cuanto a la posición de los padres, ésta debe ser también cómoda y relajada, sin tensar los hombros y con la espalda recta para prevenir futuras dolencias. Si la posición de la persona que aplica el masaje es incómoda, esta tensión será transmitida al niño y no se aplicarán correctamente los movimientos del masaje.

El ambiente y los materiales necesarios

La preparación del lugar donde se va a realizar el masaje también es fundamental. Hay que conseguir un ambiente libre de todo ruido y estímulos desagradables que puedan distraer e irritar al bebé. La temperatura debe ser cálida, ya que el niño estará desnudo, y tener siempre a mano una toalla para cubrirle al acabar o si durante el masaje se encuentra molesto por el frío. Un aislante o impermeable como el que se usa en el cambiador también resulta muy útil colocado entre el niño y la superficie donde se apoya, ya que es frecuente que el bebé orine durante el masaje. La sensación de desnudez y la relajación estimulan este hecho. También conviene que la luz no sea muy intensa porque podría deslumbrar al bebé. Si en vez de una luz de techo, se enciende únicamente una lamparilla, se logrará un ambiente cálido y agradable tanto para el bebé como para los padres.

Otra opción es poner algo de música. Debe ser una música tranquila, poco estridente, y con un volumen bajo. Siempre debe ser la misma para que nada más oírla, el bebé se predisponga a la relajación.

Para facilitar el deslizamiento de las manos por su piel, se puede usar un aceite natural o la crema que habitualmente se usa

El bebé no debe sufrir fuertes contrastes de temperatura por lo que conviene tener siempre a mano alguna mantita o aislante que lo proteja del frío.

aplicarse directamente sobre su piel, sino a través de las manos del masajista, y frotarlas intensamente para calentarlo. Si es necesario, se puede acercar durante unos minutos el recipiente que contiene el lubricante a una fuente de calor (radiador, calefactor, luz), para evitar así que se encuentre a una temperatura demasiado baja para el niño. En cuanto a la cantidad, no se recomienda usar mucho, para no engrasar la piel ni deslizar en exceso, disminuyendo la sensación táctil.

Los aceites pueden contener sustancias aromáticas añadidas, pero hay que asegurarse previamente de que no provocan reacciones alérgicas untando una pequeña cantidad en una zona limitada. Deban ser productos válido para bebés, debido a que tienen una piel con necesidades distintas a las de un adulto.

La piel de los niños es mucho más delicada que la de los adultos y puede irritarse con más facilidad. Los aceites más usados en el masaje infantil son:

- *Aceite de almendras dulces.* Es el aceite más empleado en los masajes. Ayuda en la recuperación de lesiones cutáneas como arrugas, cicatrices y eczemas. Contiene vitaminas A, B1, B2 y B6, y ácidos grasos.

- *Aceite de avellanas.* Es rico en ácidos grasos esenciales oleico y linoleico. Es aromático y, por su efecto astringente, resulta útil en pieles grasas y acneicas.

- *Aceite de sésamo.* Contiene ácidos grasos esenciales que componen la vitamina E y calcio. Su uso resulta muy eficaz en pieles secas, eczemas y psoriasis.

- *Aceite esencial de mirra.* Tiene un efecto antiinflamatorio y antibiótico, protegiendo la piel de infecciones y ayudando a su regeneración.

- *Aceite esencial de espliego.* Tiene un efecto antibiótico, antifúngico, sedante, relajante y analgésico. Se usa habitualmente en quemaduras y procesos reumáticos.

Una reciente investigación llevada a cabo en la Universidad John Hopkins, en Estados Unidos, ha demostrado que masajear a los niños prematuros con aceite de girasol reduce la incidencia de infecciones posterioresque suelen sufrir estos bebés.

La razón es que, al carecer la piel del prematuro de lanugo ni de una capa grasa protectora con propiedades antimicrobianas, los niños son más propensos a los procesos infecciosos, que son la causa de la mitad de las muertes neonatales. Frente a esta vulnerabilidad, el tratamiento con aceite de girasol fortalece el papel de la dermis frente a los ataques externos.

CUÁNDO ESTÁ CONTRAINDICADO

El masaje infantil no supone ningún riesgo y puede realizarse en todo tipo de niños, siempre teniendo en cuenta unas sencillas recomendaciones sobre cuándo es preferible realizarlo:

- *Si el niño reacciona al masaje de manera negativa, llora o se muestra irritado.* Para ello, hay que comenzar haciendo círculos suaves en el pecho y en la espalda y observar cuáles son sus reacciones antes de iniciar el masaje completo.

- *Cuando tenga fiebre, ya que es reflejo de infecciones como la gripe.* Con el masaje se podría influir en el aumento de la temperatura corporal, cuando el bebé tiene fiebre.

- *Si el niño sufre algún tipo de lesión física.* En algunos casos de lesión física, dicha parte no debe ser manipulada: por ejeplo, cuando hay existencia de fracturas recientes.

CARICIAS CON DOBLE EFECTO

En el masaje infantil, a diferencia del masaje en personas adultas, sólo se utiliza un tipo de técnica: la frotación o roce. Las manos se deslizan suavemente por la piel del niño sin apenas realizar presión hacia el cuerpo. De esta forma, se consigue potenciar los efectos cutáneos y sensitivos, que es el objetivo buscado en el masaje a bebés.

No existe un número ideal de repeticiones de cada pasaje, pero no se debe prolongar el masaje durante más de 20 minutos. De manera orientativa, se puede realizar diez veces cada pasaje. Esta frecuencia debe ser flexible y estar adaptada a la capacidad de concentración de cada niño y en cada caso particular, según el momento en el que se encuentra cada día.

El objetivo es ir acariciando la piel del bebé y moviéndolo suavemente usando las manos, previamente calentadas, como ya se ha explicado.

Al principio hay que seguir unas secuencias básicas para luego ir descubriendo cuáles son los toques que más le gustan al niño y cuáles se adaptan al desarrollo.

El momento ideal para el masaje puede ser después del baño, realizándolo a diario, siempre y cuando el niño esté receptivo. Si por algún motivo hay días en que no disfruta o que los padres por alguna razón no se encuentran disponibles, es mejor dejarlo para otro momento y nunca forzar la situación, ya que sería contraproducente. Será preferible dejarlo para el día siguiente o cuando el niño esté más receptivo.

LA TÉCNICA, PASO A PASO

Se comienza con el niño tumbado boca arriba, apoyado con su espalda sobre alguna superficie (siempre aislada de ésta mediante una toalla o manta) o sobre las rodillas de la persona que va a realizar el masaje. Como se ha explicado antes, conviene mirar al bebé (si está boca arriba) directamente a los ojos para darle confianza.

- *Roces suaves en el pecho.* Para iniciar el contacto con el bebé, se apoyan las manos unos segundos, cubriendo todo el pecho. Las manos deben calentarse previamente mediante frotes entre ellas o acercándolas a una fuente de calor. Pasado este tiempo, se realizan roces suaves desde el centro del pecho con ambas ma-

nos hacia cada lado. Primero se hace de forma simultánea, con las dos manos a la vez, y luego alternativamente, comenzando con la izquierda y luego hacia la derecha. Para hacerlo bien, el masajista se puede imaginar que está alisando las páginas de un libro abierto de forma muy suave.

- *Roce cruzado.* El segundo paso se hace de manera cruzada. Con la mano derecha se roza desde la cadera izquierda al hombro derecho del bebé y viceversa con la mano izquierda. Se puede hacer alternativamente o primero un lado y luego otro, variándolo cada día.

- *Masaje de los brazos.* Se coloca al bebé de lado, girándolo lentamente y sin brusquedad. Se debe cambiar de postura al niño lo menos posible, evitando la sensación de interrupción del masaje. Por ello, se hacen primero los tres siguientes pasajes seguidos con el niño tumbado sobre el mismo lado, y una vez acabado, le apoyaremos sobre el otro lado para masajear el brazo contrario. Una mano ayudará a sujetarlo desde el hombro y con la otra mano se roza a lo largo de toda la longitud del brazo desde el hombro hasta la muñeca. Para ello, el adulto coloca su mano en forma de brazalete, rodeando toda la superficie del brazo, pero nunca oprimiendo con fuerza ni impidiendo que la mano se desliza sin problema alguno. Después, y con las manos en la misma posición, se cambia la técnica de masajear. Ahora se realizan suaves compresiones con un movimiento de torsión de la piel, rotándola hacia ambos lados. Se comienza en el hombro y se va bajando hasta la muñeca, parándose en cada punto. Se varía según el día, con rotaciones alternas a cada lado o primero todas a un lado y luego al otro. Se intercala entre estos masajes el movimiento pasivo del brazo, elevándolo, flexionando el codo o moviendo la muñeca, por ejemplo.

- *Masaje de las manos.* Se masajean y estiran las manos suavemente hacia fuera. Se estimula desde el talón de las manos hacia la punta de los dedos. Con la palma se abre su mano incluyendo el dedo pulgar, masajeando y jugando con suaves presionesa lo largo de cada dedo. Se dedicará más rato a la yema de los dedos por ser un lugar donde hay muchos conductos nerviosos. También se pueden hacer pequeños pasa a modo de cosquillas en la palma y torso de las manos.

- *Masaje del vientre.* Se realiza, evidentemente, con el niño boca arriba. La dirección del roce es desde la parte baja del pecho hasta la parte baja del abdomen, en un movimiento de vaivén continuo. También se realizarán círculos en la zona de la tripa siguiendo el sentido de las agujas del reloj. Si el bebé se queja, se parará inmediatametne el masaje. Se intentará al día siguiente.

- *Masaje de las piernas.* Con la mano en posición de brazalete (al igual que se hizo en los brazos), se hace una ligera presión a la vez que se torsiona la piel. Se comienza desde la cadera, avanzando hacia el tobillo y girando a ambos lados y alternando las manos. Se intercalan diferentes pasajes con movimientos pasivos de la pierna como, por ejemplo, llevándole las rodillas al pecho flexionando las caderas y las rodillas suavemente y

con cuidado o moviéndole los pies. Para acabar en esta posición se masajean los pies, rozando con las palmas desde el talón hasta los dedos. Después, se estira suavemente toda la planta y al llegar a los dedos se masajean uno a uno, con suaves presiones y estiramiento, poniendo especial interés en las yemas de los dedos.

- *Masaje boca abajo.* Se gira por completo al niño, tumbándole boca abajo apoyado sobre su tripa. Esta posición es peor tolerada por algunos niños, pero es muy importante acostumbrarle a ella. Se hace progresivamente, aumentando el tiempo de juego según el bebé la vaya tolerando. Se realiza el masaje ya explicado de «alisar las hojas del libro». Desde el centro de la espalda se roza con las palmas de las manos hacia ambos laterales. Se empieza con las manos en la parte alta de la espalda, incluso tocando la nuca, y se va bajando hasta las nalgas con el mismo movimiento. Primero se comienza de manera simultánea con las dos manos y luego alternativamente.

- *Barrido boca abajo.* Con la ayuda de toda la mano y antebrazo, se va haciendo un roce (siempre sueve, nunca presionando) desde la zona alta de la espalda, incluyendo la nuca, hasta los tobillos.

- *Masaje de espalda.* Con la mano derecha colocada en la nuca se desciende por toda la espalda hasta las nalgas. Se trazan diferentes líneas de movimiento por toda la espalda, primero de forma paralela para abarcarla toda y después de forma cruzada desde el hombro hasta la nalga contraria. En un movimiento de suave estiramiento de toda la zona, primero se usan las manos simultáneamente y posteriormente se van alternando para dedicar especial atención a cada lado de la espalda.

- *Masaje en la frente*. Para finalizarlo, hay que centrarse en la cara del bebé, que estará tumbado boca arriba, nunca sentado. Con la punta de los dedos de las dos manos en el centro de la frente, éstos se van desplazando muy suavemente hacia los laterales, siempre teniendo en cuenta que hay que cubrir toda la frente, desde la zona del nacimiento del pelo hasta las cejas. Repetir este movimiento varias veces.

- *Masaje en la nariz, barbilla y orejas*. Con los pulgares se roza desde la base de la nariz hacia ambos laterales, de manera simultánea y alternativa con las dos manos. Se incluye también el labio superior y se cubre hasta la zona de las orejas. Los pulgares se desplazan ahora desde los bordes de la nariz hacia la comisura de la boca, es decir, desde arriba hacia abajo, hasta llegar a la barbilla. En cuanto a las orejas, se aplicarán leves presiones con el índice y el pulgar a lo lardo de toda la oreja, dedicando más tiempo al lóbulo.

Esta es la teoría de los masajes. En principio, masaje es bueno para cualquier bebé, pero habrá que observar sus reacciones: a lo mejor resulta evidente, que un niño disfruta más con un tipo de masaje que con otro que lo único que provoca es que esté tenso y poco relajado. Serán los padres los que con la práctica decidan que masajes son buenos y apropiados para su hijo (al que no olvidemos, también están conociendo gracias a los masajes).

UN MASAJE PARA ALIVIAR EL CÓLICO DEL LACTANTE

El aparato digestivo del recién nacido continúa su proceso de maduración después del parto. Los alimentos serán tolerados de forma progresiva, comenzando con sustancias sencillas, como la leche materna, si bien es cierto que este proceso de adaptación no está totalmente exento de problemas como los cólicos, intolerancias e incluso alergias a determinadas sustancias.

El llamado cólico del lactante suele aparecer en la segunda semana de vida y se mantiene aproximadamente hasta el cuarto mes, intensificándose durante la tarde o la noche. El bebé manifiesta el dolor con unos síntomas muy evidentes: mediante un llanto que dura varias horas seguidas, la expulsión constante de gases y la flexión de sus piernas hacia el abdomen.

Todo ello puede aliviarse mediante el masaje abdominal, pero es muy importante seguir las direcciones correctas de los movimientos, debido a que hay que adaptarse a la anatomía del último tracto del aparato digestivo: el intestino grueso. Habrá que seguir las indicaciones explicadas anteriormente sobre el masaje en el vientre. Si, a pesar del masaje, el bebé sigue quejándose, no estará de más una visita al pediatra, quien dictaminará si las quejas del niño entran dentro de unos parámetros de normalidad.

EL PUNTO FINAL

Una vez que se finaliza de dar el masaje al pequeño, se cubre bien el cuerpo del niño con una toalla que no esté fría para que de esa manera los efectos del masaje duren más tiempo y se absorba el aceite sobrante. Será todavía más beneficioso el efecto del masaje dado, si el niño se mantiene pegado al cuerpo del padre o de la madre, aportándole calor y cariño. Es lo que se conoce como efecto canguro: en ese momento para el bebé, el cuerpo de sus padres es el sitio más seguro del mundo.

El primer año del bebé

SEÑAS DE IDENTIDAD

Características. Al mes, ya no presenta el aspecto de recién nacido, aunque sus piernas todavía están dobladas. A los tres meses, el cuerpo está más derecho y ya sostiene la cabeza. En cuanto al peso, el crecimiento óptimo está entre los 150 y los 200 g a la semana, de forma que al cuarto o quinto mes el peso se habrá doblado y al cabo de un año el bebé puede pesar unos 10 kg y tener una altura que oscile entre 72 y 75 cm. El promedio de crecimiento del perímetro craneal alcanza los 46 cm cuando el bebé cumple 12 meses.

Pruebas y controles. Durante los dos primeros meses hay que controlar semanalmente el peso y después, al menos, una vez al mes. Es recomendable vacunarle de las dosis correspondientes de hepatitis B, tétanos, difteria, tos ferina y polio. Antes de empezar a darle nuevos alimentos hay que consultarlo con el pediatra.

Pautas de desarrollo. Primer mes: mira a los ojos, se gira hacia donde está el ruido; tiene los puños cerrados; comienza a levantar la cabeza y a moverla hacia un lado y otro si está boca abajo • 2 meses: se sostiene sobre los antebrazos, estira brazos y piernas y comienza a abrir las manos • 3 meses: ya mantiene la cabeza erguida • 4 meses: sujeta y mueve los objetos •5 meses: empieza a girarse solo boca abajo; juega con los pies y las manos • 6 meses: comienza a sostenerse sentado • 7 meses: se lleva los objetos a la boca, los tira y manipula diferentes partes del cuerpo • 8 meses: se sienta y estira para coger cosas • 9 meses: se levanta y se sienta con apoyos; comienza a gatear • 10 meses: se sienta perfectamente; comienza a coger objetos con el pulgar y el índice •11 meses: empieza a caminar con apoyos • 12-15 meses: camina solo.

Aspectos psicológicos. Se produce una importante evolución en su desarrollo psicológico y psicomotriz. A los 2 meses comienza a sonreír; a los 4 meses mueve los objetos para que hagan ruido, a los 7 meses reclama la atención de sus familiares, a los 10 meses dice «adiós» con la mano, y a los 11 meses su psicomotricidad alcanza un grado de desarrollo notable. Por todo ello, es fundamental estimularle en esta etapa, para que así desarrolle todas estas facultades que serán determinantes en el futuro. Es importante que los padres presten atención a los aspectos psicológicos y potencien y desarrollen las habilidades del niño con serenidad y sin imposiciones de ningún tipo.

A lo largo de estos 12 meses el niño va a experimentar más cambios y en menos tiempo de lo que lo hará en el resto de su vida. La intensidad de las transformaciones que se van a producir en su cuerpo y en su mente harán que en muy pocas semanas pase de estar la mayor parte del tiempo dormido a convertirse en una «personita» capaz de desplazarse por sí sola.

CÓMO INTERPRETAR SU LLANTO

El llanto es el único medio de comunicación que el niño tiene durante sus primeros meses de vida y constituye la forma más evidente de llamar la atención cuando se desatienden sus necesidades o siente alguna molestia. Siempre que un bebé llora es porque necesita algo y, además, se trata de un llanto sin lágrimas, y que todavía no las tiene. La cuestión es saber qué es lo que quiere. La mayoría de las veces, el motivo del llanto se descubre enseguida.

POSIBLES CAUSAS

- *Hambre.* Es la causa más común de llanto en el recién nacido. La prueba es que cesa por completo en cuanto se le acerca el biberón.

- *Cansancio.* Si se frota los ojos y las orejas mientras llora, probablemente la causa de su llanto sea el sueño o el cansancio. El mejor remedio es acostarle para propiciar que duerma.

- *Siente frío o calor.* Suele ser un llanto con un tono irritado o colérico. Para comprobar si está a la temperatura adecuada, hay que tocarle la nuca o el pecho: si están húmedos, significa que el niño está pasando calor, por lo que habrá que quitarle alguna prenda de ropa. Si, por el contrario, tiene las manos o el pecho demasiado fríos, habrá que abrigarle. La temperatura de su habitación debe rondar los 18-20 °C.

- *Necesita un cambio de pañal.* Se manifiesta a través de un llanto que indica malestar. Hay que comprobar si su pañal está manchado y cambiarlo, con lo que el niño volverá a estar tranquilo. En estos casos, además del confort que le proporciona el pañal limpio, lo que calma al niño son los mimos y masajes que suelen acompañar este cambio.

- *Cólico del lactante.* Es una de las causas más frecuentes, y se manifiesta a través de un llanto frenético, difícil de calmar, que suele presentarse a última hora de la tarde y que va a acompañado de la flexión de las rodillas sobre el estómago. (Ver «Cólico del lactante».)

- *Dolor de algún tipo.* Otro tipo de molestias (dolor de estómago, de oídos, etc.) se expresan a través de un llanto interrumpido y desesperado, que suele remitir en cuanto se le coge en brazos y se le da un pequeño masaje. En caso de que no remita y no haya otra causa que lo justifique, deberemos acudir al pediatra tan pronto como nos sea posible.

- *Aburrimiento.* Un bebé demanda atención constante, y esta necesidad aumenta a medida que va creciendo, ya que pasa más tiempo despierto durante el día y precisa una mayor estimulación. En este caso, se expresa mediante un llanto de lamento que se interrumpe en cuanto aparece un estímulo que lo distrae, de ahí la importancia de facilitarle móviles, gimnasios y otros juguetes que estimulen su atención.

- *Miedo.* Muchos niños comienzan a llorar en cuanto se les deposita en la cuna, ya que donde más seguros se sienten es en los brazos de su madre. Otras veces pueden asustarse a causa de un sonido o ruido imprevisto, una voz demasiado fuerte o un movimiento brusco. También pueden llorar a causa del miedo o la inseguridad cuando se les mete en el agua para bañarlos. Todo ello se traduce en un llanto angustioso y con hipo, que remite en cuanto perciben la presencia tranquilizadora de la madre, el padre o cuidadora.

¿HAY QUE DEJARLE LLORAR?

Hay quien recomienda que, cuando el niño llora con frecuencia sin ninguna causa o dolencia que lo justifique, lo mejor es no «hacerle mucho caso para evitar que se acostumbre a estar siempre que él lo quiera en los brazos de sus padres. Sin embargo, esta no es una buena medida: los expertos recomiendan atender inmediatamente al niño cuando llora. Más adelante ya desarrollará otros recursos para manifestar sus necesidades.

El hecho de que el niño deje de llorar en cuanto se le coge en brazos no significa que sea un caprichoso ni tampoco que le vayamos a malcriar por actuar así.

El único riesgo que se corre al cogerle en brazos es que, efectivamente, se acostumbre, pero que se acostumbre a algo fundamental para su desarrollo: a ser atendido cuando tiene alguna necesidad o, simplemente, cuando precisa contacto físico. Será más adelante cuando comience la educación más estricta porque cuando es tan pequeño es imposible que entienda la intención de los padres.

CÓMO ACTUAR

- *Ante todo, con calma.* En el proceso del llanto hay implicadas dos personas: el niño que llora y el adulto que interpreta la causa de ese llanto. Los niños son hipersensibles al estado de ánimo de su madre, a la forma en que se les trata, de ahí que si perciben nerviosismo o ansiedad puedan asustarse, lo que dificulta la resolución del problema. Cada vez que los padres atiendan a su hijo cuando llora, deben estar serenos, en la medida de los posible.

- *Ofrecerle alimento.* El hambre o la necesidad de succión son las causas más frecuentes del llanto infantil. No hay que tener miedo a acercarle el pecho o biberón para evitar que se sobrealimente. Si la causa del llanto no es el hambre, el niño lo rechazará.

- *Mimarlo*. Si el niño come un poco y se duerme, pero al ponerlo de nuevo en la cuna reanuda el llanto, no se trata de hambre ni de dolor, sino de una necesidad de afecto en forma de contacto de la piel y estímulo verbal. Cogerlo, abrazarlo, pasear con él, cantarle una nana... todo ello contribuye a que se vaya calmando poco a poco.

- *Descartar otras causas*. Si a pesar de ofrecerle comida y cogerlo en brazos sigue llorando, hay que buscar otras posibles causas: una prenda apretada, un botón en la espalda, algo que le pica y no puede rascarse.

- *Explorarlo*. Si el bebé empieza a llorar de forma brusca y violenta, hay que desnudarlo completamente y observarlo con detenimiento, ya que puede haberse pinchado con algo, haber sufrido la picadura de algún insecto o –aunque es menos habitual– haberle salido un bulto en alguna parte del cuerpo (una hernia inguinal, por ejemplo).

Los bebés suelen llorar para que sus padres les cojan en brazos.

CUÁNDO PREOCUPARSE

Si el niño llora de forma distinta a la habitual o se detectan cambios sutiles en su aspecto y comportamiento, puede ser indicativo de que presenta alguna dolencia.

El llanto de un bebé enfermo suele ser diferente y casi siempre va acompañado por otros signos de alarma. Si además de llorar tiene fiebre, diarreas o vómitos, le cuesta respirar, pierde al apetito, duerme más de la cuenta o presenta un decaimiento general, hay que acudir al pediatra. Otras causas de lo que los expertos denominan llanto excesivo secundario (llanto agudo de un niño que es habitualmente tranquilo) pueden ser la hipogalactia (la madre no produce la suficiente leche y el niño, al no sentirse saciado, se pone furioso, suelta el pecho y se echa para atrás); alergia a la proteína de vaca (hay que comprobar si el llanto cesa al sustituir la leche); y el reflujo gastroesofágico, que es una causa muy frecuente de llanto excesivo prolongado y muy intenso y que suele ir acompañado de vómitos.

MUERTE SÚBITA DEL LACTANTE: ¿SE PUEDE PREVENIR?

El SMSL (Síndrome de Muerte Súbita del Lactante) se refiere al fallecimiento repentino de un niño menor de un año de edad que carece de explicación tras una investigación completa que incluye la práctica de autopsia, el estudio del entorno donde se ha producido y la revisión de los síntomas o afecciones padecidas por el niño antes de su fallecimiento. También se conoce como «muerte en cuna» y es la causa principal de fallecimiento en lactantes de 1 a 12 meses de edad en países desarrollados.

Se trata de un síndrome cuya prevalencia tiene unas características muy significativas y concretas:

- Se produce con más frecuencia por la noche (dos terceras partes ocurren en este período del día). Estas muertes nocturnas están muy asociadas con el tabaquismo materno y también, aunque con menos frecuencia, con el uso de drogas y el consumo excesivo de alcohol.

- Es algo más frecuente en los niños que en las niñas.

- El 80 por ciento de los casos ocurre desde que el niño cumple 1 mes hasta los 4 meses; es muy raro a partir de los 6 meses de edad y excepcional entre los 9 y 12 meses. En el primer mes de vida se produce alrededor de un 6 por ciento de los casos, generalmente a partir de la primera semana de vida.

- La frecuencia también es mayor durante los meses fríos de otoño e invierno y, también, cuando aumenta la polución ambiental.

- También ocurre con mayor frecuencia durante los fines de semana, especialmente los domingos.

- La mayoría de las muertes se producen en casa, pero hasta un 20 por ciento ocurre en las guarderías o en otros lugares. En estos casos, se producen entre las 8 y las 16 horas.

POSIBLES CAUSAS

■ Aunque en la actualidad no existe ninguna forma de predecir qué niños van a fallecer a causa de este síndrome, los numerosos estudios realizados al respecto han descubierto una serie de factores y mecanismos implicados en una mayor predisposición a que se produzca:

- *La postura en la que duerme el niño.* Hoy día parece indiscutible la asociación estadísticamente significativa entre dormir en la postura de «decúbito prono» (boca abajo) y una mayor predisposición al SMSL. Numerosos estudios han demostrado que cuando los niños duermen boca arriba se reduce la tasa de mortalidad debida a este síndrome en un 50 por ciento en aquellos países en los que tradicionalmente se colocaba a los niños a dormir boca abajo. Cuando el bebé duerme de lado, el riesgo de SMSL se reduce (está demostrado que es cinco veces menor que si el pequeño duerme boca abajo), aunque menos que cuando duermen boca arriba. La realización de campañas para poner a dormir a los niños boca arriba ha tenido un efecto espectacular sobre la mortalidad debida a este síndrome, con reducciones muy importantes que van desde un 30 hasta un 70 por ciento.

- *El tabaquismo materno.* Un buen número de investigaciones han demostrado el efecto que el hecho de que la madre fume durante todo el embarazo y después del parto (sobre todo en el periodo de lactancia materna) tiene sobre el riesgo de SMSL, confirmando que esta circunstancia, efectivamente, multiplica entre dos y tres veces el riesgo de que el niño padezca este síndrome. Las probabilidades aumentan si el padre u otras personas del entorno del niño también fuman; en este caso, el riesgo guarda relación con el número de cigarrillos fumados, y se multiplica por cinco si la cifra es superior a los 20 cigarrillos diarios.

- *La temperatura ambiental*. Se ha comprobado que el exceso de ropa así como el calentamiento de la habitación aumenta el riesgo de producirse SMSL. Los niños no deben pasar frío, pero tampoco deben ser abrigados en exceso ya que, cuando su cuerpo está sobrecargado, hay más posibilidades de que duerman de una manera tan sumamente profunda que les resulte más difícil despertarse. La temperatura de la habitación del niño debe ser confortable y no debemos arroparle en exceso.

OTROS FACTORES IMPLICADOS

■ Todas las investigaciones realizadas sobre las causas de este síndrome apuntan a que puede haber otros factores relacionados con su aparición:

- Según los estudios más recientes, si el niño para dormir comparte la cama con algún adulto, sus patrones de sueño pueden resultar alterados, aumentando así el riesgo de SMSL. En caso de que comparta la cama con la madre y ésta sea fumadora, el riesgo aumenta de una forma significativa.

- Otras investigaciones han apuntado a que este síndrome es bastante menos frecuente en aquellos niños que reciben lactancia materna. Esto tal vez sea debido, según los diferentes estudios efectuados al respecto, a que la leche materna puede a su vez proteger frente a algunas infecciones que son capaces de desencadenar el SMSL.

- Es también importante que el niño duerma sobre un colchón firme u otra superficie plana, evitando las mantas, los edredones blandos y otras superficies blandas sobre el colchón. Asimismo, nunca hay que acostarlos sobre colchones de agua ni con juguetes blandos o peluches dentro de la cuna.

- Aunque se ha sugerido que la vacunación podría estar implicada con este síndrome, las investigaciones más recientes llevadas a cabo han demostrado que la inmunización no solamente no incrementa el riesgo, sino que, además, los niños que reciben las vacunaciones programadas tienen menos posibilidades de padecer el SMSL.

- Otros factores cuya implicación se ha apuntado son la edad materna (según las estadísticas es más frecuente conforme aumenta la edad de la madre y, también, cuando la misma es menor de 20 años); la falta de cuidados prenatales; las características del embarazo (la placenta previa o el desprendimiento de placenta podría incrementar el riesgo); y el bajo peso al nacer.

QUÉ PUEDEN HACER LOS PADRES

Aunque la frecuencia de este síndrome es variable de unos países a otros, en todos se ha experimentado una importante y significativa reducción de la prevalencia tras la puesta en marcha de campañas informativas destinadas a concienciar a los padres sobre la importancia de acostar siempre a los niños boca arriba.

Debido a ello, la ESPID (Sociedad Europea para la Prevención de Muerte Infantil) recomienda que se hagan campañas de divulgación en cada país, aplicando los factores ambientales que han demostrado su eficacia en la prevención del SMSL:

- Acostar a los niños en decúbito supino (boca arriba) durante el primer semestre de vida (excepto por contraindicación médica).

- Evitar el tabaquismo materno tanto en la gestación como en la lactancia.

- Evitar el tabaquismo en el entorno del lactante.

- Evitar el estrés térmico ambiental (la temperatura ideal en la habitación del niño es de 18-20 °C), prestando especial atención al exceso de calefacción y de ropas y prendas de abrigo.

- No es aconsejable que el niño duerma en la misma cama de los padres.

- Realizar la lactancia materna durante los primeros 6 meses de vida.

DERMATITIS DEL PAÑAL

(Ver «Enfermedades de la piel».)

La dermatitis del pañal es un proceso inflamatorio de la piel que está en contacto con el pañal. Se presenta con un enrojecimiento de la piel acompañado de manchas con lesiones en los bordes y aspecto escocido. Es uno de los problemas cutáneos más frecuentes y comunes durante el primer año de vida del bebé, siendo su presencia mayor entre los 9 y los 12 meses. Las causas pueden ser varias, pero la más determinante es el contacto prolongado de la piel con un pañal húmedo, lo cual, unido a una fricción de la zona, lleva a la maceración de la piel. A ello hay que unir el contacto prolongado con la orina y las heces (ambas liberan amoníaco que irrita la piel y confiere ese peculiar olor al pañal), la temperatura elevada de la zona y la acción de algunos irritantes. También puede producirse una infección secundaria a causa de un hongo o bacteria. Todo ello termina produciendo una alteración de la barrera cutánea, con diferentes áreas rojas en las zonas de mayor contacto con el pañal, que pronto se erosionan y se sobreinfectan.

Los niños que toman el pecho tienen una menor incidencia de dermatitis, debido a que el pH de sus heces es más bajo.

CÓMO ALIVIARLE

Para prevenir la dermatitis del pañal lo mejor es cambiar al niño con frecuencia. Si ya ha hecho su aparición, lo más importante entonces es mantener la piel lo más seca y aireada posible para evitar tanto la humedad (orina y heces) como el excesivo calor y el roce.

En cada cambio, hay que lavar con agua tibia (nunca caliente) o con unas toallitas específicas al bebé. La piel del niño debe secarse completamente antes de ponerle otro pañal. Es más, cuando la dermatitis ya está establecida, entonces se recomienda quitar el pañal y dejar la zona expuesta al aire libre durante todo el tiempo que sea posible. En cada cambio se recomienda aplicar una pomada protectora que contenga óxido de zinc (actúa como barrera), así como sustancias hidratantes y emolientes.

La dermatitis del pañal no suele revestir gravedad y responde bien a las pautas de tratamiento, fundamentalmente al tema de la higiene. Sin embargo, no hay que perderla de vista y llamar siempre al médico si este problema se presenta durante las primeras 6 semanas de vida, si deriva en granos o pequeñas ulceraciones, si el pequeño tiene fiebre, pierde peso o no come como es habitual en él, si la dermatitis se expande a otras zonas como cara, brazos o cuero cabelludo o si la situación no mejora después de una semana de cuidados.

COSTRA LÁCTEA

La costra láctea suele aparecer en las primeras semanas de vida (afecta al 30-50 por ciento de niños entre las 3 y las 6 semanas) y se caracteriza por la aparición de escamas amarillentas, blanquecinas o grises fuertemente adheridas al cuero cabelludo.

En cuanto al origen de la costra láctea, hay diferentes teorías. Algunos expertos manifiestan que se trata de la forma más precoz de aparición de dermatitis seborreica, mientras que para otros se trata de una patología diferenciada.

Lo que sí parece estar confirmado es la implicación de algunas hormonas de la madre, las cuales cruzaron la placenta antes del nacimiento, haciendo que las glándulas sebáceas de la piel del bebé estén demasiado activas y emitan más grasa de lo normal, favoreciendo que las células muertas de la piel, que normalmente se caen solas, queden pegadas formando costras y escamas amarillas.

Se trata de un problema leve, que no suele revestir mayor importancia y que, aunque puede reaparecer una vez eliminado, no es frecuente en niños mayores de 12 meses. Aunque puede resultar molesta, no es en absoluto dolorosa para el niño.

Pese a su nombre, no tiene ninguna relación con la ingesta de leche, de ahí que no haya necesidad de introducir ningún cambio en la dieta del bebé.

CÓMO TRATARLA

La costra láctea suele mejorar por sí sola después de unos días o semanas, aunque puede reaparecer posteriormente en la misma área. Para facilitar la descamación y acelerar su curación, lo más aconsejable es aplicar sobre la cabeza del bebé un poco de aceite de almendras, vaselina o aceite de bebé (hay quien también recomienda aplicar aceite de oliva) y dejarlo actuar durante aproximadamente una hora, para conseguir así ablandar la costra. Después, hay que lavarle bien la cabeza con un champú para bebés. Es muy importante aclararle abundantemente, ya que cualquier resto de champú puede irritar aún más la zona.

Después hay que secarle el pelo con la ayuda de una toalla y peinarle con un cepillo suave, eliminando así con mucho cuidado aquellas escamas que se hayan desprendido. Nunca hay que intentar eliminar las escamas que hayan quedado adheridas al cuero cabelludo, ya que si se arrancan, se puede propiciar una infección. Este proceso puede repetirse a diario hasta que las escamas hayan desaparecido.

En caso de que la costra esté muy extendida, se puede aplicar el aceite antes de acostar al niño (cubriendo previamente el colchón y la almohada con una toalla) y dejar que actúe durante toda la noche, lavándole el pelo a la mañana siguiente.

NO CONFUNDIR CON...

Es muy importante distinguir la costra láctea de otras afecciones de la piel como los eccemas y la dermatitis atópica. La costra láctea se manifiesta durante las primeras semanas de vida del bebé, mientras que el eccema aparece normalmente en los primeros meses.

La dermatitis atópica afecta a un porcentaje más reducido de niños (sólo un 5-10 por ciento) frente a la frecuencia de la costra láctea. Mientras la dermatitis atópica se caracteriza por la presencia de unas escamas muy finas y secas, lo típico de la costra láctea son las escamas grasosas.

Por otro lado, el eccema atópico no se manifiesta únicamente sobre la cabeza del niño, sino que también puede causar irritaciones en otras partes del cuerpo (especialmente en los pliegues de los codos así como en la zona de flexión de las rodillas), y también se desarrolla en el tronco y sobre el ombligo, con pequeñas manchas redondas y escamas más secas.

Cuándo acudir al médico

- *Si el cuero cabelludo del niño está muy irritado y le produce malestar.* En este supuesto caso, el pediatra le prescribirá una crema suave con hidrocortisona y, posiblemente, con un ingrediente antifúngico.

- *Si le produce enrojecimiento y tiene aspecto de infectarse.* En estos casos (aunque son menos habituales), es muy probable que su pediatra le recete una pomada con algún ingrediente antibacteriano.

- *Si se le extiende a otras zonas como la cara, las mejillas, la axila o la zona del pañal.* Este tercer supuesto, puede ser indicativo de una dermatitis (también frecuente en los recién nacidos). El especialista entonces, con toda probabilidad, le recomendará un tratamiento para su bebé a base de hidrocortisona y además comprobará que no hay signo de infección secundaria.

Entre los síntomas de la dentición, destacan la salivación, el malestar general, la irritabilidad y las ganas de morder constantemente.

TODO SOBRE LA PRIMERA DENTICIÓN

Por regla general, el primer diente aparece en torno al sexto mes de vida, pero, debido al componente hereditario que tiene el desarrollo de la dentición, esto varía de un niño a otro. Es más: hay niños en cuyas encías no aparecen dientes hasta los 12 meses, mientras que otros (uno de cada 5.000) nace ya con alguna pieza dental. También pueden darse agenesias, es decir, la ausencia congénita de algún diente (las más frecuentes son las de los incisivos laterales superiores).

Los dientes primarios o de leche son un total de 20, completándose el total de piezas en torno a los 30 meses. El proceso de la erupción de los dientes de leche es similar en niños y en niñas.

Los síntomas que acompañan a la dentición varían de un niño a otro, aunque en la mayoría se produce un aumento de la salivación (babeo), un malestar (llanto inespecífico, alteración de los patrones habituales de comida o sueño), irritabilidad y un afán desmedido de morder absolutamente todo lo que esté a su alcance.

Estos síntomas no se presentan en cada brote ni son los mismos: por regla general, las mayores molestias corresponden a la aparición de los premolares y de los colmillos.

Además, previamente al brote, puede aparecer un pequeño abultamiento azulado en la encía. También es bastante frecuente la inflamación y reblandecimiento de las encías, así como un enrojecimiento considerable de las mismas.

Algunas veces se producen alteraciones de la encía secundaria después de la erupción dentaria, como hematomas o quistes; este tipo de alteraciones no son ni más ni menos que problemas leves que se resuelven solos sin ningún tipo de tratamiento específico. Lo cierto es que en mayor o menor medida, el brote dentario suele ser doloroso o, cuanto menos, molesto, a nivel local, ya que el diente tiene que abrirse paso y «romper» las encías, de ahí que éstas estén doloridas y enrojecidas.

POR ORDEN DE APARICIÓN

■ Cada niño (y cada boca) es un mundo, pero por regla general, el orden de aparición de la dentición caduca o de leche es el siguiente:

- Incisivos centrales inferiores (2): entre los 5 y los 9 meses.

- Incisivos centrales superiores (2): entre los 8 y los 12 meses.

- Incisivos laterales superiores (2): entre los 10 y los 12 meses.

- Incisivos laterales inferiores (2): entre los 12 y los 15 meses.

- Primeros premolares (4): entre los 10 y los 16 meses.

- Caninos (4): entre los 16 y los 20 meses.

- Segundos premolares (4): entre los 20 y los 30 meses.

CÓMO CALMARLE

- Proporcionándole cualquier objeto duro y, a ser posible, frío, con el que el niño pueda encontrar alivio mordiendo o royendo. Lo mejor es que no se trate de comida, pues se puede alterar su rutina alimentaria de forma innecesaria.

- Cuidado con las galletas. Pueden resultar muy socorridas en niños mayores, pero no deben ofrecerse a aquellos lactantes en cuya alimentación aún no se haya introducido el gluten.

- Son muy recomendables los mordedores específicos; resultan muy calmantes debido sobre todo al masaje que ejercen sobre las encías al ser mordidos. Algunos tienen un líquido congelante en su interior, por lo que, además de aliviarle, le refresca. Una buena idea, aunque no posean este líquido, es guardar los mordedores siempre en la nevera, para que la sensación de frío incremente el alivio.

- Si las molestias son persistentes, se le puede dar un analgésico-antiinflamatorio por vía oral, como el ibuprofeno, en las dosis habituales indicadas en el prospecto.

- Preguntar al pediatra la conveniencia o no de los geles específicos para aliviar el dolor de encías, los cuales contienen una pequeña cantidad de anestésico local. No hay unanimidad entre los especialistas en cuanto a la conveniencia o no de su uso, y dependerá de las características de cada niño y del grado en el que las molestias debidas a la erupción dentaria le estén afectando. Estos productos se venden en las farmacias y se aplican directamente sobre la encía.

- Los masajes suaves con el dedo suelen aliviarle bastante, sobre todo si las molestias le impiden conciliar el sueño.

- Si ha desarrollado una erupción en la boca debido al exceso de producción de saliva cuando babea, se le puede aplicar una pequeña cantidad de vaselina.

MALESTAR: LOS DIENTES NO SON LOS ÚNICOS CULPABLES

Contrariamente a la arraigada creencia popular, la dentición no es la causa directa de las infecciones de oídos, la diarrea o incluso de la fiebre.

La aparición de los dientes es parte del proceso de desarrollo y crecimiento normal del bebé, y no hay ninguna razón para que cause ningún daño. Además, hay que tener en cuenta que el proceso de la dentición dura varios meses y durante este tiempo es posible que el niño padezca cualquier otra infección sin relación alguna con la salida de los dientes. Por tanto, se trata de dolencias que coinciden con la dentición, pero de las que ésta no es causante ni las empeora.

Además, a esta edad, el niño suele llevarse a la boca todo aquello que encuentra a su alcance, tanto motivado por su curiosidad como con el objetivo de aliviar las molestias que le produce la irrupción dentaria y, por tanto, la presencia de gérmenes en el tracto digestivo se incrementa, lo que propicia la aparición de infecciones que, a su vez, pueden ser causa de fiebre, diarrea y cuadros respiratorios.

La fiebre, por su parte, funciona como un estímulo para otros procesos orgánicos, así que es más bien el cuadro febril el que puede potenciar la aparición de los dientes. De todas formas, las molestias locales propias de la dentición pueden dar lugar a febrícula; cualquier temperatura superior a los 38 °C no debe ser atribuida a la erupción dentaria, y lo mejor en dichos casos será consultar con el pediatra.

En cuanto al hecho de que las deposiciones sean algo más densas también es debido a que la aparición de los dientes hace que aumente la producción de saliva y, por tanto, el niño traga más.

Por tanto, no hay que achacar todos los síntomas que presenten los niños de esta edad a los dientes sino que, en caso de duda o de que alguno de estos síntomas persista, es necesario consultar con el profesional.

CARIES Y TRAUMATISMOS

La caries dental es una de las enfermedades más prevalentes en la edad pediátrica, y depende de forma directa de tres factores: la presencia de bacterias, la susceptibilidad dentaria y el contacto prolongado con hidratos de carbono.

La prevención es prioritaria, y debe comenzar precozmente, con la erupción de la primera dentición. Así, por ejemplo, nunca hay que acostar al niño con un biberón de leche o de zumos al lado: si tiene sed por la noche, lo mejor es el agua. En cuanto al flúor, nunca hay que suministrarle dosis extra sin consultar con el dentista, ya que este mineral en exceso puede dañar seriamente el esmalte dental; lo mejor es utilizar una pasta dentífrica infantil, que aporta la cantidad apropiada para estas edades. Los expertos recomiendan realizar la limpieza dental con un paño hasta que se pueda utilizar un cepillo blando.

En cuanto a los traumatismos dentales de la primera dentición (golpes, roturas, etc.), éstos no precisan tratamientos de reimplantación, aunque sí es conveniente que sean valorados por un pediatra, para descartar que la lesión afecte a partes blandas, en cuyo caso sí es preciso iniciar un tratamiento y un seguimiento.

DEL BIBERÓN A LA CUCHARA

El niño puede alimentarse exclusivamente de leche materna hasta los 6 meses. Sin embargo, es conveniente que a partir del cuarto mes se introduzcan nuevos nutrientes en su alimentación, es decir, la llamada alimentación complementaria, que aseguren su correcto desarrollo.

Para ello, un primer paso suele ser el destete, el período en el que el niño pasa de la alimentación del pecho a la alimentación en biberón. Para ello no hay una fecha concreta: durante un tiempo el niño puede compaginar el pecho con las papillas, pero lo habitual es que pierda el interés por el pecho entre los 7 y los 10 meses.

¿Por qué se suele hablar siempre del cuarto mes? Para el inicio de la alimentación complementaria, es necesario que tanto el sistema nervioso como el sistema muscular del bebé estén lo suficientemente desarrollados. Aunque los niños nacen ya con los reflejos de succión y deglución, el desarrollo requerido para deglutir alimentos semisólidos ofrecidos con cuchara no alcanza su madurez hasta entonces, es decir, hasta el cuarto mes e incluso el sexto mes de edad, según cada niño.

Además, los niños poseen el denominado reflejo de extrusión, que consiste en expulsar hacia fuera con la lengua aquellos objetos y alimentos que se acercan a sus labios, y este reflejo desaparece alrededor del cuarto mes, período en el que también se produce el control del cuello y del tronco, lo que facilita que el bebé se mantenga erguido.

Para iniciar la alimentación sólida es necesario que existan movimientos rítmicos de masticación, los cuales se producen entre los 7 y los 9 meses de edad (otro tema es si al niño le gustan o no los nuevos sabores).

Así como no se debe adelantar la introducción de la alimentación complementaria, tampoco se debe retrasar, ya que es durante este período cuando se desarrolla el aprendizaje de la masticación.

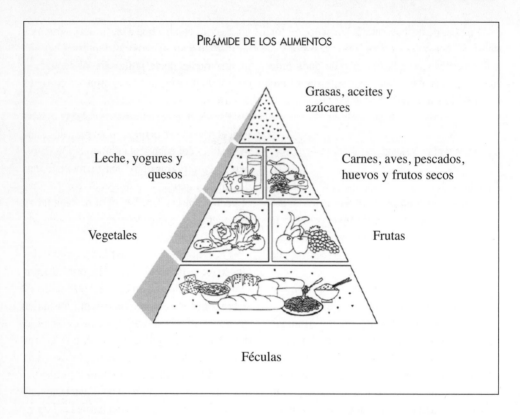

PIRÁMIDE DE LOS ALIMENTOS

Grasas, aceites y azúcares

Leche, yogures y quesos

Carnes, aves, pescados, huevos y frutos secos

Vegetales

Frutas

Féculas

LOS NUEVOS ALIMENTOS: ASÍ SE INTRODUCEN

- El nuevo plan de comidas tiene que ir introduciéndose poco a poco, añadiendo los alimentos de uno en uno. De esta forma, no sólo se facilita la adaptación del niño a su nueva alimentación, sino que se pueden detectar más fácilmente posibles intolerancias o alergias producidas por determinados alimentos, ya que es en este período cuando surgen.

- También es muy importante tener en cuenta que, aunque existen unas recomendaciones generales, no todos los niños tienen los mismos gustos ni responden igual ante los sabores nuevos, de ahí que observar las reacciones del bebé en este período sea fundamental.

- Así pues, los primeros nutrientes que se añaden a la dieta del bebé son las frutas, los cereales sin gluten y las verduras.

- Aunque hay diferencia de criterio en los médicos sobre si se deben introducir antes los cereales o las frutas, los cereales sin gluten suelen ser los primeros alimentos semisólidos que se ofrecen al niño. A partir del séptimo mes, si el pediatra lo considera oportuno, ya se pueden introducir en la dieta cereales que contengan gluten: trigo, centeno, cebada y avena.

- Las frutas más utilizadas son el plátano, la pera, la manzana, la naranja... aunque también pueden añadirse algunas de temporada, tales como la mandarina, las ciruelas o los albaricoques. Algunas, como los fresones y el melocotón, son alergizantes, por lo que conviene retrasar su administración. Lo ideal es introducir la fruta en la papilla de la merienda, mezclada con leche y sin añadir galletas (si el niño aún no puede consumir gluten), miel ni azúcar.

- Las verduras se suelen introducir a partir del quinto mes, en forma de crema o puré. Las «básicas» en todo puré infantil son la patata y la zanahoria, a las que se pueden añadir judías verdes, calabacín, tomate, puerro, acelgas... Algunas, como las espinacas y la remolacha, pueden acumular cantidades elevadas de nitratos (cuando se utilizan fertilizantes no orgánicos en su cultivo), por lo que conviene retrasar su introducción hasta el año.

- La carne se puede introducir a partir del sexto mes, siendo la más adecuada la de pollo y la de vaca.

- El pescado se introduce en torno al octavo o noveno mes, y el más recomendable es el pescado blanco.

- En cuanto al huevo, primero se introduce la yema (alrededor del noveno mes) y a partir del año, ya se puede consumir el huevo entero.

- No conviene darle lácteos (leche de vaca, yogures, etc.) hasta que haya cumplido un año. Lo mejor hasta que tenga 12 meses es emplear fórmulas infantiles adaptadas a la edad concreta del niño (hay yogures con leche adaptada para bebés menores de un año).

- Las legumbres se pueden incluir en el menú infantil alrededor del año, añadiendo una pequeña cantidad en la papilla de verduras. Se suele comenzar por las lentejas (una vez a la semana), para luego ir aumentando la frecuencia y variedad. Para facilitar su digestión hay que mantenerlas en remojo antes de cocinarlas.

LO QUE HAY QUE SABER

¿Potitos o purés caseros?

En general, suele ser más aconsejable preparar las papillas con los ingredientes escogidos, cuidadosamente lavados y cocinados el tiempo justo para consumir de manera inmediata (con ello se consigue evitar pérdidas vitamínicas). Sin embargo, los potitos son una opción muy controlada, ya que la legislación es especialmente exigente con este tipo de alimentos, así que pueden consumirse sin ningún temor.

Su mayor ventaja radica en la comodidad, especialmente durante los viajes y desplazamientos, y, además, ofrecen una mayor variación de sabores y texturas. Una vez abiertos, no deben conservarse en la nevera durante más de 48 horas, y tampoco añadirles más sal de la que ya contienen.

¿Se pueden congelar las papillas y purés?

Aunque puede hacerse de forma esporádica, no es lo ideal, ya que lo mejor es prepararlas justo cuando el niño vaya a consumirlas para asegurar de esta manera todo el aporte vitamínico y, aunque durante la congelación se destruyen pocos nutrientes, siempre se produce alguna pérdida, a la que hay que añadir las ocasionadas en el descongelamiento y recalentamiento.

Tampoco debe conservarse el puré durante más de 24 horas, aunque esté guardado en la nevera.

¿Hay que obligarle a que se termine todo?

Nunca hay que forzar al niño a comer. Si gira la cabeza, se muestra desinteresado o escupe la comida, no hay que reñirle ni, mucho menos, convertir la hora de la comida en una batalla.

Lo mejor en estos casos es estimular al pequeño a probar nuevos alimentos, consiguiendo que éstos presenten un aspecto lo más agradable y apetitoso posible, e intentar que la comida sea un momento placentero tanto para el niño como para los padres, ya que los pequeños son muy receptivos a la tensión y la angustia materna, lo que empeora el problema.

JUEGOS Y JUGUETES: ASÍ AYUDAN A SU DESARROLLO

El juego es fundamental para que el niño de esta edad alcance la madurez adecuada. Desde que nace hasta aproximadamente los 6 meses, el juego es para el bebé un ejercicio de exploración que le permite contactar con el mundo que le rodea y también descubrirse a sí mismo y empezar a relacionarse con los demás.

A esta edad, el niño juega de forma instintiva y puede pasarse largo rato entretenido con los dedos de su mano, mirándolos, chupándolos o mordiéndolos.

Lo que más atrae su atención son las caras, las voces, en definitiva, las personas, y muy especialmente su madre.

A partir de los 6 meses este foco de interés se desplaza a las cosas: como ha adquirido más destrezas, ahora puede coger, tocar y desplazarse para acercarse a los objetos que están cerca. Los adultos deben estar alerta para que no se coma o rompa nada.

POR QUÉ HAY QUE JUGAR CON ÉL

Aunque un bebé tenga a su alcance los juguetes más sofisticados, siempre va a ser fundamental compartir con sus padres los momentos de juego.

Según se desprende de los numerosos estudios realizados al respecto, el compartir momentos de ocio con sus padres no sólo le entretiene, sino que también le aporta una gran seguridad, además de afianzar de una forma muy importante de cara al futuro el vínculo con sus progenitores. Además de favorecer su desarrollo y potenciar una serie de habilidades tanto físicas como psíquicas, el juego va a tener una influencia importante en la parte afectiva y emocional del niño, siendo una «estrategia» bastante efectiva al alcance de los padres para acercarse a sus hijos cuando éstos tienen problemas. Los expertos insisten en la importancia de que padres e hijos jueguen juntos y que, además, ese tiempo de juego sea espontáneo y distendido, nunca planificado.

LAS MEJORES ACTIVIDADES EN ESTA ETAPA

De 0 a 6 meses

- *Para su desarrollo físico*. Sujeta un juguete a 25 cm de la cara del bebé y muévelo lentamente, de un lado a otro, para que él lo siga con la mirada. Otra actividad interesante es tumbarle boca abajo y animarle a que levante la cabeza para mirarte.

- *Para animarle a explorar el mundo*. Pon en su cuna un espejo para bebés, con el que pueda explorar su cara. Déjale que toque texturas como el plástico, el terciopelo o la felpa (como probablemente intente llevárselos a la boca, nunca le dejes solo con ellos).

- *Para potenciar su creatividad.* Siéntate enfrente de un espejo grande con él. Sonríe, pon caras, señala tu reflejo, date media vuelta y vuelve a ponerte enfrente del espejo... Ata un sonajero a su muñeca o tobillo y enséñale cómo agitarlo moviendo las manos y los pies. Juega con él al escondite.

- *Para relajarle y aumentar la seguridad en sí mismo.* Pon un poco de música clásica cuando lo tengas cogido en brazos, o mécele mientras le cantas una nana suavemente. Con la luz apagada, enciende una linterna y muévela por la habitación, para que el pequeño siga la luz con los ojos. Siéntalo en tus rodillas y pasa con él las páginas de algún cuento adaptado a su edad.

De 6 a 12 meses

- *Para su desarrollo físico.* Haz rodar un balón hasta donde esté él y anímale a que te lo devuelva. Levanta una torre de cubos y deja que el niño la derribe. Anímale a que toque el tambor con las cacerolas de casa y unas cucharas de madera. Fabrícale un camino de obstáculos poniendo en el suelo cojines, almohadas, muñecos de trapo, etc., con el objetivo de que trepe por ellos.

- *Para animarle a explorar el mundo.* Pon a su alcance una caja de juguetes para que elija con cuál quiere jugar. Cuando salgáis a dar un paseo, recoge cosas que tengan diferentes texturas: hojas, piedras, piñas... y dáselas para que juegue con

ellas. Dale un trozo de papel para que lo arrugue y lo rompa.

- *Para potenciar su creatividad.* Cántale nanas sencillas y de rima fácil. Pon caras y haz que te imite, e imita tú también sus muecas. Ponlo encima de tus rodillas, mientras le cantas canciones infantiles. Fabrica unas marionetas caseras con unos calcetines y unas cucharas de madera; muévelas delante de él y luego ocúltalas a su vista.

- *Para relajarle y aumentar la seguridad en sí mismo.* Anímale a que pase las páginas de un libro de cartón con dibujos en relieve y un poco de texto. Fabrícale un álbum con las caras de familiares y amigos y miradlo juntos a menudo para que reconozca a esas personas.

Los juguetes más recomendables

- Los cochecitos y carritos para empujar y las pelotas para saltar le ayudan a ganar confianza en sus actitudes físicas.

- Los juguetes como las casitas de muñecas, barcos llenos de muñequitos, granjas en miniatura con sus animalitos, etc., son estupendos para que adquiera un mayor vocabulario y, también, para potenciar su memoria.

- Los disfraces y los juegos en los que se hace pasar por otras personas o algún personaje le ayudan a definir dónde termina él y dónde empieza el otro.

- Pintar o jugar con plastilina son actividades que no solamente favorecen mucho su creatividad, sino que a través de ellas puede expresar algún temor o problema interno.

- Los libros, la música y la compañía de familiares y amigos en general son los mejores entretenimientos para ayudarle a aprender a comunicarse.

MEJOR, AL AIRE LIBRE

Está claro que los niños aprenden jugando pero, sin duda, cuando el juego se realiza en el exterior es muchísimo más efectivo. Por supuesto, cuando se trata de niños menores de 12 meses la seguridad es un hándicap a la hora de dejarlo campar libremente a sus anchas.

Sin embargo, los expertos recomiendan realizar actividades lúdicas con los niños en el exterior: siempre son preferibles los areneros, donde puedan jugar con sus palas y cubos y, de paso, ensuciarse a gusto (otra forma de aprendizaje que es clave para su desarrollo), que limitar su actividad a recintos cerrados y totalmente controlados, algo que, según los estudios más recientes, hace que a la larga los niños se comporten de forma imprudente por falta de entrenamiento.

Los expertos han demostrado que los niños que juegan a menudo fuera de su domicilio aprenden de su entorno de forma activa y se enfrentan al mundo real, ya que la calle supone un ambiente cambiante y el juego les ayuda a adaptarse a dicho ambiente.

Los resultados de estas investigaciones han demostrado que los niños que se han educado jugando fuera de casa se sienten más seguros de sí mismos, son algo menos agresivos y además se encuentran más preparados para dominar su entorno y relacionarse con otros niños.

LA HORA DEL JUEGO

Lo que hay que saber

Durante los primeros meses de vida del niño, es importante que los padres estimulen una gran variedad de sus experiencias sensoriales, motrices y receptivas mediante juegos que impliquen la mirada, juegos en el regazo y juegos realizados en la cuna.

Con los juegos corporales y verbales (posibilidades de movimiento, juegos de pies y manos, manipulación de objetos...), el niño obtiene sensaciones kinestésicas (motoras), táctiles, visuales, etc.

Durante toda esta etapa es recomendable contar con sonajeros, objetos de colores muy vivos y de gran tamaño para poder ser manipulados, juguetes musicales, móviles colgantes para la cuna del pequeño, objetos para chapotear en el agua, juguetes de goma para morder, espejos...

El perfil del niño de 0-6 meses

- Sigue con la mirada el movimiento de personas y objetos.
- Descubre la funcionalidad de su propio cuerpo.
- El bebé responde a los estímulos con risas y gorjeos.
- Distingue formas y colores.
- Se mantiene sentado.
- Es capaz de agarrar objetos sin utilizar los pulgares.

Los juguetes más adecuados de 0-6 meses

- Móviles de cuna.
- Sonajeros.
- Muñecos de goma.
- Elementos con sonido.
- Mordedores.

- Alfombras con actividades.
- Juguetes con gran contraste de variados colores.
- Juguetes con diferentes texturas.

El perfil del niño de 7-12 meses

- Realiza movimientos de forma más voluntaria.
- Reconoce las voces y ciertas palabras.
- Pronuncia algunas palabras.
- Explora y golpea objetos.
- Busca juguetes u objetos escondidos.
- Arrastra y agarra varios objetos.
- Se sienta solo.

Los juguetes más adecuados 7-12 meses

- Móviles.
- Objetos que ruedan: pelotas, encajes sencillos...
- Juguetes sonoros.
- Juguetes con contrastes de colores.
- Juguetes con diferentes texturas.
- Tentetiesos.
- Muñecos de trapo.
- Juguetes para el agua.
- Andadores.
- Balancines.

EL GATEO

Por regla general, los niños comienzan a gatear entre los 6 y los 10 meses. La importancia de la etapa del gateo radica en que se trata de un período de exploración que permite al niño conocer el medio, los conceptos de espacio (lejos-cerca, arriba-abajo...), los límites físicos y la velocidad.

Básicamente, le da una nueva perspectiva del mundo (cuando está en brazos, difícilmente presta atención a lo que le rodea), dándose cuenta no sólo de los objetos que tiene alrededor, sino del tamaño de los mismos en comparación con otros e incluso con su propio cuerpo.

Pero, además, gatear aporta innumerables ventajas al niño a nivel neurológico. Numerosos estudios han demostrado que gatear siendo un bebé es básico para desarrollar correctamente el cerebro, ya que favorece la relación entre los dos hemisferios cerebrales y prepara la vista y la mano para habilidades futuras tan importantes como la escritura. De hecho, se ha demostrado que en los problemas de aprendizaje, un factor muy importante es la falta de organización de los hemisferios derecho e izquierdo del cerebro. Cuando el niño descubre a su alrededor cosas interesantes para investigar y realiza toda clase de esfuerzos para alcanzar los objetos que le resultan atractivos, este proceso de organización cerebral se pone en marcha. Todo ello se traduce en toda una serie de beneficios muy concretos:

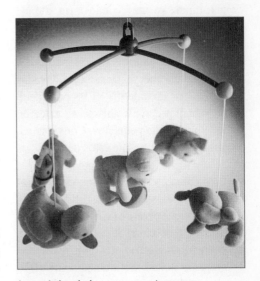

Los móviles de las cunas son juguetes muy apropiados para el primer año de vida del niño.

- Se desarrolla el patrón cruzado, es decir, la función neurológica que hace posible el desplazamiento organizado y el equilibrio del cuerpo (el brazo derecho sincronizado con el pie izquierdo y el brazo izquierdo con el pie derecho). Cuanto más gatee, más rápida será la interconexión entre ambos hemisferios, lo que con la edad se traducirá, por ejemplo, en una mayor facilidad a la hora de coger apuntes en la escuela.

- Favorece la propioacepción, lo que significa que el niño es capaz de saber perfectamente dónde están cada una de las partes de su cuerpo.

- A nivel visual, los beneficios son también muy importantes: al querer alcanzar un objeto para cogerlo, se realiza una importante coordinación ojo-mano. Además, al mirar al suelo para colocar la mano o la rodilla, el niño enfoca los dos ojos en un mismo punto a corta distancia, mientras que cuando mira adónde va, su mirada converge en un punto infinito, lo que supone un estupendo ejercicio muscular para los ojos siendo tal su importancia que, según estudios llevados a cabo por optómetras, el 98 por ciento de los niños con estrabismo no gatearon lo suficiente de pequeños. Conviene estar muy pendientes de estos detalles.

- Le prepara para la escritura: cuando gatea, el niño siente la tactilidad de la mano, lo que permite la maduración de la llamada motricidad fina (manos-dedos), pudiendo coger objetos con los dedos pulgar e índice simultáneamente (tipo pinza). Este movimiento es la base para que posteriormente coja correctamente el lápiz y domine la escritura.

- El movimiento armónico y continuado que implica el gateo incrementa la capacidad pulmonar del niño, lo que aumenta la oxigenación de su cerebro y facilita su capacidad respiratoria para cuando empiece a hablar.

- Además, el gateo tiene implicaciones sociales y psicológicas. Al comenzar a gatear, el niño inicia una separación física de su madre y empieza a ser capaz de diferenciarse a sí mismo del resto del mundo, lo que, por otra parte, también favorece su independencia, ya que le permite desplazarse sin ayuda de los adultos y proponerse metas (sortear obstáculos, alcanzar un juguete...), lo que potencia su autoestima y su seguridad en sí mismo.

Cómo estimularle a gatear

■ El gateo es un desplazamiento que se adquiere de forma evolutiva, es decir, aparece espontáneamente. Sin embargo, los padres pueden utilizar técnicas muy efectivas para fomentarlo:

- Desde que es pequeño, hay que preparar la etapa del gateo poniéndolo con frecuencia boca abajo (cuando esté despierto) y situándole delante un objeto que llame su atención.

- Buscar un espacio liso, limpio y, sobre todo, seguro (hay que comprobar que el niño no pueda acceder a enchufes, que todas las estanterías y muebles estén lo suficientemente fijos, que no haya ningún mantel u otra superficie sobresaliente de la que pueda tirar...) y ponerle a gatear al menos durante una hora al día. Los corralitos le facilitan la bipedestación, pero el recorrido que permiten es demasiado corto para potenciar el gateo. Por supuesto, no hay que dejarlo solo en ningún momento.

- La mejor forma para estimularlo a gatear es colocar sus objetos o juguetes preferidos enfrente y alejados de él, para incitarle a que vaya a por ellos. El juego de «perseguir una pelota» (siempre es mejor si es colorida) es uno de los más efectivos para que el niño domine la técnica del gateo.

- Lo mejor es que gatee descalzo o con zapatillas o calcetines antideslizantes. Los zapatos pueden dificultar el movimiento del niño.

- Ponerle obstáculos que sortear (una silla, un cojín) le permitirá desarrollar una mayor destreza, dándole más seguridad y agilidad.

- No hay que someterlo a prohibiciones reiteradas. Lo mejor es dejarle explorar y analizar aquello que se encuentre a su paso, siempre y cuando no peligre su seguridad.

- Paulatinamente, los padres pueden incrementar sus capacidades cambiándolo de posición, moviendo los objetos de sitio, etc.

- Una de las formas más estimulantes y divertidas de conseguir que el pequeño se anime a gatear es que el padre, la madre o ambos gateen con él, estableciendo así juegos y competiciones entre ellos. Sin duda, querrá repetir el juego con sus padres.

Cuándo hay que preocuparse

No todos los niños se encuentran a gusto gateando e incluso pueden llegar a omitir esta etapa para pasar directamente a ponerse de pie. Lo normal es que previamente al gateo se arrastren sobre la tripa, pero muchos niños pasan directamente de sentarse a ponerse a cuatro patas.

Pero además no todos los niños pequeños que gatean lo hacen de la misma manera: los hay que prefieren su propia técnica, así que que no tenemos de qué preocuparnos: lo que importa es que el bebé se desplace y no la forma como lo haga.

Los hay que gatean sentados, doblando las piernas para deslizar las nalgas como si estuviera remando con ellas; otros se tumban boca abajo, utilizando sus brazos para impulsarse mientras que algunos, apoyados sobre manos y pies, y con el culete en pompa, se desplazan con gran destreza.

No pasa nada si el niño alterna el gateo con la bipedestación. Es más, según algunos expertos, incluso los adultos deberían gatear de vez en cuando para estimular determinadas funciones cerebrales.

Pero, ¿por qué hay niños que gatean y otros que no? Porque no todos los niños se desarrollan de la misma manera. Además, hay toda una serie de factores que pueden influir en la mayor o menor predisposición al gateo: el sobrepeso, el bajo tono muscular, la genética familiar o una menor estimulación ambiental.

En caso de que el niño ya haya cumplido 6 meses y no muestre signos de movilidad como darse la vuelta, reptar e incorporarse apoyado sobre los antebrazos, hay que consultar al pediatra para que éste decida cuál es el camino a seguir. Entre algunas posibilidades, puede que necesite algunos ejercicios de motivación extra.

SUS PRIMEROS PASOS

Los primeros meses de la vida del niño suponen un auténtico «entrenamiento» para el momento en que comienza a andar, desarrollando la fortaleza muscular y la coordinación necesaria. Así, pronto aprenderá a darse la vuelta, reptar, levantarse y gatear. Alrededor de los 8 meses aprenderá a ponerse de pie y mantenerse durante más tiempo. A partir de aquí, y a medida que vaya cogiendo más equilibrio y seguridad, puede comenzar a dar sus primeros pasos.

Por regla general, los niños dan sus primeros pasos entre los 9 y los 13 meses y se puede decir que caminan correctamente a partir de los 15 meses. Sin embargo, y esto es muy importante, hay que tener siempre en cuenta que cada niño es diferente y el ritmo de la habilidad motora es personal y depende de varios factores.

Tampoco hay que esperar que el niño «queme» todas las etapas establecidas: por ejemplo, algunos bebés no gatean nunca y comienzan a caminar sin pasar por esta fase. Asimismo, si el niño tarda más en caminar no hay que preocuparse, ya que lo que importa es el progreso adecuado (y no la rapidez) de sus habilidades.

Se puede decir que en el inicio de sus primeros pasos hay tres niveles:

- *El nivel básico*, en el que el niño utiliza los muebles para incorporarse: confía su peso en algo en lo que apoyarse.

- *El nivel medio*, en el que primero se apoya en un mueble para luego trasladar su peso a las piernas y utilizar las manos para no caerse, desplazándose de lado.

- *El nivel avanzado*, en el que sólo necesita una mano para apoyarse e incluso puede

que sea capaz de ir de mueble a mueble sin ningún apoyo.

Debemos de tener siempre presente que a estas edades la motivación que empuja al niño a desplazarse es explorar todo lo que le rodea, no el desplazarse de un sitio a otro sin ningún motivo.

LO QUE HAY QUE SABER

- Es muy importante no meter prisa al niño ni obligarle a andar, ya que para su correcto desarrollo es fundamental respetar su ritmo.

- Los primeros pasos suelen darlos en puntillas así como con los pies apuntando hacia fuera.

- Los pies de los bebés pueden en ocasiones parecer planos y esto es debido a que la mayoría de los niños no desarrolla el arco plantar hasta la edad prepuberal. Es algo totalmente normal.

- Cuando empiezan a caminar, los niños siempre prefieren hacerlo descalzos, porque les hace ser más conscientes de dónde están sus pies y les permite usar los dedos para equilibrarse. Además, esto les permite utilizar todos los músculos del pie.

- Hay que cortarle las uñas de los pies con regularidad, ya que crecen con muchísima rapidez. Se deben cortar transversalmente, evitando las esquinas.

- El uso del andador o más popularmente conocido como taca-taca está muy cuestionado por los especialistas, y un buen número de ellos lo desaconsejan alegando que su utilización no sólo no garantiza que aprenda a caminar antes, sino que el niño puede adquirir «vicios» y malos hábitos, que dificulten posteriormente su forma de caminar.

ANIMARLE A CAMINAR

- Colocarle en lugares donde haya espacio suficiente para que pueda moverse a sus anchas.

- Ayudarle a levantarse o a sostenerse de pie sujetándole de las dos manos (y luego de una sola), o proporcionándole objetos a los que agarrarse (un mueble, una silla). Poco a poco, animarle a que se suelte y se acerque a nosotros.

- En general, y siempre que se haya comprobado la seguridad del entorno, hay que dejarle la máxima libertad de movimientos: que pruebe, que experimente, que explore, que juegue...

- Los bebés captan las reacciones de los demás ante sus logros, de ahí que sea tan importante para ellos festejar cada hazaña y, también, desdramatizar las caídas: son algo totalmente normal (e incluso necesario) en el aprendizaje de la habilidad de andar.

- Es frecuente que, una vez de pie, al niño le dé miedo volver a sentarse en el suelo, de manera que es importante guiar sus movimientos para evitarle momentos de ansiedad. Hay que indicarle entonces que debe flexionar sus rodillas, exagerando el gesto para que entienda lo que se le quiere decir.

- Para que mantenga el equilibrio, hacer que se ponga de pie descalzo y, situándose detrás de él, empujarle suavemente con las manos de izquierda a derecha.

- Una buena idea es introducir la música en el aprendizaje de sus primeros pasos: bailar llevando el ritmo puede resultar muy estimulante.

PERCENTILES GENERALES DEL PESO Y LA TALLA CON RELACIÓN A LA EDAD		
Edad	Peso	Altura
Recién nacido	3-4 kg	50 cm
Recién nacido	3-4 kg	50 cm
1 mes	4-5 kg	53-56 cm
De 3 a 6 meses	5,5-8 kg	57-67 cm
De 6 a 9 meses	7-10 kg	65-72 cm
De 9 a 12 meses	9-11 kg	70-77 cm
De 12 a 18 meses	9,5-13 kg	73-83 cm
De 18 a 24 meses	11-14 kg	89-90 cm
De 24 a 36 meses	12-17 kg	84-97 cm

- Realmente, el niño sólo necesita zapatos cuando camina sobre un terreno áspero y, por supuesto, para protegerse frente al frío. Dentro de casa, en la arena o sobre el césped no hay necesidad de que esté calzado.

- Nota muy importante: se debe medir el tamaño del pie del niño en cada compra de calzado que se haga, ya que lo normal es que a estas edades los pies crezcan muy rápidamente.

- Los zapatos para el niño que empieza a andar deben tener una suela flexible, resultar cómodos al pequeño y tener ventilación así como una buena tracción (agarre al suelo).

- El zapato deberá ser aproximadamente unos 2 cm (el ancho de un dedo índice) más largo que el dedo gordo del niño.

- El área del talón debe estar y quedar lo suficientemente ajustada como para evitar que el zapato se mueva arriba y abajo mientras el pequeño camina. La máxima flexibilidad debe ser donde se dobla el pie.

PROBLEMAS QUE PUEDEN SURGIR

- Existen factores que pueden retrasar el aprendizaje de la marcha. Por ejemplo, una caída en los primeros intentos puede crearle mucha inseguridad y miedos.

- Algunos niños cuya talla y peso están por encima del percentil que corresponde a su edad pueden presentar dificultades a la hora de aprender a andar.

- Cualquier enfermedad o molestia puede retrasar el inicio de la marcha, ya que le distraerá de sus intentos. Hay que dejarle que se recupere y no insistir demasiado con la práctica.

- Los bebés prematuros también pueden comenzar a caminar más tarde, debido a que desarrollan sus habilidades con posterioridad respecto a los niños nacidos a término.

- Por lo general, un retraso en la marcha sólo debe ser preocupante cuando está asociado a otros problemas.

- Sí que habría que consultar con el pediatra si el niño no se sostiene de pie sin ayuda a los 16 meses o si a los 2 años aún no camina.

EL CHUPETE

La conveniencia o no de que el bebé utilice chupete regularmente es un tema que suscita controversias entre los pediatras y especialistas en salud infantil. Las últimas investigaciones apuntan a que siempre que se emplee de la forma correcta y durante un tiempo determinado, aporta algunos beneficios al desarrollo del niño.

El uso del chupete se basa en un reflejo que tiene el recién nacido, el de succión. De hecho, ya desde que está en el útero, el acto de chupar ejerce un efecto tranquilizante sobre el futuro bebé.

La succión no nutritiva se considera una actividad normal en el desarrollo fetal y neonatal y persiste hasta aproximadamente los 12 meses de edad, siendo la necesidad de succionar más intensa durante los primeros meses de vida. Este reflejo primario de succión, además de permitirle alimentarse, le calma y le reconforta.

MANUAL DE USO

- Actualmente se pueden encontrar en el mercado distintos tipos de chupetes: el tradicional y también algunos modelos que se emplean para facilitar la administración de fármacos a los niños e incluso algunos que tienen a la vez la función de termómetros. Los hay para todos los gustos: anatómicos, no anatómicos, de silicona, de látex, para recién nacidos, para niños más mayores... pero todos ellos parten de un solo modelo: el pezón materno.

- Hay que adquirir siempre chupetes debidamente homologados, en establecimientos que reúnan todas las garantías. Las normas de seguridad establecen que éstos deben estar realizados con materiales plásticos, tener bordes redondeados, poseer una anilla o tirador que permita extraerlo de la boca y que la tetina no sea superior a 3,3 cm.

- La base del chupete debe ser grande para evitar que el niño pueda introducirse todo el chupete en la boca, con el consiguiente riesgo de asfixia.

- Debe ser el niño quien elija con qué modelo y qué tipo de calzado se encuentra más a gusto y cómodo. Una buena idea es, en cuanto se decante por algún modelo, comprar varios similares e irlo alternando, para que no dependa sólo de un chupete, con el consiguiente «drama» que se puede producir cuando éste se rompa o se pierda.

- Lo mejor es colocárselo mediante un gancho de presión que vaya prendido a la ropa del niño. Nunca hay que colgárselo al cuello con una cinta o una cadena, ya que se corre el riesgo de que el niño se ahogue en un momento de descuido, ni con imperdibles, no recomendados por poder abrirse y, por tanto, pincharse el bebé.

- Antes de usar el chupete por primera vez, se recomienda esterilizarlo con agua hirviendo y ofrecérselo al niño sólo cuando se haya enfriado totalmente.

- Cuando el chupete se caiga, basta con limpiarlo con un poco de agua caliente; las madres nunca deben recurrir al truco de «chuparlo» ellas: no sólo no es higiénico, sino que esta práctica está asociada a una mayor prevalencia de infecciones. Una buena idea es llevar siempre un chupete suplente y limpio que el niño pueda utilizar.

- En cuanto al reemplazo de un chupete por otro, éste depende del uso que el niño le dé, aunque es recomendable cambiarlo con cierta frecuencia, sobre todo cuando ya tiene dientes. Hay que estar pendientes de que la goma no esté demasiado blanda o pegajosa, en cuyo caso se debe cambiar inmediatamente.

- Es muy importante no embeber el chupete en sustancias dulces (azúcar, miel) debido tanto al posible daño dental como al riesgo que esto implica de adquirir otras patologías.

SUS BENEFICIOS

● *Calma al bebé*. El efecto tranquilizante es el aspecto beneficioso más ampliamente reconocido del chupete. Pero, además, durante la lactancia materna el chupete también desempeña su papel, ya que la madre no puede ofrecer el pecho en todos los momentos en que el niño desee succionar. También se trata de un recurso bastante útil en aquellos niños que padecen cólicos o en los que son muy irritables, así como en los embarazos múltiples y también en los puerperios que resulten complicados.

● *Previene la muerte súbita del lactante*. Numerosos estudios han relacionado el uso del chupete con una menor incidencia del SMSL (Síndrome de Muerte Súbita del Lactante), apuntando como posible mecanismo el impedimento de que la lengua caiga hacia atrás obstruyendo las vías respiratorias. Asimismo, la succión del chupete favorece el control de la respiración, reduciendo los períodos de apnea. Además, a los niños que usan chupete no les resulta cómodo dormir boca abajo, posición que aumenta el riesgo de SMSL.

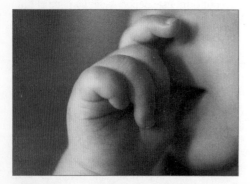

La función de succionar es instintiva en los bebés.

● *Estimula a los bebés prematuros*. Muchas investigaciones han confirmado que los bebés nacidos pretérmino que deben alimentarse por sonda nasogástrica y que utilizan chupete aceleran la maduración del reflejo de succión, lo que facilita una transición más rápida a la alimentación oral. Además, la succión también tiene un efecto muy claro sobre el comportamiento de estos bebés, disminuyendo en gran parte su estrés.

LOS RIESGOS DE SU ABUSO

● Los *trastornos dentales* pueden producirse en los bebés que han usado chupete, ya que:

– El uso del chupete se ha relacionado con maloclusiones dentales como, por ejemplo, la mordida cruzada posterior, sobre todo cuando el hábito se prolonga más allá de los 36 meses. Esto se debe a la posición bucal del chupete.

– Además, los niños que usan chupete sufren una alteración de la flora bacteriana y una mayor propensión al llamado síndrome del biberón o del chupete, es decir, la presencia de caries en la dentición provisional (de leche) debido a la utilización prolongada del biberón lleno o chupete impregnado de productos azucarados.

– Asimismo, los expertos en odontología advierten que una vez que el niño alcanza la edad preescolar, el chupete puede transformarse en un hábito que impide el desarrollo de dientes sanos, y si el niño continúa usándolo pasados los tres años, pueden producirse malformaciones dentales graves, siendo la más común el espacio abierto entre los dientes anteriores o una mordida en la que los dientes superiores protruyen, es decir, se van hacia delante.

- Existe un mayor riesgo de padecer *problemas que afectan al oído*:

  – Mayor riesgo de otitis. Varios estudios han apuntado a que los niños que usan chupete son más propensos a padecer infecciones agudas en el oído medio, especialmente cuando éstas son repetidas. La razón es que el chupete podría aumentar el transporte de los agentes patógenos al oído (la succión, con las fosas nasales bloqueadas, puede aumentar el reflujo de las secreciones orofaríngeas al interior de la cavidad del oído medio).

  – La succión frecuente del chupete puede ser perjudicial para el buen funcionamiento de la trompa de Eustaquio.

- Acorta en parte la duración de la lactancia materna:

  – El uso del chupete se relaciona con una duración más breve de la lactancia materna, ya que hay investigaciones que apuntan a que el recién nacido que usa chupete presenta una «confusión de pezón», pues la succión del mismo requiere un patrón distinto que puede interferir en la adquisición de la técnica oral necesaria para la lactancia materna.

  – Estudios más recientes han concluido que el uso del chupete es un indicador de dificultades en la alimentación con leche materna o de una disminución en la motivación del bebé por este tipo de alimentación.

- Otros factores a tener en cuenta:

  – Hay estudiados indicios en la relación del uso del chupete con la aparición de úlceras orales, como el afta de Vendar (una úlcera de gran tamaño localizada en el tercio posterior del paladar).

  – También se ha querido ver una posible relación del uso del chupete con las candidiasis orales resistentes a los antibióticos, con episodios de hipersensibilidad al latex y con otros efectos paralelos, como puede ser el hecho de que las pérdidas frecuentes del chupete durante la noche crean irritabilidad en el niño y alteran su descanso nocturno.

RECOMENDACIONES A SEGUIR

- No existen pruebas lo suficientemente contundente como para potenciar o rechazar el uso del chupete, pero los expertos hacen especial hincapié en la importancia de no iniciar su uso antes de los 15 días de vida (es decir, una vez que las pautas de alimentación ya estén establecidas), así como restringir dicho hábito a partir de los 8 meses y suprimirlo a partir del año.

- El chupete puede ser útil como relajante, pero hay que evitar utilizarlo cada vez que el bebé llore, puesto que el llanto de éste es una de las formas de comunicación que tiene el niño y sus demandas deben ser complacidas en la medida de lo posible acunándole, meciéndole y hablando con él.

- También hay que evitar usar el chupete como método para retrasar la hora de la comida, puesto que en muchos casos lo único que conseguiremos será irritar aún más al pequeño.

- Para conseguir que el niño se deshabitúe al uso del chupete, hay que hacerlo poco a poco, nunca de golpe. Lo mejor en estos casos puede ser ir limitando su uso diariamente, restándole horas de disfrute, de manera que el niño prácticamente no lo note y poco a poco se vaya olvidando de su dependencia.

- En caso de que notemos que la dependencia del chupete es mayor a la hora de dormir, hay que dárselo mientras se le canta y se le acaricia; hacer esto durante varios días para luego cantarle y acariciarle sin darle el chupete y observar su reacción.

PRINCIPALES AFECCIONES: CÓMO ACTUAR

ACETONA

Suele ser consecuencia de la falta de glucosa o de la mala utilización de la misma como material combustible para mantener el organismo en orden. Como consecuencia, se emplean las grasas para cubrir este déficit y producir la energía que necesita el niño. Las grasas, al ser utilizadas por el cuerpo, producen como sustancia secundaria la acetona o los cuerpos cetónicos. Por tanto, la acetona no es una enfermedad en sí misma, sino que es la manifestación de un déficit o carencia en el organismo. Sirve como voz de alarma de que está pasando algo.

Los síntomas

- Un olor a manzana característico en el aliento y la orina del niño, que es por donde se elimina esta sustancia. Esto se puede comprobar en la orina usando unas tiras reactivas para la acetona (de venta en farmacias).

- En caso de que el niño sea diabético, la existencia de la acetona en la orina es importante, ya que nos indica que la glucosa está alterada y precisa atención médica inmediata.

Cómo aliviarle

- Asegurando la reposición de azúcares por vía oral o venosa en caso de que el cuadro vaya acompañado de vómitos intensos.

- Se suelen administrar líquidos azucarados no concentrados, suero glucosado al 5 por ciento o bebidas de cola diluidas en agua, siempre bajo el control del pediatra, ya que existe la posibilidad de que se produzcan pérdidas de líquidos o glucosa excesivas que requieran un tratamiento más enérgico.

RESFRIADOS

El resfriado es una infección vírica que inflama las mucosas que se encuentran en la garganta y la nariz. La mayoría de los resfriados que se producen a esta edad desaparecen en un período de 3 a 10 días.

Los síntomas

- Mucosas de la nariz inflamadas y dificultad para comer, ya que el bebé no puede respirar y succionar al mismo tiempo; subida de fiebre; pérdida de apetito y ronquidos.

Cómo aliviarle

- Darle mucha agua entre las comidas, para evitar que se deshidrate, aunque se le quite el hambre.

- Si se le está dando el pecho, hay que alimentarle cada poco tiempo y en pocas cantidades.

- Para ayudarle a respirar, hay que mantener los niveles adecuados de humedad en su habitación.

- Si los síntomas se acompañan de fiebre, y siempre tras consultar al pediatra, se le puede administrar algún antitérmico (paracetamol).

Lagrimal obstruido

En el ángulo interior del ojo, en cada uno de los párpados, hay unos orificios a los que llegan las lágrimas de las glándulas lagrimales. Estos agujeritos desembocan en un canal que termina en la nariz, formado por el saco lagrimal y el conducto nasolagrimal. En algunos niños, el camino hasta el saco lagrimal está obstruido. Esto es debido a la existencia de una membrana o adherencia; al desarrollo inadecuado o a la inmadurez del conducto nasolagrimal; o a una infección nasal u ocular que tapona los orificios.

Los síntomas

- El ojo (o ambos) lagrimea continuamente y presenta legañas.

- Ojo rojo (conjuntivitis) e infecciones de repetición.

Cómo aliviarle

- Hasta los seis meses de edad es habitual que el niño tenga este problema, que suele resolverse por sí solo con el crecimiento (aproximadamente hacia los 12 meses). Hay que acudir al pediatra, quien enseñará a masajear con el dedo el ángulo interior del ojo para favorecer el drenaje, vaciar el conducto y lograr así que la obstrucción desaparezca.

- Lavar diariamente los ojos con suero fisiológico (con cuidado de que no caigan las gotas de un ojo a otro) y eliminar las secreciones con gasas esterilizadas (una para cada ojo). Repetir el proceso cada vez que el niño se despierte.

- En caso de que este problema vaya acompañado de conjuntivitis y otras infecciones oculares (algo bastante habitual), deben tratarse con colirios prescritos por el pediatra.

- Si la obstrucción es muy frecuente o aparece un bulto doloroso en el ángulo interior del ojo, el especialista sondará el conducto obstruido, una intervención menor que es ambulatoria y no precisa anestesia general.

Conjuntivitis

Es una inflamación o infección de la membrana transparente que recubre la cara interna del párpado y del globo ocular. Puede estar producida por tres causas: bacterias, virus o alergias.

Los síntomas

■ Pueden aparecer aislados o varios de ellos juntos:

- Sensación de tener arenilla en el ojo. No altera la visión ni duele, pero sí molesta e incita al rascado. Suele ir por regla general acompañada de fotofobia (fobia a la luz).

- Ojo enrojecido y lloroso. Los pequeños vasos capilares del ojo se dilatan, las lágrimas aumentan y aparece mucosidad. Al despertar, los ojos suelen aparecer pegados.

- Edema: hay inflamación ocular.

- Párpados caídos, con la sensación de no poder levantarlos.

- Si está producida por una bacteria, suelen estar afectados los dos ojos y los síntomas son: lagrimeo con abundante secreción amarilla o verdosa, y edema ocular. Los recién nacidos pueden contagiarse durante el parto.

- Las conjuntivitis víricas suelen afectar solo a un ojo, y aparecen junto a otras infecciones, tales como gripe, rinovirus, etc.

- Las conjuntivitis alérgicas están producidas por pólenes, pelusas, etc.; aparecen en los dos ojos con irritación y abundante lagrimeo claro.

Cómo aliviarle

Es siempre necesario acudir a la consulta del médico. Además, los padres deben tener cuidado de lavarse siempre las manos antes de tocar los ojos del niño; hay que limpiarle los ojos con suero fisiológico (unidosis) y pasar una gasa desde el ángulo exterior hacia el interior. Nunca hay que aplicarle un colirio si no lo prescribe el médico.

VÓMITOS

Se producen cuando el niño expulsa por la boca, tras un esfuerzo muscular de contracción, una parte o la totalidad del contenido del estómago. Se trata de un acto reflejo controlado por un centro nervioso llamado centro del vómito, situado en el bulbo raquídeo cerebral. Es muy frecuente en la infancia y generalmente se trata de un síntoma pasajero sin importancia. Sin embargo, en ocasiones, puede ser señal de una afección más importante.

Los síntomas

■ Es muy importante observar el contenido del vómito para así tener una idea de cuál es su causa:

- Contenido bilioso: es signo de obstrucción intestinal, principalmente en el recién nacido.

- Comida sin digerir: hace pensar en lesiones en el esófago, con dificultad para que los alimentos entren en el estómago.

- Restos de comida anterior ya digeridos: es un claro signo de dificultad para la salida de los alimentos del estómago hacia el intestino.

- Vómitos con restos fecales: ocurren en los casos de peritonitis o en obstrucciones intestinales bajas.

- Vómitos con restos de sangre: depende del color de la sangre que contengan. Si tiene aspecto de «posos de café» es signo de sangrado lento en el estómago, que ha sido digerido por los jugos gástricos. Si la sangre es de color rojo o poco alterada, es signo de sangrado de vías altas, que ha ido cayendo en el estómago (en el caso del sangrado nasal posterior).

Cómo aliviarle

- Cuando el niño comienza a vomitar hay que ayudarle para que no aspire nada, intentando que esté en reposo hasta que su organismo haya eliminado las sustancias o alimentos que le molestan.

- Después de que haya pasado una hora sin vomitar se le pueden comenzar a administrar pequeñas cantidades de líquido por vía oral (tres o cuatro cucharadas cada 10-15 minutos). No hay que darle ningún tipo de alimento durante las primeras horas.

- Los líquidos que suelen recomendar los pediatras son suero salino con glucosa al 5 por ciento; suero glucosado al 5 por ciento; agua de arroz si además hay diarrea, y, también, agua o infusiones azucaradas, zumos de fruta no concentrados.

- Pasadas unas horas en las que el niño ha tolerado los líquidos sin vomitar, se puede iniciar poco a poco la ingesta de alimentación.

- En caso de que persista el cuadro de vómitos y el niño no tolere los líquidos, hay peligro de deshidratación, por lo que será necesario acudir a un hospital para que se

le administren sueros intravenosos y determinar cuál es la causa del vómito.

REGURGITACIÓN

Se trata de la expulsión no violenta de alimentos por la boca poco después de las comidas y coincidiendo muchas veces con el eructo. No se acompaña de náuseas ni de contracciones abdominales violentas. No presenta casi ningún problema en sí misma; es más, es casi normal durante los primeros meses de vida.

Los síntomas

■ Son distintos según el tipo de regurgitación de que se trate:

- Regurgitación fisiológica: aparece en las primeras semanas de vida. El niño suele realizarlas varias veces al día, expulsando pequeñas bocanadas de comida después de tomar el biberón. Por lo general, no es posible determinar la causa, pero tampoco suponen las regurgitaciones ningún problema siempre y cuando el niño continúe ganando peso. Suele ir disminuyendo a medida que el niño crece, desapareciendo en torno al séptimo u octavo mes de vida.

- Regurgitación por mala técnica de alimentación: es el caso de los lactantes que se alimentan con gran voracidad o rapidez o, por el contrario, lo hacen muy lentamente. Ambas situaciones favorecen la deglución de aire con un gran aumento de la cámara gástrica, que vacían mediante el eructo y la expulsión de parte del alimento. Otra causa puede ser el hecho de que la tetina del biberón tenga un agujero demasiado pequeño, lo que le hace tragar aire y, también, si se le da al niño demasiado volumen de alimento para su edad.

Cómo aliviarle

- Hay que intentar no acostarle demasiado pronto sin darle tiempo para eructar, ya que ello facilita la regurgitación. También hay que procurar no mover ni agitar al niño después de la toma.

- Si la regurgitación fisiológica se prolonga más allá de los 8 meses, se precisará un estudio médico para descartar la existencia de una causa patológica de cierta gravedad.

Estreñimiento

Se trata de un trastorno digestivo que se manifiesta con deposiciones dolorosas, irregulares o incompletas. La mayoría de las veces no existe ninguna enfermedad que lo provoque, aunque siempre debe ser el pediatra quien lo confirme. Las causas más comunes suelen ser una alteración en la dieta (déficit de alimentos con fibra, verduras y fruta); paso de la lactancia materna a la artificial; introducción de cereales; escasez de líquidos; cambios en el entorno del niño (mudanza, retirada del pañal) e incluso falta de ejercicio.

Los síntomas

- Heces duras y secas (conocidas como heces caprinas).

- Si se trata de un lactante, y si éste hace menos de dos deposiciones al día.

- Si, en el caso de los niños que toman biberón, hacen menos de tres deposiciones por semana.

Cómo aliviarle

- Hasta los 6 meses, se puede añadir peptina de manzana al biberón (siempre que sea indicado por el pediatra).

- En los niños mayores de 6 meses, se recomienda el consumo de frutas y verduras; darle unas gotas de zumo de naranja; añadir más agua al biberón y ofrecerle agua entre las comidas.

Diarrea estival

Se define la diarrea como la emisión de heces de consistencia líquida, con más frecuencia de la habitual. Suele ser una dolencia benigna y se cura por sí sola, pero implica un alto riesgo de deshidratación, sobre todo si coincide con el período estival.

En el caso de los lactantes, y debido a las variaciones que se producen en el ritmo intestinal de un niño a otro, hay que hablar de diarrea basándose en la frecuencia habitual y en la consistencia de las heces.

Las diarreas pueden tener su origen en una infección viral, en una intoxicación alimentaria por bacterias (suelen ser las más severas) o en una infección urinaria o en la de garganta.

Los síntomas

- Deposiciones líquidas y abundantes acompañadas de llantos constantes, cambios inesperados en los patrones de sueño y alimentación del niño y malestar generalizado.

Además, hay que prestar especial atención a una serie de signos que nos pueden indicar que el niño está deshidratado:

- Diarrea que dura alrededor de nueve horas (tres tomas), sobre todo si se acompaña de fiebre y vómitos.

- Fontanela ligeramente hundida.

- La piel del abdomen mantiene el pliegue cuando se pinza con el dedo.

- Ojos hundidos o con ojeras.

- El niño llora sin lágrimas u observamos que orina poco.

- Ha perdido peso.

Cómo aliviarle

- Lo primero que deben hacer los padres ante cualquiera de estos síntomas es acudir rápidamente al médico.

- Ofrecerle agua y suero oral a cucharadas pequeñas cada diez minutos aproximadamente.

- Continuar la lactancia a demanda. En el caso de que el niño ya coma, puede tomar arroz, patatas, pollo o pescado hervido y yogur. Otro tipo de remedios caseros habituales son las infusiones o hierbas.

LOMBRICES INTESTINALES (OXIUROS)

Son unos parásitos de color blanco similares a tiras de algodón. Viven en el intestino y ponen sus huevos en el último tramo, alrededor del ano.

El pediatra decidirá si es necesario ingresar en el hospital a un niño.

Los síntomas

- El niño se rasca continuamente el culete.

- Presencia de estos parásitos en las deposiciones del pequeño, en las ropas y las sábanas.

Cómo aliviarle

- Consultar con el pediatra para que recomiende la medicación más adecuada y decida el tratamiento.

- En caso de que se detecten lombrices, es muy importante tratar a toda la familia para evitar contagios.

DOLOR DE ESTÓMAGO

Puede estar producido por causas de distinto tipo: una infección vírica, una gastroenteritis o una diarrea.

Los síntomas

- Pérdida de apetito.

- Irritabilidad.

- El niño hace de vientre con más frecuencia de lo habitual o las deposiciones son muy olorosas.

Cómo aliviarle

- Ofrecerle mucha agua, previamente hervida, para prevenir la deshidratación.

- Si el dolor de estómago persiste y es muy fuerte, hay que visitar al médico urgentemente.

- No hay que preocuparse excesivamente si el niño no come tan bien como lo hace habitualmente; durante unos días le vendrá bien «asentar» el estómago.

- Si se encuentra muy indispuesto, se le puede dar paracetamol (siempre previa consulta al médico).

Infecciones del tracto urinario

Son difíciles de descubrir, pero es muy importante localizar los síntomas, ya que pueden ocasionar problemas renales a largo plazo. Se deben generalmente a una bacteria que vive en el intestino y que pasa a través del sistema urinario.

Los síntomas

- Los recién nacidos pueden tener ictericia por más tiempo de lo normal.

- Los bebés con menos de 12 meses con infecciones de este tipo pueden desarrollar fiebre (más de 37,5 °C), sin causa aparente.

- Problemas de alimentación.

- Escasa ganancia de peso.

- Vómitos y diarrea.

Cómo aliviarle

- Visitar al médico: si confirma el diagnóstico, seré quien pueda prescribirle antibióticos.

- Administrarle muchos líquidos para depurar su sistema urinario.

- Cuando se le cambie el pañal, limpiarle la zona cuidadosamente de delante hacia atrás.

Otitis

Es la infección del oído que, según la parte que esté afectada, se llamará otitis externa u otitis media. Su característica más general es el dolor de oídos, también llamado otalgia. Se trata de una dolencia bastante frecuente que afecta a un 15-20 por ciento de lactantes y niños pequeños.

La edad de máxima aparición suele ser a partir de los 6 meses; aunque existen algunos casos que surgen antes.

Otitis externa

Como ya hemos señalado, es la infección del conducto auditivo externo o zona que se extiende desde la membrana del tímpano hasta el pabellón de la oreja.

Los síntomas

- El más frecuente es la aparición de una secreción purulenta en el conducto y orificio del oído.

- Dolor espontáneo que se hace aún más intenso al tirar hacia fuera del pabellón auditivo.

- No siempre hay fiebre muy alta y muchas veces el dolor del oído no se corresponde con la importancia de la propia otitis.

Otitis media

Es consecuencia de la obstrucción más o menos importante de la trompa de Eustaquio, que dificulta el vaciamiento de las secreciones del oído medio y facilita su posterior infección por los gérmenes o virus de las vías aéreas superiores.

Los síntomas

- Secreciones purulentas y aumento de la presión dentro del oído medio, lo que produce dolor.

- Suele ir asociado con fiebre.

- Es habitual que un niño con infecciones respiratorias superiores durante varios días de pronto comience con dolor de oídos, fiebre y menos audición.

- Si aumenta mucho la presión del líquido purulento dentro del oído puede haber perforación del tímpano y supuración por el orificio auditivo externo.

- Todo ello puede ir acompañado de vómitos, inapetencia y, además, puede ser causa de diarreas.

Cómo aliviarle

- Aplicar localmente calor seco.

- Su tratamiento requiere fármacos analgésicos y antibióticos, después de valorarlo con el pediatra.

- A veces, el pediatra practica una leve punción del tímpano para favorecer el vaciamiento purulento del oído medio.

ENFERMEDADES DE LAS VÍAS RESPIRATORIAS INFERIORES

Bronquiolitis

Es una enfermedad bastante recurrente en el lactante, que se presenta hasta los 2 años con una incidencia máxima hacia los 6 meses de edad. Está producida principalmente por el virus respiratorio sincitial.

Los síntomas

- Suele comenzar por un catarro de las vías altas, de carácter leve y con fiebre de 38-39 °C con rinitis, tos y disminución del apetito.

- Después de varios días se produce una inflamación de los bronquios más finos, con obstrucción de los mismos, y aparece una dificultad respiratoria creciente, fatiga, silbidos audibles al respirar y dificultad para tomar aliento con rechazo del mismo si aumenta la fatiga.

- Tres o cuatro días después del comienzo de la fatiga, el niño generalmente comienza a mejorar.

Cómo aliviarle

- Siempre es necesario consultar con el médico.

- Si la dificultad respiratoria va en aumento, rechaza la alimentación y se aprecia un claro compromiso respiratorio, el niño deberá entonces ser ingresado en el hospital para someterlo a un tratamiento más amplio.

Neumonía

Es la infección de los alvéolos debido a la acción de un virus o bacteria. Muchas veces ocurre después de unos días en los que el niño padece una infección respiratoria alta leve y con frecuencia puede producirse como consecuencia de una complicación de una bronquitis vírica.

Los síntomas

- Un catarro leve, de unos días de duración, que pasa a fiebre alta (39-40 °C), acompañado de dificultad respiratoria, sensación de enfermedad y malestar, ensanchamiento de las aletas nasales para respirar.

- Rechazo casi total del alimento a cualquier hora del día.

Cómo aliviarle

- Es fundamental la exploración y auscultación por parte del pediatra, ya que esto será lo que proporcionará el diagnóstico, que se puede confirmar con una radiografía de tórax.

- El tratamiento con antibióticos orales o venosos, según la gravedad del cuadro que presente el niño, asociado a otras medidas generales, suele ser muy efectivo.

Broncoespasmo recurrente

Se trata de un cuadro muy frecuente en niños menores de 2 años, que consiste en la obstrucción parcial de las vías aéreas inferiores. Aparece como consecuencia de una situación llamada hiperactividad bronquial, cuyos síntomas son bastante similares a los del asma, aunque son pasajeros. Se produce un exceso de reacción de los bronquios infantiles frente a sustancias como el tabaco, el polvo o los humos irritantes, que son los factores que desencadenan la crisis.

Los síntomas

- Abundantes mucosidades.

- Respiración sibilante y fatiga.

- Según los antecedentes del niño, se puede desarrollar un cuadro asmático.

Cómo aliviarle

- Es importante alejar al niño de los factores que puedan desencadenar el cuadro.

- La visita al pediatra es fundamental, ya que es él quien debe prescribir el tratamiento (generalmente, inhaladores), el cual suele ser sencillo y por lo general da buenos resultados.

Convulsiones febriles

Se trata de crisis con movimientos musculares paroxísticos, coincidentes con fiebre, que por lo general afectan a todo el cuerpo y en ocasiones (las menos) a alguna parte aislada del mismo. Son relativamente frecuentes entre el 3 y el 4 por ciento de los niños;

la mayoría en varones. Su presencia es habitual entre los pequeños de 6 meses a los 5 años.

Por lo general, suelen ser producto de infecciones de las vías respiratorias altas, la mayoría víricas. Ocurren por una predisposición particular del niño, la cual suele desaparecer con el tiempo.

Los síntomas

- Suelen ocurrir al comienzo de la fiebre, a partir de los 38 °C, pero suele ser al superar el niño los 39,5 °C cuando los padres se percatan de la convulsión. Al parecer, lo más importante para que aparezca la convulsión es la velocidad de ascenso de la fiebre.

- Se producen movimientos musculares paroxísticos, y el niño se pone rígido.

Cómo aliviarle

- Ante todo, los padres deben intentar mantener la calma para poder ayudar al niño, sabiendo que es un cuadro pasajero y más aparatoso que grave.

- Hay que proteger al niño del peligro de una caída, poniéndolo en la cuna o en una mesa o cama, sin sujetarlo demasiado, hasta que, pasados unos minutos, ceda el cuadro.

- No hay que introducir objetos en la boca del pequeño intentando abrirla, ya que entonces se podrían producir roturas en los dientes así como lesiones en las partes blandas.

- Hay que aflojarle la ropa y después de la convulsión colocarle de lado para tener libres las vías respiratorias y evitar la aspiración de un vómito.

- Mientras se toman las medidas anteriores, se le administra un antitérmico, preferiblemente en forma de supositorio (previa consulta al pediatra).

- Una vez estabilizado al niño, siempre hay que llevarlo al hospital.

ANGINAS

Las anginas o amígdalas son dos bolas rosadas situadas al fondo de la garganta cuya misión es combatir a los gérmenes que puedan entrar por la boca. Muchos virus y bacterias pueden infectarlas.

Además de las muchas infecciones típicas de la infancia que pueden manifestarse con malestar en esta zona, hay que tener en cuenta que en la garganta habitan muchísimos microorganismos que en situaciones normales se mantienen a raya, pero que cuando, por alguna razón, se produce un desequilibrio entre ellos o si bien el organismo tiene sus defensas bajas, entonces las anginas tienden a inflamarse.

Los síntomas

- Dolor al tragar, pérdida de apetito, inflamación de las anginas, fiebre elevada y cansancio.

- Anginas rojizas. Son las más frecuentes y suelen presentarse con fiebre y dolor de cabeza. Este tipo de anginas acompañan a muchas enfermedades infantiles.

- Anginas blanquecinas. Pueden estar cubiertas de una capa blanca o estar salpicadas por manchas. Suele tratarse de infecciones bacterianas.

Cómo aliviarle

- Ante todo, hay que consultar al médico, para que sea él quien determine la causa y el tratamiento correcto.

- Sólo en caso de que se trate de una infección bacteriana, el tratamiento será a base de antibióticos, siempre pautados por el médico.

- Para bajar la fiebre, emplear antitérmicos y que el niño siga una dieta suave, que le permita tragar sin dificultad, y hacer que beba abundantes líquidos templados (nunca fríos).

Tos

Se trata de un síntoma extremadamente frecuente en el lactante. Es un acto reflejo que tiene un carácter defensivo, ya que a través de ella se eliminan todas aquellas secreciones que dificultan el paso del aire por las vías respiratorias.

Gracias a la molesta tos, el niño podrá respirar mejor al tener libre la tráquea, los bronquios, y en general todo el conducto respiratorio.

Se produce por la irritación de unas terminaciones nerviosas que hay en la faringe, tráquea y bronquios gruesos, que transmiten estas sensaciones al cerebro y ponen en marcha el reflejo de la tos. Las irritaciones de estas terminaciones nerviosas pueden ser secreciones de moco o purulentas por infecciones de las vías respiratorias, aire frío, polvo en el aire que se respira, tabaco, irritantes químicos, cuerpos extraños, etc.

Los síntomas

- Tos con o sin flema.

- Tos seca y fuerte que afecta al pecho después un día o dos.

- Respiración acelerada, que puede ser en ocasiones ruidosa, aunque no necesariamente.

- Fiebre.

- Falta de apetito y malestar general.

Cómo aliviarle

- No siempre es conveniente calmar la tos; únicamente en aquellos casos en que se trate de una tos irritativa, constante y que dificulte el sueño del niño. En estos casos, y siempre bajo control médico, será conveniente calmarla con algún medicamento adecuado y según la edad del niño que la padezca.

- En caso de que la tos esté acompañada de fiebre alta, se le debe administrar un atitérmico (tipo paracetamol).

- Colocarle ligeramente inclinado (con una almohada debajo del colchón) para facilitar su respiración.

Crup

Es un cuadro de frecuente aparición en el niño pequeño, sólo hasta los 7 años, consecuencia de la obstrucción parcial de las vías respiratorias, por una inflamación a nivel de la laringe. Puede llegar a ser un cuadro severo.

Los síntomas

- Un ruido ronco al inspirar, llamado estridor, con tos muy seca o perruna.

- El cuadro empeora por la noche.

- Puede estar precedido uno o dos días antes por un leve catarro de las vías aéreas altas, con secreciones nasales y tos.

- Puede evolucionar hacia un aumento de la obstrucción y el estridor, con dificultad respiratoria, agitación, aleteo nasal y retracción de las costillas al respirar.

Cómo aliviarle

- Hay que sujetarlo en posición vertical y hablarle para evitar que se ponga nervioso y se esfuerce en respirar, y que, en consecuencia, la tos se recrudezca.

- Abrir el grifo de agua caliente o hervir un poco de agua y sentarlo donde pueda inhalar el vapor durante unos 10 minutos, o hasta que empiece a respirar mejor, aunque su respiración siga siendo ruidosa.

- Si los síntomas persisten, conviene ir al médico.

ERUPCIONES

Las erupciones cutáneas aparecen de forma repentina. Se puede hablar de tres tipos de lesiones eruptivas en la piel de los niños: las planas (al pasar el dedo sobre ellas no se aprecian porque no están inflamadas), las sobreelevadas (se nota una ligera inflamación) y las hundidas.

Los síntomas

- Las lesiones planas (máculas) pueden ser a su vez signo de distintas enfermedades. Si son rosas puede tratarse de rubéola, ruseola, mononucleosis infecciosa, alergia, etc. Si son de color rojo sangre se denominan púrpura, y si son azuladas, hematomas. En caso de que haya una extensión grande de piel rojiza se denomina eritema (típico de la zona del culete).

- Las lesiones elevadas pueden ser pápulas (inflamación rojiza de un par de milímetros), propias del sarampión, o vesículas (inflamaciones de unos 5 milímetros llenas de líquido claro o a veces rojizo), como es el caso de la varicela, algunos eczemas o el herpes virus. Estas vesículas se rompen y se cubren de costra antes de cicatrizar.

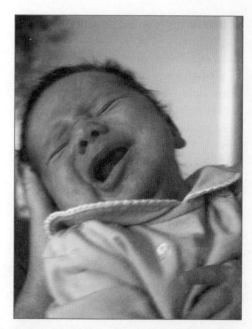

La tos es un síntoma frecuente en el lactante que suele asustar mucho a los padres.

- Las ampollas son más grandes (más de 5 milímetros) y suelen ser el resultado de una quemadura o de un determinado tipo de alergia a medicamentos.

- Las lesiones hundidas (erosiones, úlceras y fisuras) son debidas a una complicación de las lesiones planas y de las elevadas.

Cómo aliviarle

- Cualquier erupción debe ser evaluada por el pediatra.

- Puede suponer una consulta de urgencia si va acompañada de fiebre, hinchazón de los labios, dolor localizado, dificultad respiratoria, diarrea o prurito (picor) excesivo.

Eczemas

Se trata de una patología cutánea que en el caso de los niños puede presentar dos formas fundamentales: seborreico y atópico.

Un caso típico de eczema seborreico es la costra láctea. Los atópicos suelen aparecer durante el primer año de vida y son frecuentes en los niños cuyos padres tienen a su vez condiciones atópicas como asma, eczemas y fiebre del heno, entre otros.

Los síntomas

- Suele afectar primero a las mejillas. Coincidiendo con la dentición, pueden aparecer eczemas alrededor de la boca.

- Cansancio o falta de sueño.

- Pequeñas descamaciones en la cara y brazos, donde el rascado del niño puede haber empeorado bastante la situación y aspecto de los eczemas.

- Áreas enrojecidas en la cara y los brazos, que le producen picor y que pueden extenderse a las mucosas, codos y rodillas.

- Piel seca y enrojecida.

- El área afectada puede agrietarse y aparecer ampollas.

Cómo aliviarle

- Ante todo, consultar al pediatra, para que éste determine el tratamiento (generalmente tópico) más adecuado.

- Vestirle con prendas de algodón y utilizar sábanas de este mismo tejido.

- No dejar que el niño esté expuesto al frío ni al calor: las temperaturas extremas pueden agravar los síntomas.

- Cortarle las uñas con frecuencia y en la medida de lo posible evitar que se rasque (poniéndole unos guantes, por ejemplo).

- Evitar el uso de jabones perfumados, lociones infantiles o polvos de talco, ya que pueden irritar la piel.

Gripe

Se trata de una enfermedad vírica muy contagiosa (basta un estornudo de la persona infectada para que el niño se contagie). Es más frecuente en los meses fríos. El período de incubación dura de 2 a 4 días, tras los cuales los síntomas aparecen repentinamente. Está causada por la acción de un virus.

Los síntomas

- Fiebre elevada (de 38 a 41 °C), que sube rápido, en 24 horas, o disminuye en dos o tres días.

- Escalofríos, tos y dolor de garganta, cabeza, músculos y articulaciones. El niño lo manifiesta llorando y con un malestar generalizado.

- Este virus ataca también a las vías respiratorias inferiores (bronquios, bronquíolos y pulmón).

Cómo aliviarle

- Lo más importante es bajar la fiebre, para evitar así las convulsiones. Para ello, lo mejor es recurrir al paracetamol en dosis pediátricas.

- Como complemento a la medicación antitérmica se le puede mojar la nuca, la frente o las muñecas con agua tibia (nunca fría) o bien darle un baño a dos grados menos que su temperatura corporal.

- Aunque tirite, es aconsejable no abrigarle y mantenerle lo más ligero de ropa posible. La habitación debe estar a una temperatura de 20 °C.

- El uso de antibióticos no está recomendado, puesto que esta afección es de origen vírico. Tampoco está indicado el consumo de aspirina ni productos que contengan su principio activo, es decir, ácido acetilsalicílico.

- Es muy importante que el niño sea vigilado por el pediatra, ya que la gripe se puede complicar con problemas pulmonares.

LA FIEBRE

Se considera como tal cuando la temperatura del cuerpo aumenta a 37 °C en la axila o en la ingle o bien a 37,5 °C en el recto. Esta es la que mide la temperatura del interior del cuerpo y tiene menos variaciones que la axilar, de ahí que sea la que se recomiende tomar a los bebés, ya que es la más exacta y segura.

Temperaturas rectales de entre 37,5 y 38,5 °C se consideran fiebre poco importante o febrícula, por lo que no debe causar alarma a los padres. A partir de 38,5 °C hay que tomar medidas antitérmicas mediante la administración de fármacos específicos para estas edades. Los valores más elevados, entre 39,5 y 40,5 °C, se consideran fiebre alta, y es donde se pueden presentar problemas más importantes, por lo que hay que administrarle inmediatamente un antitérmico. En caso de que no ceda o que vuelva a subir muy pronto, hay que consultar inmediatamente con el pediatra.

La fiebre siempre indica que algo no marcha bien en el organismo del niño, generalmente debido a un proceso infeccioso, pero por sí sola no indica cuál es la enfermedad ni su gravedad, de ahí que haya que estar atentos a otros síntomas más concretos como tos, rinitis, deposiciones blandas, etc. También es importante valorar el estado general del niño: si está decaído, triste, rechaza el alimento o emite un llanto quejumbroso puede ser síntoma de gravedad.

Otro aspecto a tener en cuenta es la edad del niño, ya que durante los tres primeros meses no suelen presentarse fiebres altas y si esto ocurre puede tratarse de una infección importante, por lo que hay que ponerse en contacto con el pediatra o acudir directamente al hospital. Entre los 3 y los 6 meses ya es más frecuente la aparición de fiebre debida a procesos menos importantes.

POR QUÉ SUBE LA FIEBRE

■ Las infecciones, tanto víricas como bacterianas, suelen ser las principales causas de fiebre en el primer año del niño, aunque puede estar producida por otros procesos:

● En los niños muy pequeños puede aparecer la llamada «fiebre de sed», esto es, debida a la falta de agua a causa de una alimentación muy concentrada o a las pérdidas excesivas de líquidos. Además de los posibles signos de deshidratación, esta fiebre va acompañada de otros síntomas como el hecho de que no remite al administrar antitérmicos y sólo mejora tras la ingesta de agua.

● El acúmulo de calor por los rayos solares en verano y también por excesivo arropamiento en épocas calurosas es otro factor desencadenante de la fiebre infantil.

● La temperatura puede aumentar 1,2 °C por encima de la habitual en aquellos lactantes que lloran o están hiperactivos. Es el caso del niño irritable a causa de la dentición.

CÓMO TOMARLE LA TEMPERATURA

En el recto

● Lo mejor es emplear un termómetro pequeño apropiado para los lactantes.

● Se coge el termómetro entre los dedos índice y pulgar y se sacude enérgicamente hasta que la columna de mercurio descienda por debajo de los 34 °C.

● Se tiende al niño boca arriba sobre una superficie rígida (vestidor, cunita) y, con la mano izquierda, se le cogen los tobillos y se levantan las piernas hasta formar un ángulo más o menos recto con el cuerpo.

● Después, con la mano derecha, se introduce delicadamente la punta del termómetro (antes se puede sumergir en aceite o vaselina para poder introducirlo con más suavidad).

● Mantener inmóvil el termómetro durante unos dos minutos, apretando las nalgas del pequeño.

● En caso de diarrea, es mejor evitar la medición rectal y recurrir a la axilar.

En la axila

● Antes de ponerle el termómetro hay que secar el sudor que pueda haber debajo de la axila. Se hace descender el termómetro por debajo de los 34 °C y, a continuación, se pone la punta del termómetro en contacto directo con la axila.

● Cerrar la axila sujetando el codo contra el pecho. Si se usa un termómetro de cristal, hay que dejarlo puesto durante 3-4 minutos, mientras que si es uno digital hay que sacarlo en cuanto suene la señal.

En la boca

● No está recomendado tomar la temperatura de esta forma a niños de tan corta edad, debido a los riesgos que ello implica (rotura del cristal, principalmente).

En el oído

● Si el niño ha estado fuera en un día frío, hay que esperar unos 15 minutos antes de tomarle la temperatura para que sea lo más fidedigna posible.

- Tirar de la oreja hacia atrás para enderezar el canal del oído. Colocar la punta del termómetro en el canal del oído del niño y oprimir el botón.

- Sólo se tarda unos dos segundos en medir la temperatura.

QUÉ HACER PARA BAJAR LA FIEBRE

- Hay que quitarle la ropa al niño para facilitar la pérdida de calor. Es un error arropar más al niño «para que no se enfríe».

- Se le debe administrar un antitérmico en las dosis correspondientes según el peso del niño, que se podrá repetir cada seis u ocho horas. A estas edades es preferible la administración por vía oral (gotas o jarabe), a no ser que tenga vómitos o la fiebre sea excesivamente elevada, en cuyo caso es mejor administrar el fármaco por vía rectal. Pasados entre 45 y 60 minutos, se volverá a tomar la temperatura para comprobar la respuesta a la medicación.

- Si la fiebre ya es muy alta desde el principio y no baja significativamente con los antitérmicos, se le puede dar al niño un baño de agua tibia (a unos 30 °C), durante 15-20 minutos, hasta conseguir que la temperatura baje entre 1 y 1,5 °C. Es muy importante que el agua no esté fría ya que una baja temperatura dificulta la circulación sanguínea por la piel y el intercambio de calor con el agua. Es importante no mantener al niño en el agua

si tiene escalofríos, temblores o se le nota pálido.

- También se puede poner al niño sobre una superficie impermeable y cubrirlo con una toalla bien mojada, la cual se cambiará cuando ya está caliente, volviéndola a mojar y colocándola de nuevo sobre el niño. Hay que repetir esta operación varias veces durante aproximadamente 20 minutos.

- Aunque es una costumbre relativamente frecuente, hay que evitar dar friegas de alcohol sobre la piel del niño, ya que está totalmente contraindicado.

- Es muy importante no recurrir a la automedicación, como por ejemplo los antibióticos: además de no solucionar el problema, pueden enmascarar las verdaderas causas que producen la fiebre.

- Hay que procurar que beba agua suficiente, ya que el proceso febril hace que aumenten sus necesidades de agua y líquidos, pues el niño reacciona aumentando la frecuencia de su respiración para eliminar calor, lo que implica una pérdida de agua. Otra forma de defensa es el aumento de la sudoración para enfriar el cuerpo, lo que a su vez ocasiona pérdida de líquidos que se deben reponer mediante agua, suero glucosado o con electrolitos o zumos de frutas.

- El niño febril tiene una tendencia natural al reposo en cama, tratando de aislarle y de que no le molesten. Esto suele ir acompañado de una inapetencia (la alimentación sólida favorece el aumento de la temperatura). Por tanto, no hay que obligarle a comer y asegurarle la tranquilidad necesaria para reponerse. Comerá cuando el cuerpo se lo pida.

- Si tiene fiebre y aún no ha cumplido el tercer mes de vida.

- Se irrita fácilmente, llora y se queja de forma continua; tiene somnolencia y duerme continuamente.

- La fiebre es superior a 40 °C.

- Está abatido, mueve con dificultad la cabeza o el cuello.

- Sacude los brazos y las piernas; está completamente rígido o, por el contrario, totalmente relajado.

- Tiene fuertes dolores abdominales.

- Le cuesta respirar, le duelen los oídos o tiene vómitos y/o diarrea.

SEÑALES DE ALARMA

■ Los padres pueden encontrar toda una serie de situaciones en las que hay que llevar al niño directamente al hospital. Será su sentido común el que les diga cuándo deben ir:

- Le cuesta respirar o presenta una respiración acelerada (más de 50 respiraciones por minuto).

- Si sus labios están de color azulado.

- Está somnoliento y parece que a ratos pierde la conciencia.

A los 6 meses, el bebé duerme toda la noche y dos siestas durante el día.

- Tiene una convulsión: se pone rígido y empieza a temblar.

- Está irritable y llora de forma persistente, sobre todo cuando tiene fiebre alta

DORMIR DE UN TIRÓN

■ Las mejores estrategias mes a mes son las siguientes:

- *A los 2-3 meses.* El niño puede empezar a quedarse dormido por su cuenta, pero aún no lo hace durante toda la noche. Aunque sus patrones de sueño empiezan a estabilizarse, todavía hay que seguirle la pista. Se aprecia que duerme menos durante el día en comparación con su etapa de recién nacido. En total, duerme de 15-16 horas, la mayoría de ellas nocturnas, aunque todavía suelen despertarse para la toma de mitad de la noche. Todavía es demasiado pronto para establecer un horario extremadamente rígido, pero la estrategia en esta etapa sería ir reduciendo el período de duración de la toma nocturna, lo que se consigue intentando no encender la luz, no hablándole y procurando que se espabile lo mínimo.

- *A los 4-5 meses.* Como promedio, puede dormir entre 6 y 12 horas seguidas. A partir de esta edad, el establecimiento de una rutina empieza a ser muy efectivo, y es ahora cuando hay que comenzar a ajustar horarios. También se puede empezar a dejarle llorar un poco y no acudir inmediatamente a cogerle en brazos al primer gemido (a no ser que le toque comer), sobre todo por la noche, ya que, si no se le espabila demasiado para la toma corres-

pondiente, puede que se vuelva a quedar dormido él solo.

- *A los 6 meses.* Duerme alrededor de 11 horas por la noche y un par de siestas cortas a lo largo del día. Casi todos los bebés de esta edad son ya capaces de dormir durante toda la noche, sin necesidad de la toma. Si no se ha hecho, este es el momento clave para que abandone la habitación de los padres y duerma solo en su habitación. En este momento, el establecimiento de una rutina resulta imprescindible: acostarle mientras todavía está despierto, ya que esto le sirve de práctica para quedarse dormido en su propia cama; si se le acuna en exceso y no se le deja solo, pedirá el mismo tipo de atenciones al despertarse por la noche. También se le puede dar un juguete blando o su objeto favorito para que se sienta protegido a medida que concilia el sueño.

- *A los 7-8 meses.* A pesar de que el bebé haya dormido de un tirón, es probable que empiecen a aparecer los problemas de sueño como las pesadillas o el miedo a la soledad. Esto es debido a que durante el día ya recibe un número importante de estímulos, y éstos se mantienen en su subconsciente durante el sueño. Es alrededor de los 8 meses cuando el niño comienza a darse cuenta de la presencia o ausencia de los padres. El solo hecho de que alguno de los dos desaparezcan de su campo visual basta para que se produzca lo que los psicólogos denominan «crisis de angustia», que suele darse por la noche, a la hora de dormir, cuando el niño se queda solo en su cunita. Para reducir esta ansiedad, hay que transmitirle seguridad, explicándole que papá y mamá siguen en casa, a pocos metros de distancia. Una canción de cuna, una manzanilla o un cuento pueden formar parte de este rito tranquilizante, pero es importante que los padres no permanezcan junto a la cuna a la hora de dormir. No hay que perder de vista el objetivo principal: debe dormir solo.

- *A los 9-12 meses.* Es un momento en el que los problemas del sueño siguen haciendo acto de presencia e incluso pueden agravarse. Aunque seguramente ya habrá logrado dormir de un tirón durante toda la noche, ahora puede despertarse a media noche y, con él, toda la familia. A diferencia de cuando pedía su toma nocturna, ahora se despierta reclamando directamente la presencia de mamá o de papá. Es aquí cuando la paciencia de los padres deben superar la prueba más difícil:

  – Si ninguna de las estrategias de la rutina previa a irse a la cama ha surtido efecto, hay que limitarse a decirle en voz baja que se acueste, que papá y mamá están ahí, pero intentando no sucumbir a la tentación de levantarse y acunarlo y, mucho menos, meterlo en la cama de los padres.

  – Otra estrategia que funciona es despertarlo antes de que los padres se vayan a dormir (a las 23.00 horas, por ejemplo); no hay que espabilarlo demasiado: basta con arroparlo, darle un beso o ponerle una música suave, pero sin sacarlo en ningún momento de su cuna. Según algunos expertos, por alguna razón, el hecho de despertar a un niño antes de que él se despierte, suele terminar con su costumbre de despertarse durante la noche.

  – También hay que tener en cuenta que muchas veces los ritmos de sueño de los bebés se ven alterados cuando están aprendiendo a dominar una nueva habilidad, como por ejemplo, cuando están aprendiendo a ponerse de pie.

QUÉ HACER SI SE DESPIERTA A MEDIA NOCHE

Conseguir que el niño duerma de un tirón es algo que puede lograrse a partir de los 4-6 meses. Sin embargo, es frecuente que el niño se despierte una o varias veces a lo largo de toda la noche.

Es importante que los padres, vencidos por el cansancio, no caigan en la tentación de llevar al bebé a su cama, ya que los niños son muy listos y pueden aprovechar la situación y convertir esto en un hábito que después será muy difícil de erradicar.

Así pues, cada vez que el niño llore en mitad de la noche se le puede acariciar y arropar y darle el chupete, si lo usa. Si después de un rato vuelve a despertarse, hay que recurrir a la misma actitud y así tantas veces como sea necesario.

LA CLAVE ESTÁ EN LA RUTINA

Todos los métodos que tienen como objetivo conseguir establecer unos patrones estables de sueño infantil coinciden en la importancia de imponer rutinas fijas y seguir todas las noches unos pasos específicos y rutinarios para que el niño vaya comprendiendo cuáles, cómo y cuándo son las actitudes a seguir.

Estas son algunas de las estrategias más efectivas y que conviene poner en práctica a la hora de dormir:

- *Acostarlo siempre a la misma hora.* Lo ideal es hacerlo en torno a las 21.00 horas, ya que a partir de ese momento es cuando se produce la mejor etapa del ciclo del sueño: los signos vitales descienden, el cuerpo transpira y se está en reposo total, por lo que este sueño siempre resulta muy reparador. Además, en aproximadamente media hora antes de dormir, el niño debe estar rodeado de toda la tranquilidad que sea posible, ya que si el pequeño recibe estímulos fuertes, como por ejemplo la televisión o el juego, le va a costar con toda probabilidad conciliar el sueño en breve. También es bastante importante acortar la duración de la siesta, intentando que ésta no se prolongue más allá de las 16.30 horas, ya que podría afectar al desarrollo del sueño de la noche.

- *Establecer unos ritos fijos para irse a la cama.* Los niños necesitan que los padres los dirijan para adquirir el hábito de irse a dormir. El paso más importante que deben dar los padres es institucionalizar una serie de ritos a la hora de acostarse: un baño o ducha previo, un cuento o canción, un vaso de agua, encender la luz de la lamparita... Hacer lo mismo cada noche y en el mismo orden ofrece una estructura que proporciona a los niños mucha seguridad, además de un guión bien aprendido del cual conocen el final: dormirse.

- *No acompañarle hasta que se duerma.* Según las últimas investigaciones realizadas por la Academia Americana de Pediatría, hay que acompañar al niño mientras está despierto, al menos durante el 50 por ciento del tiempo en que tarda en dormirse. El estar con él hasta que se duerma supone que, cuando se despierta a mitad de la noche, va a querer estar en la misma situación en la que se durmió: con un adulto al lado y, al no verlo, se echará seguramente a llorar. En cambio, si se duerme sabiendo que mamá o papá se fue y ahora está en su habitación, con toda probabilidad logrará volver a dormirse el solo si se despierta en medio de la noche.

- *Dejar la puerta de su habitación abierta.* Si los padres cierran la puerta del cuarto, el niño puede interpretarlo como que físicamente lo están forzando a estar ahí; mientras que si permanece abierta o entreabierta aprende a quedarse de una forma más sutil. En cambio, sí que es recomendable cerrar la puerta de la habitación de los padres para que el niño sepa que hay un límite y que en la noche no debe penetrar en ese «territorio» prohibido para él. Según los especialistas, en lo que respecta al sueño, los padres no pueden ceder en nada, ya que tienen que dejar muy claro al niño que son ellos los que mandan en casa y que los límites y rutinas también los mandan ellos.

- *Mantener la calma cuando el pequeño se despierte.* En más de una ocasión el niño se echará a llorar y, si ya se mantiene erguido, puede que hasta se ponga de pie en su cuna. En estos casos, lo mejor que pueden hacer sus padres es, primero y principal, mantener la calma en la medida de lo posible y, sin levantar la voz ni hacer aspavientos, volver a acostar al pequeño. Siempre hay que actuar como si el hecho de que no se duerma no afectase a los padres, ya que la mayoría de las veces, lo que el niño persigue con ello es llamar la atención de los mayores y, si ve que no lo consigue, acaba por cansarse. Si el niño comprueba que los padres están tranquilos, también él estará tranquilo, se olvidará de sus miedos y probablemente conseguirá conciliar de nuevo el sueño durante lo que queda de noche.

De 1 a 3 años

Señas de identidad

Características. Aproximadamente a los 2 años, la altura
alcanzada ronda los 85 cm y el peso es de 12-13 kilos.
Aparecen los primeros dientes. Durante este período, adquiere
plena autonomía sobre sus funciones corporales (control de
esfínteres) y sus movimientos.

Pruebas y controles. Si el pediatra está de acuerdo, en torno a
los 18 meses es necesario aplicar la última dosis de la vacuna del
Haemophilus influenzae tipo B (meningitis), así como la triple
vírica (sarampión, paperas y rubéola). También podrían aplicarse
las de la hepatitis A y B y la de la varicela.

Pautas de desarrollo. A los 14-16 meses: es capaz de beber solo
cogiendo la taza con las dos manos; puede pasar las páginas de
un libro y tirar una pelota • A los 18 meses: camina solo, se
pone de pie, se inclina y explora todo lo que está a su alcance;
obedece instrucciones sencillas y tiene algo de vocabulario • A
los 2 años: sube y baja escaleras sosteniéndose de la barandilla
o de la mano de un adulto; abre puertas, se refiere a sí mismo
por su nombre, responde a órdenes verbales, sabe lavarse las
manos y tiene algo más de vocabulario e incluso puede ir
formando frases • A los 3 años: es capaz de montar en triciclo,
sube y baja escaleras sin ayuda y se sostiene con un pie durante
unos segundos; sabe vestirse y desnudarse solo, pero necesita
ayuda con botones y cordones; realiza preguntas constantemente.

Aspectos psicológicos. A esta etapa se le denomina la edad de
las rabietas, motivadas por el desequilibrio entre la extrema
rapidez de su aprendizaje y las demandas de sus padres, que
limitan su recién estrenada autonomía, si bien es algo totalmente
normal. Hay una serie de actitudes y comportamientos que, en
cambio, sí es importante tener en cuenta y consultar con el
especialista: cuando el niño se muestre incontrolable, muy
demandante, obstinado, negativo, muy aislado, apenas se
comunique con sus padres o tenga una expresión triste.

M uchos expertos coinciden en afirmar que el final de esta etapa se puede considerar como la «adolescencia» de la primera infancia. El niño adquiere una autonomía plena y comienza a dar muestras de una personalidad fuertemente desarrollada. Intelectualmente, se sabe que en el período de 1-3 años es cuando la capacidad de aprendizaje alcanza su punto más alto, de ahí la importancia de ofrecerle los estímulos adecuados. Es la edad de las rabietas y las pataletas pero también de la aparición de miedos y temores, que le producen gran desasosiego.

ADIÓS AL PAÑAL

Tiempo, paciencia y comprensión: estas son las tres claves fundamentales del llamado «entrenamiento higiénico» es decir, el período de preparación que siempre es necesario para que el niño abandone el pañal y haga sus necesidades en el inodoro o en el orinal.

Desde luego es muy raro el niño que deja los pañales de un día para otro y tampoco es habitual que lo consigan a la primera, sin ninguna «fuga».

No existe una edad concreta para iniciar este entrenamiento, sino que el momento depende del desarrollo físico y psicológico del niño.

Los menores de 12 meses no poseen aún el control sobre sus movimientos intestinales ni sobre la vejiga, y no es hasta los 18-24 meses cuando el niño empieza a dar señales de que ya está «listo». Las transmisiones nerviosas de la vejiga al cerebro no están completamente maduras hasta que el niño cumple 18 meses o incluso más. Solamente entonces podrá reconocer si su vejiga o intestino están llenos, pero todavía pasarán algunos meses antes de que pueda predecir cuándo quiere ir al baño.

Sin embargo, hay niños que no controlan esfínteres, es decir, los músculos que regulan la micción y la defecación, hasta pasados los 30 meses o incluso más, sin que por ello haya que preocuparse, puesto que, además de estar preparado físicamente, es muy importante que también lo esté emocionalmente: debe «estar por la labor», deseoso de lograrlo y lo suficientemente estimulado y, por supuesto, no ha de mostrar ningún signo de temor o de rechazo.

Estas son las señales que nos pueden indicar que el niño está preparado para iniciar el entrenamiento higiénico:

- Se mantiene seco por lo menos 2 horas durante el día o después de las siestas.

- Sus expresiones faciales, posturas o palabras revelan que está a punto de orinar o evacuar.

- Sus evacuaciones son regulares y por lo general previstas.

- Se siente incómodo con los pañales sucios y desea que lo cambien (se agita, agarra el pañal o llora).

Para enseñar al niño a dejar de usar el pañal, no sirve cualquier momento del año.

- Pide utilizar el inodoro u orinal.

- Solicita que lo vistan con ropa interior de «niños grandes».

Las claves del entrenamiento

- Lo más importante de todo: no forzarlo. Hay que respetar su ritmo e intentar resaltar los beneficios de la meta a conseguir («lo harás como los mayores», «estarás más limpito»); y, por supuesto, nunca castigarle ni regañarle, ya que con ello lo único que se conseguirá es el rechazo al orinal. Los numerosos estudios llevados a cabo han demostrado que forzar el entrenamiento antes de que el niño esté preparado para ello puede ocasionar a largo plazo problemas como el estreñimiento.

- Hay que implicarse con él en el proceso, valorar sus logros y ser constante, intentando sobre todo no agobiarle ni compararle con otros niños. El bebé ha de percibir en todo momento que se trata de un proceso totalmente normal.

- Dejarle que observe cómo lo hacen los mayores suele ser muy efectivo, ya que los niños aprenden por imitación. También es bueno que se familiarice con el orinal (hay de todos los colores y para todos los gustos) y lo considere como algo «suyo», que reafirma su autonomía frente a los demás miembros de la familia. Conviene dejar que lo pruebe (incluso con el pañal puesto) y alabarle cuando lo haga bien.

- Vigilar el ritmo intestinal del niño: si todos los días hace sus deposiciones aproximadamente a la misma hora, intentar que se siente, pero no insistir si, pasados 5 minutos, el niño se niega a deponer. Y no hay que enfadarse ni regañarle si, acto seguido, lo hace en el pañal... o en cualquier otro sitio. Cuanto más capaz es un niño de retener su orina o heces, más puede negarse al orinal.

- Es buena idea preguntarle a menudo si tiene ganas, pero sin presionarle y evitando que la pregunta denote enfado o ansiedad. Por el contrario, felicitarle efusivamente cuando el niño comunique sus ganas de orinar o defecar, incluso si ya es demasiado tarde y se le ha escapado.

- Decidir qué palabras se van a emplear para referirse a todos los aspectos implicados en el abandono del pañal (hay que evitar términos negativos como sucio o asco); enseñarle los hábitos higiénicos más adecuados (cómo limpiarse, la forma de tirar de la cadena); y ofrecerle una dieta equilibrada, en la que predominen frutas y verduras. No utilizar laxantes o supositorios, a menos que el médico lo aconseje.

- No dar importancia a los «escapes»: hasta el niño con mayor control de esfínteres padece alguno de estos «accidentes», muchos de ellos producidos porque toda su atención está centrada en otras circunstancias o actividades. En caso de que los escapes sean muy frecuentes, hay que seguir con el entrenamiento, porque ello significa que aún no está preparado.

Cuándo parar o postergar el entrenamiento

- Si la madre está de nuevo embarazada o acaba de tener otro bebé.

- Si se presenta alguna crisis en el entorno del niño, como puede ser una enfermedad o muerte de un familiar, divorcio de los padres, etc.

- Si la familia se ha mudado recientemente o planea hacerlo en un futuro cercano.

Pañal y guardería

Algunos niños que van a guardería aprenden antes, pues intentarán estar a la altura de aquellos que ya han abandonado el pañal. En este sentido, es muy importantes que los cuidadores o profesores se pongan de acuerdo con los padres a fin de elegir el momento más adecuado para iniciar el entrenamiento y, so-

bre todo, para que las pautas que se transmitan al niño sean las mismas.

Para facilitar el trabajo al niño y también a sus cuidadores lo mejor es vestirle con pantalones elásticos, ya que los tirantes, las cinturillas y los botones pueden entorpecer la rapidez del proceso.

Pañal nocturno: cuándo y cómo

La Asociación Americana de Pediatría señala que hasta los 3 o 4 años la mayoría de los niños no logran completamente el control diurno de sus evacuaciones y su orina y que, a pesar de que el niño sea capaz de mantenerse seco durante el día, no suele ocurrir lo mismo por la noche, siendo algo completamente normal que esto no se consiga hasta los 5 años, sin que ello implique una falsa enuresis. Por tanto, no hay que castigarle ni regañarle ni tampoco pensar que se trata de un paso atrás. No ocurre nada por mantener el pañal nocturno durante unas semanas más. Muchas personas creen que es mejor que el niño no beba nada antes de ir a dormir, para evitar que orine durante el sueño. Se trata de un aspecto irrelevante, ya que el objetivo fundamental es que identifique cuándo tiene la vejiga llena y lo avise.

¿YA PUEDE COMER DE TODO?

Durante el período comprendido entre 1 y 3 años, el niño inicia sus pasos hacia la llamada alimentación adulta.

Empieza a comer casi de todo y de forma más sólida. Salvo en el caso de determinados menús o si está enfermo o tiene alguna patología especial, puede compartir la comida con el resto de la familia. Lo importante es que la dieta diaria sea variada y le aporte la cantidad de calorías y nutrientes que necesita en esta etapa de su desarrollo.

AL AÑO, NOVEDADES AL PLATO

■ A partir de su primer cumpleaños, el niño va a empezar a degustar de forma más completa nuevos sabores y texturas. Las principales novedades en el menú de esta edad son:

- Comienza a tomar sus primeros purés con legumbres.

- Descubre el exquisito sabor del cacao.

- Se sustituye la leche adaptada por la leche de vaca, y ya puede consumir yogures, quesos y otros derivados lácteos.

- Las ensaladas son otro plato al que conviene habituarle: deben incluir lechuga, tomate, maíz dulce, etc.

- La textura líquida poco a poco va dando paso a pequeños trozos con los que practicar la masticación. A los 14 meses puede comer alimentos blandos enteros, pero probablemente se canse pronto. Hasta que veamos que no es capaz de acabarse el plato, parte de la comida debe ser en papilla.

- Poco a poco también se irá sustituyendo el biberón por el vaso, e irá adquiriendo mayor destreza con la cuchara y el tenedor. No hay que olvidar que para aprender tiene que mancharse, así que hay que dejarle y darle tiempo.

- Alrededor del año y medio, debe comenzar a hacer las cenas más sólidas: pesca-

do blanco hervido o a la plancha, salchichas, croquetas, tortilla francesa...

- A los 2 años de edad ya se le puede dar de comer pasta hervida (las que tienen forma de muñecos y con colorines son más apropiados) con un poco de tomate frito. También se puede mezclar con trocitos de carne o pescado y dárselo como plato único, ya que es muy rico y nutritivo. La pasta para sopas es la mejor forma de «disfrazarle» los caldos de verdura y otros menús que no les agradan especialmente, como las sopas de pescado.

AFRONTAR LOS PRINCIPALES PROBLEMAS

- El rechazo por un alimento concreto suele ser el principal problema al que se tienen que enfrentar los padres en esta etapa. El niño ya ha desarrollado lo suficientemente su sentido del gusto para saber perfectamente lo que quiere comer y rechazar aquellos alimentos que le desagradan.

- Se trata de una etapa normal, reflejo también de esa necesidad de autoafirmación que padece en estos años, así que mientras la curva de crecimiento y peso siga un ritmo normal no hay que preocuparse.

- Si se niega a comer puede deberse a que ese día no tenga apetito, haya picoteado anteriormente o, simplemente, esté de mal humor. En ese caso, no hay que insistir demasiado e intentar que haga correctamente la comida siguiente.

- Es posible que, sencillamente, no le guste lo que se sirve. Algunos estudios han demostrado que ciertos niños son más sensibles a los gustos que otros, y en esta categoría se encuentran los «rechazadores selectivos», es decir, los niños que rechazan sistemáticamente la carne, la leche, las verduras con mucha fibra... Lo mejor es dejar de optar por la variedad y fabricarle un menú equilibrado que contenga la mayoría de los alimentos que no rechaza.

- Si el niño es difícil para comer, lo mejor es suprimir los tentempiés o buscar otros sanos y considerarlos parte de su alimentación diaria: frutos secos, fruta fresca, quesitos en lugar de bollos, galletas y chucherías.

GUARDERÍAS: CÓMO EVITAR CONTAGIOS

Muchos estudios han mostrado una tasa de enfermedades agudas más elevada en lactantes y niños sometidos a cuidados colectivos (esto es, en guarderías) que aquellos de la misma edad que son atendidos en casa. La razón es muy sencilla: a esta edad, el sistema inmune del niño todavía está inmaduro, y en las guarderías estará en contacto con un mayor número de virus, gérmenes y bacterias, de ahí que determinadas dolencias sean más o menos frecuentes y –algo que debe tranquilizar a los padres– completamente normales en la mayoría de las ocasiones. Además, hay otros factores que influyen en esta mayor incidencia de enfermedades infecciosas en los niños que asisten a este tipo de centros:

- La presencia de mecanismos de contagio: por ejemplo, la mayoría de los niños que acuden a guarderías aún no controlan esfínteres, de ahí que la mayor presencia de excrementos propicie la propagación de infecciones.

- Algunos niños asisten a las guarderías sin haber completado su calendario de vacunas, por lo que no sólo están más expuestos a enfermar, sino también a contagiar a sus compañeros.

- En esta edad los niños se encuentran en la llamada fase oral, en la que sus ansias de descubrir mundo se canalizan llevándose todo a la boca, lo que facilita el contagio de virus y bacterias.

- El hecho de que existan algunas infecciones contagiosas que son asintomáticas (especialmente las de las vías aéreas superiores) hace muy complicado evitar el contagio.

- El hacinamiento en el que muchas veces se encuentran las guarderías y el hecho de que en algunas ocasiones las instalaciones no cumplan las condiciones sanitarias adecuadas, así como la escasa preparación de algunos profesionales, son factores que inciden en un mayor riesgo de contagio. (Ver «Normas generales en las escuelas o guarderías infantiles»)

ENFERMEDADES MÁS FRECUENTES

■ Las dolencias que con más frecuencia presentan los pequeños que van a guarderías y ante cuyos síntomas los padres deben actuar, son:

- *Infecciones respiratorias de las vías superiores*. Rinorrea (secreción nasal), que puede ir acompañada de tos o fiebre de más de 48 horas de duración.

- *Otitis media aguada.* Dolor de oídos y enrojecimiento de la oreja, acompañado de malestar general.

- *Gastroenteritis aguda.* Se produce un aumento del número habitual de deposiciones, de manera que su consistencia puede ser líquida.

- *Laringitis.* Episodio catarral, acompañado siempre de ruido al inspirar y tos muy fuertes.

- *Neumonía.* Inflamación del pulmón (detectable únicamente a través de una auscultación o radiografía) acompañada de tos y fiebre.

- *Bronquitis asmática.* Tos y sibilancias acompañadas o no de fiebre.

QUÉ HACER PARA PROTEGERLE

■ Si no existe otra alternativa a la guardería o si los padres han optado por esta opción por parecerles la más adecuada, lo mejor que se puede hacer para garantizar la salud de su hijo es estar atentos a los síntomas, elegir un buen centro y extremar las precauciones en caso de que el niño padezca alguna dolencia de base. Hay que tener en cuenta que:

- Hay algunos síntomas que hacen necesario que el niño se quede en casa, para evitar que la dolencia vaya a más: diarrea (acompañada o no de dolor de barriga); si tiene resfriado y éste va acompañado de fiebre, dolor de oídos; si tiene tos ronca, que le impide dormir y se acompaña de fiebre; dolor de garganta

Los padres deben asegurarse de que la guardería que han elegido para sus hijos reúne todas las medidas obligatorias de higiene y salud que marca la autoridad competente.

con dificultad al tragar y decaimiento general.

- Es muy importante asegurarse de que la guardería cumple todos los requerimientos en lo que a salud, higiene y seguridad se refiere. Datos como que pidan el calendario de vacunas del niño, por ejemplo, pueden ser indicativos de que todo funciona adecuadamente. Además, las guarderías deben asegurar una dieta equilibrada con todas las necesidades nutricionales necesarias para cada niño, contar con la infraestructura adecuada así como con el número de profesores o cuidadores por niño que establece la ley; ofrecer estimulación organizada y adecuada al nivel de maduración de cada niño; favorecer la formación de hábitos higiénicos; establecer un clima afectivo, armonioso y estable que favorezca el desarrollo emocional del niño e iniciarle en el desarrollo de las destrezas necesarias para facilitarle el ingreso y la adaptación a la etapa de Educación Infantil (ver apartado siguiente).

- Aquellos niños que tengan problemas en su aparato digestivo, circulatorio o respiratorio (cardiopatías congénitas, fibrosis pulmonar...) y los que padezcan afecciones inmunológicas importantes, deben retrasar su ingreso en la guardería, siendo preferible en algunos casos que no acudan a ellas.

- Pero, sobre todo, los padres tienen que ser conscientes de que el hecho de que su hijo enferme va a ser algo inevitable (ocurre, por ejemplo, con las enfermedades respiratorias, cuya transmisión es prácticamente imposible de impedir ni predecir hasta que no han sucedido) y

puede que incluso vaya concatenando una infección tras otra, de forma que pase más tiempo en casa enfermo que asistiendo a la guardería. Esto es algo que se solucionará en cuanto su sistema inmune esté suficientemente maduro, lo que, por otro lado, se acelera con esta sucesión de infecciones contraídas en las guarderías.

NORMAS GENERALES EN LAS ESCUELAS O GUARDERÍAS INFANTILES

La normativa en materia higiénico-sanitaria de escuelas infantiles es muy estricta. Se busca que los niños estén perfectamente atendidos y prevenir siniestralidad. Como en cada país o comunidad la legislación varía, aquí exponemos unas líneas básicas en las que deberían ir todas las normativas. En ellas se regulan distintos aspectos:

- *Ubicación*. Como regla general, la ubicación de guarderías o escuelas infantiles debe estar alejada de industrias contaminantes, vertederos, desagües o aguas estancadas. También se debería exigir que dicha guardería esté ubicada en la planta baja o en una primera planta, con acceso directo a la calle y sin barreras arquitectónicas. Si fuese necesario, debería haber una valla que separe la acera de la calzada. Dicho local debe disponer de un patio de recreo, completamente aislado de la vía pública, donde los niños desarrollen sus actividades y juegos.

- *Interior del edificio*. En resumen, algunos aspectos sobre el edificio son: no habrá hueco de escalera y si existiese, estará convenientemente protegido. La iluminación artificial debe ser uniforme;

no debe haber al alcance de los niños bombillas, lámparas, enchufes y cualquier aparato u objeto que pueda provocar un accidente. El sistema de calefacción tiene que ser regulable, no habrá braseros, estufas de butano, resistencias eléctricas, ni ningún aparato o sistema de calor que implique el mínimo riesgo. Todas las salas de las distintas habitaciones o aulas deben tener ventanas y no pueden estar a la altura de los niños; por lo general, el borde inferior de las ventanas estará a 1,20 m respecto al suelo. El mobiliario será el apropiado para niños entre 0-3 años: realizado con pintura no tóxica y sin aristas o ángulos punzantes. Los lavabos y retretes también serán acordes con dichas edades. El personal tendrá sus proios servicios o lavabos, independientes de los niños. Las habitaciones que reciben más sol serán destinadas a los niños más pequeños y bebés, para que reciban más calor que el resto de los niños. La tempertura interior en las aulas debe ser constante y estará alrededor de 20 ºC.

- *Salud ambiental.* No estará permitido fumar al personal ni a las visitas en el interior del edificio ni en el patio de recreo; en general, se debe prohibir fumar en presencia de los niños. Se renovará el aire y se eliminarán los olores con una ventilación y sistemas de extracción eficaces.

- *Alimentación.* Por supuesto, todo el personal (tanto educadores, cuidadores como trabajadores de la cocina) deben tener el título correspondiente de manipulador de alimentos. Conviene informar semanalmente a los padres de niños mayores de 6 meses (los bebés comen lo que sus pediatras dicten) de los menús que han comido los niños.

- *Personal.* Las personas que trabajen en una guardería o escuela infantil deben poseer la titulación necesaria para el cometido que desarrollen. También deberá regularse la proporción de personas que trabajan con los niños en actividades educativas y las que se dedican al cuidado y asistencia. Esta proporción vendrá indicada en la normativa vigente en cada país o comunidad sobre escuelas o guarderías infantiles. Como norma general, se puede decir que al cuidado de niños de 1 a 2 años tiene que haber un adulto por cada 10-12 niños; para niños de 2 a 3 años, habrá un adulto por cada 12-14 niños; para niños de 3 a 4 años, será un adulto por cada 20 niños; y para niños de 4 a 6 años, habrá un adulto por cada 25-30 niños.

- *Botiquín.* La guardería dispondrá de un botiquín de primeros auxilios, que siempre estará cerrado y fuera del alcance de los niños. En dicho botiquín habrá los objetos habituales: gasa, algodón, pinzas, agua oxigenada, antitérmico oral y rectal, suero fisiológico, guantes de plástico desechables, etc.

PESADILLAS Y MIEDOS NOCTURNOS

Ambas suelen compartir una temática común (la oscuridad, sentirse solos, monstruos horripilantes que salen del armario o de debajo de la cama, ladrones...), se presentan durante la noche, comienzan a ser relativamente frecuentes alrededor de los 2 años y suelen afectar más a las niñas que a los niños. Sin embargo, sí existen algunas diferencias a tener en cuenta entre miedos y pesadillas nocturnos.

Miedos o terrores

■ El niño se despierta a media noche llorando o con sensación despavorida o aterrorizada. Se muestra inconsolable, chillando y mirando sin ver ya que, a pesar de las apariencias, continúa dormido, en desconexión total con lo que hay a su alrededor. Pasados unos minutos, parece reconocer a sus padres y se va calmando lentamente, sin recordar a la mañana siguiente nada de lo ocurrido. Suele permanecer sentado en su cama pero no es extraño encontrarle caminando o corriendo por la habitación. Con respecto a los terrores nocturnos, conviene tener en cuenta:

● A diferencia de las pesadillas, su causa no guarda relación con las vivencias que el niño ha tenido a lo largo del día, y por lo general están motivados por un excesivo cansancio o inquietud.

● Muchos psiquiatras apuntan a que los miedos nocturnos pueden estar relacionados con un sentimiento de inseguridad, e incluso se habla de un factor hereditario.

Cómo actuar

● Lo mejor es despertar al pequeño de la forma más tranquila que sea posible, encendiendo la luz y pasándole un guante o pañuelo húmedo por la cara, para de esta manera devolverle progresivamente a la realidad.

● En caso de que estos temores se reproduzcan con excesiva frecuencia, es aconsejable consultar con el pediatra o psicó-

logo infantil, ya que puede deberse a alguna vivencia o problema que tenga el niño y que se esté canalizando de esta manera.

Pesadillas

■ Se trata de sueños que aterrorizan a los niños, produciéndoles un despertar brusco acompañado de llantos. Al contrario que los terrores, con las pesadillas el niño se despierta totalmente (y si todavía está un poco adormilado, se recomienda terminar de despertarlo para así calmarlo y evitar que se quede dormido y vuelva a soñar). Debemos conocer que:

● Se sabe que los niños más inseguros, ansiosos e impresionables son más propensos a padecer pesadillas.

● Aunque la mayoría de las pesadillas están protagonizadas por escenas cotidianas que no tienen por qué ser especialmente traumáticas (una pelea con un hermano, la visión de algún insecto), la mente infantil tiende a magnificar las situaciones, de ahí el desasosiego que producen este tipo de sueños.

Cómo actuar

● Ir a ver al niño o acompañarle de nuevo a la cama en caso de que se haya levantado; darle un vaso de agua; calmarle y explicarle que sólo se trató de un recuerdo de algo que le pasó, similar a una película de la televisión, y que no entraña ningún peligro para él.

● Dejarle encendida una luz indirecta (la del pasillo, por ejemplo) y la puerta de la habitación entreabierta pueden contribuir a calmarle.

- Al día siguiente es bueno preguntarle por el sueño y animarle a que lo cuente: es mejor que el niño se «libere» de esa sensación antes de que la mantenga en su interior y se convierta en el germen de un terror nocturno.

El papel de los padres

■ Ni las pesadillas ni los terrores nocturnos pueden prevenirse eficacaz ni definitivamente, pero sí que se pueden adoptar una serie de medidas útiles y prácticas que contribuyan a que el sueño infantil sea más tranquilo y reparador:

- Mantener unos horarios fijos: es importante que se acueste todos los días a la misma hora y, a ser posible, que a diario realice un ritual de sueño: lavarse los dientes, acostarse, leer un cuento, rezar o cantar una canción... y apagar la luz más o menos a la misma hora.

- Hay que evitar que tenga demasiada actividad antes de irse a dormir. Si el niño es muy nervioso, nada mejor que un baño caliente y un vaso de leche, para inducir al sueño.

- Ver la televisión (y mucho menos programas violentos y agresivos) antes de acostarse es totalmente negativo para los niños en general y para aquellos que sufren terrores y pesadillas en particular: las imágenes televisivas están sobrecargadas de estímulos y hasta el fotograma más inocente puede ser el protagonista de una pesadilla, ya que en la mente infantil dicha imagen adquiere dimensiones insospechadas.

- Si quiere dormir con uno o una docena de muñecos no hay ningún problema. A través de ellos el niño se siente protegido y seguro durante las horas de sueño.

- Si los despertares nocturnos están asociados al miedo a la oscuridad, se puede dejar encendida una luz tipo piloto, de las que se encuentran en el mercado, o alguna luz indirecta, como la del pasillo. No es aconsejable en ningún caso que se acostumbre a dormir con la luz de la mesita de noche encendida y mucho menos que se habitúe a ir a la cama de sus padres cada vez que sienta miedo. («Ver trastornos del sueño».)

RABIETAS Y PATALETAS INFANTILES

Alrededor de los 2 años, los niños suelen protagonizar episodios de llanto, berrinches y pataletas que a menudo están motivados por la negativa de los padres a acceder a sus deseos. Se trata de una fase inevitable en el desarrollo infantil que tiene como objetivo reforzar su personalidad, afirmar su independencia y afianzar su poder. En ocasiones también es la forma que tienen de manifestar algún tipo de frustración: saben lo que quieren, pero no lo pueden explicar a los padres o también si se hacen entender, pero éstos le niegan lo que solicitan.

La mayoría de los niños de esta edad recurren a esta peculiar «forma de expresión» y suelen abandonarla en torno a los 4 años.

Las rabietas pueden adoptar distintas modalidades: tumbarse en el suelo, llorar, gritar, tirarse del pelo, correr sin rumbo fijo, arrojar

objetos, pegar a los padres o a otros niños...
También es frecuente que se niegue a comer o
escupa los alimentos.

Cómo actuar

- La mejor forma de afrontar estos episodios es, sencillamente, ignorar las quejas
del niño. En cuanto empiece a comportarse de forma enrabietada, hay que hacer
como si no existiera. Se trata en definitiva de una forma extrema de llamar la
atención, así que si pasado el tiempo el
niño comprueba que no lo consigue, de-
sistirá de su intento. En cuanto el niño
«vuelva en sí», tratarle normalmente, sin
alterarse y sin darle mayor importancia al
episodio vivido. Es muy importante que
en esta estrategia participen todas las personas relacionadas con el niño (abuelos,
parientes, amigos, cuidadores) ya que de
lo que se trata es de que se dé cuenta de
que con esa actitud no atrae la atención
de nadie.

- Los berrinches en público son un tema
aparte: en este caso, el niño sabe que los
padres están en inferioridad de condiciones y, sencillamente, «se crece». En estos
momentos, tampoco hay que abandonar
la calma, sino que se le debe sacar del re-
cinto donde esté y llevarlo a un lugar
tranquilo donde se pueda hablar con él e
ignorarle hasta que se calme. Lo importante es, también en esta ocasión, no ceder a la rabieta.

- Dialogar con él. Sólo cuando esté completamente tranquilo hay que explicarle
de forma pausada y sosegada que esa no
es la forma de conseguir las cosas ni de
hacerse entender. También hay que decir-

Los niños que sufren miedos nocturnos pueden tener sentimientos de inseguridad, según la opinión de algunos psiquiatras.

le que cada vez que se ponga así, lo único que va a conseguir de los adultos es la
indiferencia.

- Nunca hay que gritarle. Si por sistema a
un niño se le grita siempre que hace algo
mal, lo único que se consigue es reforzar
estas actitudes por parte del pequeño, sin
erradicarlas en su futuro. Lo mejor es explicarle que se le atenderá y ayudará
siempre y cuando deje de llorar; estará
más predispuesto a escuchar al adulto si
se le repite el mismo mensaje una y otra
vez, de forma coherente, pero con calma,
en vez de decírselo gritando: no sólo no
entenderá el mensaje, sino que él a su
vez, llorará y gritará para seguir llamando
la atención.

- Anticiparse al berrinche. Si el niño es propenso a la rabieta cuando está cansado, tiene hambre o bien está aburrido o sobreestimulado, hay que adoptar las medidas necesarias para evitar que se desencadene el berrinche. Una de las más efectivas es mantenerle entretenido con algo que capte su atención (un juguete, una canción, un paseo, etc.) para evitar que se produzca la temida rabieta.

¿QUÉ HACER SI LA RABIETA VA A MÁS?

Hay ocasiones en las que el niño lleva tan lejos su enfado y falta de autocontrol que puede incluso llegar a vomitar, faltarle el aire y congestionarse en exceso. Suele ser una actitud que los niños, especialmente los mayores, pueden llegar a controlar y en principio no reviste gravedad (nadie puede dejar de respirar a propósito). Sin embargo, para los padres estas situaciones suelen ser muy alarmantes, así que lo mejor es consultarlas con el pediatra, sobre todo para descartar la implicación de otro tipo de problemas, y, una vez que el niño se recupere, insistirle una y otra vez en que de esa forma no va a conseguir nada y que, además, puede suponer un riesgo para su salud.

VIRUS E INFECCIONES: CÓMO POTENCIAR SU INMUNIDAD

Se estima que entre el nacimiento y los 4 años, el niño sufre más de 40 ataques virales de cualquier tipo, y se sabe que los bebés que acuden a guarderías padecen estas enfermedades de forma más precoz, repetida e intensa, ya que su contacto con estos virus es mayor. La mayoría de las infecciones infantiles se contraen por contacto directo de

persona a persona, y son favorecidas por situaciones como el hacinamiento. Esto es lo que explica que para la mayor parte de los lactantes y de los preescolares sanos la escolarización suponga toda una experiencia inmunitaria, la mayoría de las veces sin riesgo de secuelas, y que incluso puede protegerles durante la etapa escolar.

Por el contrario, los niños que permanecen en sus casas, especialmente si no tienen hermanos, contraen estas enfermedades más tarde. Sin embargo, la madurez inmunológica es algo que tarde o temprano todos los niños alcanzan, y llega un momento en que todos consiguen desarrollar sus defensas en cantidad suficiente y se vuelven menos susceptibles a los virus y demás microorganismos del medio que les rodea. En entonces cuando los padres perciben que el niño se pone enfermo con menos frecuencia que cuando era pequeño.

Por tanto, para que los niños desarrollen un sistema de defensas inmunológicas efectivo contra las enfermedades infecciosas es necesario que durante estos años se sometan a una serie de situaciones que les hará ser más fuertes:

- La exposición a gérmenes, bien directa (con desarrollo o no de síntomas) o indirecta (inmunización mediante las vacunas pertinentes). Los niños sanos suelen experimentar con mayor frecuencia infecciones al estar en contacto con gérmenes, lo que sucede cuando acuden a colegios, guarderías, parques o si tienen hermanos mayores que ya estén en edad escolar. Hay que recordar que estos procesos víricos formanparte de su crecimiento.

- Estar afectados por diversos virus que produzcan la misma patología. Cada una de las enfermedades víricas que el niño padece (gripes, fundamentalmente), le dejan inmunidad específica para ese virus concreto pero, teniendo en cuenta que existen cientos, no es de extrañar que una vez que se haya recuperado de una gripe, padezca a los pocos días otro episodio vírico (muchos virus mutan de año en año). En este caso, lo importante no es la recurrencia o periodicidad de los procesos infecciosos, sino la forma en que éstos se presentan (tipo, duración, severidad, etc.). Si pese a este tipo de dolencias el niño se mantiene perfectamente sano entre una y otra y sus patrones de crecimiento y desarrollo se mantienen estables, no hay de qué preocuparse en absoluto; el propio pediatra confirmará este punto.

- Cada vez está cobrando más importancia la llamada teoría de la higiene. Según esta teoría, una de las causas más importantes del creciente aumento de los casos de asma y alergia en las sociedades desarrolladas es la excesiva asepsia en la que se crían los niños de estos países, lo que hace que su sistema inmune permanezca totalmente inactivo y esté más vulnerable al ataque de los principales alergenos que producen estas patologías. Numerosas investigaciones han confirmado cómo en aquellos países en los que los niños están más expuestos a la acción de gérmenes, virus y bacterias, debido a unas condiciones higiénicas más precarias, la incidencia de patologías de tipo alérgico y otras como el asma bronquial es mucho menor que en los países más desarrollados, con más higienes y protección en general. Esto redunda en lo dicho anteriormente: la exposición comedida a gérmenes, facili-

ta el desarrollo del sistema inmunológico de los niños y permite que sean adultos sanos y fuertes.

Por tanto, para favorecer el correcto desarrollo del sistema inmune del niño y ayudarle a fabricar defensas frente a la acción de agentes patógenos, los padres deben, por un lado, favorecer las situaciones de inmunización, sin preocuparse en exceso ni «proteger» hasta límites exagerados. Para no angustiarse demasiado, los padres tienen que pensar que con cada proceso infeccioso el sistema inmune de su hijo se está fortaleciendo. Esto no quiere decir que sean unos irrespondables porque también es imprescindible que se aseguren de que el niño lleva el calendario de vacunaciones al día, potenciado así la inmunización llamada indirecta.

LA HORA DEL JUEGO

LO QUE HAY QUE SABER

Todos los niños tienen derecho al juego, que constituye una actividad muy importante para su desarrollo global, tanto física, psíquica, social como intelectualmente. Naciones Unidas aprobó en el año 1989 la Convención de los Derechos del Niño, en la que se proclama en su artículo 13 «el derecho del niño al descanso y al esparcimiento, al juego y a las actividades recreativas apropiadas para su edad y a participar libremente en la vida cultural y en las artes». (Ver «Declaración de los Derechos del Niño»)

A medida que se acerca a los 24 meses de vida, el niño continúa con los juegos corporales, pero éstos evolucionan hacia una mayor coordinación motriz y tendrá necesidad de ampliar su «repertorio» de juegos y juguetes, así como buscar nuevos compañeros de juego entre sus amigos.

Para que un niño aprenda a jugar y saque el mayor partido a un juego o juguete, debe estar acompañado por un adulto que le enseñe el modo de hacerlo. Un niño no se sentirá motivado, si el padre o la madre no le enseñana estarlo. El niño sacará más provecho al juguete, si alguien le enseña, anima y selecciona los juguetes más apropiados para ese niño. Evidentemente, no todos los juguetes sirven para cada niño: aquí influyen los gustos, las capacidades y las necesidades del niño. Conviene que pueda acceder a una gran variedad de juguetes para que realice una diversidad de actividades lo más amplia posible.

En esta etapa destaca la importancia de explotar las posibilidades de elementos naturales tales como el agua, la tierra, las flores, la lluvia... Los juegos con tambores también despiertan gran interés entre los niños de esta edad, favoreciendo la descarga motriz, la agilidad y coordinación. Los juegos en los que intervienen animales y muñecos de trapo le ayudan a imitar y reproducir sus propias experiencias biológicas, dándoles de comer, durmiéndolos, paseándolos, regañándolos o besándolos.

Pasados los dos años, el bebé «conversa» sin parar. Sus ansias de comunicación se expresan en cada gesto y, a su vez, está muy atento a cómo se expresan las demás personas que tiene a su alrededor, de ahí que los expertos recomienden en esta etapa grabarle versos infantiles, cuentos o voces familiares que puedan estimularlo a imitarlos. También le gusta grabar su propia voz para escuchar una y otra vez cómo suenan las palabras. Esto hace que aumente su seguridad y confianza al expresarse, lo que a su vez redunda en una mayor facilidad para relacionarse con los otros niños.

La música sigue ocupando un papel fundamental como instrumento de ocio: las cintas musicales le animan a bailar, que es otra forma de expresión personal.

En torno a su tercer cumpleaños destacan las actividades lúdicas psicomotrices a través de juegos y juguetes con movimiento (cochecitos, trenes...), trasvases de sustancias, juegos con encajes y rompecabezas simples (permiten el desarrollo de la coordinación óculo-manual), y juegos de movimientos. En esta etapa aparecen los primeros juegos simbólicos y sexuales, iniciándose el gran protagonismo de las muñecas, en toda su variedad. Asimismo, los dibujos e imágenes (los cuentos, la televisión y las películas o dibujos animados, en general) empiezan a ocupar un lugar muy importante en su vida.

En resumen, tanto el juego como el juguete permiten que el niño desarrolle distintos aspectos, como su creatividad, su inteligencia, su afectividad, amistad, sentido del humor, felicidad, motricidad, su capacidad verbal, contro de impulsos, paciencia, competencia con otros niños y con los adultos, independencia, autoconfianza, cómo resolver conflictos, la convivencia y la sociabilidad.

Por lo tanto, los juegos y juguetes deben ir acordes con la edad del niño para que permitan ese deseado desarrollo y crecimientos en todos los aspectos mencionados. La pregunta que habría que hacerse es qué le sucedería a un niño que no juega nada o menos que otros niños. Casi todos los expertos coinciden en afirmar que dicho niño tendría un déficit psicológico, intelectual y social en su desarrollo.

A continuación, se exponen de forma esquemática algunas ideas sobre los juguetes o juegos idóneos para los niños, divididos por franjas de edad:

EL PERFIL DEL NIÑO DE 13 A 18 MESES

- Sabe andar y saltar.
- Usa y entiende las palabras.
- Arroja y recoge objetos.
- Conoce las propiedades de los objetos que le rodean.
- Comienza a tener y a hacer los primeros amigos.

Los juguetes más adecuados

- Muñecas y muñecos de trapo, felpa o goma.
- Juguetes y algunos libros con diferentes texturas y contrastes de intensos colores.
- Cubos para encajar y apilar.
- Construcciones sencillas y de muchos colores.
- Bicicletas de tres o cuatro ruedas, sin pedales.
- Cochecitos.

EL PERFIL DEL NIÑO DE 19 A 24 MESES

- Consigue dominar el equilibrio de su cuerpo.
- Habla y comprende.
- Muestra alegría ante sus propios logros.
- Comienza a descubrir el entorno y la naturaleza.
- Realiza los primeros juegos con sus compañeros.
- Inicia los primeros juegos típicamente simbólicos.

Los juguetes más adecuados

- Juegos de movimiento: coches, columpios, triciclos, bicicletas.

- Juegos de expresión: pizarras, pinturas, juegos musicales.
- Muñecas y animalitos.

EL PERFIL DEL NIÑO DE 2 A 3 AÑOS

- Adquiere y también aprende nuevas habilidades.
- Corre y salta.
- Desarrolla el sentido del peligro.
- Tiene una mayor destreza.
- Manifiesta curiosidad por los nombres.
- Imita escenas familiares.

Los juguetes más adecuados

- Triciclos, coches, palas, cubos, construcciones, puzzles.
- Instrumentos musicales, pasta de modelar, pinturas.

Los juguetes sirven para entretener a los niños, pero también para estimularles, ya que forman parte de su educación y aprendizaje.

– Muñecas, vestidos, cunas, teléfonos.

El listado anterior puede servir de guía útil a los padres. Pero es la experiencia y el contacto diario con el niño lo que les dará más pistas a los padres (sobre todo a los primerizos) de cuáles son los juguetes idóneos para su hijo. También se puede pedir consejo en las guarderías infantiles, debido a la gran experiencia que tienen.

De 4 a 8 años

SEÑAS DE IDENTIDAD

Características. Se encuentra en una etapa de crecimiento estable: 5-7 cm de talla y entre 2,5 y 3,5 kg de peso por año.

Pruebas y controles. Es importante iniciar en los primeros años de este período las visitas rutinarias al dentista y al oculista, así como al especialista en ORL en caso de que el niño presente dificultades auditivas o en el lenguaje. A los 6 años podría necesitar la dosis correspondiente de la vacuna DTP.

Pautas de desarrollo. A los 4 años: se sostiene sobre un solo pie durante al menos 10 segundos, corre y da vueltas sin perder el equilibrio; copia letras y puede apilar 10 dados; puede abrochar botones y usar con habilidad un tenedor; habla bien, con una gramática correcta, y hace muchas preguntas • A los 5 años: se sostiene y salta con un solo pie o con los dos; copia palabras sencillas y puede dibujar a una persona con cara y cuerpo reconocibles; repite cuentos cortos y es capaz de hacer comparaciones • A partir de los 6 años ya comienza a ser perfectamente consciente de todas las características de su entorno (peligros, rutinas cotidianas), empieza a manejar con destreza el concepto de tiempo y logra una integración plena en un grupo de amigos, desarrollando progresivamente una mayor autonomía y seguridad en sí mismo.

Aspectos psicológicos. En estas edades tiende a dar rienda suelta a su imaginación, por lo que es frecuente que mezcle la realidad con la fantasía. También hay que tener en cuenta que entre los 5 y 6 años (período en el que se suele iniciar la Educación Primaria), la gran diferencia que existe entre los niños de una edad y otra en términos de período de atención, disposición a la lectura e incluso habilidades de motricidad fina puede ser muy significativa, de ahí la importancia de no presionarle y dejar que cada niño vaya alcanzando estas habilidades según su propio ritmo.

C on el inicio de la escolarización, el niño desarrolla al máximo durante este período su faceta social, lo que le ayudará a verse a sí mismo como miembro de una colectividad y le llevará a establecer fuertes lazos (muchos de los cuales se mantendrán hasta la adolescencia), descubriendo el verdadero sentido de la amistad. También aprende a ser responsable y esforzarse.

En este período, la mayoría de los niños tiene un sistema inmunitario desarrollado y reforzado, por lo que suelen tener buena salud. Es importante detectar otro tipo de problemas, como los trastornos del lenguaje o el Síndrome de Déficit de Atención por Hiperactividad.

MIEDOS Y ANSIEDADES: CÓMO CONTROLARLOS

El temor y el miedo forman parte del correcto y normal desarrollo del niño de esta edad, ya que adquiere conocimientos a un ritmo muy rápido, pero su falta de experiencia puede hacer que ese conocimiento parezca amenazador y no le dé tiempo a asimilarlos. Muchos de ellos, como los terrores nocturnos, desaparecen en la mayoría de los niños en torno a los 7 años, a medida que va aprendiendo a diferenciar la ficción y el mundo onírico de la realidad, mientras que otros se mantienen o surgen conforme el niño se hace mayor. La mayoría de ellos tienen su origen en la ansiedad, mientras que otros están derivados de haber vivido alguna experiencia traumática con alguno de los objetos con los que suelen tener los temores y las pesadillas.

SUS PRINCIPALES TEMORES

- *Miedo a la oscuridad.* Los monstruos o el hombre del saco son en realidad la forma en la que el niño se enfrenta a sus temores. Lucha con las emociones fuertes y no es lo suficientemente maduro como para articularlas de forma efectiva. Por eso es tan importante hacer de su dormitorio un lugar seguro e intentar no encerrarle en el mismo cuando se le quiera castigar. El objetivo es concienciar al niño de que la oscuridad puede ser una situación agradable y excitante. Juegos como la conocida gallinita ciega o pasear con él por la casa a oscuras, analizando cada ruido y cada sombra y ofreciéndole una explicación, son técnicas que suelen funcionar.

- *Miedo al agua.* Se traduce fundamentalmente en el temor a mojarse la cara o que le entre agua en los ojos. También, y cuando se baña en el mar o la piscina, en el miedo a no hacer pie. La mejor solución a todos los temores relacionados con el agua es que el niño aprenda a nadar lo antes posible. Por el contrario, lo peor que se puede hacer en estas situaciones es tirar al niño al agua o forzarlo a permanecer dentro pese a sus lágrimas.

• *Miedo a los animales.* Es probable que el temor que experimenta ante perros y gatos se deba a alguna mala experiencia previa, de ahí que lo importante sea encontrar la causa y hablar con él de esta experiencia para ir poco a poco desensibilizándolo. Ver juntos libros donde salgan distintas razas de estos animales o visitar alguna de las tiendas donde se venden puede ser efectivo. En este apartado se encuadra también el miedo a los insectos. En estos casos, las visitas al campo, así como el análisis de las formas de vida de estos animalitos, puede reducir el temor.

• *Miedo al hombre del saco.* A esta edad, este tipo de miedo puede estar producido por las continuas advertencias de los padres acerca de los mil y un peligros que acechan en la calle, la desconfianza que deben mostrar ante los extraños, etc. Evidentemente, todas estas recomendaciones son muy necesarias, pero hay que transmitirlas al niño de forma que no le produzcan temor ni ansiedad. Una buena estrategia es hacer que se aprenda cuanto antes su dirección y el número de teléfono de casa, así como indicarle lo que debe hacer si se pierde y a quién acudir en busca de ayuda.

• *Miedo a los «sucesos».* Desgraciadamente, las noticias de la radio y la televisión no son especialmente halagüeñas, de ahí que los niños vayan reteniendo en su memoria imágenes e historias que todavía no están capacitados para comprender. Por debajo de los 6 años, los niños tienen una conciencia muy limitada del mundo fuera de su entorno y son incapaces de relativizar, por lo que personalizan todos los sucesos y tragedias que le llegan a través de los medios de comunicación. El resultado es una angustia y un temor que, aunque no lo expresen con palabras, puede manifestarse mediante pesadillas, ansiedades y males diversos; de ahí que la mejor estrategia para prevenir esta situación pase por evitar que que el niño vea noticias, especialmente por televisión, antes de los 6 o 7 años.

LA MEJOR ACTITUD

• *No hay que quitarle importancia.* El niño miedoso necesita ser escuchado y comprendido. Hay que intentar hablar abiertamente del tema con él, ponerse en su lugar y, desde esta perspectiva, razonar sobre el escaso fundamento de estos temores.

• *Ser protector y complaciente lo justo cada vez que aparezca el temor.* Esto es muy importante sobre todo en aquellos casos en que el peligro es real: se trata de que el niño no esté ansioso, pero inculcándole unas pautas de prudencia.

• *Hay que tener mucho cuidado con los miedos que los padres proyectan sobre sus hijos.* Nunca hay que olvidar que el niño aprende por imitación.

• *Lo mejor es comportarse de forma tranquilizadora y calmada.* Lo más importante es apoyar al niño en sus esfuerzos para vencer el temor y estar con él para animarlo y superarlo, lo que implica obviamente elevadas dosis de confianza entre padres e hijos.

• *No hay que sobreproteger al niño.* Es más, muchos de ellos necesitan que se les anime a tomar la iniciativa. Andar siempre detrás de ellos temiendo que se hagan daño impide el desarrollo de la confianza en sí mismos.

Las fobias son temores persistentes e identificables que resultan excesivos o irracionales y que se desencadenan por la presencia o anticipación de un objeto o situación específica. Los niños que sufren una o más fobias pueden experimentar aumento de la frecuencia cardiaca, sudor, temblores o estremecimientos, sensación de ahogo, dolor o molestias en el pecho, malestar estomacal, temor a la muerte o sensación de mareo o desmayo. Todos estos signos deben ser observados por los padres y poner al niño en manos del especialista ya que, en el caso de las fobias, la detección e intervención temprana son fundamentales para solucionarlas y que no repercutan ni se agudicen en su comportamiento en la vida adulta.

EL NIÑO QUE MOJA LA CAMA

(Ver «Enuresis».)

■ El hecho de que el niño moje la cama no es una enfermedad, sino un síntoma bastante común. Afecta más a niños que a niñas y entre sus causas destaca el componente psicológico o emocional (cambios en la rutina, nacimiento de un hermano, enfermedad de un familiar, miedo...). Hay algunas estrategias que los padres pueden poner en marcha para ayudar a estos niños:

• Ante todo, desdramatizar el asunto, intentar encontrar la causa y nunca burlarse de él ni ridiculizarlo, sino ofrecerle la ayuda que necesitan.

• Recordarle todos los días que debe orinar antes de acostarse.

• Apoyarle y motivarle para que se mantenga seco durante la noche.

• Despertarle durante la noche para que pueda vaciar la vejiga.

• Evitar los castigos y elogiarle las mañanas que amanezca seco.

EL CAMBIO DE DENTICIÓN

Aproximadamente entre los 5 y los 6 años comienza el cambio de los dientes de leche o provisionales, el cual termina alrededor de los 13 años.

Al igual que ocurre con los de leche, la aparición de los dientes permanentes o definitivos suele regirse por unas pautas que, sin embargo, pueden ser distintas en un niño y en otro. De hecho, hay una máxima en odontología que dice que es más importante observar el orden de aparición de los dientes en la boca del niño que la edad en la que esto se produzca.

• Incisivo central: sale en torno a los 6-7 años.

• Incisivo lateral: aparece normalmente a los 7-8 años.

• Canino: sale entre los 9 y los 10 años.

• Primer molar: su salida se sitúa entre los 10 y los 12 años.

- Segundo molar: aparece a los 11-13 años.

- Tercer molar: sale entre los 17 y los 21 años.

- Primer premolar: aparece a los 10-12 años.

- Segundo premolar: sale a los 11-12 años.

PRINCIPALES PROBLEMAS A EVITAR

- *Caries*. Se trata de una enfermedad destructiva de las estructuras del diente, que afecta tanto a niños como a adultos. Según la OMS (Organización Mundial de la Salud), es la patología infecciosa más extendida del mundo, pudiendo llegar a padecerla un 90 por ciento de la población. Tres son los factores en su aparición:

  - La presencia de bacterias en la boca.
  - Los azúcares de la dieta que, por acción de las bacterias, sufren una degradación ácida que actúa sobre el esmalte (mucho cuidado por eso con las chucherías y caramelos).
  - La existencia de dientes susceptibles o predispuestos.

- *Aftas*. Son heridas que aparecen en cualquier superficie de la mucosa de la boca. Suelen tener una forma redondeada u oval con bordes rojizos y el centro blanquecino. Aparecen y desaparecen de forma espontánea y la mayoría de las veces se desconocen sus causas, aunque muchos expertos apuntan a que pueden estar

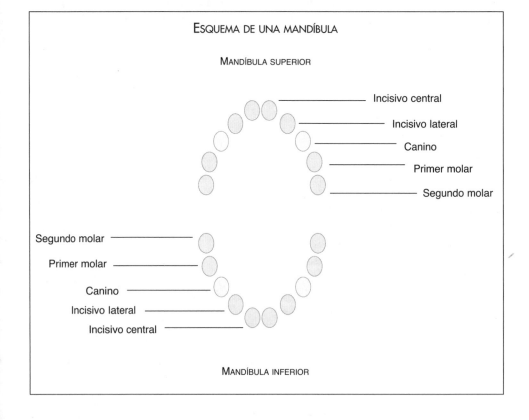

ESQUEMA DE UNA MANDÍBULA

MANDÍBULA SUPERIOR

Incisivo central

Incisivo lateral

Canino

Primer molar

Segundo molar

Segundo molar

Primer molar

Canino

Incisivo lateral

Incisivo central

MANDÍBULA INFERIOR

relacionadas con tener las defensas bajas, una carencia vitamínica o a una reacción del sistema inmunológico frente a una agresión externa. Algunas soluciones locales, de venta en farmacias, pueden aliviar las molestias. En caso de que produzcan dolor en la zona afectada, se puede recurrir a la analgesia.

- *Traumatismos.* A estas edades son frecuentes los golpes y balonazos en la boca, así como caídas de la bicicleta o de los patines, práctica de artes marciales, etc., como consecuencia de los cuales se puede aflojar, desprender, fracturar o desplazar un diente, tanto de leche como definitivo. De hecho, el 55 por ciento de los casos que acuden al estomatólogo a estas edades se deben a la fractura de los dientes centrales delanteros. La razón es que cuando se está produciendo el cambio de dentición, los dientes superiores centrales son muy grandes comparados con el tamaño de la cara, lo que los hace estar más expuestos. La fractura del diente puede ser a nivel de corona o de raíz, en cuyo caso el diente puede llegar a perderse. En esta situación, hay que recoger el diente o trozo de diente lesionado y, sin limpieza ni esterilización previa, intentar colocarlo en su lugar, y acudir inmediatamente al dentista. Para prevenir estas lesiones, lo mejor es que el niño utilice protectores o cascos cuando realice actividades en las que pueda verse implicada su dentadura.

LAS PAUTAS DE SU SALUD DENTAL

■ Los hábitos dentales adquiridos a estas edades son muy importantes, ya que si los niños los integran de forma correcta en su rutina diaria, es muy probable que los mantengan toda su vida. Debemos saber que:

- Aunque en esta etapa ya debe cepillarse perfectamente los dientes solo, es importante que los padres supervisen este hábito, para confirmar que se está realizando correctamente. El cepillo debe ser de cabezal blando, ya que las púas blandas entran más fácilmente en las cavidades y no irritan las encías. Al igual que ocurre con los adultos, el niño debe cambiar de cepillo cada 3-4 meses.

- Hay que asegurarse de que beba suficiente agua. Está demostrado que consumir al menos siete vasos de agua al día ayuda a reducir las inflamaciones de la boca, pues fomenta la producción de saliva, sustancia muy importante para diluir las toxinas que crea la placa.

- Se deben dosificar las chucherías. Dulces, golosinas y bollería son los factores que más inciden en la aparición de caries infantil. Como es prácticamente imposible suprimirlas totalmente de su entorno, hay que procurar dárselas siempre después de las comidas, nunca entre horas, para que así puedan lavarse los dientes inmediatamente.

- Fomentar el desayuno es otra medida que asegura la salud dental. Estudios recientes han confirmado que los niños de entre 2 y 5 años que no desayunan tienen un riesgo hasta cuatro veces mayor de padecer caries, pues la mayoría de ellos optan a media mañana por soluciones rápidas como la bollería industrial o productos azucarados e hipercalóricos, en vez de recurrir a la leche.

FLÚOR: ¿SÍ O NO?

La conveniencia o no de administrar suplementos de flúor a los niños es un tema ampliamente discutido por los especialistas, debido a la mayor sensibilidad que los dientes en desarrollo presentan frente a la fluorosis dental (exceso de flúor).

Lo cierto es que suministrar suplementos farmacológicos de este mineral reduce la incidencia de caries aproximadamente en un 40-60 por ciento. Existen en el mercado dos tipos de flúor: el oral (que se ingiere) y el tópico (que sirve para enjuagar la boca). Si se trata de niños que viven en grandes capitales, cuyas aguas suelen estar fluoradas, no es necesario más que el uso de colutorios que refuercen el esmalte, los cuales son especialmente recomendables para aquellos que tienen dentición mixta (están haciendo del cambio de la dentadura temporal a la permanente), ya que es el momento en el que el esmalte dental es más blando y, además, coincide con una época en la que la ingesta de golosinas es mayor.

Por lo general, ya sea en dentífrico, en colutorio o en gel, se recomienda el uso habitual de flúor hasta los 10 o 12 años.

MORDERSE LAS UÑAS Y OTRAS «MANÍAS»: QUÉ SIGNIFICAN

A esta edad suelen presentarse una serie de trastornos en los hábitos: chuparse un dedo, rascarse la cabeza, sacar la lengua o encogerse de hombros compulsivamente, morderse las uñas de forma nerviosa... Todas ellas son situaciones que se van sucediendo en distintas etapas del desarrollo infantil y que suelen tener un denominador común: la ansiedad. Cada uno de estos síntomas tiene sus peculiaridades.

EL NIÑO QUE SE MUERDE LAS UÑAS

Es un hábito que suele presentarse a partir de los 3 años. Aunque en su origen es un gesto que suele estar desencadenado por la ansiedad, poco a poco el niño lo va haciendo suyo, acompañándolo incluso hasta su vida adulta. El único problema que se puede derivar de este hábito es el riesgo de que se infecte la zona de alrededor de la uña o que ésta se encarne, pero sí que hay que incidir en aliviar la tensión nerviosa que lo puede desencadenar: la mejor manera de ayudar a un niño a que deje de morderse las uñas es hacer desaparecer la causa de su tensión.

Qué pueden hacer los padres

- Predicar con el ejemplo, ya que muchas veces los niños se muerden las uñas por imitación. Si un padre que se muerde las uñas observa que su hijo también lo hace, ¿qué mejor momento para iniciar un plan conjunto de deshabituación?

- Hay que examinar cuándo y cómo se muerde las uñas, y determinar si esta situación se corresponde con algún momento de tensión (antes de ir al colegio, por ejemplo). También resulta muy efectivo concienciar al niño de lo antiestéticas y desagradables que resultan unas uñas mordidas.

- Otra estrategia que funciona es establecer un código con el niño mediante el cual, cada vez que se observe que va a morderse las uñas, se le envíe una señal (una palmada, un silbido, un carraspeo) para que él también sea consciente de que lo está haciendo (al igual que otros hábitos, puede llegar a convertirse en un acto reflejo).

- Si se observa que el niño se muerde más las uñas cuando tiene las manos desocupadas, darle un pañuelo blando o una pelota para que así no tenga la tentación de llevarse la mano a la boca. Y en cuanto a la necesidad de tener algo en la boca, nada mejor que un chicle o caramelo (si es sin azúcar, mejor) o, si el niño ya es más mayor, una pajita.

Otros hábitos

Los tics son los trastornos de movimiento más habituales a esta edad, y se trata de movimientos involuntarios y estereotipados, de carácter repetitivo y favorecidos por factores emocionales que presentan distintas modalidades: elevación de los hombros, parpadeos, muecas faciales, ruidos nasales, sacudidas de cabeza, gruñidos y a veces sacudidas bruscas de una extremidad.

Suelen ser hábitos transitorios y disminuyen cuando el niño está concentrado o realizando una actividad que requiere toda su atención.

Chuparse el dedo pulgar o cualquier otro dedo es una reminiscencia de la más tierna infancia. Tampoco reviste gravedad, aunque sí puede alterar el correcto desarrollo de la dentición definitiva.

Importante: no dramatizar

Muchas veces, estos hábitos son una manera que tiene el niño de llamar la atención de los adultos. Es frecuente en situaciones en las que el niño se siente desatendido como, por ejemplo, ante el nacimiento de un hermano.

Para que abandone estos hábitos, nunca hay que regañarle y, mucho menos, hacerle reproches, burlarse de él, ridiculizarle, casti-

garle o hablarle del tema. Lo mejor es darle igual o incluso menor importancia que a cualquier otro aspecto de su conducta, ya que lo único que se consigue con ello es reforzar sus ansiedades e inseguridades.

Lo más importante es que el niño esté lo suficientemente motivado, y para ello es fundamental que se sienta animado y apoyado, tanto en sus progresos como en sus fracasos.

TRASTORNOS MENTALES: SÍNTOMAS Y PAUTAS DE ACTUACIÓN

En este intervalo de edad, y coincidiendo con la escolarización, es cuando empiezan a dar la cara algunos trastornos de conducta y de comportamiento, así como también son manifiestos los síntomas de ciertos problemas mentales. También es en estos años cuando se inicia el tratamiento de algunas patologías o trastornos diagnosticados anteriormente.

Es en este tramo de edad cuando se pueden descubrir problemas severos, como un funcionamiento intelectual limitado.

RETRASO MENTAL

En qué consiste

Es un término que se aplica cuando un niño tiene ciertas limitaciones en su funcionamiento mental y en destrezas tales como aquellas relacionadas con la comunicación, el cuidado personal y las habilidades sociales. Esto significa que el aprendizaje y desarrollo del niño es más lento. Comprende dos características muy importantes: las limitaciones intelectuales y los problemas de adaptación.

La Asociación Americana sobre Retraso Mental actualizó este concepto hace casi una década y no lo considera un rasgo absoluto del individuo, sino una expresión de la interacción entre la persona con un funcionamiento intelectual limitado y el entorno en el que se encuentra, evidenciando así un marcado carácter interactivo. Además, y según este organismo, se debe evaluar multidimensionalmente al niño y al contexto, y a partir de ahí determinar de forma individualizada los apoyos que éste necesita.

Para distinguirlo hay que saber que el retardo mental se caracteriza por un funcionamiento intelectual significativamente inferior a la media, junto con limitaciones de dos o más de las siguientes áreas de habilidades adaptativas:

– Comunicación.
– Vida en el hogar.
– Cuidado personal.
– Utilización de la comunidad.
– Habilidades sociales.
– Autogobierno.
– Seguridad y salud.
– Habilidades académicas.
– Ocio o tiempo libre.
– Trabajo.

Se han establecido numerosas clasificaciones de retardo mental, siendo una de las más representativas la que establece la OMS: límite: CI (Coeficiente Intelectual) entre 70-85; débil o ligero: entre 50-69; moderado: entre 35-49; severo: entre 20-34; profundo: menor de 20.

Síntomas y características

■ El retraso mental causa una ralentización del desarrollo en general en todas las áreas del funcionamiento:

- *Cognitiva*. Puede existir una orientación hacia lo concreto, egocentrismo, facilidad de distracción y capacidad de atención mermada. La hiperactividad sensorial puede conducir a conductas realmente desbordantes, a evitar estímulos y a la necesidad de procesar los mismos a niveles de intensidad bajos.

- *Emocional*. Tienen dificultades para expresar sentimientos y percibir afectos, tanto en sí mismos como en los otros. La expresividad de la afectividad puede estar modificada por los impedimentos físicos, como la alteración del tono muscular bien por defecto (hipotonía) o por exceso (hipertonía). Tienen reacciones emocionales primitivas: a la frustración y a la tensión pueden responder con conductas agresivas autolesivas o autoestimulantes.

- *Retraso del habla*. Puede inhibir la expresión del afecto negativo, lo que conduce a una hiperactividad afectiva aparente que incluye una ira impulsiva y una baja tolerancia a la frustración.

- *Dificultades adaptativas*. Las complejidades normales del día a día pueden poner a prueba los límites cognitivos del niño con retraso mental. En casos extremos, el descontrol impulsivo puede conducir a la violencia y a la destrucción. Los cambios en la vida diaria pueden forzar las capacidades cognitivas y las habilidades de afrontamiento, lo que a veces conduce a la frustración. Además, un 50 por ciento de estos niños presenta una patología psiquiátrica adicional. Entre los trastornos que se dan más frecuentemente asociados a retraso mental están:

— El síndrome de déficit de atención por hiperactividad.
— La pica, que consiste en la ingestión de elementos extraños no comestibles como arena, juguetes, material de oficina, etc.
— También se presentan con frecuencia trastornos del estado de ánimo, trastornos de la comunicación, trastornos generales del desarrollo, trastornos por movimientos estereotipados y esquizofrenia.
— A su vez, se observa estrés postraumático y trastornos adaptativos.
— Asimismo, puede darse un amplio abanico de todo tipo de trastornos de la personalidad.

Cómo se le puede ayudar

Existen numerosos métodos y formas de enfrentarse a este trastorno, pero éste debe abordarse siempre con carácter multiprofesional para tratar las distintas necesidades asociadas.

A nivel psicológico, las intervenciones psicoterapéuticas orientadas evolutivamente pueden resultar eficaces en el manejo de crisis o en los objetivos psicosociales a largo plazo. La modificación de la conducta resul-

ta muy útil para el manejo de la agresión, el desafío, las autolesiones o el comportamiento asocial.

En algunos casos se precisará entrenamiento en cuanto a control de esfínteres, a vestirse y a asearse, así como instruir en las habilidades para comer.

La psicoterapia de grupo ha sido tradicionalmente más empleada que la individual, ya que es especialmente útil en los niños que necesitan el apoyo de sus compañeros para poder separarse de sus familias y, además, pueden utilizarlos como modelos de rol.

El entrenamiento educativo y evolutivo para aumentar las habilidades del lenguaje y del habla, habilidades motoras y cognitivas, ocupacionales, así como sociales, sexuales y adaptativas se deben llevar a cabo por profesionales especializados. Se puede entrenar al niño para iniciar simplificaciones de tareas, pedir clarificaciones de comunicación y realizar mejoras ambientales.

Es importantísimo el asesoramiento y educación de los padres, así como el apoyo a la familia, que será otro ambiente fundamental en la vida del niño.

El componente psiquiátrico incluye en muchas ocasiones la prescripción de fármacos psicotrópicos que funcionan y se deben emplear de la misma forma que si la inteligencia del paciente fuese normal. Dependiendo del proceso psiquiátrico específico concomitante pueden prescribirse antipsicóticos, antidepresivos, sales de litio o ansiolíticos.

En cuanto a los apoyos que precisan estos niños, son clave en su desarrollo personal y social. Deben dirigirse a todas y cada una de las áreas de habilidades de adaptación asociadas al retraso mental, lo que indica a su vez que es preciso dejar de considerar los contenidos escolares como el planteamiento central para el progreso intelectual y social de estos niños. Hay que recurrir a otras vías.

Especialmente importante es ofrecer apoyos para el progreso en la capacidad de autodeterminación, de comunicación y de interacción social, que serán áreas fundamentales para el resto de su vida. Con los apoyos adecuados y personalizados, el funcionamiento de estos niños suele mejorar de forma manifiesta.

Prevención

Además de intentar la prevención antes de nacer, adoptando una serie de medidas en la gestación, se puede hacer una prevención secundaria, identificando precozmente la enfermedad y tratar de corregir alteraciones metabólicas hereditarias.

También se puede hacer con el tratamiento precoz y adecuado de infecciones e intoxicaciones; el reconocimiento precoz de niños con trastornos aislados como sordera o ceguera; el control de dificultades emocionales del niño; la información detallada a los padres sobre cómo cuidarle; estimulación precoz y el control médico de las dificultades a menudo asociadas al deficiente.

La prevención terciaria consiste en los tratamientos, incluyendo las cardiopatías asociadas, tratamientos estéticos y funcionales, tratamientos médicos y los de reeducación y modificación de conducta.

TRASTORNO DEL DESARROLLO (AUTISMO)

En qué consiste

El autismo es un trastorno del desarrollo que persiste a lo largo de toda la vida, el cual se hace evidente durante los primeros 30 meses

de vida y da lugar a diferentes grados de alteración del lenguaje y la comunicación, de las competencias sociales, así como de la imaginación. Con frecuencia, estos síntomas se acompañan de comportamientos anormales tales como actividades o intereses de carácter repetitivo y estereotipado, de movimientos de balanceo y de obsesiones insólitas hacia ciertos objetos o acontecimientos.

Esta discapacidad severa y crónica del desarrollo ocurre aproximadamente en 15 de cada 10.000 nacimientos, y es cuatro veces más común en los niños que en las niñas. Aparece en todo tipo de razas y clases sociales. No se conoce ningún factor del entorno psicológico del niño como causa directa de este trastorno.

Síntomas y características

*   Anomalías de la integración social: déficits en conductas no verbales prosociales (no contacto visual, alteraciones en la expresión facial, posturas corporales y gestos anormales); no existe relación con sus compañeros; ausencia de conductas espontáneas para compartir juegos, diversiones o intereses con los demás niños; ausencia o déficit muy importante en la reciprocidad social o emocional.

*   Alteraciones de la comunicación: retraso evolutivo del lenguaje, que puede llegar incluso a lo que se denomina agnosia verbal, es decir, una alteración de la codificación y decodificación del lenguaje; uso repetitivo y estereotipado del lenguaje, con repeticiones de palabras inmediatas o retardadas de vocablos que emplea el interlocutor.

*   Intereses restringidos y estereotipados, que vienen determinados por repertorios

de conductas ritualizadas, estereotipias motoras y el apego exagerado a determinados objetos, lo que ocasiona una resistencia al cambio manifestada muchas veces en forma violenta.

- Alteraciones cognitivas: existiendo gran variabilidad, desde una deficiencia mental profunda hasta capacidades superiores. En algunos autistas, la irregularidad es tan marcada que un talento excepcional (memorizar listas de teléfonos o direcciones) puede coexistir con una incompetencia mental global.

El pediatra es el especialista médico que está más cercano al niño y a la familia y quien ejerce sobre éstos una mayor influencia. Por tanto, este especialista es fundamental en el diagnóstico precoz del autismo, siendo de gran valor para el pronóstico de la enfermedad, y, además, debe ser pieza clave en el equipo multidisciplinar del tratamiento.

<u>Cómo se le puede ayudar</u>

■ El tratamiento es de varios tipos:

- Tratamientos bioquímicos:

  - La vitamina B6, junto a la cual se suele administrar magnesio y se ha sugerido que esta combinación reduce la hiperactividad y las conductas obsesivo-compulsivas en autistas; dimertilglicina, que en ocasiones ayuda a los niños autistas a mejorar el lenguaje verbal y la capacidad de atención; es considerado como un suplemento alimentario y no un fármaco.
  - También se prescribe una dieta de eliminación de gluten y caseína. Para algunos niños, el efecto de estas dietas

es notable desde los primeros días, aunque su efecto aún no está demasiado claro.

- La fenfluramina es un medicamento que reduce la concentración del neurotransmisor serotonina y, según algunos estudios, es bastante eficaz en estos enfermos.
- La ciproheptadina tiene el mismo mecanismo que el anterior tratamiento y parece ser un regulador del exceso de serotonina.

- Tratamientos neurosensoriales:

  - Entrenamiento de la integración auditiva: cambia la sensibilidad de las personas a los sonidos en las diferentes frecuencias. Se ha acreditado algún tipo de mejoría en algunos síntomas autistas, en especial en aquellos niños que muestran un desagrado o incluso aversión por algún tipo de sonido.
  - Terapia de integración sensorial: es un método de ayuda a los autistas con hipersensibilidad en los cinco sentidos, aplicándoles experiencias sensoriales como, por ejemplo, balanceos, saltos, vueltas, etc.
  - Terapias integradas en el entorno familiar: son de especial relevancia dado que es un entorno en el que discurren muchas horas del día de estos niños y tanto los habitáculos como los familiares que son elementos conocidos y habituales de su entorno, por lo que se puede sacar mucho partido a estas terapias.

- Tratamientos conductuales:

  - Terapia conductual: existen varios métodos tradicionales como el Lobas,

Existen tratamientos farmacológicos efectivos en casos de trastornos del desarrollo.

Intervention conductual, Análisis conductual aplicado, etc., que hacen uso de la modificación de aspectos de la conducta y que fueron adaptados por psicólogos para los niños autistas. Tienen muchos adeptos que proclaman que es el único método que posee un estudio que documenta el porcentaje de éxito.

– Paradigma del lenguaje natural: es otro método que puede ser clasificado junto al de Lobas, aunque tiene algunas diferencias, y al que recientemente se ha pasado a denominar: Entrenamiento de Respuesta Pivotal.

● Otros tratamientos:

– Educación de habilidades sociales y relatos sociales: se educa a los autistas con lenguaje verbal, enseñándoles las reglas sociales no escritas, la gesticulación corporal que se emplea durante la conversación y la interacción so-

cial. Los relatos sociales ilustran las reglas sociales en cualquier circunstancia y las respuestas adecuadas se suelen emplear en individuos sin habla para enseñarles las respuestas apropiadas y adaptar al sujeto a los cambios.

– Tratamientos farmacológicos: no existe ningún tratamiento medicamentoso específico para el autismo; se emplean psicotropos para combatir determinados síntomas y los trastornos asociados de cada niño. No es raro que el fármaco que produce una respuesta excelente en algún paciente ocasione en otros respuestas paradójicas. Se aconseja empezar siempre con la dosis mínima para ir progresivamente aumentando hasta encontrar la dosis mínima eficaz. Los medicamentos más utilizados son los neurolépticos, que producen un bloqueo de los receptores de dopamina, de los que el más empleado es el haloperidol, que a dosis bajas parece promover el aprendizaje, controlar síntomas conductuales y reducir los niveles excesivos de actividad. Otro neuroléptico más reciente es la risperidona, que se tolera mejor y tiene menos riesgos. Los antidepresivos clásicos y los inhibidores selectivos de la recaptación de serotonina, como la fluoxetina, fluvoxamina, paroxetina y sertralina, entre otros, se emplean en síntomas depresivos, ansiedad y comportamientos ritualizados. Los psicoestimulantes como el metilfenidato y anticonvulsivos como carbamazepina, volproato, etc., parecen ser útiles en el control de la impulsividad. Los betabloqueantes y la clonidina se emplean para la agresividad y la impulsividad. Algunos estudios indican que la noltrexona puede mejorar la interacción social y disminuir las conductas autolesivas. Los tratamientos farmacológicos en general tienen un gran peso en su aplicación para responder al autismo. Sin embargo, algunos autores cuestionan esta metodología pues, a su juicio, este aspecto del tratamiento no recibe la atención que merece y se puede cuestionar su utilización desde muy diversos parámetros.

El niño superdotado

Lo que define al niño superdotado es la posesión de tres conjuntos básicos de características estrechamente relacionadas y con igual énfasis en cada una de ellas:

- Una capacidad intelectual superior a la media.
- Un alto grado de dedicación a las diferentes tareas.
- Unos altos niveles de creatividad.

En cuanto a la primera característica, no tienen forzosamente que ser extraordinariamente inteligentes. En este sentido, los expertos recomiendan que el mayor peso sobre el pronóstico de la potencial habilidad de estos niños se dé a la evidencia de un alto nivel de rendimiento en el colegio, demostrado durante un período de tiempo. Además, utilizan una gran cantidad de energía en resolver un problema concreto o una actividad específica; la perseverancia, en definitiva, es uno de los rasgos inherentes a la mayoría de las definiciones sobre los niños superdotados. En tercer lugar, tienen altos niveles de creatividad: sus ideas, preguntas, dibujos y juegos son originales, ingeniosos, novedosos y poco corrientes.

A pesar de no existir consenso, muchos autores consideran al superdotado como aquella persona cuyo cociente intelectual es igual o superior a 130.

Rasgos más comunes

Es muy importante una detección temprana para la posibilidad de ofrecerles una educación estimulante que potencie el desarrollo de estas capacidades.

Hay una serie de indicadores que reflejan un desarrollo superior y que pueden manifestarse desde el primer año de vida, aunque los especialistas recomiendan prestar mucha atención a los patrones de los niños para captar esta capacidad cuando tienen entre 3 y 8 años, y actuar en consecuencia. Estos indicadores son:

- Muestran gran expresividad a la hora de comunicarse.
- Presentan alta capacidad de atención y memoria.
- Empiezan a hablar y leer precozmente, por lo que tienen un vocabulario muy rico.
- Aprenden sin que nadie, directamente, les enseñe.
- Poseen una excepcional curiosidad intelectual, interesándose y cuestionándose todo tipo de temas impropios para su edad.
- Reflejan una alta autoestima para temas académicos, pero no con los personales.
- Su nivel de cansancio es más bajo de lo normal y les irrita estar sin hacer nada.
- Se comportan de manera independiente y autónoma.

- En los juegos, reflejan capacidad de liderazgo.
- Gozan de una extraordinaria imaginación.
- Poseen un sentido del humor irónico, no entendido por sus compañeros.

Existe otro grupo de estos niños que normalmente pasan desapercibidos, y pese a su capacidad padecen el fracaso escolar o se muestran introvertidos; esto dificulta mucho su identificación y la posibilidad de proporcionarles el ambiente adecuado que realmente necesitan.

El fracaso escolar se debe al insuficiente hábito de estudio que desarrollan en los primeros cursos, en los cuales se aburren y escasea la motivación, apareciendo incluso como niños vagos ante los padres o profesores. Ellos necesitan que les estimulen su capacidad intelectual, de ahí la necesidad de la detección precoz. Sobre todo en las niñas superdotadas, existe una tendencia a ocultar sus capacidades reales con el fin de evitar posibles discriminaciones o rechazos, pues anteponen el sentimiento de pertenencia al grupo a su talento.

Cómo deben actuar los padres

Son una pieza clave en el proceso de identificación de estos niños. Muchos padres reaccionan con temor ante la posibilidad de que su hijo sea superdotado; temen no saber reaccionar ni educar a un niño con estas características.

Por eso, es bueno que estos padres reciban siempre orientación profesional, sin olvidar que ningún experto les puede suplantar en el apoyo emocional que todo niño necesita de sus padres y el papel primordial que éstos deben ejercer en la educación de sus hijos. Muchos de estos niños se sienten raros, y es

función de los padres hacerles valorar las diferencias individuales como un regalo.

Los padres deben comportarse con estos niños igual que lo hacen con el resto de los hijos; así evitan por un lado, que al niño con capacidades superiores no se «le suba a cabeza» o fomentar que se sienta diferente y, por otro lado, que no aparezcan sentimientos de inferioridad o inseguridad en los demás hijos. Es importante transmitirles la idea de que en casa todos son iguales, aunque a uno se le brinden oportunidades de acceder a actividades que potencien las habilidades intelectuales que posee.

Estos niños son capaces de procesar cualquier información, incluyendo la relacionada con la muerte, accidentes y desastres naturales. Sin embargo, no son capaces de procesarla emocionalmente. En estos casos, los padres deben estar ahí, consolándoles, tranquilizándoles y utilizando el diálogo como medio para que comprendan y asimilen emocionalmente este tipo de sucesos.

Algunas características que ayudan a identificar a los padres que su hijo es superdotado pueden ser:

- Duermen poco.
- Aprenden a leer en un corto espacio de tiempo.
- Alta capacidad creativa.
- Alta sensibilidad frente al mundo que les rodea.
- Preocupación por temor de moralidad y justicia.
- Enérgicos y confiados en sus posibilidades.
- Muy observadores y abiertos a situaciones inusuales.
- Muy críticos consigo mismos y con los demás.
- Gran capacidad de atención y concentración.

- Les gusta relacionarse con niños de mayor edad.
- Baja autoestima y tendencia a la depresión.
- Se aburren en clase porque sus capacidades superan los programas de estudios.
- Son aparentemente muy distraídos.
- Su pensamiento es productivo más que reproductivo.
- Tienen muy poca motivación hacia el profesor.
- Llegan a sentirse raros así como incomprendidos.
- Suelen ser independientes y bastante introvertidos.

Muchos de estos indicadores hacen necesario que los padres estén en contacto con la escuela y con el educador, así como que deban recibir toda la orientación posible. Como normas generales, los padres de un niño superdotado tendrán que:

- Hablar y jugar con él, manteniendo conversaciones sobre hechos cotidianos.

- Prestar atención a sus inclinaciones por el arte o los números, y ayudarle a desarrollar sus habilidades.

- Llevarlo a lugares donde pueda aprender cosas nuevas, como museos, bibliotecas y centros comunitarios donde se desarrollen actividades.

- Estimularlo para que no se aburra, explicándole que el éxito es posible y que saldrá beneficiado en el futuro.

- Procurarle un ambiente tranquilo, donde pueda leer y estudiar, y ayudarle en sus deberes.

- Es aconsejable inscribirlo en actividades fuera de la escuela.

Respecto a su integración...

Ha generado mucha controversia el planteamiento de que estos niños deben estudiar separados de los otros.

Aunque es cierto que no es bueno apartar a estos pequeños, es conveniente que los superdotados reciban una atención especial, aunque en general se aconseja que vayan a escuelas normales, pero que inviertan más horas de estudio semanales que los demás en programas de aprendizaje enriquecidos.

Para conseguir una educación eficaz y efectiva del niño superdotado, el educador y la familia deberán formar un equipo capaz de seguir de cerca los avances de estos niños.

Trastorno por déficit de atención e hiperactividad (TDAH)

Se da en cualquier edad y en cualquier sociedad. Suele aparecer en edades muy tempranas, generalmente antes de los 7 años, y afecta a una población estimada de entre el 3 y el 11 por ciento, según autores, dándose con mayor frecuencia en los niños que en las niñas (aproximadamente en el 9 y el 3 por ciento, respectivamente). Si no se diagnostica y se trata a tiempo, los síntomas persisten en la edad adulta en más del 60 por ciento de los casos.

Básicamente, consiste en una falta de atención o impulsividad, así como un exceso de actividad, con lo que se producen verdaderas dificultades en cuanto a la interacción social y en el rendimiento escolar. Hay que matizar que no se trata de una enfermedad propiamente dicha sino que, sencillamente, son niños diferentes a los demás en una determinada característica: su capacidad de prestar atención, lo que dificulta en algunos casos su adaptación.

<u>Síntomas y características</u>

■ Las manifestaciones más habituales se relacionan con los siguientes comportamientos:

- Actividad motriz superior a lo normal en otros niños de su misma edad: continuo movimiento. Son niños que «no paran quietos» ni un minuto; se levantan continuamente, hacen ruido, charlan con sus compañeros e interrumpen la clase continuamente.

- Escasa capacidad de atención sostenida durante un largo período de tiempo. Se distraen con suma facilidad; suelen mostrarse aburridos, lo que afecta también a su relación con los compañeros, llevándoles a ser rechazados en los juegos grupales.

- Bajo rendimiento escolar. Tienen mala memoria secuencial, problemas de aprendizaje, déficit de actividades psicomotrices, dificultades para realizar sencillas operaciones aritméticas, una lectura pobre y escasa memoria.

- Poca resistencia a la ejecución de tareas; lo que hace bien un día puede hacerlo fatal al día siguiente.

- Dificultades de concentración. Se distraen muy fácilmente; dedican más tiempo de lo normal a hacer los deberes del colegio y obtienen rendimientos más bajos que no se corresponden con el tiempo empleado «estudiando».

- Impulsividad cognitiva y de comportamiento. Son niños excesivamente impacientes, lo que les lleva a cometer errores, como saltarse sílabas o palabras al leer o confundir una palabra con otra. Respecto al comportamiento, hay que decir que rayan la desobediencia casi todo el tiempo.

- Muestran un alto grado de desorganización y poco o ningún cumplimiento de los horarios. No tienen muy claro el concepto de tiempo ni cómo emplearlo o llenarlo. Siempre suelen terminar tarde los trabajos que les han mandado hacer porque no saben medir el tiempo.

- Emotividad, ya que reaccionan frecuentemente con rabietas, llanto u otros estallidos emocionales. Son pequeños que suelen tener poca capacidad de autocontrol, dejándose llevar en la mayoría de las ocasiones por sus emociones de ira, tristeza, alegría, etc.

- Baja autoestima. Surge debido a la atención dispersa y a su propia inquietud. Los padres y compañeros suelen sentirse frustrados, pues no comprenden su comportamiento. Estos niños se llegan a sentir rechazados por todos. La baja autoestima puede llevarles a lo largo de la adolescencia a caer en una serie de problemas de difícil solución.

- Dificultad para establecer relaciones sociales.

- Otros trastornos concomitantes como la depresión y la ansiedad, además del fracaso escolar, el abandono por parte de los amigos, el hecho de ser reñido por los padres constantemente...

Tipos de TDAH

La Asociación Americana de Psiquiatría clasifica este trastorno en tres subtipos, según el síntoma que predomine:

- Predominio del déficit de atención:

  – Prevalecen las dificultades relacionadas con la atención y la concentración, tanto en las tareas escolares como en los juegos. Por tanto, hay errores en el trabajo escolar y en las actividades lúdicas y no parecen escuchar cuando se les habla directamente; suelen estar pensando en otras cosas.
  – Son desorganizados en cuanto a sus tareas y actividades y olvidan cosas necesarias del día a día, como lavarse los dientes o realizar los deberes.
  – Pierden cosas necesarias, se distraen con facilidad y son descuidados en sus quehaceres cotidianos. Por todo ello, son unos niños que se sienten muy inseguros.

- Predomina la hiperactividad-impulsividad:

  – Prevalece la dificultad de autocontrol. En relación con la hiperactividad, están en continuo movimiento, sobre todo con los pies, los cuales balancean constantemente. Tienen dificultad para permanecer sentados y evitan juegos relacionado con estar quietos.
  – En relación con la impulsividad, responden sin pensar y de forma precipitada, incluso antes de que se haya completado la pregunta; interrumpen constantemente o responden sin esperar su turno de palabra. Hacen tarde los trabajos, y les resulta muy difícil planificar actividades de manera anti-

cipada, así como determinar prioridades. Les resulta difícil comprender y entender las reglas que les imponen.

- Tipo mixto:

  – Es una combinación de los dos anteriores, con predominio de ambos tipos de síntomas.

Niño con TDAH y niño hiperactivo: ¿es lo mismo?

Sea de una manera o de otra, en el Déficit de Atención se pueden mezclar los tres síntomas más importantes: falta de atención, hiperactividad o impulsividad o bien aparecer dos o uno solo de estos síntomas, es decir, que un niño puede padecer TDAH y, sin embargo, no ser hiperactivo.

Cómo manejar o tratar este trastorno

Afortunadamente, se puede superar en un gran número de casos, aunque esta superación supone una tarea ardua y difícil, pues requiere un abordaje complejo que conjugue aspectos médicos y psicológicos o psicopedagógicos.

El médico pondrá a disposición de la familia todos los recursos para determinar de manera clara y concluyente que el niño no padece otro tipo de enfermedad con la que se pueda confundir este trastorno. Por otra parte, los psicólogos realizarán una serie de pruebas dirigidas a determinar si el niño tiene o no TDAH. En tercer lugar, un aspecto muy importante a tener en cuenta será el aporte de los padres y de los profesores, pues sin ellos difícilmente se superaría este trastorno.

Llegados a este punto, es fundamental determinar el grado de incidencia de este trastorno en el niño. En los casos en que éste es elevado, los médicos suelen recurrir a la medicación para mejorar su rendimiento escolar así como su relación con padres y compañeros. En los casos en los que, por el contrario, los síntomas son leves, el médico no suele prescribir medicación.

En general, los especialistas aconsejan que el tratamiento tenga una parte de fármacos y otra de psicoterapia conductual, teniendo siempre muy en cuenta la aportación que pueden llevar a cabo los padres, a quienes previamente se les habrá informado y asesorado sobre el trastorno y sobre cómo actuar con el niño.

Algunas consideraciones encaminadas a mejorar los síntomas pueden ser:

● Los fármacos ayudan a mantener la atención tanto intelectual como motriz, pero no lo curan. Esta medicación tampoco crea adicción.

● Hay que llevar un entrenamiento continuo en los siguientes aspectos:

– Habilidades de focalización y mantenimiento de la atención, que favorece la adquisición de destrezas instrumentales y cognitivas.
– Habilidades de solución de problemas que favorecen la regulación del comportamiento.
– Habilidades de competencia social que favorezcan la adaptación con sus iguales, sus padres y otras figuras de autoridad.

● Algunos expertos recomiendan una serie de ejercicios que pueden ayudar a que el niño se autocontrole, como son: relajación corporal, escuchar música, masajes, respirar lentamente, comer despacio, mantener el equilibrio inmóvil con un libro en la cabeza, sentarse en la mecedora y otros.

Qué pueden hacer los padres

Pueden contribuir en gran medida a alcanzar el éxito en la superación de este trastorno. Es importante, en primer lugar, que no se sientan culpables, pensando en que las causas del comportamiento de su hijo tienen su origen en la propia familia al creer que le han dado una mala educación; por el contrario, deben apoyarle y procurar que comprenda lo que significa padecer este trastorno y cómo superarlo para que esto no afecte a su rendimiento escolar.

Es muy importante una buena coordinación entre familia, médicos y profesores, de lo que dependerá el éxito o fracaso en la superación del TDAH.

En casa se les debe hacer partícipes de las tareas domésticas, haciéndoles cumplir un horario, intentando que se comporten de forma disciplinada.

Por último, hay algunos consejos muy sencillos que pueden llevar a cabo los padres para ayudar a superar y mejorar este problema:

● Aceptar las limitaciones del niño, ya que lo que hace se debe a las propias características del trastorno que padece. No hay que pretender corregir la conducta de inmediato.

● Dejar que el niño desahogue su exceso de energía, incitándolo, por ejemplo, a participar en aquellas actividades que sepamos que le gustan.

● Mantener la casa organizada, ya que se ha comprobado que la rutina puede ser muy útil para estos niños.

- Evitar que el niño sufra innecesariamente las opiniones que sobre estos niños se suelen verter.

- Recompensar las conductas positivas de inmediato, bien con pequeñas compensaciones o bien por medio de alabanzas que vayan reafirmando su autoestima.

- Asistir a las diferentes reuniones que se hacen de grupos de padres, lo que se conoce como grupos de autoayuda, donde se vierten opiniones en común y se intenta buscar constantemente el lado positivo de la situación.

- Evitar los castigos relacionados con la prohibición de salir con los amigos, teniendo especial cuidado en protegerle de cualquier riesgo de marginación e inadaptación social.

- Valorar los aspectos positivos como la sinceridad, la creatividad, la intuición, etc.

- Potenciar el trabajo en conjunto entre la escuela y la familia.

EL NIÑO HIPERACTIVO
(Ver «Trastorno de Déficit de Atención».)

Los niños hiperactivos son aquellos que se caracterizan por su gran vivacidad. Acostumbran a ser inteligentes, pero se distraen con el «vuelo de una mosca». Por un lado, no prestan atención a nada determinado y, por el contrario, están pendientes de todo lo que ocurre a su alrededor. Van de un sitio a otro, se interesan por todo, pero no son capaces de estar jugando cinco minutos a un mismo juego porque necesitan cambiar de actividad cada poco tiempo. Cuando permanecen sentados (algo bastante difícil de conseguir) no paran de rascarse, hacer guiños, cambiar de postura, cruzar y descruzar las piernas... en definitiva, les es casi imposible estarse quietos.

La mayoría de estos niños padecen lo que científicamente se denomina Trastorno por Déficit de Atención por Hiperactividad, que afecta al 3-5 por ciento de los niños en edad escolar y es más frecuente en los varones que en las hembras. Aunque se manifiesta precozmente en los primeros meses de vida, es en la edad escolar cuando empieza a manifestar sus síntomas más notorios, sobre todo bajo rendimiento escolar y problemas de conducta que molestan a sus compañeros y alteran la clase.

Es importante detectar este trastorno de forma precoz, ya que de esta manera se le puede ayudar con las medidas psicopedagógicas adecuadas y, en algunos casos, con medicaciones específicas.

LA EDAD DE LAS FRACTURAS

■ Los niños de esta edad están en continuo movimiento, y esto, unido al hecho de que los huesos infantiles tienden a ser más flexibles, hace que las fracturas, especialmente en brazos y piernas, sean más o menos frecuentes. Entre los tipos de fracturas más habituales podemos señalar:

- La llamada «fractura en tallo verde», en la cual los huesos se doblan y se rompen solamente en un lado, de forma similar a la madera verde tierna.

- Otro tipo de fractura propiciada por la gran elasticidad ósea característica de estas edades es la incurvación diafisaria, consistente en un aplastamiento de las pequeñas trabéculas óseas (una especie de esponjas) que componen el hueso.

Con el cuidado apropiado, estas fracturas sanan completamente en cuestión de semanas. El problema suele presentarse a la hora de diagnosticarlas, ya que es posible que si el niño es pequeño no sea capaz de explicar lo que le pasa.

Si es un niño que está empezando a andar trata de proteger una extremidad que le duele o se niega a caminar, puede que exista una lesión en el cartílago epifisiario, un área del tejido en desarrollo que se encuentra cerca de los extremos de los huesos largos en los niños y adolescentes y que es reemplazado por hueso sólido cuando termina el crecimiento de dicho cartílago. En este caso, el período de cicatrización suele ser un poco más largo y es muy importante asegurarle los cuidados oportunos, ya que si no es así el hueso podría detener su crecimiento prematuramente.

Aunque estas lesiones son similares a otras fracturas, debido al riesgo de daño a largo plazo suelen aconsejarse visitas al doctor cada 3-6 meses durante un período de dos años. La mayoría de ellas cicatrizan sin que se presente daño prolongado.

CÓMO PREVENIRLAS

- Asegurar al niño de forma correcta en los asientos y sillitas adaptadas de los coches, poniéndoles siempre, aunque el trayecto sea corto, perfectamente abrochado el cinturón.

- Si el niño es más mayor y realiza deporte habitualmente, hay que recordarle la necesidad de calentar siempre antes de iniciar el ejercicio.

- Proporcionarles protectores de muñeca, cascos, rodilleras y protectores para la boca cuando hagan actividades como patinar, montar en bicicleta o cuando practiquen deportes de contacto o que impliquen algún tipo de riesgo.

CUIDADOS DE LA LESIÓN

■ La forma más habitual de tratar las fracturas es escayolarlas e inmovilizar la zona lesionada. Ahora bien, para asegurar una correcta recuperación, se deben seguir algunas pautas:

- Mantener el yeso tan limpio y seco como sea posible, evitando que caigan dentro de él arena, migajas u otros objetos.

- Si el niño experimenta cualquier inflamación, hay que elevar el brazo o la pierna por encima del nivel del corazón con la ayuda de cojines.

- No hay que introducir objetos (tipo agujas de calceta) dentro del yeso para aliviar los picores.

- Si la escayola presenta drenaje o desprende algún olor fuerte, desagradable o inusual, hay que consultar al médico, y también si la piel que está alrededor del hueso cambia de color o si la extremidad lesionada está entumecida o presenta hormigueo.

- Hay que acudir al médico con urgencia si el dolor aumenta, se presentan dificultades para mover los dedos de las manos o los pies o ha caído algún objeto o sustancia dentro del yeso.

EL EJERCICIO FÍSICO

La participación en actividades deportivas o, por lo menos, mantenerse lo más activo posible, es muy importante para conseguir un desarrollo normal, ya que el ejercicio físico fomenta el desarrollo físico, psicológico y social, aumenta su capacidad para tomar decisiones y favorece su autoestima. Pero, sobre todo, la práctica deportiva proporciona al niño una experiencia muy agradable y, también, la posibilidad de adquirir destreza en algunas tareas. En la edad escolar, la educación física juega un papel fundamental en el programa educativo general, y su objetivo es conseguir un desarrollo armónico y el bienestar de la salud. Las actividades se centran en conseguir el dominio y control del equilibrio, así como la adquisición y perfeccionamiento de los movimientos automáticos.

El sistema inmunológico de los niños se refuerza con el ejercicio físico.

POR QUÉ TIENE QUE MOVERSE

- *Favorece su bienestar.* A través del esfuerzo que siempre supone la actividad física, se estimulan el sistema muscular, el óseo y el cardiorrespiratorio, lo que, como es obvio, redunda en una mejora de la salud infantil.

- *Permite al niño adquirir un mayor tono y control sobre sus movimientos, una mejor forma física y unos hábitos saludables.* El ejercicio físico constante obliga a la persona que lo practica a mantener unas normas y hábitos higiénicos y alimentarios.

- *Ayuda a controlar el sobrepeso, la obesidad y el porcentaje de grasa corporal.* Tal y como han demostrado investigaciones recientes, una media hora diaria de actividad física previene la obesidad en los niños, de ahí que, según los especialistas, se haga necesario integrar la actividad física como un hábito diario en la infancia.

- *Proporciona una mayor mineralización de los huesos,* así como la *disminución del riesgo de padecer osteoporosis* en la edad adulta.

- *Favorece el desarrollo de la capacidad de atención y la concentración*, cualidades básicas durante el proceso de aprendizaje escolar.

- *Tiene un importante efecto socializador.* Todos los deportes poseen normas, reglas y rutinas que facilitan la interrelación personal, incorporando valores tan importantes para el ser humano como pueden ser la lealtad, el compañerismo y la perseverancia.

- *Aumenta la autoestima*, ya que enseña al niño a quererse, a trazarse metas y ser consciente de sus capacidades y limitaciones.

Cómo motivarle

- Generalmente, los niños a los que no les atrae el deporte han tenido una mala experiencia previa (se han mostrado torpes en alguna actividad colectiva, han recibido burlas, se han lesionado...). Para incentivarlos es recomendable buscar actividades colectivas en las que puedan jugar sin tener que rendir de manera individual.

- Es fundamental descubrir la actividad más afín a la personalidad del niño, a sus intereses y a sus características.

- También aquí los padres deben predicar con el ejemplo: la mejor forma de animarle a la práctica de la actividad física es ver cómo sus padres se divierten con ella y la realizan habitualmente. Hacer deporte en familia los fines de semana es una de las opciones más motivadoras para los niños más reticentes.

- Contar con la presencia de alguno de sus padres cuando está realizando una actividad deportiva es uno de los aspectos más recomendados por los expertos para

reforzar el interés del niño por dicha actividad.

- Lo más importante es que la práctica de ejercicio físico se transforme en un momento grato y divertido. Nunca, bajo ninguna circunstancia, hay que obligar al niño a hacer ejercicio, ya que lo único que se consigue con ello es el rechazo por parte del niño.

Cuál es el deporte más adecuado

■ Las prácticas deportivas más adecuadas a estas edades son la natación, los ejercicios gimnásticos, los juegos con balón como el fútbol, el patinaje y el ciclismo. Por el contrario, no son recomendables los deportes que requieran un desarrollo excesivo de la fuerza física. Además, hay otros deportes cuya práctica está recomendada en situaciones concretas:

- *Judo*. Las dosis de autodominio que implica, unido al hecho de que se trata de una técnica de defensa personal, hacen a este arte marcial muy recomendable para aquellos niños que son inseguros y que demuestran una autoestima baja. Además, el judo favorece la expresión de la afectividad y ayuda a canalizar la agresividad que puedan tener.

- *Ballet*. Aunque es un deporte mayoritariamente practicado por niñas, sus beneficios son ampliables también al sexo masculino. Se recomienda a aquellos niños que presenten debilidad muscular de algún tipo o que se encuentren convalecientes de alguna patología, ya que favorece el crecimiento y desarrollo físico.

- *Hípica*. Los efectos de montar a caballo han sido demostrado con muchos estudios. Y es que, además de tonificar el organismo, la práctica de la equitación permite que el pequeño trabaje lo mismo las emociones que las relaciones, lo que beneficia a los niños inmaduros y también a los tímidos y los que tienen algún problema de aprendizaje, ya que el tener que dominar a un animal más grande que ellos les hace más responsables y potencia su autoestima.

- *Natación*. Es sin duda el deporte rey en la infancia, ya que favorece el desarrollo psicomotor y muscular, la flexibilidad y la capacidad respiratoria, además de mejorar la postura corporal evitando, entre otras patologías, futuros problemas de espalda. Es una actividad especialmente recomendada para los niños muy activos y nerviosos.

- *Tenis*. Es un deporte que mejora la coordinación y la capacidad para relacionarse con los demás, lo que resulta muy recomendable para aquellos que no son especialmente hábiles.

CUÁNDO ESTÁ CONTRAINDICADO

Hay determinadas y puntuales circunstancias que desaconsejan la práctica de actividad física en algunos niños: infecciones agudas o crónicas hasta su curación; enfermedades neurológicas con alteración de la coordinación neuromuscular; epilepsia; dolencias vertebrales (cifosis, lordosis, escoliosis); procesos vestibulares que afecten al equilibrio; hipoacusias severas; insuficiencia renal; coagulopatías, riñón único o alteraciones graves de la visión.

LA IMPORTANCIA DE LA SOCIALIZACIÓN

La vertiente social es bastante importante durante toda la infancia, pero es en el período comprendido entre los 4 y los 8 años cuando la figura de los amigos comienza a perfilarse con mayor claridad, llegando a alcanzar un papel determinante durante la pubertad y la adolescencia.

Los amigos son extremadamente importantes tanto para el desarrollo del niño como para su autoestima, ya que es a través de sus relaciones interpersonales como adquiere importantes conocimientos sobre sí mismo dentro de un campo social más amplio y respecto al papel que juega en ese mundo. Aprende a compartir, a comunicarse correctamente, a formar parte de una colectividad y, en definitiva, a salir de ese micromundo a veces excesivamente cerrado en el que se ha desarrollado hasta ahora. Y es que la dinámica de las relaciones con los amigos es tan distinta de las pautas con las que se relaciona en familia, que le va a permitir descubrir aspectos desconocidos de sí mismo, así como adquirir toda una serie de habilidades muy importantes para su madurez.

La autoestima, la creatividad e incluso el aprendizaje de cómo evitar aquello que es peligroso son facetas de su personalidad que sólo se pueden desarrollar adecuadamente en el ámbito de las relaciones sociales.

ASÍ ENTABLA SUS RELACIONES

■ A esta edad los amigos ya no se seleccionan fortuitamente sino que a medida que se van desarrollando, y sobre todo a partir de la escolarización, los niños empiezan a tener contacto con muchas personas diferentes. Los estudios realizados sobre la formación de la amistad coinciden en que existe un factor fundamental que permite elegir a los amigos: la similitud. Ésta abarca varios aspectos:

- *Edad*. Las amistades son más comunes entre niños que tienen edades próximas.

- *Aficiones y preferencias*. Gustos en cuanto a música, deportes, juegos... Compartir un mismo tipo de intereses y entretenimientos es un vínculo muy fuerte.

- *Género*. Desde la etapa preescolar es patente la preferencia por amigos del mismo sexo, que se mantiene incluso hasta la adolescencia.

Pero, además, hay otros aspectos involucrados en el establecimiento de los lazos de amistad.

Uno de ellos es la proximidad: el niño tendrá más probabilidades de hacer amigos entre aquellos niños de su vecindario, de su clase, del lugar de veraneo, etc.

POTENCIAR SU FACETA SOCIAL

- La amistad comienza en la familia. Con independencia de la edad del niño, el entorno familiar es la mejor escuela para que aprenda cómo llevarse bien con los demás. Cuando hay varios hermanos, este entrenamiento se potencia, pero tanto los hijos únicos como los que ocupan el papel de hermano mayor pueden perderse esta interacción, así que es importante buscar sustitutos (primos, hijos de amistades...).

- Desde pequeño, visitar con él lugares donde haya niños, especialmente de su edad. Aprenderá a interrelacionarse viendo cómo interactúan otros niños.

- Predicar con el ejemplo. En muchas ocasiones, los padres, especialmente los que son más introvertidos, deben hacer un esfuerzo por relacionarse y entablar conversaciones con otras personas. Ello motivará al niño, especialmente a los más tímidos.

- Viajar o visitar localidades distintas en las que vive y contactar con sus habitantes es toda una lección de socialización, ya que les permite descubrir otras realidades, lo que les da una mayor amplitud de miras y les predispone a la sociabilidad.

- Las actividades extraescolares son una buena oportunidad para que entre en contacto con otros niños distintos al de su círculo cotidiano (parientes, vecinos y compañeros de colegio). Ampliar su círculo de conocidos favorece las relaciones de amistad.

EL PAPEL DE LA AUTOESTIMA

Antes que ampliar su círculo de amigos, lo primero que hay que hacer es potenciar su autoestima: un niño con poca seguridad en sí mismo suele ser excesivamente agresivo o reservado en sus relaciones, y eso dificulta a su vez sus contactos con los demás.

Para un niño con poca autoestima las relaciones personales tienen mucha importancia, ya que busca en los demás el apoyo y la aprobación que no encuentra en sí mismo. Esto supone un importante obstáculo para la correcta socialización, ya que es la pescadilla que se muerde la cola: el niño tiende a malinterpretar la comunicación y las actitudes de los demás, terminando por creer que los demás piensan de él lo que él piensa de sí mismo, y ésta es una causa muy frecuente de que se frustren las amistades a estas edades.

La solución pasará por conseguir, mediante el refuerzo de los mensajes positivos, que el niño comprenda que, antes de nada, tiene que convertirse en amigo de sí mismo, aceptándose, queriéndose y valorándose tal cual es.

TÍMIDOS, INTROVERTIDOS, INSEGUROS... CÓMO AYUDARLES

■ Algunos niños son más tímidos que otros a la hora de relacionarse, mientras que los hay, sencillamente, que se lo pasan mejor realizando actividades individuales que participando en una actividad colectiva. En todo caso, lo fundamental es tener en cuenta el carácter del niño, respetarlo y, en función de ello, hacer lo posible para asegurarnos de que su faceta social esté lo suficientemente desarrollada. Así pues:

- Nunca hay que obligarle a jugar con otros niños si se muestra independiente. Lo mejor es facilitarle la interrelación con otros y que sea él quien decida si compartir sus juegos con ellos o no. Lo importante es que esté contento y relajado.

- Cuidado con colgarle la etiqueta de tímido (aunque lo sea), y mucho menos en público: estas «profecías» se cumplen indefectiblemente y pueden hacer que un niño que, sencillamente, aún no está maduro socialmente, se convenza de su incapacidad para relacionarse.

- Nunca jamás hay que compararle con otro niño, aun con el sano objetivo de que tome ejemplo: esta actitud sólo consigue agravar el problema.

- Una táctica que funciona es no hablar en lugar del niño ni hacer trámites en su nombre, incluso si no responde a las preguntas que se le hacen. Debe aprender a responsabilizarse de sí mismo.

- No hay que dramatizar ni convertir la sociabilidad del niño en un objetivo en sí mismo. El niño percibe el empeño paterno y puede llegar a obsesionarse con el tema, con lo que se bloquea.

- Sobre todo, hay que mostrarle un apoyo incondicional, que sepa que sus padres están «de su lado». Es fundamental potenciar todos sus aspectos positivos y evitar que se sienta como un bicho raro por no ser capaz de establecer relaciones con facilidad.

ENSEÑARLE A SER INDEPENDEDIENTE

■ En torno a la edad en la que el niño comienza a ir al colegio es necesario que vaya desarrollando una serie de habilidades y destrezas que le permitan disfrutar de una mayor autonomía: vestirse solo, ordenar su habitación, tomar sus propias decisiones... Todo ello hará que tenga más seguridad en sí mismo y que poco a poco vaya adquiriendo un mayor número de responsabilidades. Aunque cada niño y cada familia son diferentes, hay una serie de pautas de actuación que facilitan que el niño deje de forma paulatina de ser totalmente dependiente de sus padres:

- Ir asignándole pequeños cometidos en el hogar. A los niños les encanta imitar las actitudes adultas, las rutinas y las actividades repetitivas, y esta actitud de base puede ser utilizada para irle involucrando poco a poco en las tareas domésticas: sacar la ropa de lavadora, secar los cubiertos... El objetivo no es que lo haga perfecto, sino que realice esta actividad a diario y poco a poco vaya responsabilizándose de ella.

- No caer en la trampa de la sobreprotección. Muchos padres ejercen una actitud excesivamente controladora y sobreprotectora sobre sus hijos, fruto de unos miedos mantenidos acerca del bienestar del niño que les lleva a no dejar que éstos tengan ninguna iniciativa para evitar así cualquier riesgo potencial. Estos miedos repercuten en el niño, que se vuelve miedoso y dubitativo a la hora de tomar la iniciativa. La razón es tan sencilla como que, al ser vistos por sus padres como seres indefensos e incapaces de solucionar sus problemas, éstos son los encargados de hacerlo, por lo que al niño le falta entrenamiento en plantar cara a pequeños retos. Se crea así un círculo vicioso: los padres necesitan que dependan de ellos y los niños necesitan ser dependientes. La solución pasa porque los padres trabajen sus propios miedos y fomenten la seguridad y autónoma del niño poniéndose en su lugar.

- Darle pautas y ejemplo. No hay que esperar que la iniciativa salga del niño, sino que se debe dar ejemplo del comportamiento que se desea que imite. Así, si se desea que aprenda a poner la mesa o a recoger su ropa, los padres deberán hacer lo mismo.

- Establecer una rutina constante. Para que el niño adquiera el hábito de realizar aquello que se le ha asignado es necesario que se establezca una dinámica de trabajo o de tareas firme, que se repita a diario y en la que cada uno tenga su cometido. La rutina es una buena aliada para enseñar disciplina y responsabilidades, y si esta dinámica es diaria aprenderá a cumplir lo que le corresponde.

- Premiar y elogiar. Es muy importante elogiar la constancia y la voluntad del niño en la realización de sus tareas. Asimismo, no se deben castigar los errores, sino buscar soluciones y ponerlas en marcha. Solamente cuando el niño ha demostrado que es capaz de realizar una actividad perfectamente y deja de hacerla o se niega, entonces sí se le debe reprender, ya que no está cumpliendo con su obligación.

- Mantener un nivel de exigencia. Si se justifica al niño porque es pequeño o porque está cansado se está contribuyendo a que éste no asuma su parte de culpa ya que eludirá las responsabilidades y justificará su conducta con otras cosas que no tienen nada que ver.

- No utilizar frases del tipo «ya eres mayor para hacer tal o cual cosa». Con estos comentarios se transmiten mensajes frustrantes al niño, ya que se le está exigiendo algo que él no puede dar y, por tanto, se sentirá mal consigo mismo.

- Jerarquizar las responsabilidades. Lo mejor es no dar por hecho que ya es mayor y, en cambio, establecer una jerarquía de cosas que puede ir realizando de menor a mayor, para que así no tenga esa sensación de fracaso. Cuando se consigue la primera conducta sin dificultad se pasa a la segunda y así sucesivamente. El nivel de responsabilidad debe ir en aumento, pero siempre acorde al nivel de niño.

- Proporcionarle un entrenamiento continuo. Es importante que el niño tenga un aprendizaje constante y concreto para la conducta que se quiere implantar. Si el objetivo es que aprenda a recoger su habitación, en un primer momento se le ayuda y se le enseña dónde poner cada cosa, y una vez que haya adquirido la conducta, se deja que él organice, que elija el lugar en el que colocar algunos objetos y serán los padres quienes les pregunten dónde debe ir tal o cual cosa: de esta forma, se responsabilizará de que cada elemento está en su sitio y asumirá que nadie lo hará por él.

- Dejar un margen a la iniciativa. Cuando el niño realice alguna actividad que se encuentra fuera de la norma estipulada, antes de regañarle hay que pararse a pensar en que el hecho de haberla realizado con éxito demuestra que tiene más capacidad de la que se esperaba de él, lo cual es algo que deberá valorarse y no recriminarse.

- Enseñarle a resolver sus propios problemas y a aprender de sus faltas y errores de una forma positiva. Por ejemplo, si no consigue una buena nota en determinada asignatura, hay que animarle a estudiar más y a prepararse para superar el siguiente examen, pero haciendo que sea él quien tome las riendas de la situación y asuma el reto. Debe sentir que un error puede convertirse en aprendizaje.

POR QUÉ ES TAN IMPORTANTE
QUE TOME DECISIONES

A medida que el niño crece, si las decisiones importantes acerca de lo que tiene que hacer son tomadas siempre por los adultos, él queda relegado a mero ejecutor de órdenes. La responsabilidad pasa por la capacidad para elegir y decidir por uno mismo, de manera que se obtengan resultados positivos.

Si a los niños no se les deja tomar decisiones de importancia, no podrán actuar responsablemente.

Por tanto, para fomentar su autonomía y reforzar su personalidad es importante que al niño se le ofrezcan las máximas oportunidades para tomar decisiones lo antes posible. Este proceso de adopción de decisiones ha de convertirse en algo consciente para el niño: debe saber que las está adoptando y que se espera que lo haga.

El juego es un factor importante en el entrenamiento del niño en la responsabilidad y la toma de decisiones. De hecho, y ya desde la primera infancia, es en este terreno en el que los pequeños tienen más posibilidades de optar por unas opciones en vez de por otras. Por eso, es importante que los padres no mediaticen todas las facetas de la vida del niño y dejen pequeñas parcelas para que sea él quien tome el mando de la situación.

Es muy beneficioso que al niño se le deje libertad para poder decidir sobre los siguientes aspectos:

- Qué ropa le gustaría ponerse.
- Qué libro desea que se le lea antes de dormir.
- Qué quiere de merienda.
- Con qué juguete va a jugar en el baño.
- Qué película prefiere ir a ver al cine.

Si el niño percibe que los padres le dejan el control de algunas de sus relaciones con los demás y con el entorno, su sentido de la propia valía y capacidad de decisión irá en aumento y eso le ayudará a desarrollar el sentido de la responsabilidad.

LA HORA DEL JUEGO

LO QUE HAY QUE SABER

Entre los 4 y los 6 años, los juegos sensoriales, perceptivos y motores tienen un papel muy importante, siendo primero individuales para luego pasar a ser colectivos.

El juego simbólico adquiere un carácter crucial en esta etapa evolutiva. En un principio es individual y egocéntrico, pero luego, en el período comprendido entre los 4 y los 7 años, adquiere un carácter colectivo.

El juego imaginativo sigue siendo una parte muy importante de la socialización, ya que le permite aprender las reglas para poder jugar en armonía: compartir, esperar el turno de cada uno...

Asimismo, en este momento son muy importantes los juguetes cognitivos, es decir, aquellos que son capaces de estimular diversos procesos tales como la atención, la memoria, el razonamiento, la creatividad, la lengua, la capacidad de análisis y síntesis y la lógica.

Un buen regalo para los más mayorcitos es una cámara de fotos; a través de las imágenes, los niños aprenden a contar historias: la casa, el colegio, sus familiares...

Una vez impresas, se convierten en temas de conversación que hacen más fácil que describan las experiencias, la gente y los lugares que conoció.

Los juegos son fundamentales para el desarrollo de la personalidad del niño.

EL PERFIL DEL NIÑO DE 3 A 5 AÑOS

- Descubre el entorno familiar.
- Habla y pregunta.
- Demuestra una mayor habilidad física y precisión de gestos.
- Revela sentimientos a través de los juegos.
- Aprende canciones.
- Comparte experiencias y juega con amigos.

Los juguetes más adecuados

- Patines, triciclos y bicicletas.
- Puzzles y mecanos.
- Pizarras, magnetófonos, cuentos, marionetas.
- Muñecas con sus accesorios, disfraces, muñecos articulados, casas de muñecas.
- Primeros juegos de mesa.

EL PERFIL DEL NIÑO DE 6 A 8 AÑOS

- Aumenta considerablemente su curiosidad.

– Puede leer, dibujar y escribir.
– Realiza sumas y restas.
– Crea mundos imaginarios.
– Participa en actividades en grupo.

Los juguetes más adecuados

– Pelotas, balones, carretillas, bicicletas, equipos de deporte, monopatines, cometas.
– Mosaicos, juegos manuales.
– Trenes y coches teledirigidos.
– Juegos de preguntas y respuestas, de memoria, juegos de cartas, futbolines.
– Juegos de experimentos, microscopios, cromos.

EL NIÑO EN EL COLEGIO

Uno de los hitos más importantes en la vida del niño es el inicio de la etapa escolar. Además de la posibilidad de establecer nuevas relaciones sociales y recibir muchos estímulos, la escolarización permite que el niño vaya poco a poco saliendo de esa burbuja protectora en la que se ha criado hasta el momento para pasar a desarrollar buena parte de su jornada en un lugar donde ya no es el centro de atención, y en el que tiene que aprender a llevarse bien con otros niños, a defenderse cuando sea necesario, al trabajo en equipo y a ser responsable.

EL PRIMER DÍA: CÓMO PREPARARLE

A medida que se acerca el primer día de colegio el niño experimentará una mezcla de ilusión y ansiedad. En este sentido, los que ya han asistido a guardería parten con ventaja, ya que han tenido la oportunidad de poner en práctica sus habilidades sociales. Sin embargo, en aquellos que asisten por primera vez a un centro escolar, al hecho de separarse de sus padres y la perspectiva de relacionarse con otros niños, se une un miedo a lo desconocido que los padres deben ayudar a superar con muchas dosis de paciencia.

Estas son algunas estrategias que pueden favorecer que esta adaptación sea más rápida y mejor:

● Estar bien informados sobre los objetivos pedagógicos y el ideario del centro, sus métodos de enseñanza, la experiencia de los profesores, las características del edificio, las instalaciones deportivas, los patios de recreo, etc. Explicarle al niño algunos de estos aspectos. Es mejor evitar sorpresas posteriores que puedan dificultar la integración escolar del niño.

● Antes de que comience el curso, hablar con el niño acerca de las experiencias que puede vivir. Algunas escuelas cuentan con sesiones de orientación o la llamada «semana de adaptación» entre cuyos objetivos se encuentra que el niño disipe temores, conozca a su profesora, a sus compañeros y se familiarice con el aula de una forma paulatina.

● Intentar averiguar quiénes serán algunos de los compañeros del niño y, si es posible, organizar una tarde de juegos con alguno de ellos antes de empezar el curso. Para los niños es muy reconfortante conocer a alguien con quien poder hablar que también está viviendo esta situación nueva.

● Según sea la actitud y personalidad del niño, se debe dar mayor o menor trascendencia al inicio de la etapa escolar. En el caso de que esté muy angustiado, será mejor tratar el asunto de manera informal: comprar los libros o el uniforme sin darle demasiada trascendencia al tema o comentando al niño aspectos relacionados con el material escolar. Si, por el contrario, está entusiasmado ante la perspectiva de acudir al colegio, hay que darle todo el relieve y la importancia que merece la ocasión: la compra del uniforme, la visita al colegio, la operación de forrar y etiquetar los libros... todo ello debe rodearse de un toque festivo.

- Es importante que los padres acompañen al niño en el primer día de colegio, pero es esencial que la despedida sea breve y natural. Los besos, abrazos y lágrimas prolongados hacen que el niño asocie este momento con una idea de dramatismo que no le beneficia. Está comprobado que la mayoría de los niños, en cuanto entran en clase y comprueban que la escuela es un lugar lleno de niños, seguro y divertido, dejan de lado sus miedos e inseguridades. Y si no lo hacen el primer días, tardarán como máximo una semana en encontrarse a gusto.

- La actitud positiva por parte de los padres es el mejor soporte emocional que pueda tener en estos momentos. Hay que asociar la escuela a la independencia, a la idea de crecer y aprender cosas nuevas, haciendo que el niño la conciba como una gran aventura. Referirse siempre al colegio de forma positiva, hablar bien de los profesores y de lo bien que se lo pasan los niños haciendo y aprendiendo cosas juntos.

- Una buena idea es animarle a «jugar al cole» en casa, dejando que interprete el rol del profesor. Esto contribuirá a disipar los temores que aún puedan subyacer en su interior. También resulta una actividad muy esclarecedora si los padres quieren conocer cuál es el rol de su hijo en la clase y la percepción que tienen de su profesor y de algunos de sus compañeros de clase.

- Escucharle con interés cuando narre las vivencias del día en clase, incitándole a hablar de la escuela, de los amigos y de las diferentes situaciones vividas, desdramatizando los pequeños conflictos que puedan surgir entre los niños y quitando importancia a los incidentes de mayor gravedad.

- Dar relieve a todo lo que el niño «produzca» en el colegio, haciéndole sentir lo importante que es para toda la familia su nuevo rol como escolar. Colgar con un imán en la nevera sus dibujos o anotar en un calendario grande las fechas relacionadas con actividades escolares es también una buena forma de dar relieve a su faceta estudiantil.

- Hay que contar con el hecho de que durante los dos primeros meses de escolarización pueden producirse algunas alteraciones de conducta que son transitorias y se solucionan con el tiempo. Muchos niños presentan una creciente dependencia de sus padres, una actitud poco participativa o comportamientos regresivos como llorar, desobedecer o mojar la cama. Conforme se vaya acostumbrando a ese cambio de vida, estas conductas tienden a desaparecer. Si se prolongan durante más tiempo, será necesario consultar con un profesional para que determine qué le puede estar sucediendo al niño. En estas situaciones, se recomienda mucha pa-

Los puzzles y los rompecabezas son muy apropiados para los niños de 3 a 5 años de edad.

ciencia porque a veces no es fácil saber qué está sucediendo.

• Los padres deben de mantener un contacto permanente con el centro y, sobre todo, con los profesores de sus hijos, para asegurar de esta manera una buena interacción y poder trabajar conjuntamente en el caso de que el niño presente algún problema. Las conversaciones con otros padres a la puerta del colegio sobre los profesores, el colegio y la marcha del curso aportan mucha información.

Nuevas relaciones en el aula

A partir de su escolarización, el niño va a tener nuevos frentes en los que desarrollar sus habilidades. Las relaciones con sus profesores y con sus compañeros de clase van a jugar un papel determinante en su mayor o menor integración en el ámbito escolar y en la sociedad en general.

Los compañeros

Habitualmente en las primeras semanas de colegio el niño va conociendo a sus compañeros y es posible que entable una relación más cercana con alguno de ellos para, a medida que transcurra el curso, ir ampliando el número de amigos. El niño que tiene unos hábitos sociales inmaduros o una excesiva inseguridad en sí mismo se enfrenta a mayores dificultades, y una de ellas es la burla, que es la forma en la que la mayoría de los niños de estas edades buscan reafirmarse en su grupo de compañeros.

El niño tímido, inseguro o retraído suele ser el objetivo de estos «ataques» (la mayoría de ellos se reducen a rimas o motes simplones) y en ese caso, hay que quitar hierro al asunto y ayudarle a buscar la forma idónea de responder a ellas: menospreciar a quien las hace o «ensayar» formas efectivas de encararse con él; hay que explicarle que ésa actitud cruel no lleva a ninguna parte, para que el niño afectado no la ponga en práctica. En todo momento, hay que dejarle claro que el problema radica en los «atacantes», en los niños que se burlan, y nunca el origen del problema es él. En caso de que la situación se mantenga o se note que el niño está especialmente afectado, es conveniente hablar con el profesor y exponer el problema para que esté alerta.

Si, por el contrario, el niño es el que hace mofa de otros, hay que reaccionar inmediatamente, exigiéndole de forma firme un cambio de comportamiento, incitándole a ponerse en el lugar del otro niño y preguntándole directamente el porqué de esta actitud, cuya causa suele ser un deseo de llamar la atención o una agresividad mal canalizada. En estos casos, muchos padres piensan que el profesor les está mintiendo acerca de sus hijos; no hay que engañarse porque si no se ataja desde un principio, este tipo de actitud irá agravándose con la edad.

Los profesores

En estas edades, el maestro es una figura que adquiere una gran importancia para el niño, ya que, en cierta medida, va a ser la persona que tome el relevo a sus padres en lo que a compartir tiempo se refiere. Es fundamental que los padres estén en contacto permanente con él, tanto para que el docente tome nota de las características del entorno que rodea al niño y esté debidamente informado de todo lo que ocurre en él y que pueda afectar al desarrollo escolar (separación de los padres,

enfermedad, muerte de un ser querido), como para que los padres conozcan cuál es el comportamiento de su hijo en clase (que en ocasiones difiere mucho de su conducta en casa) y estén al tanto de cuál es su evolución en todo momento.

Es importante aclarar cualquier malentendido en cuanto surja. Si se considera que el profesor es demasiado severo con el niño, tiene un carácter difícil o, simplemente, no ha sido capaz de «contactar» con la personalidad del pequeño, hay que comunicarlo al mismo profesor y a la dirección del centro escolar, si se considera necesaria esta medida.

CUANDO SE NIEGA A IR AL COLEGIO: POSIBLES CAUSAS

Puede producirse desde el primer día o, por el contrario, aparecer de forma repentina tras un período en el que el niño asistía al colegio contento y sin manifestar ningún problema, pero es frecuente que los padres tengan que enfrentarse en algún momento a frases directas del tipo «no quiero ir al colegio» o actitudes más encubiertas como, por ejemplo, el caso del niño al que sistemáticamente le duele la tripa el lunes por la mañana.

La ansiedad es la causa principal de la reticencia repentina a asistir a clase y suele estar producida por un hecho puntual y concreto o por una situación mantenida en el tiempo que produce en el niño temor e inseguridad. El niño que, por ejemplo, ha tenido una experiencia desagradable con un compañero no querrá asistir a clase por temor a que se repita. Otras veces, esta ansiedad no guarda ninguna relación con el colegio sino que está producida por algún suceso o novedad ocurrido en el hogar o, simplemente, porque la perspectiva de pasárselo bien es mayor si se queda en casa con sus juguetes o sus pinturas.

¿Cómo actuar frente a esta negativa? Ante todo, hay que dejarle claro que, salvo una causa grave que lo justifique, su obligación es asistir a clase, al igual que papá o mamá acuden al trabajo. Una vez aclarado este concepto, hay que pasar a indagar las posibles causas de esta actitud, abordando juntos el posible problema desencadenante y buscándole una solución.

Si el problema persiste, es importante consultar con la profesora y también intentar indagar cómo es el comportamiento del niño fuera del aula: en el recreo, en el transporte escolar... En caso de que todo marche bien en el ámbito escolar, hay que revisar mentalmente la situación en casa para ver si existe alguna causa que justifique esta actitud.

En caso de que el niño se queje insistentemente de alguna molestia física hay que someterlo a un examen médico, y si éste no revela ninguna patología, habrá que achacar estos síntomas a un tema de ansiedad.

FOBIA ESCOLAR: CÓMO IDENTIFICARLA

Se define como un miedo desproporcionado e irracional a la escuela, que conduce al absentismo escolar.

Indagar en las causas es difícil, ya que ni los padres ni los profesores son capaces de encontrar las razones de esta actitud, y el propio niño no sabe dar una explicación clara de lo que le ocurre. Cuando se trata de las primeras semanas de escolarización, estas fobias son frecuentes, pero pasajeras, y el motivo radica la mayoría de las veces en el miedo a lo desconocido.

Lo más característico de este problema es la aparición de síntomas a nivel físico: dolor de estómago, dolor de cabeza, náuseas, vó-

mitos, diarrea, fatiga o mareo, que se presentan, sin una dolencia de base que los justifique, principalmente por la mañana y que empeoran a medida que se acerca la hora de ir al colegio. Durante el resto del día, y especialmente los fines de semana, el niño no se queja en absoluto y muestra un aspecto sano y vigoroso.

En los niños más mayores, cuando estas fobias no se han superado, casi siempre se agravan a medida que el entorno escolar se hace más difícil y menos gratificante. A estas edades suele ser más bien difícil establecer una autonomía del yo y mantener una imagen positiva.

Curiosamente, las fobias por motivos escolares también afectan a estudiantes inteligentes que sacan unas notas excelentes, pero que, pese a ello, se consideran a sí mismos incapaces de seguir a causa de una deficiente percepción de sus actitudes. Estas fobias suelen manifestarse mediante una tremenda angustia, un temor manifiesto a asistir a clase y los síntomas psicosomáticos descritos anteriormente, que son válidos para todos los casos.

Para tratar esta fobias, ante todo hay que intentar llegar a las causas y descubrir en qué momento y de qué modo el niño asoció en su interior la actividad escolar con un estado de angustia. Asimismo, es importante que tanto los padres como los profesores adopten una serie de actitudes dirigidas, fundamentalmente, a reducir los niveles de ansiedad y conseguir que el niño recupere la confianza en sí mismo:

- Cada vez que se presente la ocasión, alabarle y reconocer tanto en público como en privado cada logro que obtenga.

- Ayudarle a desarrollar las destrezas y habilidades que le permitan ir perdiendo gradualmente el miedo a la situación que le produce el malestar.

- Transmitirle en todo momento seguridad y, sobre todo, mucha serenidad. Infundirle la idea de que nada ni nadie puede hacerle sentir mal si él no quiere.

- Proporcionarle infinidad de experiencias y ejemplos de actitudes valientes frente a estados de temor parecidos al suyo.

- Enseñarle a alabarse, felicitarse y reforzarse a sí mismo con palabras de aliento y actitudes positivas cada vez que consiga dar un paso adelante en la lucha contra sus temores.

DEBERES: CUÁNDO, CÓMO Y POR QUÉ HACERLOS

Según los expertos, el objetivo de los deberes o tareas es revisar los contenidos aprendidos en clase y poner en práctica estos conocimientos. De esta forma, los niños se involucran y comprometen más con el aprendizaje y, además, le ayudan a desarrollar ciertas actividades mentales: exigen concentración, organización, resolución de problemas y ser capaz de trabajar de forma independiente. Por otro lado, a través de los deberes los niños también aprenden a administrar su tiempo libre y organizarse a sí mismos.

Sin embargo, no siempre es fácil para los padres, que en muchos casos no están en la casa hasta bien avanzada la tarde, conseguir que sus hijos se sienten a hacer los deberes y lleven todas las asignaturas al día. Por tanto, es necesario establecer un plan de acción en el que se deben tener en cuenta distintos factores:

- *La edad del niño y su capacidad de concentración.* El tiempo durante el cual el niño es capaz de hacer los deberes estando concentrado depende de la edad y, sobre todo, de su carácter. Así, por ejemplo, se estima que los niños de entre 6 y 8 años pueden permanecer concentrados un máximo de 40 minutos. Basándose en esto, se debe fijar el tiempo que el niño va a dedicar a los deberes, procurando dejar unos 15 minutos de descanso una vez haya realizado la mayor parte de los mismos. En caso de que el niño termine los deberes antes de lo previsto, tendrá la sensación de haber logrado un gran éxito, lo que le animará a repetirlo al día siguiente. El tiempo que le queda puede dedicarlo a leer, ordenar el estuche, pintar o jugar.

- *El lugar en el que va a trabajar.* El mejor lugar para hacer los deberes es aquel en el que el niño pueda trabajar cómodamente y sin distracciones. La mayoría rinden más cuando pueden estudiar en un área reservada para ellos, en la que pueda mantener sus herramientas de aprendizaje. A ser posible, debe contar con una mesa o escritorio en donde poder apoyarse, una cajonera o archivador en los que guardar los libros y, algo fundamental, una buena iluminación, ya sea de luz eléctrica o natural. Si tiene un sitio establecido para él, debe aprender a mantenerlo ordenado cuando no está trabajando.

- *El momento de hacerlos.* Hay que tener en cuenta la curva de rendimiento individual del niño pero, con carácter general, la mayoría de los niños salen del colegio entre las 16.30 y las 17.00 horas, momento en el que se encuentran en un nivel de rendimiento bastante bajo, coincidiendo con la merienda. Necesitan

Los niños se sienten motivados a la hora de hacer los deberes en casa, si los padres les prestan la atención debida y se interesan por sus tareas.

entonces un período de aproximadamente una hora para desconectar. No es aconsejable que dejen los deberes para última hora de la tarde, ya que estarán más cansados y, además, es importante que centren su atención en otras actividades (charlas con la familia, leer, etc.) antes de irse a dormir, para dejar descansar la mente y empezar la jornada siguiente en perfectas condiciones.

CÓMO PUEDEN AYUDARLE LOS PADRES

Tal y como recomiendan los expertos, la mejor posición que se puede adoptar respecto a los deberes infantiles es la de participar, pero no en exceso. El objetivo es ayudar al niño, no hacer los deberes por él.

Hay una serie de estrategias que pueden orientar sobre cómo ofrecer esta ayuda:

- *Conocer los contenidos y los objetivos.* Es importante hablar con el profesor a principio de curso para conocer cuál es el método que va a impartir y cuál es su opinión acerca de los deberes (muchos profesores insisten en que los padres no resuelvan las dudas, sino que el pequeño espere a consultarlas al día siguiente en clase).

- *Revisar, pero sin que se convierta en una obligación.* Aunque cuando se trata de sus primeros deberes es aconsejable que los padres le den el visto bueno, ya que esto contribuye a que el niño se sienta más seguro en clase, a medida que va creciendo hay que intentar que esto no se convierta en una costumbre. Lo mejor es pedirle los cuadernos, por ejemplo, dos días por semana, con el objetivo más de saber cómo progresa que de corregir ejercicio por ejercicio. Este tipo de revisiones o controles son muy productivos.

- *Preguntarle y alentarle.* El niño debe percibir el interés paterno por la tarea que realiza en casa, ya que esto le mantiene motivado. Asimismo, es importante ayudarle a establecer metas realistas en cuanto al tiempo que le pueda llevar cada ejercicio, de forma que sepa que también va a disponer de tiempo libre una vez que haya terminado los deberes.

● *Evitar la utilización negativa de los deberes.* Se debe ayudar al niño a comprender que los deberes son una oportunidad para aprender, no una amenaza. Nunca hay que utilizar los deberes como un castigo ni el eximirle de hacerlos como una recompensa.

FRACASO ESCOLAR:
CÓMO PREVENIRLO

Se puede hablar de fracaso escolar cuando el alumno no consigue los objetivos propuestos para su nivel pedagógico y edad, y existe un desaprovechamiento real de sus recursos intelectuales, lo que suele tener como consecuencia una actitud negativa hacia el aprendizaje. El perfil de un estudiante que puede padecer fracaso escolar es un niño que, en general, no tiene los conceptos claros, y habitualmente se le nota distraído. Además, presenta muchas dificultades incluso a nivel de la motricidad, y le resulta muy difícil centrar la atención. Se trata de alumnos que carecen de inquietudes y que suelen ser apáticos en todas las tareas o actividades que se le proponen.

En el fracaso escolar confluyen diversas causas, que pueden ser tanto endógenas (personales o que afectan al niño casi de manera exclusiva) y exógenas (la familia, la propia escuela, el ambiente en el que vive o la sociedad en general).

Entre las primeras destacan aquellos problemas de tipo orgánico que afectan al niño de manera física o sensorial: alteraciones visuales o auditivas (miopía, hipoacusia), enfermedades crónicas o simplemente una situación de cansancio provocada por la falta de horas de sueño o una nutrición deficiente.

Alrededor de un 29 por ciento de los casos de fracaso escolar son debidos a problemas de aprendizaje, entre los que destaca la dislexia: a pesar de tener un nivel intelectual normal, los niños que la padecen no son capaces de establecer el mecanismo de lectura. Sin dicha capacidad o mecanismo de lectura resulta imposible adquirir nuevos conocimientos en la escuela. Es cuando se produce el fracaso escolar.

El 10 por ciento de los casos de fracaso escolar está desencadenado por el que es en la actualidad el trastorno más estudiado en psicología infantil, el TDAH (Trastorno de Déficit de Atención con Hiperactividad), que se caracteriza por una capacidad de atención inferior a la que corresponde a la edad del niño, con frecuencia asociada a una hiperactividad inapropiada y a una conducta impulsiva (ver apartado correspondiente). Se trata de un problema difícil de asumir por los padres.

Asimismo, entre un 30 y un 50 por ciento de los casos se derivan de factores emocionales de todo tipo, entre los que pueden destacarse problemas psicológicos (depresión, baja autoestima), situaciones especiales en el entorno familiar (fallecimiento, separación de los padres, nacimiento de un hermano), desajustes en etapas clave que vendrán después, como la adolescencia...

Los factores intelectuales sólo son responsables de un 2 por ciento de los casos de fracaso escolar y entre ellos destacan tanto debilidades mentales no siempre fácilmente detectables, como los niños superdotados, es decir, niños con un nivel intelectual muy superior al normal que, paradójicamente, suelen presentar fracaso escolar debido sencillamente a que los contenidos de las asignaturas no les despiertan ningún interés en absoluto; además de tener muy serios problemas sociales y de relación con otras personas.

Respecto a las causas exógenas, destacan, en el caso del propio sistema educativo, una programación inadecuada (temarios excesivamente largos, exigencias demasiado elevadas para el nivel de maduración del niño...); la excesiva rigidez (se exigen a todos los niños los mismos objetivos sin tener en cuenta, por ejemplo, el mes de nacimiento: niños de la misma clase pueden haber nacido hasta con 12 meses de diferencia); la formación del profesorado (que, además de dominar las materias que imparten, deberían tener conocimientos de pedagogía y ser capaces de enseñar a sus alumnos a «aprender a aprender»); el método de enseñanza del centro, la masificación de las aulas, el exceso de deberes y la actitud del profesor hacia el alumno... Todo ello puede tener una incidencia más o menos determinante en el rendimiento escolar.

PAUTAS PARA AYUDAR AL NIÑO

Ante este problema creciente hay que adoptar medidas preventivas que doten a los niños de los suficientes recursos para afrontar las dificultades propias de la vida escolar.

En la labor de estimular al niño en el estudio, los padres pueden jugar un papel determinante:

- *Establecer un horario y lugar.* Hay que transmitir al niño la importancia de planificar de forma eficaz el tiempo de estudio y cumplir el horario establecido. La regularidad y constancia de los hábitos será clave para mejorar su rendimiento notablemente. El lugar de estudio debe ser tranquilo y estar alejado de todos los estímulos que puedan distraerle, con el mobiliario, la iluminación y el material adecuados.

- *Facilitarle las técnicas básicas de estudio.* Elaboración de esquemas, subrayado, lectura eficaz, retención y memorización de la información.

- *Fomentar estos hábitos mediante mensajes positivos.* Es muy importante que el niño perciba que sus padres están realmente interesados por los temas que está estudiando y no sólo por sus notas. Es decir, que le hagan ver que tan importante es sacar buenos resultados en las notas como aprender.

- *Fomentar el hábito de la lectura.* El niño que no lee correctamente será incapaz de comprender y memorizar contenidos en el futuro. Cuanto antes se le inicie en este hábito, será mejor. Si un niño no ve a sus padres leyendo, será difícil que sienta el placer de la lectura. Para ese niño, leer implicará siempre obligación y deberes.

REPETIR CURSO: ¿SÍ O NO?

En la actualidad, los países nórdicos, Irlanda, Gran Bretaña y Grecia han abolido completamente la repetición de curso, mientras que otros como España, Francia y Portugal lo han limitado a tres años. Según el informe de la OCDE (Organización para la Cooperación y el Desarrollo Económico), ambas experiencias han resultado altamente positivas.

Los padres deben enseñar a sus hijos a interpretar y desmitificar los programas y los anuncios que ven en la televisión.

Sin embargo, la mayoría de los expertos considera que para decidir si un niño ha de repetir curso o no, primero hay que hacer un estudio de su personalidad, ya que a veces, el hecho de ser repetidor puede facilitar que haya más fracaso escolar en el futuro, ya que el niño se puede sentir completamente desprotegido. En este sentido, en caso de que el niño esté desubicado, es preferible que repita curso en las primeras etapas de Educación Primaria, ya que aún no ha generado esa asociación de ridículo que arrastran los repetidores; también le resultará más fácil superar la sensación de dejar a los amigos y de sentirse diferente. De todas formas, es una decisión que debe asumirse siempre con mucho cuidado y precaución, y con la consulta a los padres del niño.

TELEVISIÓN Y ORDENADORES:
MANUAL DE USO

El ordenador

A muchos niños les resulta atractivo hacer sus deberes, o parte de ellos, en el ordenador. De hecho, en muchos colegios ya se empiezan a utilizar de forma regular programas especiales para aprender lenguas extranjeras, matemáticas, etc.

Lo más importante es que el uso del ordenador se destine solamente para aquellos trabajos y asignaturas que así lo requieran y que ello no vaya en detrimento de otras materias que exijan métodos más «tradicionales» para ser aprendidas. El mayor riesgo que presenta el uso del ordenador es la navegación por internet. De ahí la importancia de que si el niño tiene acceso a la web, lo haga siempre bajo la supervisión de los padres o, mejor aún, que éstos contraten los servicios de control paterno que ofrecen los distintos proveedores para regular el acceso a la red.

Es importante conocer en todo momento lo que el niño está buscando y experimentando en la red. Hay que advertirle seriamente de que no dé a nadie su dirección, su número de teléfono o su nombre completo; concienciarle de que si recibe algún mensaje extraño o malsonante, salga inmediatamente del sitio en el que se encuentre; hacer que consulte siempre a los padres antes de copiar o acceder a algún programa o de rellenar cualquier formulario; y recomendarle que, si alguna vez no está seguro de algo, pregunte a los padres o a cualquier otro adulto, y en caso de que no pueda hacerlo, termine la comunicación y comente siempre a sus padres lo ocurrido, para que éstos estén alerta.

Lo absurdo (y contraproducente) es pretender que los niños del siglo XXI no utilicen un ordenador: sería como mantenerlos alejados de la realidad en la que viven. Conviene que aprendan a usarlo correctamente, que aprendan a concultar, a hacer algunos trabajos o deberes en él y a disfrutar con los juegos que ofrece.

La televisión

Lo mismo ocurre con la televisión. No sirve de mucho tener siempre apagada la televisión o erradicarla del panorama doméstico: es una realidad que está ahí y que, además, bien utilizada, cumple una función informativa y de entretenimiento.

Lo más aconsejable es prepararles para que interpreten la programación con un criterio, es decir, enseñarles a usarla debidamente. Para ello, es muy importante que siempre la vean en compañía de los padres y que se comente todo lo que ven en la pantalla. Se puede empezar por desmitificar los anuncios, haciéndoles ver los trucos y las artimañas a los que recurren los publicistas para conseguir que la gente adquiera un determinado producto; o hablar de una determinada película y de sus actores.

Cuando sean un poco más mayores, se puede ver con ellos algún debate o programa informativo determinado, enseñándoles, por ejemplo, qué papel realiza el moderador, de qué forma se puede manipular el mensaje resaltando unos aspectos y omitiendo otros, lo poco que sirve gritar cuando se está conversando, etc. Este tipo de análisis o conversaciones se realizarán cuando los padres lo crean oportuno, teniendo en cuenta la madurez de cada niño.

Cómo librarle de la «telebasura»

■ Hay toda una serie de estrategias prácticas que resultan bastante efectivas a la hora de tener que regular el tiempo que los niños pasan delante de la televisión y el protagonismo que la programación juega en la rutina diaria de los mismos. Es útil tenerlas en cuenta:

- Establecer horarios fijos para levantarse y acostarse, y mantenerlos. Nunca hay que transigir en que el niño se acueste más tarde porque ese día hay un determinado programa de televisión. Los padres, aunque les cueste, deben ser muy estrictos en este sentido.

- Dejarle el menor tiempo posible solo delante del televisor. No caer en el error de convertir a la pantalla en una «niñera» sustituta.

- Evitar poner la televisión durante las comidas. Si se hace, no surgirá la conversación familiar, tan necesaria en el desarrollo del niño. Por supuesto, tampoco hay que permitirle hacer los deberes con ella encendida.

- Hacer que seleccione de antemano los programas que desea ver y evitar que se siente en el sofá y encienda el aparato «a ver lo que ponen».

- Negarse a que tenga un televisor en su habitación (todos lo piden en algún momento) o que disfrute de uno en exclusiva en algún lugar de la casa. Inisitimos en la idea de que el niño tiene que ver la televisión acompañado de un adulto que le explique muchas de las imágenes que aparecen ante sus ojos.

- Y, sobre todo, darle ejemplo. Si los padres pasan muchas horas sentados ante el televisor es utópico pretender que su hijo muestre interés por cualquier otro entretenimiento. Hay que buscar sustitutivos a la televisión; existen muchas actividades o juegos que se pueden realizar en casa para evitar que el niño se pase tantas horas embobado frente a la «caja tonta».

De 9 a 14 años

Señas de identidad

Características. Las diferencias de estatura, peso y complexión en esta edad pueden ser muy marcadas aunque, por regla general, el crecimiento lineal es de 5 a 6 cm por año, mientras que el aumento medio es de 2 kg anuales en los primeros años y de 4 a 4,5 kg cerca de la pubertad. Hay un aumento progresivo de la musculación, sobre todo a partir de los 10 años.

Pruebas y controles. • Vigilar de cerca los patrones alimenticios • Revisión oftalmológica • Visita anual al dentista • Consulta al traumatólogo, sobre todo si hay antecedentes de problemas y dolores de espalda • Visita al ginecólogo a partir de la primera menstruación • Recomendación de dosis de refuerzo de vacuna triple vírica y de la hepatitis B • Necesidad de información adecuada sobre los riesgos que implican el tabaco, el alcohol, las drogas y las relaciones sexuales sin tomar las debidas precauciones.

Pautas de desarrollo. Importantes cambios anatómicos que lo trasladan desde la niñez hasta la madurez física • Aparición de los caracteres sexuales secundarios • Típico estirón de altura que alcanza su punto máximo alrededor de los 14 años • Aparición de la menarquia (primera menstruación en las niñas).

Aspectos psicológicos. Desarrollo de conductas relacionadas con la timidez, la sensibilidad y la preocupación sobre los propios cambios corporales • Preocupación excesiva por la propia imagen que puede llevar a trastornos de la conducta alimentaria como la anorexia y la bulimia, especialmente en las chicas • Cambios en la relación mantenida con los padres hasta ahora, iniciándose confrontaciones y desacuerdos • Escasa noción del riesgo y tendencia a experimentar nuevas sensaciones, que pueden llevarle a realizar prácticas arriesgadas y acercarle al mundo del alcohol y las drogas • Aparición de estados depresivos que pueden ir acompañados en ocasiones de ideas referentes al suicidio.

Solamente el primer año de vida es equiparable a esta etapa en lo que a transformaciones vertiginosas se refiere. La sucesión de cambios físicos, psíquicos y emocionales que el niño experimenta en estos años hace que en no pocas ocasiones se encuentre desorientado. Los cambios tan perceptibles en su anatomía es lo que suele marcar el inicio de la pubertad, pero necesita un tiempo para coordinar su mente con su cuerpo y afrontar sus nuevas circunstancias vitales. Aunque no siempre es fácil, el apoyo y la comprensión de los padres resultan ahora más determinantes que en cualquier otra etapa anterior.

DE LA INFANCIA A LA PUBERTAD

La pubertad es el período de vida en el que se produce la transición desde la infancia a la edad adulta y durante el cual se dan importantes cambios físicos –y también psíquicos– que afectan a todos los órganos y estructuras corporales.

El momento de inicio es muy variable, y en él intervienen factores genéticos, la alimentación, el nivel de vida y la zona geográfica en la que se habita. En las niñas, el inicio se sitúa entre los 8 y los 14 años; en el caso de los niños, entre los 9 y los 14 años.

PRINCIPALES CAMBIOS QUE SE PRODUCEN

Cuando el cuerpo alcanza una determinada edad, el cerebro libera una hormona especial (la hormona liberadora de gonadotropina), la cual es la que va a desencadenar los cambios propios de la pubertad. Cuando esta hormona actúa en una zona del cerebro, la hipófisis (una glándula ubicada debajo del cerebro) libera dos hormonas más en el torrente sanguíneo: la luteinizante y la foliculoestimu-

lante. Las dos están presentes en todos los organismos, pero dependiendo del sexo, actuarán en distintas partes del cuerpo. En el caso de los niños, estas hormonas envían a los testículos la señal de que deben empezar a producir testosterona (la hormona que provoca la mayoría de los cambios en el cuerpo masculino durante la pubertad) y esperma. En el caso de las chicas, las dos hormonas se dirigen a los ovarios y los estimulan para que comiencen a producir otras hormonas, los estrógenos.

Debido a la acción de todas estas hormonas, los cambios más significativos que se producen durante este período son los que afectan al desarrollo de los caracteres sexuales, pero también se presentan transformaciones importantes respecto al peso, la estatura y la fisonomía en general. De hecho, este es el período en el que cuerpo crecerá más rápidamente que en cualquier otro momento de la vida.

LA PUBERTAD EN LOS NIÑOS

- Su fisonomía se transforma: los hombros se ensanchan, el cuerpo se hace más musculoso y la voz se vuelve más grave y profunda, quebrándose con frecuencia (los populares «gallos»).

- Uno de los cambios más espectaculares es el que afecta a su estatura física: se produce el llamado «estirón», que suele durar entre dos y tres años y que hace que, cuando está en su punto álgido, algunos niños puedan crecer 10 centímetros o más en un año. Este aumento repentino se produce entre los 13 y los 15 años.

- Al igual que ocurre con las niñas, este estirón afecta primero a las extremidades y después al tronco.

- En los varones, los primeros cambios sexuales son el desarrollo del escroto y de los testículos, seguidos del alargamiento del pene y el crecimiento de la próstata y las vesículas seminales.

- Después aparece el vello, primero en la zona del pubis y más tarde en la cara y en las axilas.

- A algunos chicos pueden crecerle los pechos, uno o los dos (ginecomastia), pero es un síntoma transitorio que remite hacia el final de la pubertad.

- La primera eyaculación suele ocurrir entre los 12 y los 14 años (un año después de que la longitud del pene haya empezado a crecer). Suele estar condicionada por factores psicológicos, físicos y culturales. También son muy frecuentes las poluciones nocturnas o los conocidos como sueños húmedos, que están producidos por la erección y eyaculación mientras están dormidos.

LA PUBERTAD EN LAS NIÑAS

- Generalmente, el cuerpo se vuelve más curvilíneo: se ensanchan las caderas y se puede notar un aumento de grasa corporal y una ganancia de peso.

- El aumento de la estatura también es importante, siendo el crecimiento máximo entre los 11 y los 13 años, con un aumento de 9 centímetros durante el año de crecimiento máximo.

- La primera señal visible de maduración sexual es el despunte de los senos, seguido de su crecimiento. Este despunte suele empezar por una leve hinchazón bajo el pezón, acompañada de un endurecimiento debajo de la areola (se conoce como botón mamario). En ocasiones puede desarrollarse un pecho más deprisa que otro, pero la mayoría de las veces ambos se igualan. Cuando los senos empiezan a crecer, también se puede sentir un escozor ocasional bajo los pezones, algo transitorio y totalmente normal. Asimismo, durante este crecimiento se producen cambios en el pezón y en la areola.

- Poco tiempo después aparece el vello en las axilas y en el pubis.

- Los cambios internos sólo pueden apreciarse mediante una ecografía. Los ovarios alcanzan 30 cc de volumen y el útero mide alrededor de 8 centímetros.

- En cuanto a los órganos externos, se aprecian cambios en la vulva: los labios mayores aumentan de tamaño, formando pequeños pliegues en su superficie, mientras que también aumentan los labios menores y el clítoris.

LA PRIMERA MENSTRUACIÓN

Se entiende por menstruación o período el sangrado vaginal que se produce como media cada 28 días y que indica que el sistema hormonal ovárico funciona adecuadamente.

La primera menstruación o menarquia se produce cuando la niña alcanza la madurez sexual, dando lugar a reacciones químicas naturales muy complejas y produciéndose transformaciones en sus órganos sexuales:

- Ovarios: producen ovocitos (células sexuales femeninas para la fecundación) y hormonas sexuales femeninas (aunque también masculinas).

- Trompas de Falopio: hacen de puente entre los ovarios y el útero.

- Matriz: es un órgano muscular en el que se implanta el huevo una vez fecundado en el ovocito por el espermatozoide.

- Vagina: es el espacio que atraviesa la musculatura perineal y comunica el cerviz uterino con el exterior. La vagina conduce al exterior los restos celulares que se producen en la descamación del endometrio durante la menstruación y elimina también las secreciones uterinas y vaginales durante el resto del ciclo. Además, es el órgano sexual más importante en la mujer, junto con los labios menores y el clítoris. Asimismo, durante el parto, es el conducto por el que bebé sale al exterior.

Al llegar la pubertad, los ovarios de la joven se activan y comienzan a producirse hormonas de distinto tipo. Durante la primera mitad del ciclo fabrican principalmente estrógenos, que estimulan el crecimiento de la membrana del endometrio; entre los días 10 y

Las adolescentes que tienen su primera menstruación deben recibir los consejos de sus madres.

14 se libera el ovocito, momento que sigue a la ovulación, y es entonces la progesterona la que alcanza niveles más elevados. En este momento el ovocito ha pasado del ovario al útero a través de las trompas. Si el ovocito no ha sido fecundado por un espermatozoide se detiene la producción de progesterona, la mucosa endometrial se descama y se produce la menstruación. Todo ello tiene lugar aproximadamente cada 20-30 días.

A QUÉ EDAD SE PRODUCE

La mayoría de las jóvenes tiene la primera menstruación entre los 10 y los 16 años. La edad media son los 12-13 años, aunque varía en función de distintos factores:

- El componente hereditario, que hace que en una misma familia la mayoría de las mujeres presente su primera menstruación en edades similares.

- El tipo de alimentación recibida desde el nacimiento: el déficit de nutrientes por mala alimentación, ya sea por falta de aporte o en forma voluntaria, como en la anorexia nerviosa, hace que se altere el ciclo menstrual.

- Diferencias de tipo racial.

- Vivir a diferentes alturas en relación al nivel del mar.

- Alteraciones de tipo emocional.

- La práctica de deportes intensos como la gimnasia rítmica o deportiva, que suele retrasar la menarquia.

- La calidad de vida de la joven.

- Factores de tipo climático.

CARACTERÍSTICAS DE LOS PRIMEROS CICLOS

La menstruación se presenta una vez al mes; dura entre 4 y 7 días tras los cuales se produce una pausa de aproximadamente 23 días hasta el siguiente período, aunque esto varía de una mujer a otra. En algunas, los ciclos pueden ser más o menos de 28 días o ser irregulares, sobre todo en los primeros meses tras la menarquia. Estas alteraciones no son sinónimo de infertilidad en las adolescentes, sino que forman parte del desarrollo y la maduración del eje hormonal. Se estima que aproximadamente tres años después de la primera menstruación, los ciclos de las adolescentes son regulares en el 75-80 por ciento de los casos.

Sin embargo, se debe consultar al médico cuando se produce un retraso menstrual importante: si la menstruación se produce a intervalos de entre 35 y 90 días; cuando pasan menos de 25 días entre el inicio de una menstruación y la siguiente (polimenorrea); la cantidad de sangrado menstrual es muy abundante (hipermenorrea) o cuando, por el contrario, es muy escasa (hipomenorrea); y también cuando la menstruación se prolongue como una hemorragia uterina que no cede espontáneamente y que, por tanto, requiere ser tratada con rapidez.

Es una buena costumbre anotar en un diario o calendario los días en los que se produce la regla, lo que facilita saber exactamente cuántos días hay entre una y otra, evitando que le pille desprevenida. Asimismo, familiarizarse con su ciclo menstrual permitirá a la joven encontrar explicación a algunos altibajos emocionales que puede experimentar y que en una etapa como la adolescencia pueden exacerbar su emotividad.

DOLOR MENSTRUAL: CÓMO ALIVIARLO

La dismenorrea o dolor menstrual es la molestia que acompaña a la menstruación y que en algunas ocasiones puede llegar a ser incapacitante. En su aparición pueden intervenir varios factores: una respuesta exagerada del músculo uterino a los estímulos, un aumento de la sensibilidad al dolor, un conflicto de tipo emocional expresado corporalmente, etc. Según su intensidad, puede ser leve, moderado o severo, e ir acompañado de otros síntomas como mareos, náuseas, vómitos, dolor de cabeza e incluso desmayos. Es importante consultar al ginecólogo la presencia de este dolor; éste analizará las características del mismo (difuso, cólico, continuo), en qué circunstancias mejora y con cuáles se intensifica, su duración y secuencia o la respuesta a tratamientos anteriores. Todo ello permitirá encontrar la causa que lo produce, así como indicar el tratamiento adecuado y en el momento oportuno.

Asimismo, es aconsejable realizar una historia clínica completa con datos acerca de los antecedentes familiares, especialmente la existencia de una madre que sufre intensos dolores menstruales, ya que es frecuente que el modelo menstrual se «herede»; las relaciones interpersonales; el contexto sociocultural; la estabilidad emocional; y la aceptación por parte de la joven de los ciclos menstruales como componente de su femineidad, ya que éstos tienen una connotación simbólica muy importante en la vida de una mujer.

El factor emocional está muy relacionado con la aparición del dolor menstrual y, de hecho, en ocasiones se produce una especie de círculo vicioso dolor-miedo-dolor que sólo se rompe mediante el trabajo conjunto entre el ginecólogo, la joven y su familia.

El profesional deberá descartar todas las patologías que pueden producir el dolor y constatar si es posible a través de una ecografía ginecológica la normalidad de los genitales internos. Es importante explicar a la joven, de forma natural y sencilla, cómo funcionan sus genitales internos y los cambios que experimenta su cuerpo durante el ciclo. Saber qué es lo que le ocurre alivia notablemente la ansiedad.

Según el origen del dolor se emplean distintos tipos de medicamentos. Los más empleados son antiespasmódicos (evitan las contracciones uterinas), analgésicos, antiinflamatorios que no contengan corticoides y, si fuera necesario, tratamientos hormonales, siempre bajo supervisión médica.

La práctica de medidas destinadas a aliviar la ansiedad y el temor (técnicas de relajación), junto a la medicación correcta y la adopción de medidas higiénico-dietéticas

(buena alimentación, evacuación intestinal regular, estímulo de la actividad física) hará que el dolor vaya disminuyendo progresivamente y romperá el círculo vicioso que generalmente impide que la niña realice una vida normal durante el período menstrual.

Cómo preparar a la joven

El papel de la madre ante la primera menstruación de su hija es fundamental, ya que es el adecuado conocimiento sobre lo que va a ocurrir en su organismo lo que va a marcar la diferencia entre vivir esta experiencia como traumática y vergonzosa o asumirla como un hecho natural.

Para las madres, supone una oportunidad excelente para establecer un vínculo de contacto con su hija, que en este momento necesita que alguien la tranquilice, que le diga que todo va bien y que le explique lo que le está sucediendo. A partir de este momento la madre pasa a ser a los ojos de la hija el referente más importante, la persona que ha pasado antes por las mismas situaciones y que, por tanto, podrá comprenderla y aconsejarla.

Estas son algunas de las estrategias que la madre puede adoptar para tratar este tema con su hija:

- *Anticiparse a la situación.* Se debe evitar a toda costa que la menstruación pille a la niña desprevenida y, por el contrario, estar muy pendiente de su desarrollo y de sus cambios, para evitar que los viva en silencio y poder anticiparse a los mismos. Está en un período en el que en muy poco tiempo va a vivir muchas «primeras veces» y en el que su cuerpo cambia y realiza cosas «extrañas». En función de su desarrollo hay que ir hablando con ella, explicándole las cosas paulatinamente.

- *Hablar abiertamente del tema.* Las metáforas y los circunloquios muchas veces llevan únicamente a la confusión. Hay que hablar cara a cara con la niña. Tratar el tema de la pubertad no significa pasar largas horas explicando el proceso de la reproducción, con un vocabulario técnico. En caso de que las palabras no fluyan con naturalidad se puede recurrir a láminas, libros, películas o sitios web que permitan guiar la conversación de forma espontánea. No hay que sentirse en el compromiso de explicarle todos los detalles como si fuera una experta en la materia. Basta con comentar aquellos temas que a ella le interesen.

- *Evitar pudores excesivos.* Tratar estos temas, por muy embarazoso que resulte, forma parte de la educación que hay que transmitir a los hijos y si no se habla de ellos ni se le da una adecuada información al respecto, la joven puede formarse una idea equivocada con los datos que va tomando y oyendo de un sitio a otro. Además, no dar respuesta a sus inquietudes es desperdiciar una oportunidad de oro para estar más unidas.

- *Desdramatizar el asunto.* Hay que tomarse ese momento como una fase más del crecimiento de la niña. No es algo feo ni vergonzante, sino que se trata de un proceso natural al que están sometidas todas las adolescentes.

- *Asumir que no es algo fácil.* Para muchas madres, el hecho de tratar este tema con su hija puede hacer que se sienta nerviosa, especialmente si su propia madre no supo cómo hablarle del tema. Una buena pauta es explicar a su hija aquello que a ella le hubiera gustado que le explicaran en su día. Otra buena opción es permitir a la niña consultar con otras mujeres de la familia, para que viva de cerca la experiencia de otras personas de confianza.

- *Testar su opinión y sus sentimientos al respecto.* Regularmente, es conveniente hacer una pausa en la conversación y escuchar sus opiniones, para saber si ha captado correctamente el mensaje. Hacerle preguntas es una buena forma de comprobarlo.

- *Convertirse en una excelente oyente.* Hay que transmitir a la joven la idea de que siempre se va a tener tiempo para ella. Escucharla le hará sentirse importante.

- *Compartir la propia historia.* Contarle las propias experiencias y sentimientos es una estrategia muy eficaz. Hacerle partícipe de la edad en la que se tuvo la primera menstruación, las sensaciones que se experimentaron, la información que se tenía y las posibles anécdotas ocurridas al respecto sirven para reforzar los vínculos de confianza y para hacerla sentir más tranquila.

- *Familiarizarla con todo lo relacionado con el tema.* Es bastante práctico y tranquilizador tener en el baño todo lo necesario desde el punto de vista higiénico para cuando aparezca la primera menstruación. Aunque pueda resultar obvio, muchas jóvenes no saben cómo utilizar las compresas y mucho menos los tampones. Ir con ellas a la sección donde se venden estos productos en tiendas o grandes superficies y explicarle la utilidad de los distintos tipos y modelos puede ser una forma muy práctica de familiarizarla con el asunto.

- *Recurrir al humor, pero en su justa medida.* Aunque siempre es una baza que sirve para «desdramatizar» algunos asuntos, puede suponer un arma de doble filo, así que hay que asegurarse de que ella participa de las bromas y, sobre todo, que no se siente en ningún momento ridiculizada por los cambios que están ocurriendo en su cuerpo.

- *No caer en la obsesión.* Tan perjudicial es no estar al tanto de lo que le está ocurriendo a la niña como estar excesivamente pendiente, preguntándole constantemente si «ya ha llegado el día» o analizando exhaustivamente todos y cada uno de los cambios que se perciben en su cuerpo y en su conducta. No es conveniente que la madre traspase a su hija su ansiedad al respecto. La clave es estar pendiente de ella, pero sin agobiarle.

- *Implicar a la pareja.* Aunque vivimos una época en la que los roles están un poco difuminados, conviene que ambos padres estén pendientes y al tanto de lo que ocurre a su hija, aunque no hay que extrañarse ni enfadarse por el hecho de que se elija al progenitor del mismo sexo (la madre en este caso) para confiarle sus inquietudes.

DUDAS Y TEMORES MÁS FRECUENTES: CÓMO AYUDARLE

- *Tener la primera menstruación fuera de casa, en el colegio, por ejemplo.* Comentarle que, por lo general, a todas las niñas les pilla por sorpresa su primera regla, y que es algo que el profesorado que imparte clases en estos cursos sabe. Es bueno llevar siempre una compresa en el bolso o mochila, pero si no se tiene, se puede pedir a una amiga o profesora. En caso de que no sea posible, se puede recurrir transitoriamente al papel higiénico o los pañuelos desechables.

Los adolescentes necesitan tener mucha confianza en sí mismos, la cual se logra cuando los padres conversan con ellos y se interesan por sus problemas e inquietudes.

- *Ser la primera (o la última) de sus amigas en tener la menstruación.* Hay que dejarle claro que los ciclos de cada mujer son diferentes, y es el cuerpo de cada una el que decide el momento oportuno para que se inicie el primer período. No hay una edad concreta. Se le debe explicar que es absurdo establecer «competiciones» con las amigas en este sentido.

- *El riesgo de «desangrarse».* Por muy preparada que esté, la hemorragia menstrual puede impresionar a la niña, así que hay que explicarle, de la forma más gráfica posible, que durante el período el cuerpo pierde entre 80 y 85 cc del flujo menstrual. De esta cantidad, aproximadamente 35 cc es sangre. Puede parecer mucho, pero en realidad no es así, teniendo en cuenta que el organismo contiene más de 3.500 cc de sangre.

- *Los cambios que hay que hacer en su rutina los días del período.* Muchas chicas piensan que durante los días en los que tienen la regla deben modificar sus actividades cotidianas. A no ser que el dolor menstrual sea muy agudo, la mayoría de las mujeres continúa con su ritmo habitual: pueden ir al colegio, ver a sus amigos, hacer deporte, bailar...

- *«No me puedo duchar» y otros mitos.* Uno de los mitos más extendidos antaño sobre el tipo de vida que se debía hacer durante la regla era lo inadecuado de bañarse o ducharse, algo totalmente falso ya que, además del tema higiénico, el hecho de mantenerse limpia, fresca y aseada redunda en un mayor bienestar físico y mental, y ayuda a aliviar algunas molestias como el cansancio o la pesadez. Otros mitos sobre los que es conveniente alertar a la joven son los de no lavarse el pelo, no hacer deporte, no comer limón...

- *La dificultad de ponerse tampones.* Este tipo de protector ha estado rodeado de una serie de prejuicios, ya que muchas personas lo relacionan con alteraciones a nivel interno, rotura del himen, posibilidad de no poder extraerlo... Sin embargo, numerosas investigaciones científicas han demostrado que cuando los tampones son utilizados correctamente en la adolescencia, no provocan cambios en la flora intestinal ni alteran el aparato reproductor. Las distintas campañas explicativas han servido para concienciar a las chicas de las ventajas de estos productos, así como sobre la forma de utilizarlos. En caso de que se tenga alguna duda sobre su seguridad o respecto a su utilización, se debe acudir al ginecólogo.

- *La hinchazón del pecho y otros síntomas premenstruales.* La hinchazón y dolor en los senos, así como la retención de líquidos, los calambres en las piernas, una mayor tendencia al estreñimiento y el dolor de cabeza son algunos de los síntomas típicos del período premenstrual, al que acompañan otros de tipo anímico como son la tristeza, la melancolía o la irascibilidad. Hay que preparar a la joven frente a toda esta sintomatología para que no se asuste y la asocie a la regla, no a alguna enfermedad.

- *Los signos «externos» de la menstruación.* Muchas jóvenes evitan el contacto con otras personas durante el período porque están convencidas de que huelen mal (en algunos casos, debido al juego hormonal, la percepción de los olores está exacerbada, de ahí que la joven detecte más fácilmente su olor corporal). El olor producido por el flujo menstrual puede minimizarse cambiando periódicamente la compresa o tampón y siguiendo la higiene adecuada.

- *La relación entre embarazo y menstruación.* Otro de los falsos conceptos sobre los que hay que prevenir a la adolescente es el de que durante los primeros ciclos menstruales es imposible quedarse embarazada. La elevada incidencia de gestaciones adolescentes demuestran todo lo contrario, así que la información relacionada con la primera menstruación debe ofrecérsele paralelamente y teniendo en cuenta la educación sexual.

ALTERACIONES DE LA PUBERTAD

PUBERTAD PRECOZ

Cuando los cambios propios de la pubertad comienzan antes de los 8 años en las niñas y de los 10 en los niños se habla de pubertad precoz. Ésta puede ser verdadera (entre dos y cinco veces más frecuentes en niñas que en niños), cuando las glándulas sexuales (ovarios y testículos) maduran y la apariencia exterior del niño se vuelve más propia de la de un adulto; o pseudoprecoz, en la que sólo la apariencia exterior se vuelve más adulta pero las glándulas sexuales permanecen inmaduras. En ambos casos, en los niños, hay desarrollo del vello (facial, axilar y púbico), y el pene se alarga, mientras que las niñas pueden empezar a tener períodos menstruales, desarrollo de los pechos y del vello púbico y axilar. Los dos sexos experimentan un aumento rápido de la estatura, pero ésta de detiene pronto, y la talla final es menor a la que cabría esperar.

La causa de esta situación es la liberación precoz de las hormonas sexuales, que puede estar desencadenada por varios motivos: malformaciones del sistema nervioso central, tumores, infecciones cerebrales (meningitis, encefalitis) o traumatismos. Sin embrago, en ocasiones no hay una causa concreta que la explique.

Cuando se presenta pubertad precoz se puede someter a los niños a una serie de pruebas, como la medición de los valores hormonales en la sangre o radiografías de la mano o la muñeca para determinar la madurez ósea. También se realizan ecografías de la pelvis y de las glándulas suprarrenales, e incluso se puede recomendar una tomografía computerizada (TAC) o resonancia magnética (RM), para descartar anomalías a nivel cerebral.

En cuanto al tratamiento, se prescriben fármacos para inhibir la acción de las hormonas sexuales.

PUBERTAD TARDÍA

La pubertad retrasada o tardía se manifiesta en un retraso en el desarrollo sexual.

En la mayoría de los casos se trata de un problema cronológico, y al final la pubertad se desarrolla de forma normal sin dejar ninguna secuela.

En los niños, los principales síntomas son la ausencia de agrandamiento testicular a los 13 años, ausencia de vello púbico a los 15 o en el transcurso de más de cinco años desde el inicio del crecimiento genital hasta su finalización.

En las niñas, se manifiesta en falta de desarrollo de los senos a los 13 años, el transcurso de más de cinco años desde el comienzo del crecimiento de las mamas hasta la primera menstruación, la ausencia de vello púbico a los 14 y de la menstruación a los 16.

Un síntoma común tanto en niños como en niñas es la talla reducida.

Puede estar producida por varias circunstancias: trastornos genéticos que pueden afectar a la producción hormonal (por lo general, hay antecedentes en la misma familia de aparición retardada de la pubertad); determinadas anomalías cromosómicas, tumores cerebrales y enfermedades crónicas como la diabetes, enfermedades renales y fibrosis quística.

En cuanto al diagnóstico, se realiza a través de una analítica de sangre y un análisis de cromosomas para determinar la presencia de cromosomas alterados o concentraciones hormonales anormales.

El tratamiento depende de la causa. Si esta es una enfermedad crónica, una vez tratada, la maduración suele continuar. En caso de que sea genética, la administración sustitutiva de hormonas puede impulsar el desarrollo sexual. También puede ser necesario recurrir a la cirugía.

CÓMO HABLAR CON UN ADOLESCENTE

Muchos padres de hijos adolescentes sienten que no están debidamente preparados para afrontar de forma satisfactoria todos los cambios que está experimentando su hijo en tan corto período de tiempo. A todo ello hay que unir que los adolescentes no destacan precisamente por sus destrezas comunicativas, especialmente con sus padres y otros adultos. Las investigaciones al respecto realizadas por psicólogos demuestran que cuando los padres saben dónde están sus hijos y qué están haciendo (y cuando el adolescente es consciente de que el padre lo sabe, es decir, lo que los psicólogos llaman «vigilancia»), éstos corren menos riesgo de tener malas experiencias con las drogas, el alcohol, el tabaco, el sexo o la violencia.

Por otro lado, también está demostrado que es más fácil comunicarse bien con un adolescente cuando estos hábitos se han establecido desde la niñez. Teniendo en cuenta

Conviene que los padres conozcan a los amigos de sus hijos.

esto, es necesario no bajar la guardia en ningún momento y seguir una serie de pautas para conseguir «conectar» con el joven y hacer que éste, a su vez, se abra y haga partícipes a sus padres de sus dudas, temores e inquietudes:

- *Reconocer que no existe una receta exacta para la buena comunicación.* Cada joven es un mundo e, incluso entre hermanos, lo que funciona para conseguir que un hijo se comunique de forma positiva no surte efecto con otro.

- *Escucharle y que él sepa que se le escucha.* Los padres deben mentalizarse de que, cuando se trata de adolescentes, deben invertir bastante tiempo en estar «sin hablar». El escuchar bien significa evitar interrumpir así como prestar atención, lo que se consigue más fácilmente si se apaga la televisión, se deja de hacer lo que se tiene entre manos y se evitan las distracciones. Con frecuencia, el simple hecho de hablar con el joven sobre un asunto ayuda a esclarecer las cosas. Escuchar puede ser el mejor método para descubrir un problema serio que requiere atención inmediata.

- *Anticiparse a las cuestiones «delicadas».* Afrontar el tema de la menstruación o del exceso de alcohol cuando un hijo ya ha pasado por esta experiencia sirve de poco. Además, cuanto antes se establezca la comunicación respecto a temas como el sexo, el alcohol o las drogas más probabilidades hay de mantenerla durante los años venideros.

- *Crear oportunidades para hablar.* Para poder comunicarse bien con el joven, los padres tienen que estar disponibles. Los jóvenes rechazan las charlas «programadas» ya que no les gusta contar sus cosas cuando los padres se lo piden, sino cuando ellos quieren.

- *Hablar sobre las diferencias existentes.* Es más fácil limitar los efectos de las diferencias, inevitables por otro lado, entre padres e hijos cuando los primeros exponen claramente sus expectativas. Por ejemplo, si una chica de 13 años sabe que debe estar en casa a las 10 de la noche, y conoce bien las consecuencias de llegar tarde, aumentan las probabilidades de que vuelva a casa a tiempo. Cuando surgen las diferencias, compartir las preocupaciones con el joven firmemente pero con calma evita que estas diferencias se conviertan en una guerra. El diálogo y la negociación son las claves.

- *Evitar reaccionar de forma exagerada.* Los expertos recomiendan que, en vez de reaccionar de forma airada, se le haga a los adolescentes preguntas del tipo: «¿Qué piensas sobre lo que hiciste?». Los jóvenes están más dispuestos a confiar en aquellas personas que saben que no van a divulgar sus secretos ni se van a dejar llevar por un enfado. Si, por ejemplo, tras confesarle a sus padres que ha bebido más cervezas de la cuenta, éstos montan en cólera, con toda probabilidad no volverá a contarles nada.

PAUTAS PARA TRATAR LOS TEMAS CLAVE

■ Estos son algunos de los temas que más interesan a los adolescentes y algunas pautas que deben seguir los padres para afrontarlos con éxito:

- *El colegio.* Es importante que los padres estén al tanto de las temas que están estudiando sus hijos, qué asignaturas son las que les resultan más difíciles, su calendario de exámenes... Siempre es más productivo mantener una conversación sobre la vida escolar con esta información que mediante un lacónico: «¿Qué tal te ha ido en el colegio?».

- *Las emociones.* Los adolescentes tienen varios frentes de preocupación: sus amigos, su popularidad, su imagen, su sexualidad, las notas. Lo importante es que los padres perciban el grado de preocupación o la importancia que sus hijos dan a determinadas cuestiones (aunque a ellos no les parezca importante), algo que se puede saber con una pregunta tan sencilla como: «¿Tan importante es este tema para ti?». Con ello, no sólo se le transmite el interés y preocupación paternos, sino que se pueden conocer de primera mano las inquietudes del joven.

- *Aficiones e intereses personales.* Si, por ejemplo, el joven es entusiasta de los deportes, hablar con él sobre su equipo favorito y ver con él los partidos; si le gusta la danza o el arte, convertirse en su admirador número uno... Tiene que notar que sus aficiones son valoradas positivamente por su familia. Uno de los aspectos que más motivan a los jóvenes de estas edades es la música. Por ello, los expertos recomiendan que los padres, como mínimo, conozcan los nombres de los cantantes más populares.

- *Familia.* A los adolescentes les gusta participar en los planes familiares, como las vacaciones, y lo mismo ocurre con las cosas que le afectan individualmente, como

la hora de llegada a casa o la paga. Al formar parte de este tipo de conversaciones familiares, el joven se sentirá más seguro de su pertenencia a la familia.

- *El futuro.* A medida que las capacidades cognitivas del adolescente se van desarrollando, empieza a preocuparse cada día más por su futuro, y es frecuente que haga preguntas al respecto y que muestre interés por cómo eran sus padres cuando ellos tenían la edad que él tiene ahora. Todas estas preguntas deben tener respuesta.

- *Temas «delicados».* Eludir temas como el sexo, el alcohol o las drogas no va a eliminar su existencia. Es muy importante que el adolescente tenga toda la información posible (cuanta más, mejor) acerca de todos estos temas, ya que la adolescencia es de por sí una época proclive a la experimentación y a veces esto incluye comportamientos arriesgados. Conversar con su hijo abiertamente sobre estos temas antes de que se vea expuesto a ellos aumenta las probabilidades de que éste actúe de forma responsable cuando llegue el momento.

TABAQUISMO: PREVENIRLO DESDE YA

Según datos de la Sociedad Americana del Cáncer, unos 3.000 adolescentes comienzan a fumar cada día. A esto hay que unir otros datos recientes sobre tabaquismo juvenil según los cuales el 20 por ciento de los jóvenes entre 14 y 18 años fuman a diario, y hay una notable tendencia a rebajar la edad a la que se inician en este hábito, que actualmente se sitúa en torno a los 13 años, siendo cada vez mayor el número de chicas que empiezan a fumar a edades tempranas.

Quiénes tienen mayor riesgo

- Aquellos jóvenes que tienen padres, hermanos o amigos que fuman.

- Aquellos que poseen una baja autoestima.

- Los que presentan un rendimiento académico bajo, especialmente las niñas.

- Los jóvenes que asocian el hábito de fumar con una mayor percepción de respeto por parte de los demás.

- Los que poseen pocas destrezas para enfrentarse a los contratiempos y que buscan en el tabaco el alivio al estrés y a la ansiedad.

- Las jóvenes obsesionadas por la delgadez, puesto que el tabaco es un inhibidor del apetito.

Principales efectos nocivos

- La nicotina es un estimulante muy adictivo que se absorbe rápidamente y pasa al torrente sanguíneo cuando se fuma.

- El tabaco está considerado como la droga portal que puede llevar al alcohol y al uso y abuso de otras drogas.

- Entre los efectos físicos destaca la aceleración del latido cardiaco, un aumento de la presión arterial y sensación de ahogo.

- También tienen más probabilidades de sufrir gripe y resfriados.

- El tabaquismo está asociado con el desarrollo de muchos tipos de cáncer.

- Los consumidores de nicotina tienen mayor riesgo de enfermedad pulmonar y cardiaca.

- El tabaco empeora patologías existentes, tales como el asma, la diabetes o la hipertensión.

- Las personas que empiezan a fumar a edades tempranas son las que más dificultades tienen para abandonar el hábito.

Cómo evitar que fume

- Lo más importante es el ejemplo paterno; si los padres no han abandonado el hábito del tabaco, deben procurar al menos no fumar delante de sus hijos y reconocer delante de ellos que se trata de una adicción en absoluto sana y poco aconsejable.

- No permitir que se fume en casa y hacer respetar esta prohibición.

Existe una serie de indicios para saber si el hijo adolescente bebe o se droga.

- Incidir sobre los aspectos negativos del tabaco a nivel estético: mal aliento, olor del humo en la ropa, dedos y dientes amarillos, peor calidad de piel...

- Desmitificar en la medida de lo posible las imágenes falsas y engañosas empleadas en las campañas publicitarias. De hecho, los expertos en tabaquismo atribuyen a la publicidad la responsabilidad en la tendencia actual de consumo entre niños y jóvenes.

- Prohibir en la dosis justa. A estas edades, un exceso de prohibicionismo puede producir un efecto rebote, ya que la tendencia es a pensar que la norma está hecha para transgredirla.

QUÉ HACER ANTE UN JOVEN FUMADOR

- Aconsejarle (no obligarle) sobre la necesidad de abandonar este hábito.

- Facilitarle los medios necesarios (sustitutos de la nicotina, tratamientos de farmacia, psicoterapia) para ayudarle a abandonar el hábito.

- Hacerle saber que siempre va a contar con el apoyo familiar.

- Si los padres fuman, ponerse de acuerdo y emprender toda la familia un plan conjunto para dejarlo.

- Asegurarle la ingesta de frutas y verduras ricas en antioxidantes (como los cítricos), ya que estas sustancias han demostrado ser muy efectivas para paliar los efectos del tabaco en el organismo.

POR QUÉ ES TAN IMPORTANTE LA PREVENCIÓN

Todas las investigaciones realizadas han demostrado la gran capacidad adictiva de la nicotina (superior incluso a la heroína), de ahí que sea necesario insistir en las medidas de prevención con los más jóvenes para retrasar la edad de inicio al consumo. Además, está comprobado científicamente que en una trayectoria adictiva no es tan importante la sustancia por la que se empieza como la edad de inicio al consumo.

DROGAS Y ALCOHOL: CLAVES PARA AFRONTAR EL TEMA

En la actualidad, la mayoría de los jóvenes concibe el ocio y el hecho de salir a divertirse como algo indisociable al consumo de alcohol y drogas. Es una realidad que todos los padres deben asumir y actuar en consecuencia, adoptando actitudes preventivas y manteniendo un estado de alerta ante los posibles indicios de que su hijo beba o se drogue.

Muchos expertos coinciden en apuntar a la ausencia de valores como causa principal del aumento de estas conductas juveniles, lo que lleva a que los límites entre lo que es adecuado y lo que no lo es estén muy difusos. A esto hay que unir las ansias de probar nuevas experiencias, propias de la adolescencia, la falta de habilidades para decir no, los problemas de autoestima o la dependencia del grupo de amigos, factores todos ellos que propician el consumo de drogas y alcohol.

Es por ello que los padres juegan un papel tan importante en la actitud que sus hijos adopten respecto a estas sustancias, de ahí que sea un tema que no deban eludir; muy al contrario: es necesario que lo integren como elemento prioritario a la hora de afrontar la educación de su hijo adolescente. Hay algunas pautas que pueden ayudarles en este cometido:

- Los padres deben tener muy claro que prevenir que sus hijos pasen a depender de estas sustancias no es una labor que comienza cuando el joven empieza a salir, sino que ya desde antes hay que inculcarle la idea de que no se necesita tomar nada para sentirse bien.

- Es necesario establecer límites claros para que sepa en todo momento lo que puede o no puede hacer. Aunque parezca lo contrario, los jóvenes necesitan pautas y referencias por las que guiarse.

- Intentar mantener con él una relación lo más cálida y afectuosa posible, transmitiéndole en todo momento respeto y confianza y, sobre todo, mucho cariño. Es la mejor forma de conseguir que no se tome las recomendaciones o las regañinas cuando hace algo mal como una prueba de falta de comprensión paterna.

- Vigilar de cerca su desarrollo en el colegio. Un nivel adecuado de adaptación escolar, y no sólo en términos de buenas notas sino también de buenas relaciones con profesores y compañeros, es un factor que protege contra estas adicciones.

- Animarle a desarrollar habilidades personales que le permitan enfrentarse a las distintas situaciones con confianza.

- Ofrecerle actividades alternativas en las que invertir su tiempo de ocio. En esta etapa es importante que los padres no se dejen llevar por las circunstancias y centren sus esfuerzos en proporcionarle al jo-

ven opciones y recursos para que el estilo de vida que elija le permita sentirse bien consigo mismo y desarrollar a gusto todas sus facultades. Es importante ayudarle a escoger, haciéndole ver lo que gana y lo que pierde con cada uno de sus comportamientos.

- No prohibir, sino hablar a fondo y predicar con el ejemplo. Las prohibiciones y castigos por sí solos sirven de poco, e informar sobre los peligros en «abstracto» tampoco es suficiente. La protección paterna tiene que ir encaminada a establecer vínculos sanos, manteniendo la coherencia, incentivando la voluntad y fomentando la autoestima para que sean los hijos los que desde su propia autonomía y autoridad puedan decir «no».

- Hablar claro sobre estas sustancias. Si se dan argumentos tibios y banales sobre que beber en exceso o fumar marihuana es malo, el joven vislumbrará una puerta abierta para autoconvencerse de que estas recomendaciones forman parte del discurso «típico» paterno. Sin embargo, si los padres se muestran firmes e incluso realistas, no tendrá la menor duda de que la conducta en cuestión sobre la que se le está previniendo es, efectivamente, de riesgo. Frases del tipo: «La droga mata», «un borracho pierde el respeto de sus amigos» o «estas sustancias anulan neuronas que nunca volverán a regenerarse», son lo suficientemente impactantes como para conseguir que el joven reflexione seriamente sobre ellas.

- Introducir los conceptos de salud y seguridad. Es importante disociar las drogas y el alcohol de las actividades de ocio peligrosas y enfocarlas como factores que atentan directamente contra el bienestar y la vida. Los adolescentes piensan que todo lo que están viviendo es nuevo y único, pero al mismo tiempo creen que lo que le ha sucedido a otros no les puede pasar a ellos. Basan esta creencia en el hecho de que la adolescencia es la etapa más saludable de la vida, de ahí que sea importante insistirle que acercarse a estas sustancias puede romper esta invulnerabilidad, y recordarle que la violencia y los accidentes (detrás de la mayoría de los cuales se encuentran el alcohol y las drogas) son las principales causas de muerte y lesiones graves entre los adolescentes.

- En caso de que se sospeche que el joven bebe o se droga y se encuentre alguna prueba que lo inculpe, hay que cuidar mucho la forma en la que se le comunica. No se le puede decir sin más: «Mira lo que he encontrado dentro de tu armario», pues con ello se reconoce que se ha violado su intimidad y el adolescente se aferrará a ello y al hecho de sentirse controlado para no asumir su parte de responsabilidad. Lo mejor es afrontar el tema de una forma serena, haciéndole saber que se tienen serias sospechas de que ha probado drogas o alcohol y el descontento y malestar que esto le produce. Es muy importante buscar el momento oportuno y enfocar el tema hacia la solución del problema, sin convertirlo en un cruce de reproches ni en pulso para ver quién tiene la razón.

Drogas: un peligro latente

Pese a las cada vez más frecuentes campañas publicitarias que previenen a los jóvenes sobre los efectos nocivos del alcohol y ciertas drogas, las distintas iniciativas que se ponen en marcha en los centros escolares y la mayor información que reciben por parte de las familias, lo cierto es que el alcoholismo y el consumo de drogas no sólo se está incrementando entre los adolescentes, sino que cada vez se inicia a edades más tempranas. La razón hay que buscarla en el hecho de que la adolescencia es el tiempo de probar nuevas experiencias. Además, estas sustancias permiten que, en una etapa en la que la personalidad todavía se está definiendo, los jóvenes se sientan más seguros de sí mismos, reduzcan su estrés, reafirmen su pertenencia al grupo y, en definitiva, se sientan adultos.

La curiosidad lleva a la mayoría de los jóvenes a acercarse en algún momento al alcohol y, en menor medida, a probar ciertas drogas. El problema radica en aquellos que no se conforman con probar sino que siguen consumiendo, desarrollando problemas serios en el futuro.

Factores que predisponen a estos hábitos

Los niños más propensos a iniciarse en estos hábitos son aquellos con un historial familiar de abusos de sustancias, los que están deprimidos, aquellos cuyos niveles de autoestima son bajos, los que se sienten desarraigados. Las amistades en este momento de la vida juegan un papel determinante. Otros factores que predisponen al consumo de estas sustancias son el fracaso escolar, la baja autoestima y las relaciones conflictivas con los padres.

Señales de alerta

■ Cuando un adolescente comienza a consumir de forma habitual drogas o alcohol se producen ciertos cambios en su comportamiento y en su forma física que deberían alertar a los padres:

- Fatiga, problemas para dormir, ojos enrojecidos y sin brillo, tos persistente y malestar inespecífico frecuente. Le cuesta mucho trabajo levantarse por las mañanas e iniciar la jornada.

- Cambios en la personalidad, alteraciones repentinas de humor e irritabilidad.

- Actitudes contestatarias con los padres, con quienes empieza a evitar mantener conversaciones, por miedo a ser descubierto.

- Conductas irresponsables, retraimiento y falta general de interés.

- Poco amor propio y baja autoestima, estados depresivos frecuentes.

- Interés escolar decreciente, actitud negativa, calificaciones bajas, ausencias frecuentes, problemas de disciplina.

- Cambios de amistades, transformación radical en la forma de vestir, de expresarse y en la apariencia física.

¿Se pueden prevenir estas adicciones?

La prevención más efectiva es aquella que se inicia cuando los niños son pequeños, advirtiéndoles sobre los peligros de determinadas actitudes y, sobre todo, hacer todo lo posible por fomentarles una autoestima lo suficientemente sólida como para que no tengan que buscar la autoafirmación mediante la ingesta de sustancias. Mantener con los hijos unas relaciones positivas y que inciten a la confianza, mostrarse siempre abiertos al diálogo e inculcarles una serie de valores son las claves para conseguir que el niño acuda a sus padres cuando tenga alguna duda o problema. Fomentar actividades de ocio sano, así como la práctica deportiva, son decisiones que ayudan a que los niños descubran otros intereses y lleven un estilo de vida lo más sano posible. Asimismo, es importante «adiestrarles» acerca de la forma en la que negarse en el caso de que se les ofrezca alguna de estas sustancias y reforzar su personalidad para evitar que ésta se diluya cuando se encuentre formando parte de un grupo de amigos.

Efectos de las distintas drogas sobre el organismo

- Marihuana:

  – Es la droga de mayor consumo y está demostrado que sirve como puerta de entrada al consumo de otras sustancias. Se suele fumar en cigarrillo (porro). Afecta al estado de ánimo, produciendo altibajos importantes, y a la coordinación; eleva la frecuencia cardiaca y la presión arterial (de ahí el enrojecimiento de ojos característico); tiene un importante efecto sobre los pulmones, produciendo tos, respiración sibilante y resfriados frecuentes; y, en algunos casos, puede causar paranoias o alucinaciones. Los jóvenes que la consumen pueden volverse psicológicamente dependientes de ella.

- Anfetaminas:

  – Son estimulantes que aceleran las funciones cerebrales y corporales. Se presentan en forma de píldoras o tabletas. Sus nombres más comunes son anfetas, *speed* o meta, y pueden ingerirse, inhalarse o inyectarse. Ejercen un efecto muy rápido, incrementando

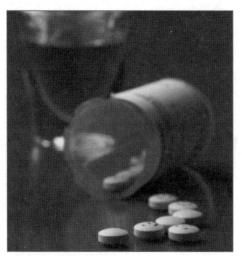

Los padres deben estar muy informados de los tipos de drogas que existen.

en pocos minutos los niveles de energía y la sensación de bienestar. Aumentan la frecuencia cardiaca, la respiración así como la presión arterial, produciendo temblores, sudoración, dolores de cabeza, insomnio y visión borrosa. Su uso prolongado puede producir alucinaciones y paranoias. Crean una importante adicción psicológica, dando lugar a fuertes e intensos problemas relacionados con el estado de ánimo.

• Inhalantes:

– Se trata de sustancias que son «esnifadas» para proporcionar bienestar inmediato. Las empleadas con más frecuencia son pegamentos, disolventes de pinturas, líquidos para limpieza en seco, rotuladores, líquidos correctores, fijadores en aerosol para el cabello, los desodorantes y pinturas en aerosol. Se inhalan directamente desde su envase original, de una bolsa de plástico o poniéndose una bolsa empapada con inhalante en la boca. Producen sensación de mareo y descoordinación. El consumo mantenido en el tiempo trae consigo fuerte dolor de cabeza, hemorragias nasales e incluso pueden llegar a hacer perder la audición y el sentido del olfato. Además, se trata de las sustancias con más probabilidades de producir reacción tóxica grave y hasta muerte. Resultan sumamente adictivos.

• Cocaína:

– Se inhala por la nariz o se inyecta, mientras que uno de sus derivados, el *crack*, se fuma. Actúa directamente sobre el sistema nervioso central, por lo que los que la consumen experimentan una rápida sensación de poder y energía. Este efecto estimulante se mantiene durante 15-30 minutos. Eleva la frecuencia cardiaca, aumenta la presión arterial y la respiración y eleva la temperatura corporal. Además, la inhalación puede dar lugar a un orificio en el revestimiento interno de la nariz, pudiendo incluso llegar a perforar el tabique nasal. Los que consumen cocaína o *crack* por primera vez pueden sufrir ataques cardiacos fatales o experimentar insuficiencia respiratoria. Su poder adictivo es muy alto, dando lugar a un síndrome de abstinencia difícil de controlar.

• Heroína:

– Inyectada, fumada o inhalada, es una droga altamente adictiva, ya que produce una sensación inmediata de euforia al que suelen seguir síntomas como náuseas, somnolencia, vómitos y calambres abdominales. A largo plazo, altera muchas funciones corporales: está asociada al estreñimiento crónico y a problemas respiratorios. Los que se la inyectan suelen sufrir colapsos vasculares o circulatorios y, al compartir jeringuillas con otros adictos, corren el riesgo de contraer infecciones como el VIH, las hepatitis B y C y la endocarditis. Son frecuentes las sobredosis y el síndrome de abstinencia es muy intenso.

- Éxtasis:

  – Es una droga muy popular entre los adolescentes, siendo muy fácil de obtener en discotecas y conciertos. Se ingiere y a veces se inhala. Una de sus modalidades, el éxtasis líquido (bebido o en tabletas) se está convirtiendo en una alternativa muy popular. Esta sustancia combina un alucinógeno con un efecto estimulante, intensificando las emociones. Produce un aumento de la frecuencia cardiaca, calambres, visión borrosa, sequedad en la boca, escalofríos, náuseas y sudoración. La depresión, la ansiedad, la paranoia y la confusión son también síntomas frecuentes. Entre los efectos secundarios del éxtasis líquido se incluyen las náuseas intensas, los problemas respiratorios, la disminución de la frecuencia cardiaca y las convulsiones. Esta droga crea una dependencia psicológica importante.

- Otras drogas:

  – Los *depresores del SNC* (tranquilizantes y barbitúricos) pueden ser utilizados a dosis más elevadas de las prescritas, produciendo confusión, dificultad para hablar, falta de coordinación y temblores. Además, y mezclados con alcohol, aumentan el riesgo de sobredosis. La *ketamina* es un anestésico de acción rápida que en dosis alta produce intoxicación y alucinaciones. Suele inhalarse junto a otras drogas como el éxtasis. La situación de bienestar que produce (el llamado hoyo K) se mantiene durante dos horas e incluye pérdida del sentido del tiempo y la realidad. A dosis altas produce adormecimiento del cuerpo y respiración lenta. El *LSD* (ácido o «tripis») combina un alucinógeno preparado en laboratorio y un compuesto químico que altera el estado de ánimo. Se lame o chupa en pequeños cuadrados de papel secante (decorados con diseños coloridos o personajes de dibujos animados). También puede ingerirse. A los 30-90 minutos de tomarlo se producen alucinaciones que agudizan y distorsionan los sentidos, y esta sensación (viaje) se mantiene hasta que la droga es eliminada del cuerpo (unas 12 horas). Los llamados «viajes malos» pueden producir ataques de pánico, confusión, depresión y alucinaciones aterradoras. La *metanfetamina* es un estimulante poderoso, que se fuma o se inyecta y que puede desarrollar tolerancia rápidamente. Su uso prolongado puede dar lugar a un comportamiento violento y agresivo, psicosis y daño cerebral. El *Rohipnol* es un ansiolítico de venta con receta y bajo costo, cuya popularidad entre los jóvenes va en aumento. Se ingiere a veces junto con el alcohol y otras drogas. Puede hacer que la presión arterial caiga y producir pérdida de memoria, somnolencia, mareos y malestar gástrico.

ALCOHOL: UNA PUERTA A OTRAS SUSTANCIAS

Es la droga más consumida y cada vez se inicia su ingesta a edades más tempranas. Al igual que ocurre con el tabaco, esta sustancia abre las puertas al consumo de otras drogas. Pese a las numerosas campañas y medidas tomadas al respecto, el alcohol sigue siendo muy accesible a los jóvenes. Los principales motivos por los que los jóvenes acuden a la bebida son la innata curiosidad propia de estas edades; para sentirse bien, reducir el estrés y relajarse; para ganar seguridad en sí mismos o para parecer mayores.

Así afecta al organismo

- Esta sustancia afecta al funcionamiento del organismo en cuanto es ingerida, ya que penetra directamente en el torrente sanguíneo y desde allí pasa al sistema nervioso central (cerebro y médula espinal) que controla prácticamente todas las funciones del cuerpo.

- Además, el alcohol es un depresor del nivel de conciencia, y actúa bloqueando algunos de los mensajes que intentan llegar al cerebro, lo que altera las emociones, las percepciones, los movimientos, la vista y el oído.

- Cuando se bebe alcohol en exceso se producen alteraciones del estado de ánimo que pueden ir de la euforia excesiva hasta el desánimo y la depresión. También es frecuente que se desencadenen conductas agresivas.

- Los síntomas más notorios de intoxicación etílica son los vómitos violentos, con los que el cuerpo intenta deshacerse de esta sustancia. También produce somnolencia excesiva, dificultades para respirar, pérdida de consciencia, descenso peligroso de los niveles de azúcar en sangre y convulsiones.

- Los tiempos de reacción se vuelven mucho más lentos (causa principal de la alta siniestralidad que arrojan los accidentes de tráfico que están asociados a la ingesta de alcohol).

- A todo esto hay que añadir el hecho de que el consumo habitual de alcohol puede afectar a la capacidad para estudiar y sacar buenas notas y también afecta al desarrollo deportivo, debido a la falta de coordinación que implica.

- Otros datos a tener en cuenta: los adolescentes que beben alcohol tienen más probabilidades de ser sexualmente activos y mantener relaciones sin la debida protección. También se ha demostrado que la mitad de todas las muertes por ahogamiento entre varones adolescentes están relacionadas con el consumo del alcohol.

LOS TRASTORNOS DE LA CONDUCTA ALIMENTARIA

La exaltación estética de la delgadez sitúa el control del peso entre las máximas prioridades de los adolescentes, especialmente de las jóvenes, y ello predispone al desarrollo de trastornos de la conducta alimentaria como la anorexia y la bulimia. A esto hay que unir otros factores como los cambios de los patrones dietéticos, la influencia de los medios de comunicación en la transmisión de los actuales cánones de belleza y éxito social; la influencia de la industria alimentaria y de la moda; la igualdad de sexos, la urbanización progresiva y el predominio de un estilo de vida sedentario.

Los mensajes contradictorios que, por un lado, promocionan la delgadez y, por otro, ofertan el consumo de alimentos de alto valor calórico y bajo valor nutricional, encuentran en la adolescencia un período de gran vulnerabilidad, dado el profundo deseo que tienen los jóvenes de ejercer su independencia, lo que se traduce en la adopción de nuevos patrones alimentarios. Durante esta etapa, tener una imagen de sí mismos satisfactoria y ser vistos de forma atractiva por los demás constituye una prioridad, y esto les lleva a realizar dietas sin ningún control por parte de la familia o el médico especialista. El resultado es un número cada vez mayor de casos de anorexia y bulimia, los dos trastornos alimentarios más frecuentes.

Según los expertos, en los últimos 20 años la incidencia de estas patologías se ha multiplicado por 10 hasta el punto de que los trastornos de la conducta alimentaria constituyen actualmente la primera causa de muerte en edades tempranas, oscilando la mortalidad de los afectados entre el 5 y el 10 por ciento, y la segunda enfermedad crónica de los adolescentes.

LA ANOREXIA

Se trata de la privación obsesiva y deliberada de alimentos, motivada por el miedo constante a aumentar de peso, incluso estando excesivamente delgado. Es más frecuente en los adolescentes, aunque cada vez se detectan casos a edades más tempranas. Se trata en su mayoría de chicas (cada vez hay más varones) en su mayoría perfeccionistas y que suelen sacar muy buenas notas pero, pese a ello, se subestiman y necesitan sentir que tienen el control sobre su propia vida y creen que sólo lo alcanzan cuando dicen que no a la demanda de alimentos que les hace su organismo. En su afán por adelgazar, llegan a someter a su organismo a carencias nutricionales tan severas que incluso pueden desencadenar en un fatal desenlace.

Cómo detectarla

- Recurre a regímenes extremos.

- Desarrolla hábitos alimentarios anómalos (rechazo selectivo de ciertos alimentos, manipulación de la comida).

- Muestra interés por la cocina y la dieta de los demás.

- Experimenta una disminución de más del 15 por ciento del peso corporal en un corto periodo de tiempo, con respecto a la talla y la edad correspondiente.

- Está continuamente haciendo cosas y algunas de ellas las realiza de forma que se consuma más energía (por ejemplo, subir y bajar las escaleras en vez de usar el ascensor).

- Se irrita fácilmente en el ámbito familiar.

- Pérdida de apetito notoria y sensación de estar lleno aun después de haber comido muy poco.

- Deseo continuo de seguir adelgazando.

- Distorsión de su imagen corporal: se ve y se siente gordo/a.

Principales riesgos

Las personas anoréxicas someten a su organismo a carencias nutricionales que pueden tener serias consecuencias. Los primeros síntomas se deben a la pérdida excesiva de peso: piel y pelo secos, manos y pies fríos, debilidad general, estreñimiento, alteraciones menstruales en las chicas (ausencia total del período o mínima de tres ciclos menstruales); problemas digestivos e insomnio.

A medida que la pérdida de peso es mayor, las complicaciones se agravan: alteraciones metabólicas, mayor propensión a las infecciones, crisis nerviosas y debilidad de los músculos cardiacos.

El tratamiento

Debido a que este trastorno puede tener consecuencias fatales, los anoréxicos siempre necesitan ayuda profesional para recuperarse. Se emplea tanto un tratamiento psicológico como uno nutricional, dirigido a corregir la malnutrición y sus secuelas. En casos extremos es preciso el ingreso hospitalario.

La bulimia

Se trata de la ingesta compulsiva de alimentos (mediante atracones) para luego eliminarlos del organismo mediante purgas, generalmente vómitos, pero también recurren al uso de laxantes y diuréticos. Todos estos «métodos» por los que intentan impedir la digestión de los alimentos los llevan a cabo en el más absoluto secreto.

Cómo detectarla

- La joven (o el joven) ingiere grandes cantidades de comida de contenido calórico elevado y luego se «purga» provocándose el vómito y a menudo usando laxantes.

- Los atracones pueden alternarse con dietas extremas.

- Experimentan importantes fluctuaciones de peso, pasando incluso en poco tiempo de la delgadez al sobrepeso.

- Tratan de ocultar el vómito provocado haciendo correr el agua mientras están encerradas en el cuarto de baño durante largos períodos de tiempo.

- Son habituales los períodos de ayuno.

- Muchas de ellas se dedican de forma casi obsesiva a la práctica de ejercicio, en su afán por quemar calorías.

- Manifiestan una preocupación continua por la comida, fijándose un peso muy inferior al adecuado para su edad, estatura y constitución.

Principales riesgos

Las bulímicas suelen presentar erosiones en el esmalte dental debido a la acidez del jugo gástrico. También se produce inflamación en las encías y la lengua. Pueden tener faringitis. La deshidratación, el estreñimiento, los problemas digestivos y la debilidad muscular son otros síntomas frecuentes. A medida que la bulimia avanza, pueden aparecer úlceras, pancreatitis aguda e irregularidades cardiacas que pueden tener consecuencias fatales.

El tratamiento

Su objetivo es evitar las crisis de bulimia mediante tratamiento psicopatológico y farmacológico, y adecuar el peso ideal a la talla mediante técnicas de reeducación alimentaria y una dieta ajustada a las necesidades reales.

Otros trastornos de la alimentación

En los últimos tiempos han aparecido nuevos tipos de trastornos de la conducta alimentaria cuyas causas son, en esencia, las mismas de la anorexia y la bulimia. Es el caso de la ortorexia, u obsesión patológica por la comida biológicamente pura, que lleva a quienes la padecen a seguir una dieta en la que están excluidos alimentos como las grasas, las carnes, los conservantes y otras sustancias que hipotéticamente podrían ser nocivas para el organismo; la permarexia, un trastorno que lleva a pensar que la mayoría de los alimentos sientan mal o engordan, lo que incita a estar todo el tiempo a dieta; o el llamado trastorno por atracón, consistente en comer en poco tiempo una gran cantidad de alimento (aunque no se tenga hambre y se sienta el estómago lleno) de manera exagerada, descontrolada y ansiosa a la que sigue un sentimiento de malestar y vergüenza.

Qué pueden hacer los padres

- Ante todo, estar muy alerta ante cualquier cambio en el peso o los hábitos de su hijo o hija.

- Actuar críticamente con los anuncios publicitarios que se centran en la imagen corporal sin entrar en el juego de consumir ciertos productos por el hecho de ser *light*.

- Establecer unos hábitos alimentarios adecuados en el hogar. Ciertas pautas ali-

---

Principales síntomas de la anorexia y la bulimia

Anorexia

El adolescente con anorexia es típicamente perfeccionista y suele sacar muy buenas notas pero, al mismo tiempo, se subestima, cree irracionalmente que tiene sobrepeso aun cuando en realidad esté delgado. Necesita desesperadamente sentir que tiene el control sobre su propio cuerpo y cree que sólo lo alcanza cuando dice que no a la demanda de alimento que le hace su organismo. En su afán por adelgazar, recurre a regímenes alimenticios extremos, hasta el punto de someterse a carencias nutricionales severas que incluso pueden desencadenar en un fatal desenlace.

Bulimia

El joven ingiere grandes cantidades de comida de contenido calórico elevado y luego se «purga» provocándose el vómito y a menudo usando laxantes. Estos atracones pueden alternarse con dietas extremas que dan como resultado fluctuaciones de peso importantes. Los adolescentes tratan de ocultar el vómito provocado haciendo correr el agua mientras están encerrados en el cuarto de baño. Estas actitudes conllevan peligros muy serios para la salud física, incluyendo la deshidratación, el desequilibrio hormonal, el déficit de nutrientes básicos y el daño en órganos vitales.

menticias pueden suponer un factor de riesgo para padecer un trastorno alimentario. Así, por ejemplo, es frecuente encontrar adolescentes que comen solas, viendo la televisión, eligiendo las comidas que más les apetecen y sin ajustarse a un horario preciso. Asimismo, las últimas investigaciones han demostrado que el hecho de suprimir sistemáticamente el desayuno (algo habitual a estas edades) incrementa el riesgo de padecer anorexia o bulimia.

- Informarse adecuadamente y, a su vez, vigilar de cerca las fuentes que consulta la joven para asesorarse nutricionalmente. Los expertos en el tema han advertido sobre la necesidad de combatir un nuevo fenómeno: las páginas web en las que se promueve tanto la anorexia como la bulimia, y en las que se muestran estos trastornos no como una enfermedad sino como una forma de vida que uno elige y que, por tanto, no tiene que tratarse.

- Mantener una relación estrecha con el adolescente. Según los expertos, otro de los factores de riesgo de estos trastornos es la falta de comunicación con los padres, los cuales desconocen qué hacen sus hijos durante el fin de semana, ignoran sus preocupaciones y pequeños conflictos y pueden llegar a interpretar la obsesión de su hija o hijo por la comida como una mera expresión de coquetería propia de la edad.

- No dar excesiva importancia a las dietas ni al peso, ya que los padres, mediante su comportamiento, transmiten hábitos y creencias. Unos padres obsesionados por el peso o por la imagen no son el mejor ejemplo para un adolescente.

- En caso de que se detecten síntomas de anorexia o bulimia, es importante reorganizar la vida familiar de un modo saludable para ayudar a la persona enferma. Hay que establecer un horario fijo de comidas, no dejar que el adolescente coma solo, supervisar todas sus comidas y, sobre todo, hacerle comprender y aceptar su cuerpo y los cambios que está experimentando a raíz de la adolescencia. También es muy importante no presionarles para que coman y ponerles cuanto antes en manos de un profesional.

NUTRICIÓN: GUERRA A LA COMIDA BASURA

El período comprendido entre los 9 y los 13 años supone una etapa de crecimiento acelerado con un aumento importante tanto de la talla como de la masa corporal. Asimismo, se produce un cambio importante en la composición del organismo, variando la proporción de los tejidos libres de grasa (hueso y músculo) y el compartimento graso. En esta etapa se adquiere el 40-50 por ciento del peso definitivo, el 20 por ciento de la talla adulta y hasta el 50 por ciento de la masa esquelética.

A todo ello hay que unir el hecho de que los malos hábitos alimentarios adquiridos durante la infancia y la adolescencia son determinantes para el desarrollo de patologías que se presentan en la edad adulta: hipercolesterolemia, hipertensión arterial, obesidad y osteoporosis.

De ahí la importancia de que la dieta durante la pubertad sea variada, equilibrada y contenga todos los nutrientes necesarios para hacer frente a esa sucesión de cambios que se van a producir en el organismo.

Sin embargo, las tendencias nutricionales de los jóvenes chocan frontalmente con esos patrones recomendados. La prevalencia de la *fast food* (comida rápida) en la que abundan las grasas y brillan por su ausencia la fruta y la verdura, unido a la costumbre de suprimir comidas tan determinantes como el desayuno, han hecho que cada vez se aprecien más no sólo mayores déficits nutricionales entre los jóvenes, sino también un alarmante incremento de los casos de obesidad, con todas las patologías que de ella se derivan.

El triunfo de la comida rápida

La inmediatez y la búsqueda del placer inmediato propio de estas edades también quedan reflejadas en los hábitos alimenticios. Es frecuente que los adolescentes omitan comidas, especialmente el desayuno; que consuman gran cantidad de tentempiés (*snacks*, patatas, chocolate en su mayoría); que, en teoría, muestren una preocupación por una alimentación sana y natural, mientras que en la práctica sus hábitos dejan mucho que desear al respecto; y, sobre todo en el caso de las chicas, que tengan un ideal de delgadez excesivo.

Nutrientes fundamentales en esta etapa

Agua

Las necesidades diarias de agua son de aproximadamente 2 litros, cifra que un número importante de jóvenes no sigue, según los últimos estudios realizados al respecto, en los que se reflejan los bajos niveles de hidratación que presentan las personas de esta edad. Este problema se ve agravado por los altos niveles de actividad física que se registran en este momento de la vida. Los expertos recomiendan potenciar el consumo de agua frente a otro tipo de bebidas y refrescos, que contie-

nen exclusivamente hidratos de carbono simples y diversos aditivos.

Proteínas

Deben aportar entre un 10 y un 15 por ciento de las calorías de la dieta. Se debe procurar que éstas sean de origen tanto animal como vegetal, potenciando el consumo de cereales y legumbres frente a la carne.

Grasas

Debido a su alto contenido energético, son imprescindibles en la alimentación del adolescente para hacer frente a sus elevadas necesidades calóricas. Su aporte debe ser del 30-35 por ciento del total diario. Lo ideal es que el aporte de grasas saturadas suponga menos del 10 por ciento de las calorías totales; los ácidos monoinsaturados, el 10-20 por ciento y los poliinsaturados el 7-10 por ciento. Hay que evitar el consumo de la grasa visible de las carnes, así como el exceso de embutidos. Se recomienda aumentar la ingesta de pescados ricos en grasa poliinsaturada, sustituyendo los productos cárnicos, tres o cuatro veces a la semana. También hay que potenciar el consumo de aceite de oliva frente al de otros aceites vegetales, mantequillas y margarinas. Es muy importante restringir los productos de bollería industrial elaborados con grasas saturadas. En cuanto a los huevos, lo ideal es no sobrepasar las tres unidades a la semana.

Hidratos de carbono

Deben representar entre el 55 y el 60 por ciento del aporte calórico total, preferentemente en forma de hidratos de carbono complejos que, además, constituyen un importante aporte de fibra. Para ello hay que fomentar el consumo de cereales (pan, pasta, arroz); frutas (preferentemente frescas y enteras); verduras, hortalizas, tubérculos y legumbres. El aporte de hidratos de carbono simples, presentes en los productos industrializados, dulces o añadidos en forma de azúcar, no debe constituir más del 10-12 por ciento de la ingesta diaria.

Fibra

Aunque el aporte ideal de este nutriente no ha sido aún definido, una fórmula práctica para determinarlo es sumar 5 gramos al número de años, favoreciendo así el consumo de la fibra soluble.

PAUTAS DIETÉTICAS PARA ESTA EDAD

- En este momento de la vida, los objetivos nutricionales son conseguir un creci-

Las deficiencias en la alimentación de algunos adolescentes les ocasionará problemas el resto de su vida.

miento adecuado, evitar los déficits de nutrientes específicos y consolidar hábitos alimentarios correctos que permitan prevenir problemas de salud futuros que están influidos por la dieta.

- En líneas generales, a esta edad se necesita un mayor aporte de calorías, pero éste debe estar adaptado a las necesidades concretas del adolescente (a su edad biológica más que a su edad cronológica) y también a la cantidad de actividad física que realice.

- Lo mejor es repartir la ingesta diaria y la cantidad de calorías en cuatro comidas: el desayuno, un 25 por ciento del valor calórico total; la comida, un 30 por ciento del valor calórico total; la merienda, un 15-20 por ciento, y la cena, un 25-30 por ciento.

- Cuanta más variedad de alimentos exista en la dieta, mayor garantía hay de que la alimentación sea equilibrada y contenga todos los nutrientes necesarios.

- La influencia del ámbito familiar es decisiva, no sólo en lo que se refiere a la selección de nutrientes y elaboración de menús saludables, sino también en la forma en la que se estimula un comportamiento activo o sedentario, el facilitar o no dinero para la compra de bollos, golosinas, helados, etc.

- Vigilar la ingesta de sal. El consumo excesivo de este nutriente se ha relacionado con el desarrollo de la hipertensión en individuos predispuestos, por lo que se recomiendan las ingestas moderadas, evitando los alimentos salados y el hábito de añadir sal a la comida.

- Es muy importante asegurarse de que desayunan, no sólo porque esta comida aporta la energía necesaria para afrontar los niveles de rendimiento intelectual que deben alcanzar durante las horas siguientes, sino que un buen desayuno en casa siempre será más sano que los tentempiés alternativos (bollería industrial la mayoría de las veces) a los que suelen recurrir. El desayuno aconsejado debe incluir lácteos, cereales (pan, galletas, cereales de desayuno) y frutas.

- Una buena estrategia para potenciar unos hábitos nutricionales sanos es involucrarlos en las actividades relacionadas con la alimentación: hacer la compra, decidir el menú semanal, preparar y cocinar alimentos, etc.

VITAMINAS Y MINERALES: IMPRESCINDIBLES

Un adecuado aporte de vitaminas y minerales en este momento es fundamental, teniendo en cuenta las sucesivas transformaciones que se están produciendo en el organismo. Todos los expertos coinciden en que si se siguen unas pautas dietéticas correctas no es necesario acudir a suplementos farmacológicos. Así, como fuente de vitaminas liposolubles, se recomienda el consumo de hortalizas y verduras, en particular las de hoja verde, los aceites vegetales, el huevo y los productos lácteos no descremados.

Aunque todos los nutrientes son necesarios, hay tres que juegan un papel fundamental en este momento, ya que están directamente implicados en las funciones orgánicas que se desarrollan en la pubertad y que, además, desarrollan una acción conjunta: la vitamina D, el calcio y el hierro.

Es muy importante asegurar los requerimientos diarios de estos nutrientes que, por otro lado, son los que con más frecuencia no se alcanzan.

VITAMINA D

Se obtiene a través de dos fuentes. Por un lado, la fabricamos nosotros mismos en la piel, mediante la exposición solar y, por otro, se absorbe a través de la pared intestinal durante la digestión de los alimentos que la contienen. Dentro del organismo, la misión fundamental de esta vitamina es la de facilitar la absorción de calcio en el intestino e integrar las sales de este mineral en huesos y dientes, de ahí que sea la principal responsable de la estabilidad y vigor del esqueleto, inmerso en este momento en pleno proceso de regeneración y «estirones». Pero, además, es indispensable para la adecuada fuerza muscular, y colabora con el hierro.

Por otro lado, la vitamina D está implicada en la secreción hormonal (en plena efervescencia en estos momentos), en el sistema inmune, el vigor cardiaco y los estados de optimismo y serenidad.

Para asegurar su correcta producción por parte del organismo es muy importante que los jóvenes se expongan regularmente a las radiaciones solares (la cara y los brazos, con las debidas precauciones siempre para no quemarse y sin exceder los 20 minutos), especialmente en los meses de invierno, teniendo en cuenta que suelen estar sometidos a los efectos de la contaminación atmosférica y que pasan buena parte del tiempo de ocio en lugares cerrados.

Las fuentes nutricionales son, fundamentalmente, pescado (arenques, sardinas, caballas y truchas, sobre todo), hígado, mantequilla, leche y huevos.

Las necesidades diarias recomendadas para los adolescentes son de 5 microgramos al día, que pueden ser 10 en etapas de fuerte crecimiento.

Calcio

Es determinante para el correcto crecimiento así como para la formación de los huesos. Se estima que el 99 por ciento del calcio asimilado se destina a la conservación de huesos y dientes pero, además, este mineral está directamente implicado en la transmisión de los impulsos por todas las células cerebrales y del sistema nervioso.

Para cubrir las necesidades diarias se requiere un aporte de leche o derivados (sus principales fuentes) en cantidad superior a 500-700 ml al día.

Hierro

El consumo de carnes, principalmente rojas, es una magnífica fuente de hierro de fácil absorción por el organismo, mientras que en las verduras, las hortalizas y los cereales esta biodisponibilidad es bastante menor, aunque bien puede mejorar con el consumo simultáneo de alimentos que sean ricos en ácido ascórbico (vitamina C), fundamentalmente frutas y verduras.

PIERCINGS Y TATUAJES: CÓMO EVITAR RIESGOS

Cada vez son más los jóvenes que, para cambiar su imagen, recurren a las técnicas del llamado «body art», entre las que destacan dos principalmente: el *piercing* y el tatuaje, las cuales no están exentas de riesgos, tal y como vamos a ver a continuación.

Piercing

El *piercing* consiste en realizar una perforación en determinadas zonas del cuerpo en las que se pone algún tipo de aro, anillo, bola o cadena. Debe realizarse siempre en los centros que estén debidamente cualificados y en los que se respeten todas las medidas higiénicas estipuladas.

En muchos países no se realizan a menores de edad sin el consentimiento de los padres y, además, deben ir acompañados de un adulto en el momento de la realización.

Esta práctica está desaconsejada en los siguientes casos: jóvenes con dermatosis infecciosa, como herpes, verrugas e infecciones bacterianas cutáneas, ya que podrían extenderse y agravarse; cuando se padece psoriasis o tendencia a sufrir cicatrices; o en los casos de enfermedad congénita cardiaca o alteraciones sanguíneas.

Principales riesgos

Se estima que aproximadamente el 17 por ciento de los jóvenes que se realizan un *piercing* padecen algún tipo de complicación médica. La infección bacteriana es la complicación más frecuente de esta práctica, seguida por las hemorragias y las heridas o desgarros en el lugar de la perforación.

Aunque menos frecuentes, diversos estudios han demostrado la elevada prevalencia de infecciones generales como hepatitis, sífilis, sida y tétanos, que se pueden transmitir a través del instrumental con que se realiza esta técnica. También pueden producirse diferentes alergias, como las dermatitis de contacto por níquel, una sustancia contenida en las aleaciones de los aros, generalmente en los de acero quirúrgico.

Además, determinadas partes del cuerpo pueden llegar a sangrar profusamente cuando se las manipula (el pene o la lengua). También hay que tener cuidado con las cejas, ya que su parte central está llena de nervios, vasos sanguíneos y, además, está muy próxima al conducto lagrimal. En las pieles más sensibles pueden aparecer cicatrices.

Además, y según la zona en la que se practique la perforación, pueden darse complicaciones determinadas:

- Boca: puede producir inflamación de las vías aéreas, abrasión de la superficie dental, rotura de dientes, infección local o abscesos profundos en la lengua.

- Orejas: las perforaciones en las zonas cartilaginosas suelen ser difíciles de curar, ya que el riego sanguíneo no es suficiente. Las complicaciones más frecuentes son infecciones locales, abscesos y condritis (inflamación de la zona cartilaginosa).

- Ombligo: el 40 por ciento de los problemas producidos por el *piercing* derivan de esta zona, ya que las infecciones que se pueden producir a raíz de un *piercing* en esta zona del cuerpo podrían extenderse al interior del abdomen. El tiempo de curación es superior a otras zonas.

- Nariz: esta zona está poblada por muchas bacterias, dando lugar a varias infecciones, entre las que destaca la del cartílago nasal. El riesgo mayor se localiza en el puente de la nariz, donde se cruzan varios nervios faciales.

- Pezón: puede producir mastitis (inflamación de la mama).

- Genitales masculinos: las perforaciones en esta zona tardan mucho en curarse y pueden producir infecciones en la próstata y los testículos.

- Genitales femeninos: existe el riesgo de infección en el tracto pélvico.

Cómo prevenirlos

- Ante todo, hay que elegir un profesional cualificado que cumpla las normas básicas de higiene y asepsia, asegurándose de que emplea material desechable.

- Evitar hacerse un *piercing* si se es alérgico al níquel, se tiene dermatitis, acné o tendencia a las cicatrices.

- Asegurarse de que el joven está al día de todas sus vacunas, en especial con las de tétanos y hepatitis.

- Mantener la correcta higiene de la zona y lavarse las manos siempre antes de tocar el aro.

- Seguir los consejos respecto a los cuidados posteriores: no apretar la perforación ni tirar de ella; mantener la zona limpia con jabón (nunca con alcohol ni agua oxigenada) y, si la perforación es en la boca, utilizar un enjuague bucal antibacteriano después de comer.

- El verano es mala época para someterse a esta práctica, pues el agua y el sudor aumentan las infecciones.

- Si el *piercing* no cicatriza correctamente, supura o presenta cualquier otra complicación, acudir al médico.

- Es necesario lavar bien los *piercings* con jabón neutro antibacteriano.

TATUAJES

Se trata de una herida punzante en las capas profundas de la piel, que se llena con tinta. Se realiza penetrando la piel hasta la dermis, donde se inyecta la tinta. Actualmente, la mayoría de los talleres emplean máquinas específicas para realizarlos.

En cuanto al nivel de dolor, éste puede variar, dependiendo de la mayor o menor tolerancia del joven. Lo más importante es que se informe debidamente sobre las credenciales del local y el profesional que se lo va a realizar y tomar las precauciones adecuadas para evitar complicaciones.

Principales riesgos

La complicaciones más frecuentes son las infecciones, cuyas señales son enrojecimiento o sensibilidad excesiva alrededor del tatuaje, sangrado prolongado, pus o cambios de color en la piel alrededor del tatuaje.

También se ha asociado la práctica del tatuaje con un mayor riesgo de infecciones virales, como hepatitis, infecciones cutáneas bacterianas o dermatitis.

En algunos casos pueden darse reacciones alérgicas a la tinta. Si se sufre una infección cutánea previa, como el eccema, se pueden producir erupciones como resultado del tatuaje.

Asimismo, la técnica de eliminación de tatuajes también puede presentar problemas, sobre todo las infecciones locales, de ahí la importancia de que siempre sea realizada por un dermatólogo profesional.

Cómo prevenirlos

- Evitar tocar la zona del tatuaje y no arrancar las costras que puedan formarse al principio.

- Lavar bien el tatuaje con jabón bactericida y utilizar una toalla limpia suave para secarlo con mucho cuidado, siempre sin frotar.

- Aplicar una pomada antibiótica para prevenir infecciones.

- En caso de que la zona se inflame o enrojezca, aplicar hielo.

- No mojar el tatuaje hasta que esté curado completamente así como mantenerlo alejado del sol, protegiéndolo de la luz solar directa.

- Si se ha eliminado el tatuaje mediante láser, también hay que curar la zona afectada manteniéndola limpia y evitando arrancar la costra.

- Llamar inmediatamente al médico si se aprecian síntomas de infección, dolor, enrojecimiento excesivo, hinchazón o supuración de pus.

LAS NUEVAS ADICCIONES: LO QUE HAY QUE SABER

Como síntoma del progreso, los videojuegos, internet y los teléfonos móviles se han convertido en elementos indispensables de la vida moderna.

Sin embargo, en el caso de los jóvenes, es fácil caer en el abuso y la dependencia, ya que, a lo atractivo de sus contenidos se une la posibilidad de entablar contacto casi inmediato con sus amigos y acceder rápidamente a temas de interés, llegando a ser en ocasiones auténticos ladrones de tiempo que incluso pueden empujarles a desarrollar actitudes adictivas.

Televisión

La llamada «caja tonta» acapara un buen número de las horas de ocio de los jóvenes. Contrariamente a lo que ocurre con los niños, a estas edades resulta difícil establecer un control tanto de contenidos como de tiempo que pasan delante de la pantalla por parte de los padres.

Aunque se trata de una vía estupenda para ampliar conocimientos, estar al tanto de los acontecimientos e incluso compartir el tiempo de ocio con otros miembros de la familia (de hecho, hay investigaciones que reflejan que se trata de un medio muy adecuado para que niños y jóvenes aprendan comportamientos positivos, como el altruismo y la solidaridad), lo cierto es que los minutos que se pasan frente al televisor suponen tiempo que se resta a otras actividades importantes como pueden ser la lectura, el trabajo escolar, el juego, la interacción con la familia y el desarrollo social.

Pero sin duda lo más preocupante es la influencia que los contenidos emitidos puedan tener en la personalidad así como en la actitud del adolescente. Los estudios realizados al respecto reflejan que niños y jóvenes ven anualmente en la televisión 12.000 actos violentos, 14.000 referencias sobre sexo y 20.000 anuncios.

Además, la televisión sirve a su vez como «caldo de cultivo» para otras adicciones actuales; así, por ejemplo, algunos programas incitan a la participación en diferentes concursos por SMS.

Consecuencias de un mal uso

• Puede exponerlos a situaciones difíciles de comprender. Los jóvenes son muy impresionables, y pueden asumir que aquello que ven en la televisión es normal, seguro y aceptable, cuando de hecho, muchos de sus contenidos se basan en la violencia, la sexualidad, los estereotipos de raza y género y el abuso de drogas y alcohol. Todo ello puede hacer que adquieran unos patrones de conducta inapropiados y nocivos ya que está demostrado científicamente que la visión de determinado tipo de escenas influye en las actitudes sexuales, los valores y las creencias de los adolescentes.

• Aumenta la tendencia a actitudes violentas. El Estudio Nacional de Violencia en Televisión llevado a cabo en EE.UU. ha constatado que el contenido de violencia en 10.000 horas de programación de televisión analizadas fue del 61 por ciento. A esto hay que unir los resultados de otras dos investigaciones recientes que han demostrado que la violencia en televisión está relacionada con los comportamientos agresivos.

• Favorece la obesidad. En las últimas tres décadas, la prevalencia de la obesidad entre niños y adolescentes ha aumentado en los países desarrollados de forma paralela a la disminución de las horas dedicadas a hacer deporte. La asociación entre ver televisión y comer bien puede explicarse en parte por la gran preferencia a ciertos alimentos que se dan tanto en la publicidad como en los programas.

• Aumenta el riesgo de desórdenes alimenticios. La televisión, como medio que refleja y realza los cánones de belleza que imperan y prima la perfección de la imagen sobre otros valores, está influyendo en el desarrollo de trastornos de la alimentación como la anorexia y la bulimia, sobre todo entre las jóvenes.

- Incita al consumo de alcohol y tabaco. Estudios recientes han demostrado que un tercio de los fumadores adolescentes se ha iniciado en el consumo de tabaco empujados por las campañas publicitarias. No en vano, las industrias del tabaco y del alcohol invierten cada año 80.000 millones de dólares en la publicidad de sus productos.

Cómo ayudarle a utilizarlo adecuadamente

- Intentando ver programas en compañía de él.

- Evitando que el niño tenga televisor en su habitación.

- En la medida de lo posible, poniendo límites a la cantidad de tiempo que pasa delante del televisor.

- Apagar la televisión durante las horas de las comidas y el tiempo de estudio.

- Estimular las discusiones con el joven sobre el programa que están viendo, resaltando los aspectos positivos que de él se puedan derivar e intentando hacer conexiones con la historia, los libros, los lugares de interés y los eventos personales.

- Hay que hacerle saber las verdaderas consecuencias de la violencia y discutir con él el papel de la publicidad y su influencia en lo que se compra.

- Descubrirle y ofrecerle otras alternativas a la televisión: pasatiempos, deportes, actividades con amigos.

- Enseñarle a seleccionar previamente aquellos programas que puedan parecer interesantes, evitando encender la televi-

Los adolescentes tienen el riesgo de aislarse de su entorno cuando están con un ordenador.

sión de forma casi automática para «ver qué hay» y ver la programación que se emite sin ningún criterio de selección.

INTERNET Y EL ORDENADOR

No hay duda de que el mundo actual está estructurado en torno a los logros informáticos y que tanto los ordenadores como las conexiones a internet simplifican la vida, pero también tienen su vertiente negativa en el caso de los adolescentes, los cuales pueden invertir un número excesivo de horas delante de la pantalla.

Bien empleada, la informática puede ser una excelente arma para favorecer el estudio y el aprendizaje de los jóvenes. De hecho, muchos programas educativos han convertido al ordenador en una herramienta que induce al niño y al joven a aprender a la vez que se juega.

Además, es un medio excelente para fomentar las comunicaciones con otras personas no sólo cercanas, sino pertenecientes a otras culturas o países.

Consecuencias de un mal uso

- El principal inconveniente que presenta es que el joven (especialmente si es tímido o introvertido) puede «esconderse» literalmente detrás de la pantalla, aislándose del mundo y perdiendo un tiempo que podría dedicar a otras actividades más beneficiosas para su desarrollo.

- También pueden producirse molestias físicas, ya que es fácil que pasar muchas horas sentado en la misma postura sin moverse pueda dar lugar a molestias musculares y dolores de espalda, además de favorecer la aparición de sobrepeso.

- El gran riesgo que presenta el libre acceso a internet es la posibilidad de establecer contacto con personas, organizaciones u otro tipo de asociaciones que, amparadas en el anonimato, puedan resultar nocivas y peligrosas para el joven.

- Por otro lado, los ordenadores descargan radiaciones y calor, y aunque no se ha demostrado que esto sea nocivo para el organismo, hay que evitar que el joven pase demasiado tiempo delante de ellos, porque hay datos que apuntan a que podrían alterar los biorritmos.

Cómo ayudarle a utilizarlos adecuadamente

- A ser posible, evitar que tenga un ordenador de uso personal e intentar que éste se encuentre en un espacio común como un despacho o la sala de estar. Acordar en conjunto reglas sobre el horario y el uso del ordenador, para evitar la adicción y fomentar otras actividades como, por ejemplo, el deporte.

- Conversar con él sobre la navegación en internet y ponerse al día para manejar el lenguaje internauta. Navegar y chatear con él en algunas ocasiones puede ser una buena oportunidad para compartir, conocer sus motivaciones y aclarar conceptos.

- Controlar el tiempo que destina el joven a estar delante del ordenador y, aunque sea de forma disimulada, intentar comprobar si está estudiando o consultando algún aspecto relativo a su actividad escolar o, por el contrario, está chateando o realizando búsquedas que pueden no ser recomendables.

- Si hay sospechas de que pueda estar destinando el uso del ordenador a actividades poco productivas, se puede acceder a las funciones de «Historial», «Últimas búsquedas» o similares para hacerse una idea de cuáles son sus intereses.

- Advertirle de forma reiterada sobre el peligro que supone establecer determinados contactos en la red y, sobre todo, de implicarse o conocer personalmente a personas con las que sólo se ha establecido un contacto a través de un foro o chat. Es muy importante recordarle que nunca debe proporcionar a través de la red información personal como, por ejemplo, el número de teléfono.

TELÉFONO MÓVIL

Una serie de investigaciones recientes sobre el uso de móviles en los jóvenes ha arrojado datos cuanto menos preocupantes, sobre las consecuencias que tiene disponer de teléfono móvil personal, una costumbre que cada vez se inicia a edades más tempranas. Si bien este aparato supone un medio para que el joven esté siempre localizable y puede favorecer el establecimiento de relaciones sociales, las estadísticas demuestran que los jóvenes están destinando la telefonía móvil a usos distintos a la mera comunicación telefónica, los cuales pueden entrañar riesgos, sobre todo para su seguridad personal.

Consecuencias de un mal uso

- El joven se expone excesivamente a situaciones de riesgo. Se ha demostrado que un 9 por ciento de chicos y chicas entre 11 y 17 años han recibido imágenes pornográficas a través del teléfono; un 18 por ciento se ha sentido acosado sexualmente a través del móvil; el 7 por ciento chatea con desconocidos y un 68 por ciento recibió mensajes no solicitados de incitación a participar en juegos de azar, publicidad o venta.

- Favorece conductas adictivas. Un 38 por ciento de los jóvenes confiesa sentirse intranquilo cuando no tienen su móvil cerca e incluso hay algunos que van más lejos: el 11 por ciento asegura que ha llegado a robar dinero a sus padres cuando se les acaba el saldo.

- Aumenta sus necesidades monetarias, con todo lo que ello puede implicar. El 41 por ciento de los jóvenes encuestados al respecto asegura gastarse menos de 3 euros semanales en enviar mensajes, pero un 7 por ciento confiesa llegar a gastarse más de 40 euros a la semana en este tipo de entretenimiento.

- Le incita a un ocio nada productivo. Se estima que sólo la cuarta parte de los que tienen móvil realizan llamadas a diario; la mitad se dedica a enviar mensajes todos los días.

- Algunos profesionales han advertido sobre las consecuencias negativas que puede tener para el desarrollo lingüístico y académico de los jóvenes el empleo excesivo del lenguaje propio de los mensajes que se envían a través del móvil, basado fundamentalmente en abreviaturas.

- Desde el punto de vista de la salud, y aunque a día de hoy no hay ningún indicio ni prueba médica que confirme que el teléfono móvil puede resultar nocivo debido a la exposición a radiaciones no ionizantes que implica, sí que hay estudios epidemiológicos que incitan a pensar que hay ciertas conexiones entre este tipo de telefonía con la enfermedad. De hecho, muchos expertos recomiendan a los padres que supervisen el uso del móvil por parte de sus hijos, ya que consideran que tanto los niños como los jóvenes son más sensibles a posibles alteraciones, puesto que su sistema nervioso todavía está en desarrollo.

Cómo ayudarle a utilizarlo adecuadamente

- Al comprarle un móvil es preferible hacerlo mediante contrato que con las tarjetas previo pago que manejan aproximadamente el 69 por ciento de los jóvenes.

- Si el joven tiene tendencia a participar en sorteos, concursos o programas que incitan al envío de mensajes de móvil, hablar con él sobre el negocio que hay detrás de todo ello, concienciándole de que se trata de una forma poco productiva de gastar un dinero que podría emplear en cosas más útiles (ropa o música, por ejemplo).

- En caso de que se perciba que ha desarrollado una dependencia excesiva del móvil, pactar con él unos horarios de uso. Por ejemplo, obligarle a que lo mantenga apagado durante las horas de estudio.

VIDEOJUEGOS

Los juegos tipo «*game boy*» y las videoconsolas cuentan cada vez con más adeptos entre el público juvenil. Se trata de un tipo de entretenimiento que en muchos casos se escapa a la comprensión de los padres ya que son juegos que están protagonizados por situaciones y personajes de ficción de ultimísima actualidad, y las reglas del juego, para alguien no habituado a las mismas, pueden resultar complicadas. A tenor de las investigaciones realizadas al respecto, se podría concluir que los videojuegos son un arma de doble filo. Así, numerosos estudios han demostrado que tienen una serie de

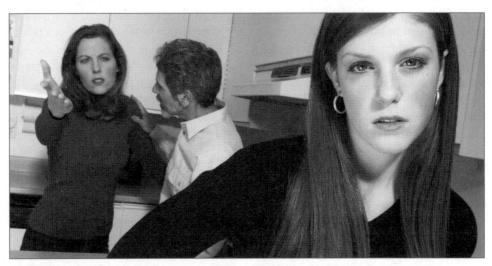

El abuso de videojuegos provoca tensiones sociales y familiares, además de cansancio mental y desgaste ocular.

beneficios sobre el desarrollo intelectual, ya que favorecen la organización espacio-temporal y la coordinación óculo-motora; potencian el desarrollo de destrezas básicas como la rapidez de reflejos y la memoria; impulsan el instinto de superación, algo que beneficia a aquellos jóvenes con problemas de autoestima; estimulan la concentración, por lo que pueden ser muy adecuados para niños hiperactivos; permiten la puesta en práctica de estrategias y algunos son eficaces para incrementar la rapidez de razonamiento.

En la misma línea, los resultados de un estudio llevado a cabo recientemente en la Universidad de Nottingham (Inglaterra) han demostrado que los videojuegos sirven para aliviar el dolor y entretener a los pacientes sometidos a quimioterapia, ya que el grado de atención que requieren estos juegos distrae la sensación de dolor. También son muy beneficiosos para pacientes con heridas y traumatismos en los brazos, pues el uso de los mandos aumentan la fuerza de los mismos. Otro estudio publicado en la revista especializada *Cyberosychology and Behavior* (*Ciberpsicología y Conducta*) puso de manifiesto que algunos videojuegos son un método efectivo para tratar los temores fóbicos, tan frecuentes en la infancia y adolescencia. Dentro del ámbito hospitalario, estos juegos pueden también resultar útiles; tal y como demostró una investigación realizada por expertos de la Universidad de New Jersey, los niños que juegan con la videoconsola en la sala de operaciones antes de someterse a una intervención se ponen menos nerviosos. Sin embargo, los videojuegos también tienen un «lado oscuro», derivado principalmente de las conductas adictivas que son capaces de provocar.

Consecuencias de un mal uso

- Fomentan la violencia. Un elevado porcentaje de estos juegos tiene contenidos bélicos y violentos, que en muchas ocasiones pueden incluso herir la sensibilidad de los participantes. Todo ello favorece la adopción de conductas violentas, vengativas y temerarias por parte de los jóvenes.

- Está comprobado que pueden llegar a producir nerviosismo y ansiedad, consecuencia de la forma en que muchos jóvenes se implican en los mismos. En este sentido son especialmente perjudiciales aquellos juegos que tienen un número interminable de pantallas, ya que generan ansiedad porque no se ve el momento de llegar al final.

- Pueden transmitir valores inadecuados, como la sed de venganza, el abuso del débil, etc.

- Especialmente en niños introvertidos, puede dificultar su proceso de socialización, favoreciendo el aislamiento y privándole consecuentemente de otro tipo de actividades de ocio necesarias para su desarrollo.

- La cantidad de estímulos que emiten por segundo pueden hacer que el jugador se concentre de tal forma que llegue a provocar falta de atención hacia su entorno. Muchos expertos lo han vinculado a la mayor predisposición al fracaso escolar.

- No hay que olvidar que, como cualquier actividad relacionada con el uso de aparatos electrónicos, su abuso lleva al cansancio mental, desgaste ocular y falta de comunicación humanas.

Cómo ayudarle a utilizarlo adecuadamente

- Estar alerta ante una posible adicción. Los más jóvenes tienen una primera toma de contacto de uso indiscriminado que dura unas cinco semanas, tras las cuales, inevitablemente, el interés disminuye hasta estabilizarse. Si el uso continúa siendo abusivo, hay que fijar unos límites.

- Los padres deben mostrar interés por todo lo que rodea al videojuego y acompañar al joven en algunos momentos del mismo. De esta forma, no sólo se accede al mundo y a las inquietudes de su hijo, sino que se pueden controlar de forma directa los contenidos.

- Es importante que los padres puedan, en la medida de lo posible, intervenir en la selección de los videojuegos, eligiendo aquellos que no tengan tintes sexistas, violentos o insolidarios y fomentando los que hacen poner en práctica una estrategia, como el ajedrez o los deportivos. Además, es muy importante que antes de adquirir el juego se compruebe la clasificación por edades, que debe aparecer visible. Hasta determinada edad es aconsejable que sea un adulto el que elija lo que más le conviene al menor en función de sus carencias educativas.

- Además de la temática, es recomendable elegir un juego que permita intervenir a más de un participante (y evitar el aislamiento) y los que permitan grabar la parte del juego que ha sido realizada.

MOLESTIAS EN LA ESPALDA: DETECTARLAS A TIEMPO

Estudios científicos han demostrado que el 70 por ciento de los jóvenes padece alguna dolencia de espalda antes de los 16 años, siendo la edad de 12 años el momento a partir del cual comienza a aumentar la frecuencia de los dolores en esta zona. Lo cierto es que cada vez hay más niños que se quejan de dolores de espalda debido sobre todo a causas «mecánicas», como el mayor sedentarismo, la mala práctica de algunos deportes, las cargas de peso o el mal descanso nocturno. El principal problema de espalda que presentan los jóvenes es la escoliosis, una patología que se hereda en el 80 por ciento de los casos. Detectar los problemas de espalda a estas edades es muy importante, ya que está demostrado que si ahora se padecen molestias de forma crónica, se tiene un mayor riesgo de seguir padeciéndolas en la edad adulta. Además, es durante esta etapa cuando se desarrolla la columna y, también, el momento en que los estudiantes pasan más horas delante del pupitre.

MOCHILAS: MANUAL DE USO

El uso de las mochilas escolares ha sido asociado directamente al incremento de las patologías de espalda en los niños. Y es que más de un tercio suelen cargar sobre sus espaldas más del 30 por ciento de su peso corporal, cuando lo que se recomienda es no superar el 10 por ciento. Además, muchas de las mochilas empleadas no reúnen las cualidades necesarias ni se adecuan a la constitución física. Teniendo en cuenta que la espalda de un niño puede medir entre 33 y 55 centímetros, hay que buscar siempre una que se adecúe a la edad en el momento de la compra en vez de buscar que dure toda la etapa escolar.

La mochila debe tener tirantes anchos y acolchados, cargados sobre los dos hombros de forma simétrica, con los objetos más pesados colocados lo más cerca posible de la columna. Es muy importante graduar adecuadamente los tirantes, ya que la tendencia a llevar las mochilas «caídas» está relacionada con el incremento de las dolencias.

Otros factores implicados

- El mobiliario. Se estima que el 90 por ciento de la posición de los muebles modernos (utilizados para teclados y videoconsolas) es inadecuada, y lo mismo ocurre con el mobiliario escolar, en cuya fabricación no se tiene en cuenta el aumento de talla que ha experimentado la población juvenil en los últimos tiempos.

- Los colchones y la adopción de malas posturas durante las horas de sueño también favorecen la aparición de dolencias de espalda.

- La ausencia de un calentamiento adecuado antes de iniciar la práctica deportiva es otro factor que incide en la aparición de dolencias.

- El calzado es otro elemento importante: hay que evitar tanto los zapatos de tacón extremadamente altos como aquellos muy planos, especialmente si se tienen problemas de rodilla.

Cómo prevenir los dolores de espalda

- Mantenerse activos. Aquellos niños que pasan la mayor parte del día sentados pierden fuerza en la musculatura de la espalda, aumentado el riesgo de que les duela.

- Hacer ejercicio habitualmente. Natación, ciclismo o determinados ejercicios de gimnasia hacen que la musculatura de la espalda se mantenga potente, resistente y flexible.

El 80 por ciento de los jóvenes llegan a padecer escoliosis debido a las malas posturas y la falta de ejercicio.

- Siempre hay que calentar los músculos antes de iniciar una actividad física y estirarlos al terminar.

- En el colegio y, en general, cuando tengan que permanecer sentados, hacerlo lo más atrás posible en la silla, manteniendo el respaldo recto; apoyar codos y brazos; cambiar de postura frecuentemente e intentar levantarse cada 45-60 minutos.

- La pantalla del ordenador debe colocarse frente a los ojos y a la altura de la cabeza.

- Para transportar el material escolar, hay que intentar cargar el menor peso posible y llevar a clase sólo aquello que se va a necesitar. Las mochilas con ruedas y de altura regulable son muy aconsejables.

- Evitar el tabaquismo. Está comprobado que fumar aumenta el riesgo de dolor de espalda.

ALIVIAR EL DOLOR

Si el dolor o molestia en la espalda se mantiene durante varios días o se vuelve crónico, hay que acudir al especialista para que evalúe la existencia de alguna lesión o patología. Es muy importante la actitud del niño y que éste lleve una vida lo más normal posible pese al dolor: el reposo y la inactividad por miedo al dolor han demostrado ser ineficaces e incluso contraproducentes como tratamientos.

De hecho, se ha confirmado con numerosos estudios que aumentan el riesgo de que el dolor aparezca y dure por un período más largo de tiempo.

SEXO: PREPARARLES PARA UNAS RELACIONES SEGURAS Y RESPONSABLES

Cuanto antes se les prepare para la sexualidad, mejor. Es imprescindible que ya desde edades tempranas conozcan las partes de su cuerpo y los cambios que éstas experimentan a medida que crecen. En torno a los 6 años los niños ya deberían saber de dónde vienen los bebés y a partir de los 9 ya se debería ahondar en el papel que tanto el padre como la madre juegan en la concepción. A partir de los 11-12 años hay que abordar temas más concretos como el momento de la primera relación sexual, la importancia de los anticonceptivos y la existencia del sida y otras enfermedades que se contagian por vía sexual. Es importante incidir en cómo un hombre y una mujer se enamoran, para que siempre asocien el sexo a esta circunstancia. Lo fundamental es que toda la información referente al sexo se vaya transmitiendo de forma gradual a lo largo de toda la infancia, teniendo en cuenta el grado de madurez de cada niño.

CÓMO AFRONTAR EL TEMA DEL SEXO

Está comprobado que los adolescentes que han recibido una información más sincera por parte de sus padres en temas de sexualidad son los que tienen más armas para iniciarse en las relaciones sexuales de una forma más responsable, en el momento que ellos decidan, sin dejarse presionar por los amigos o el entorno.

Muchos padres consideran que no es tan importante abordar estos temas antes de que «surjan» y otros creen que la educación sexual es un cometido del colegio y que además, los jóvenes de hoy día «saben latín» en lo que a materia sexual se refiere. Es precisamente este continuo bombardeo de estímulos exteriores e informaciones sobre el sexo lo que hace tan necesario que los padres se impliquen en el tema, ya que estos datos que reciben los niños les generan dudas y preguntas las cuales, si no encuentran respuesta en su entorno más inmediato –es decir, su hogar–, pasan a convertirse en una gran curiosidad que puede llevar a conductas de riesgo. Por eso, y aunque no resulte un tema cómodo, es obligación de los padres preparar a sus hijos para unas relaciones sexuales seguras y, sobre todo, responsables:

- Cuanto antes, mejor. Es importante que los padres analicen el tema del sexo con sus hijos desde una edad temprana de forma que se fomenten actitudes saludables y los hijos crezcan con la idea de que sus padres son accesibles cuando quieran abordar el tema.

- El suministro de datos debe hacerse de forma progresiva durante la infancia, pero adaptando el contenido de los mensajes que se transmiten a la edad del niño. Hay que tener cuidado de no exponer más información de la que corresponde, ya que a veces hay datos muy prematuros que pueden provocar confusión en los más pequeños.

- Hay que darles total libertad para que hagan las preguntas que deseen, dar salida a sus dudas y hacerles sentir que, como padres, siempre obtendrán respuesta a todas sus inquietudes.

- Es muy importante fomentarle el respeto a sí mismo y a los demás y explicarle claramente que un mal uso del sexo puede provocarle mucho daño psicológico.

- Hay que integrar la educación sexual dentro del concepto global de educación de los hijos y nunca tratarla como un tema aparte y, mucho menos, como un asunto grave. Lo ideal es que se aborde con la misma naturalidad con la que, por ejemplo, se habla de las calificaciones escolares.

- Se debe hacer hincapié en la relación entre sexo y amor, de forma que no se sorprenda cuando sienta una atracción nueva y excitante cuando se enamore y sepa qué quiere hacer de forma consciente.

- Procurar buscar palabras directas, que se entiendan y que hagan que el niño se sienta cómodo. Las metáforas muchas veces distorsionan el mensaje final y pueden confundirle aún más.

- Concienciarle en la necesidad de emplear los métodos anticonceptivos. Según los especialista, el preservativo es el más recomendado para los adolescentes ya que es el único que evita el contagio de enfermedades y, bien utilizado, tiene un alto grado de seguridad.

- Si los padres no se sienten capaces de hablar del tema con sus hijos y de explicarles el uso correcto del preservativo y otros métodos anticonceptivos, es conveniente que recurran a un interlocutor fiable que sea cercano al joven.

- Los padres deben respetar el gran sentido del pudor que poseen los adolescentes. Hay que respetar cuándo se están cambiando de ropa, procurando no entrar de golpe en su habitación; o evitar hablar delante de terceras personas de aspectos pertenecientes a su intimidad (la menstruación, por ejemplo). Estas señas de delicadeza dará a los hijos la confianza necesaria para recurrir a sus padres ante cualquier duda.

- En cuanto al tema de los anticonceptivos, éste no debe desligarse del conjunto de la educación sexual ni tratarse como un tema tabú. Lo importante es dejarles muy claro para qué sirven y cómo y cuándo utilizarlos.

NIÑOS Y NIÑAS:
DISTINTAS INQUIETUDES

- El despertar sexual de los niños se acompaña de erecciones y eyaculaciones nocturnas, de ahí que una de las primeras preocupaciones al respecto sea la relación entre orinar y eyacular: piensan que no van a ser capaces de contener la micción en el momento del orgasmo (hay que explicarles que existe una válvula que detiene el flujo urinario antes de la eyaculación). Otro tema que les preocupa es tener un testículo más grande que otro (algo totalmente normal en este momento del desarrollo) y, por supuesto, el tamaño del pene.

- En el caso de las niñas, las inquietudes sexuales comienzan de forma más gradual y no están tan vinculadas con la genitalidad como en el caso de los chicos. A estas edades, el tema que más les preocupa es la menstruación, y esto va acompañado a veces de actitudes de rechazo respecto a sus órganos sexuales y a los cambios que en ellos se están produciendo (por ejemplo, muchas niñas empiezan a encorvarse en cuanto se le desarrollan los senos, en un intento inconsciente de

disimularlos). Hay que hablar con ellas de la forma más explícita posible e incluso antes de que tengan la primera menstruación.

- Tanto a unos como a otras les interesa lo relacionado con la masturbación, el coito y el orgasmo. Sin embargo, por vergüenza y pudor no suelen plantear estas cuestiones a los padres, de ahí que obtengan las respuestas de múltiples fuentes (amistades, libros, televisión), en ocasiones poco contrastadas.

- Lo que más les interesa conocer de sus padres es cuáles son los límites y, sobre todo, su experiencia personal. Con ello lo que buscan es un punto de referencia. Las chicas hablan mucho más de sexo y, según las encuestas, están mucho mejor informadas.

LAS PRIMERAS RELACIONES

Según las encuestas realizadas al respecto, la edad media a la que los adolescentes mantienen su primera relación sexual es a los 15 años, aunque esta edad va disminuyendo. Las estadísticas demuestran que cuanto más precoz es la primera relación, más fácil es que el joven lo lamente mientras que, por el contrario, se muestran muy satisfechos cuando su primer coito se retrasa respecto a la media de edad. Lo más preocupante respecto a este tema es que más del 13 por ciento no utilizan métodos anticonceptivos fiables, de ahí la importancia de una adecuada educación sexual, especialmente por parte de los padres.

De hecho, se ha comprobado que los adolescentes bien formados en este sentido tienden a retrasar el inicio de las relaciones entre 6 y 12 meses y, cuando se inician, lo hacen de forma más responsable, pensando en las posibles consecuencias.

EMBARAZOS EN ADOLESCENTES: CÓMO PREVENIRLOS

Las tasas de embarazo en adolescentes siguen siendo elevadas. Y no es de extrañar, teniendo en cuenta que 9 de cada 10 jóvenes que se inician en las relaciones sexuales no utilizan ningún método anticonceptivo. Esto, unido al inicio cada vez más temprano de las relaciones sexuales, es la causa de que en los últimos tiempos el número de gestantes menores de 18 años se haya duplicado, pese a las numerosas campañas que se ponen en marcha para prevenirlo.

Muchos de los adolescentes encuestados en los numerosos estudios y estadísticas realizados al respecto han apuntado algunas de las causas que explicarían este aumento de

Los padres deben saber si su hijo tiene pareja y, por supuesto, conocerla.

embarazos no deseados: prisa y curiosidad por conocer el sexo, impulsados por los amigos o compañeros de su entorno; la creencia firme e inconsciente de que «a mí no me pasará»; la vergüenza que produce hablar con los padres del tema, ya que éste siempre ha sido un tabú en el hogar; el enfoque demasiado científico que se da a este asunto en las clases de sexualidad del colegio; y la poca información real y sincera de que disponen en cuanto a la relación del sexo y los sentimientos. Cuando un adolescente se enamora, una cosa puede llevar a la otra sin darse cuenta y sin estar debidamente preparado para cuando esto ocurra. Por tanto, la información que reciba de sus padres y educadores va a ser fundamental a la hora de establecer unas relaciones sexuales responsables y evitar embarazos indeseados.

Los expertos recomiendan seguir una serie de pautas a la hora de abordar el tema con los hijos:

- Dejar atrás ideas anticuadas que impiden comunicarse con los hijos de forma honesta y directa. Hay que hablar con ellos de forma natural sobre el amor, las relaciones y la sexualidad.

- Introducir el tema con frecuencia desde edades tempranas, incidiendo en la idea de que un bebé debe ser «encargado» en un entorno adecuado, a una edad y en unas condiciones adecuadas y con la persona adecuada.

- Supervisar las actividades que realizan los hijos, comprendiendo que ya no son niños, sino jóvenes adultos que necesitan cierta independencia.

- Los padres tienen derecho a saber cuál es la pareja de su hijo o hija, aunque el joven se niegue a que sus padres la conozcan. Explicarle detenidamente al adolescente que, ya que su pareja o acompañante ha pasado a formar parte de su vida, les gustaría conocerle, para evitar así que lo interpreten como una forma de intromisión.

- Concienciarle de que mantener relaciones sexuales es un asunto serio que debe ser debidamente planificado.

- Periódicamente, transmitirle el mensaje de que tener un hijo es una gran responsabilidad que supone dedicar la mayor parte del tiempo al nuevo ser, renunciando a un buen número de actividades y tiempo personal.

- Combatir la posible influencia o presión que puede estar recibiendo por parte de sus amistades o entorno con conversaciones destinadas a recordarle que es él (o ella) quien manda en su propia vida, que no debe dejar que nadie le presione para mantener relaciones sexuales y que, aunque sus amigos y amigas le aseguren que «todo el mundo lo está haciendo», eso no quiere decir que así sea.

- Recordarle que tiene muchos motivos para decir «todavía no»; entre otros, el deseo de proteger sus sentimientos.

- Asimismo, es muy importante estar al tanto de lo que los chicos ven, leen y escuchan, para saber así qué tipos de mensajes reciben y poder corregir aquellos que sean erróneos y que pueden confundir al joven.

- Ayudarle a fijar metas y a explorar opciones para el futuro.

- Tener siempre en cuenta que la labor de padre nunca termina. Por muy maduro y sensato que sea un hijo, nunca hay que bajar la guardia.

SIDA Y ENFERMEDADES DE TRANSMISIÓN SEXUAL

Los jóvenes son las principales víctimas de las enfermedades de transmisión sexual, y entre ellas, destaca el número de infectados por el virus del sida (Síndrome de Inmunodeficiencia Adquirida). En Estados Unidos, por ejemplo, una de cada cuatro nuevas infecciones por el VIH (Virus de Inmunodeficiencia Humana) ocurre en menores de 22 años.

El sida es una enfermedad crónica y en la mayoría de los casos es mortal. Pese a los esfuerzos por concienciar a la población, esta patología sigue siendo una amenaza seria para los adolescentes en cuanto empiezan a llevar una vida sexual activa. De nuevo aquí la información ofrecida por parte de los padres es determinante. En este sentido, es muy importante que sepan desde el principio cuáles son las vías principales de contagio: el uso de drogas intravenosas, el número creciente de compañeros sexuales y cualquier tipo de relación sexual (oral, anal o vaginal), mantenida sin el uso de preservativos.

LOS AMIGOS: UN FACTOR CLAVE EN ESTA ETAPA

Durante la adolescencia, la amistad adquiere unas dimensiones mucho mayores que la que ha tenido durante la infancia. De hecho, es en esta etapa cuando se forjan esos lazos de confianza que se mantienen durante toda la vida.

Los amigos suelen tener efectos en varias áreas de la vida del adolescente: el rendimiento escolar, los momentos de ocio, el comportamiento en lugares públicos, etc. La incidencia de los amigos es tal que los jóvenes que tienen dificultades para formar amistades generalmente presentan un nivel más bajo de autoestima, obtienen peores calificaciones escolares y pueden caer en actitudes adictivas.

Al llegar a la adolescencia, la necesidad de ser «parte del grupo» es más fuerte que a ninguna otra edad. Los vínculos se estrechan de tal forma que las opiniones de los amigos en muchas ocasiones le ayudan a determinar quiénes son y adónde van. Es normal que formen grupos pequeños o piñas, cada uno con una identidad especial: los deportistas, los estudiosos, los colegiales, los fans de un determinado estilo musical...

Ante este tipo de situación, muchos padres se preocupan por el hecho de que los amigos de sus hijos ejerzan demasiada influencia en sus vidas en detrimento de las opiniones y pautas que ellos establecen como padres, y esta preocupación es mayor si empiezan a notar cambios en la personalidad de su hijo o perciben que los amigos le animan a participar en actividades peligrosas o dañinas.

Los efectos de esta influencia

Estas percepciones paternas vienen avaladas por las investigaciones que los expertos han realizado al respecto y que demuestran que, en efecto, las amistades no solamente ejercen mucha influencia sobre las actitudes y comportamientos, sino que, al pasar el tiempo, los amigos se parecen cada vez más en la manera de actuar, de forma que, por ejemplo, aquellos adolescentes cuyos amigos se identifican a sí mismos con orgullo como problemáticos en la escuela, tienden a aumentar también su

propio mal comportamiento en el transcurso del año escolar.

Esta influencia es mucho más notoria a partir de los 12-13 años. Durante esta etapa, los amigos ejercen mucha influencia sobre los gustos musicales, la ropa, el peinado, etc., así como sobre las actividades en las que quieren participar.

Sin embargo, los expertos señalan que los amigos no reemplazan a los padres, y estos siguen siendo quienes más influyen en la vida de su hijo, de manera que éste tiende a buscar en ellos, y no en sus amistades, las pautas de actuación cuando se trata de planificar su futuro profesional o tienen dudas de tipo religioso o moral.

Ayudarle a rodearse de buenos amigos

■ Lo importante es que el joven perciba siempre que, además de sus amigos, puede contar con sus padres y que éstos, a su vez, les guíen en la elección de unas amistades positivas, para lo cual es necesario que adopten una serie de actitudes:

• Reconocer que la presión de los amigos puede ser buena o mala. La mayoría de los adolescentes se sienten atraídos por los amigos con quienes tienen muchas cosas en común. Si escoge amigos que muestran poco interés por los estudios o que sacan malas notas, quizá esté menos dispuesto a estudiar o a hacer los deberes, mientras que si frecuenta a amigos que disfrutan del aprendizaje y obtienen buenas calificaciones, su motivación será más fuerte. De la misma manera, los amigos que evitan el uso del alcohol y de las drogas serán una buena influencia para el joven.

- Intentar conocer a sus amistades. Una buena manera de descubrir cómo son sus amigos es invitarlos a casa u ofrecerse a llevarlos a todos en coche cuando tengan algún evento. Al testar su comportamiento en este entorno se puede obtener una información muy valiosa. Cuando los amigos acudan a casa del joven se pueden fijar unas reglas de conducta y, al mismo tiempo, observar cómo se desenvuelve, lo que proporciona una estupenda oportunidad de entender mejor de qué hablan y cuáles son sus preocupaciones.

- Conocer a los padres de los amigos. No es necesario intimar con ellos, pero sí es importante saber si sus actitudes y preferencias como padres son compatibles con las de uno. Aunque el amigo parezca ser una buena persona, es necesario saber si un adulto estará presente en otra casa para supervisar. Conocer a los padres de los amigos hará más fácil descubrir una serie de datos que es preciso controlar;

dónde van, con quién a qué hora comienza y termina la actividad, si habrá un adulto presente, cómo se desplazarán...

- Hablar con él sobre la amistad, los amigos y cómo elegir buenas opciones. Es normal que los adolescentes den mucha importancia a lo que otras personas piensan de ellos, por lo que es sumamente importante que los padres hablen con él acerca de cómo resistir la presión por desobedecer las reglas o comprometer las normas y los valores que se le han inculcado. Hablarles de cómo ser un buen amigo y cómo las amistades se fortalecen y disminuyen; sobre la importancia de tomar buenas decisiones cuando se forma parte de un grupo. Un buen consejo que los expertos recomiendan ofrecer es darles la siguiente pauta cuando duden: «Si te parece que está mal, probablemente así sea». Otra buena táctica es hacer que se pregunte a sí mismo: «¿Cómo quiero que otras personas me describan?». Las res-

Es aconsejable no perder la costumbre de hacer comidas familiares.

puestas que ofrezcan pueden guiarles para tomar mejores decisiones.

- Enseñarle cómo salir de las malas situaciones. Hablar con él sobre las situaciones peligrosas o impropias que pueden surgir y cómo enfrentarlas. Por ejemplo, se le puede preguntar a una joven qué haría si una de sus amigas llegara a una fiesta totalmente borracha. Ponerse en situación previamente hará que sepa cómo actuar si ésta se produce realmente. No hay que olvidar que a veces los hijos no quieren hacer lo que los amigos quieren que hagan, pero temen que al llevar la contraria se les excluya del grupo.

- Supervisar las amistades para ayudarle a evadir comportamientos de riesgo o malsanos. Los adolescentes necesitan supervisión, especialmente durante las horas después del colegio. Hay que mantenerse alerta sobre quiénes son sus amigos y qué hacen cuando se juntan. Aunque el joven se enfade, es preferible llamar a la casa donde ha dicho que está y asegurarse de que está allí que pasar por alto actitudes que pueden tener serias consecuencias.

- No imponer, sino explicar las razones. Algunos jóvenes se rebelan si se les prohíbe pasar el rato con determinados amigos. Según los expertos, es mejor que los padres le aclaren no sólo el hecho de que no se sienten cómodos con su elección de amigos, sino también las razones. Asimismo, sugieren que se limite la cantidad de tiempo y las actividades que se le permiten realizar con esos amigos.

- Dar buen ejemplo como amigo. El ejemplo que los padres ofrezcan tiene más impacto que cualquier sermón. Los jóvenes que ven a sus padres actuar con respeto y amabilidad entre sí y con sus amigos tienen una gran ventaja, pues poseen un patrón de actuación para establecer vínculos de amistad sólidos y duraderos.

LA FALTA DE AUTOESTIMA: DEPRESIÓN, SUICIDIO Y OTRAS CONSECUENCIAS

A priori, los jóvenes de hoy día «lo tienen todo», pero, sin embargo, cada vez es mayor el número de adolescentes que padecen depresión o ansiedad, a la par que aumentan los problemas relacionados con las drogas y el alcohol. La ausencia de límites y la mayor permisividad están en la raíz de todas estas actitudes, dando lugar a lo que, según los expertos, es el auténtico culpable de la mayoría de los problemas que afectan a los adolescentes en la actualidad: la falta de autoestima.

La autoestima es la conciencia que toda persona tiene de su propio valor y está directamente relacionada con la aceptación de sí mismo. Es como un medidor de potencia y de valía personal, un termómetro que marca y determina nuestro valor, el que está escrito en la mente y dice cuánto valemos.

Debido a las peculiares características de esta época de la vida, es frecuente que durante los primeros años de la adolescencia la falta de autoestima se agudice. Es en esta etapa cuando empieza a cristalizar la personalidad, de ahí que sea tan importante que los padres y educadores ayuden al joven a encontrar su identidad y le fomenten valores como la voluntad y la responsabilidad.

La baja autoestima no es patrimonio exclusivo de los jóvenes de hoy en día, sino que se trata casi de un rasgo de identidad de esta etapa de la vida, caracterizada por una continua búsqueda de la autoafirmación, oscilando entre la timidez y el descaro, sin encajar todavía en una sociedad «de adultos» y manteniendo el inconformismo como lema principal. Sin embargo, hay algunos condicionantes de la sociedad actual que hacen que las consecuencias de esta baja autoestima sean especialmente peligrosas. Los expertos coinciden en que los niños y jóvenes de hoy lo tienen más difícil, y no en lo referente a los aspectos materiales, sino al tipo de vida que les ha tocado vivir. Muchos padres y educadores están llenos de dudas: no quieren tratar a los niños como los trataron a ellos, pero no saben cómo enfrentarse con los retos y situaciones que constantemente se les plantean. Además, deben estar adaptándose a un mundo que les exige una actualización rápida, un esfuerzo permanente, una carrera sin tregua y que, a cambio, no les permite tener una vida familiar. Estos son los adultos que ven los niños, los que tendrían que transmitirles confianza y seguridad, los responsables de su desarrollo y de su educación.

En la misma línea, todos los estudios realizados con el objetivo de analizar el incremento de ciertas actitudes entre la juventud, como la violencia en las aulas, han llegado a la conclusión de que el hecho de que la mayoría de los progenitores apenas tengan tiempo para su vida personal –y, por tanto, para ejercer de padres– puede desencadenar en una educación del adolescente carente de límites, de normas y, en última instancia, de valores. Los jóvenes no tienen un «espejo» en el que mirarse o un referente al que acudir cuando le surgen dudas, lo que en muchas ocasiones es la causa de que se dejen arrastrar por lo que hace la mayoría. Y esto es precisamente lo que empuja a muchos de ellos a coquetear con el alcohol y las drogas, y a comportarse de forma agresiva.

Está claro entonces el papel decisivo que el entorno familiar juega en la formación de una correcta autoestima en el adolescente: la comunicación con los padres es la única forma de «contrarrestar» el efecto de los mensajes que les llegan a través de los medios de comunicación y de la influencia de las amistades o el entorno social.

PRINCIPALES CONSECUENCIAS:
QUÉ PUEDEN HACER LOS PADRES

Además de los coqueteos con las drogas y el alcohol, la predisposición a padecer trastornos de la conducta alimentaria o la tendencia a estar excesivamente influido por los amigos, una baja autoestima puede desencadenar otros problemas que pueden tener consecuencias más o menos serias en esta etapa de la vida.

Actitudes violentas

Los casos cada vez más frecuentes de violencia juvenil tienen un claro componente social, tal y como han constatado los expertos.

Las causas van desde los modelos de violencia que propugnan los medios de comunicación a la crisis del modelo familiar, pasando por la pérdida de disciplina y de respeto, la falta de autoridad de los profesores en la escuela y la incorporación de nuevas culturas. Todo ello hace que haya resurgido el concepto de «bandas» o que se produzcan casos de acoso escolar de unos niños a otros (lo que se conoce como *bullying*).

- Cómo actuar: poner unos límites claros a su conducta. El adolescente violento precisa de unas muestras inequívocas de seguridad por parte de sus padres; necesita su cariño tanto como su firmeza; su com-

Los adolescentes se dejan influir fácilmente por los amigos o hermanos que tienen una personalidad más fuerte.

prensión tanto como su resolución. En definitiva, debe tener unos límites claros, unas reglas mínimas que le hagan sentirse bien no agrediendo, sino cediendo; no imponiendo, sino pactando; no vejando, sino queriendo. Y cuanto antes se actúe en este sentido, mucho mejor para hijos y padres.

Consumismo a ultranza

Los adolescentes de hoy día viven en una cultura de la inmediatez: como si del clic del ratón del ordenador se tratase, desean tener al instante todo aquello que se les antoja. Esto puede estar en gran medida propiciado por la actitud «compensadora» de los padres, quienes muchas veces de forma inconsciente intentan suplir con medios materiales el escaso tiempo que pueden dedicar a sus hijos. Por otro lado, el joven con baja autoestima encuentra en la adquisición desmedida de objetos, muchas veces innecesarios, un alivio a sus inseguridades.

- Cómo actuar: hay que elevar su nivel de frustración, mentalizándole de que las cosas cuestan un esfuerzo y un sacrificio y que, además, no se consiguen a la primera: hay que sembrar y saber esperar. También, y teniendo en cuenta que durante este período empiezan a aparecer problemas de autoestima derivados en gran medida de la comparación con los demás, esta actitud puede llevarle a identificar determinadas adquisiciones con una mayor seguridad en sí mismo. Es tarea de los padres concienciarle de lo inútil que resulta compararse con los demás y transmitirle la idea de que la única persona con la que tiene que competir es con él mismo.

EL PAPEL DE LA FAMILIA:
POR QUÉ ES TAN IMPORTANTE

■ Aunque parezca que los rechazan o que los consideran un estorbo, los adolescentes siguen necesitando a sus padres, incluso más que nunca, ya que deben confrontarse con nuevas formas de conciencia de sí mismos y nuevas dudas sobre su propia capacidad que pueden poner en peligro su autoestima. De ahí que, aunque aparentemente el joven manifieste una actitud de autodominio e indiferencia, los padres deban volcarse en esta etapa en hacer todo lo posible para elevar sus niveles de autoestima. Estas son algunas de las pautas más efectivas para conseguirlo:

- *Darle oportunidades para tener éxito.* La mejor manera de fomentar la confianza en sí mismo es favorecer la práctica de actividades o exponerle a situaciones a través de las cuales puede comprobar de lo que es capaz.

- *Responsabilizarle de determinadas parcelas de la vida familiar.* A partir de la preadolescencia, el niño debe saber que hay una serie de cosas que tiene que hacer aunque no le gusten. Los padres deben tener como objetivo la formación de la voluntad motivándole a través del encargo de tareas que le resulten más o menos agradables y de las que tenga que responsabilizarse.

- *Ayudarle a sentirse seguro y a confiar en sí mismo.* La autoconfianza procede del amor incondicional de los padres. Sentirse plenamente querido no puede tener jamás ningún «efecto secundario». Los elogios significan mucho para los adolescentes cuando proceden de quienes más quieren y en quienes se apoyan.

- *Tener mucha paciencia.* Para un adolescente es muy difícil minimizar las áreas en las que no se siente seguro, de ahí que magnifique mucho cualquier experiencia y algunos lleguen a sufrir (y, de paso, lo sufran también sus padres) un auténtico carrusel emocional. Hay que mantenerse serenos y no darle a estos cambios de conducta más importancia de la que se merecen.

LOS SIGNOS DE UNA AUTOCONFIANZA POBRE

■ La falta de autoestima en la adolescencia se manifiesta mediante una serie de señales bastante específicas. Así, el adolescente que no se quiere suficientemente a sí mismo...

- *Desmerece su talento.* Con frecuencia dice frases del tipo: «No puedo», «no sé hacerlo», «nunca lo aprenderé»...

- *Se siente impotente.* Se enfrenta a cualquier obstáculo, reto o dificultad sin ningún convencimiento de poder superarlo.

- *Se deja influir fácilmente.* Cambia de ideas y de comportamiento con mucha frecuencia y según con quien esté; está manipulado por personalidades más fuertes, ya sea un amigo o un hermano.

- *Elude aquellas situaciones que le producen ansiedad.* Tiene escasa o nula tolerancia ante las circunstancias que le provocan angustia, temor, ira o sensación de caos.

- *Echa la culpa a otros de sus debilidades.* No suele admitir sus errores.

- *Se queja de que los demás no le valoran.* Se siente inseguro y negativo sobre el afecto que le prestan sus padres y amigos.

- *Tiene pobreza de sentimientos y emociones.* Repite una y otra vez unas pocas expresiones emocionales como el descuido, la inflexibilidad, la histeria, el enfurruñamiento...

- *Se pone a la defensiva y se frustra con facilidad.* Es un «picajoso», incapaz de aceptar las críticas o las peticiones inesperadas, y pone excusas para justificar su comportamiento.

EL ADOLESCENTE DEPRIMIDO

Directamente relacionadas con problemas de autoestima, las fluctuaciones anímicas propias de esta etapa hacen que con frecuencia los adolescentes caigan en estados depresivos caracterizados por la presencia de tristeza, pérdida del placer, fatiga, problemas de concentración, ideas suicidas y sentimientos de culpa. El problema es que en la adolescencia el diagnóstico de una depresión puede ser difícil de realizar, ya que se trata de una etapa en la que aún se está desarrollando la personalidad, se empiezan a asumir responsabilidades y se producen cambios importantes tanto físicos como psicológicos, de ahí que muchas depresiones pasen desapercibidas como crisis adolescentes. La presencia de trastornos de ansiedad y desórdenes de conducta pueden alertar de que se trata de una depresión que ha de ser tratada y no de un simple bajón anímico.

Suicidio: señales de alerta

El suicidio, el más flagrante de todos los signos de baja autoestima, es la tercera causa de muerte entre los 15 y los 24 años. Según los expertos, en esta elevada incidencia intervienen varios factores, siendo el más determinante el entorno familiar. La inestabilidad, el divorcio y la forma en que los padres utilizan a sus hijos para conseguir la custodia, así como la protección excesiva o la violencia familiar pueden desencadenar comportamientos suicidas. Los adolescentes experimentan fuertes sentimientos de estrés, confusión, dudas de sí mismos, presión para lograr el éxito y otros miedos, lo que favorece los estados depresivos y la aparición de sentimientos relacionados con la muerte. Muchos síntomas de las tendencias suicidas son similares a los de la depresión, por eso los padres deben estar muy alerta ante algunas señales que pueden indicar que el adolescente está contemplando el suicidio: cambios en los hábitos de comidas y sueño; retraimiento de sus amigos, familia y actividades habituales; actuaciones violentas y comportamiento rebelde; consumo excesivo de alcohol y drogas; abandono de su aspecto personal; cambios pronunciados de personalidad; aburrimiento persistente; dificultad para concentrarse; y quejas frecuentes de síntomas físicos como cefalea, cansancio o dolor de estómago.

Tal y como señalan los expertos del Centro de Estudios del Suicidio de Estocolmo, la mejor arma para frenar y prevenir estas actitudes es ofrecer a los jóvenes toda la información necesaria para mitigar la ansiedad y la falta de autoestima que subyace bajo los pensamientos suicidas: es muy importante hablar con ellos sobre los problemas que les preocupan y hacerles sentir que los mayores les escuchan.

EL ADOLESCENTE EN LA ESCUELA: PRINCIPALES PROBLEMAS

Contrariamente a lo que ocurría hace unos años, los agentes tradicionales de socialización (familia, escuela, partidos políticos, asociaciones religiosas...) han perdido el protagonismo y ya no sirven de referencia para la juventud actual, caracterizada por una autonomía llevada a su máxima expresión. Lo que antes se aprendía en el colegio hoy se descubre a través de los medios de comunicación, los cuales han sustituido al centro de estudios como vía transmisora de enseñanzas. Estudian para obtener un título y, con él, un empleo, pero la escuela no ocupa un papel determinante en su vida. Dos son los principales problemas que se detectan actualmente en al ámbito estudiantil adolescente: el fracaso escolar y la aparición de actitudes derivadas de la violencia, como el *bullying* o acoso por parte de los compañeros de colegio.

FRACASO ESCOLAR: SU RELACIÓN CON UNA ETAPA DE CAMBIOS

Alrededor del 30 por ciento de los estudiantes de Secundaria fracasan en los estudios, porque la adolescencia supone un punto de inflexión en el rendimiento escolar.

Muchos padres no entienden esta reacción, sobre todo si su hijo hasta ahora había sido un alumno que siempre obtenía buenas calificaciones, y lo atribuyen a la pereza, a la distracción e incluso al desinterés. Sin embargo, los cambios que implica esta etapa pueden incluso llegar a inhibir la actividad intelectual.

Frente a esta situación, los padres deben colaborar con los profesores para prevenir conflictos, corregir situaciones difíciles y buscar ayuda ante la sospecha de problemas médicos o psicológicos.

Además, hay otras pautas o actitudes familiares que pueden favorecer el éxito académico en la adolescencia: evitar los desencuentros con los padres (algo que les influye mucho más de lo que en apariencia manifiestan); tener unas expectativas realistas sobre el carácter y las posibilidades del joven; valorar el esfuerzo realizado; controlar de cerca la marcha de los estudios (no mostrar interés por sus asignaturas solamente cuando suspenda alguna) e, independientemente de sus notas, transmitirle en todo momento confianza en su valía y capacidades.

EL *BULLYING* O ACOSO EN EL COLEGIO: UN PROBLEMA CRECIENTE

Se trata de un término que, pese a su reciente aparición, se ha convertido en una de las palabras más temidas por los padres. El *bullying*, o violencia en los centros de estudio, ya se ha cobrado las primeras víctimas, cuyos casos, desgraciadamente protagonistas de los medios de comunicación, han puesto este fenómeno de plena actualidad.

El *bullying*, término inglés que deriva de *bully* (matón, bravucón), fue estudiado por primera vez en Noruega por el especialista Dan Olweus, según el cual, un alumno se convierte en víctima de este tipo de violencia cuando está expuesto de forma repetida y durante un tiempo a acciones negativas por parte de uno o varios compañeros.

Básicamente, para que se pueda hablar de *bullying* deben darse tres premisas: intencionalidad por parte del agresor, conducta violenta reiterada, e indefensión de la víctima; pero este fenómeno presenta otras características que lo definen.

Así, por ejemplo, se ha constatado que existe una mayor propensión a manifestar actitudes violentas e intolerantes por parte de los chicos. Según los expertos, esto podría explicarse por la asociación que se tiende a hacer entre actitudes agresivas, amenazantes e intimidatorias y algunos de los valores asociados al machismo (la fuerza, el poder). De ahí que los jóvenes suelan estar más implicados en los casos de acoso con agresión física: golpes, presencia de armas blancas, palizas e incluso violencia de tipo sexual; con el añadido de que, además, suelen jactarse de este tipo de actitudes. A las chicas, sin embargo, se les atribuyen más casos de maltrato psicológico, ya que emplean actitudes más sutiles como la descalificación y el aislamiento, ocultando este comportamiento y negándolo cuando se sienten acusadas.

En cuanto a la edad, es en la adolescencia temprana cuando existe un mayor peligro de adoptar actitudes violentas, detectándose como cursos y edades de riesgo más elevado los que coinciden con este período: entre los 13 y los 15 años. Es en esta etapa, según los expertos, cuando suelen iniciarse las conductas de riesgo: actitudes autodestructivas, violencia, integración en grupos con identidad negativa...

Otra de las características del *bullying* es que se trata de un fenómeno oculto, es decir, el acosador o grupo de acosadores estudia la situación para que ésta pase desapercibida a los ojos de los profesores y, también, para maximizar la vulnerabilidad de la víctima.

Las formas de actuación más empleadas por el acosador son gastar bromas de dudoso gusto, poner motes o apodos, insultar y ridiculizar a la víctima, involucrarla en discusiones y peleas en las que se encuentra indefensa, quitarle los libros o el dinero, romperle la ropa, y producirle heridas, arañazos y cortes.

EL PERFIL DEL ACOSADOR

El «prototipo» del maltratador o acosador suele estar bastante bien definido. Por regla general, se trata de jóvenes que en su infancia recibieron una educación o excesivamente autoritaria o muy negligente por parte de sus padres. Tal y como demuestra un estudio realizado por expertos de la Universidad de Washington en Seattle (Estados Unidos), aquellos niños que reciben apoyo emocional y estimulación cognitiva por parte de sus padres son menos propensos a convertirse en acosadores en Primaria. Según los autores de esta investigación, el apoyo emocional parental ayuda a los niños a desarrollar la empatía, el autocontrol y las habilidades sociales, lo que podría actuar como prevención para desarrollar actitudes violentas en el futuro.

Además, la investigación apunta a que el *bullying* podría proceder de deficiencias cognitivas tempranas, que conducen a una disminución de la capacidad de relacionarse con los demás compañeros. Asimismo, se ha comprobado que muchos de los acosadores fueron víctimas a su vez de maltrato infantil.

Otro de los rasgos de identidad de estos individuos es una baja autoestima, lo que les lleva a utilizar la violencia para conseguir así un protagonismo y una autoafirmación que de otro modo no obtienen por parte de sus compañeros. El hecho de percibir que otra persona es igual o más débil que él le hace «crecerse».

Hay algunos estudios que definen a los acosadores como líderes; sin embargo, se trata de un liderazgo más o menos ficticio, ya que está basado, fundamentalmente, en el temor que produce en el resto de sus compañeros. Además, en la mayoría de los casos suele tratarse de personalidades impulsivas, lo que les lleva a emplear la violencia inmediata como forma de reaccionar.

CONSECUENCIA
DE UNA SOCIEDAD VIOLENTA

Víctimas y verdugos siempre ha habido en los ambientes estudiantiles, pero el problema adquiere en la sociedad actual tintes distintos por varias razones. Por un lado, por la labor de los medios de comunicación, que sacan a la luz casos que antaño carecían de trascendencia mediática: y, por otro, los crecientes parámetros violentos que están alcanzando las sociedades actuales. Y es que las cifras hablan por sí mismas: la OMS habla ya de la violencia como la pandemia social y el principal problema del siglo XXI. Especialmente relevante es el papel que parece jugar la violencia televisiva. En el estudio de la Universidad de Washington se demostró que la magnitud del riesgo asociado con la televisión es clínicamente significativo, y que un aumento de una desviación estándar de 3,9 horas en las horas de televisión vistas a los 4 años se asoció con un incremento de alrededor del 25 por ciento en la probabilidad de ser un acosador entre los 6 y los 11 años.

Las investigaciones realizadas al respecto han constatado que el germen de la mayor parte de las actitudes violentas está en la exclusión en el ambiente escolar, lo que a su vez justifica el hecho de que los casos de *bullying* sean notablemente más elevados en los centros estudiantiles que en los lugares de ocio.

También se ha comprobado que cuanto mayor es el centro escolar más riesgo de *bullying* se produce, porque hay menos control físico por parte de los responsables, independientemente de que el centro sea público o privado. Un dato a tener en cuenta es que los baños suelen ser los escenarios más habituales de abusos, coincidiendo con el recreo.

Además de la falta de apoyo emocional o afectivo por parte de los padres, también se ha relacionado la ausencia de un referente masculino cercano o la presencia de un padre violento con un comportamiento agresivo en la adolescencia. Otros factores familiares que es posible que incidan son: la situación socioeconómica de la familia, las tensiones matrimoniales, el reparto de los roles entre los familiares...

RETRATO ROBOT DE LA «VÍCTIMA»

En cierta medida, acosado y acosador tienen unas personalidades parecidas, ya que en muchos casos ambos comparten una baja autoestima y un grado más o menos importante de exclusión respecto a sus compañeros. El perfil de la víctima de acoso escolar se corresponde con un niño tímido, introvertido, con dificultades para relacionarse con sus compañeros (es frecuente que estén solos en los recreos) y para poder expresar familiarmente aquello que le preocupa. Suelen ser niños con poca facilidad para el lenguaje y que, pese a poseer unos niveles intelectuales elevados, presentan una baja autoestima. La razón por la que estos niños tienen más «papeletas» para convertirse en víctimas del *bullying* es que no tienen la fortaleza de carácter suficiente para decir «no» a su agresor. Muchos de ellos son excesivamente tímidos debido a una presencia física poco ágil o desarrollada. Además, pese a ser muy inteligentes y capaces, tienen la sensación de que están en la vida «de prestado», por lo que son pobres emocionalmente (como se denomina en psicología). Esta debilidad es percibida por su agresor, quien la aprovecha para «ir a por él» e imponerse.

En cuanto a las razones por las que el joven maltratado no suele hacer partícipes a sus allegados de que está siendo objeto de estas actitudes, el miedo suele ser la causa principal. A esto hay que unir que a estas edades (13-15 años) los jóvenes aún no tienen muy definido su nuevo papel en el mundo y se debaten entre la actitud «infantil» de pedir ayuda a sus padres, la responsabilidad de afrontar esta situación, la vergüenza que ésta les produce y la idea (frecuente en personas que tienen baja autoestima), de que, en cierta medida, ellos han podido hacer «algo» para merecer el maltrato que están sufriendo.

Es el acoso de tipo psicológico el que deja más huella en la víctima, dando lugar a secuelas que van desde las alteraciones de la conducta hasta bloqueos intelectuales y emocionales que pueden llevarle a requerir tratamiento profesional de un psicológico o un psiquiatra, dependiendo de la gravedad de los casos. En casos extremos, como ha quedado tristemente patente, se puede llegar al suicidio.

EL PAPEL DE LOS PADRES

La mayoría de las veces, ni los profesores ni los padres se enteran de la situación de acoso hasta que ésta adquiere tintes de extrema gravedad y resulta muy evidente para las personas que conviven con el adolescente. La razón es que las primeras burlas y humillaciones suelen ser interpretadas como actitudes más o menos normales en una etapa tan conflictiva como es la adolescencia. Sin embargo, los expertos recomiendan que, si los padres del agredido empiezan a percibir algunas alteraciones importantes en el comportamiento habitual de su hijo, se pongan en contacto con el responsable del colegio, quien a su vez, debería indagar en la naturaleza del asunto y hablar con los padres del presunto agresor. Siempre es mejor prevenir (aunque pueda ser una falsa alarma) que lamentarse más tarde, cuando la situación está en un punto incontrolable.

En caso de que las conversaciones con los responsables del colegio sean infructuosas, los expertos recomiendan llevar un registro escrito de lo que ocurre y presionar al colegio para que tome cartas en el asunto. No se debe tolerar ningún tipo de violencia, ya que si se pasan por alto aquellas actuaciones que parecen más leves y no se ataja desde la raíz, la situación siempre tiene a ir a más. El daño psicológico y físico que genera la violencia debe repararse lo antes posible.

Nunca se debe culpabilizar al menor que sufre el acoso, sino que en todo momento debe sentirse apoyado. Si no se hace así, las consecuencias psicológicas para el joven pueden ser nefastas. Todo su entorno debe apoyarle en este duro episodio.

En cuanto a la actitud de los padres cuyos hijos son los responsables del *bullying*, una vez que se demuestren los hechos y éstos hayan sido puestos en su conocimiento por parte del centro, tienen parte de responsabilidad.

Los expertos aconsejan que, tanto para proteger a los hijos del acoso como para evitar que éstos ejerzan la violencia sobre sus compañeros hay que intentar sobre todo mantener un diálogo fluido y constante con el joven, procurando reflexionar de forma conjunta sobre la violencia que se percibe en el entorno; conocer a los amigos de su hijo y estar en contacto con sus progenitores; evitar la sobreprotección, ya que ésta puede convertirse en un factor de riesgo (el joven se puede concebir a sí mismo como frágil o, por el contrario, sentirse con «carta blanca» para convertirse en una posible víctima); establecer unos límites claros y muy definidos, tanto respecto a la actuación de su hijo como sobre el grado de violencia o actitudes desagradables a soportar; y, sobre todo, acudir al centro escolar ante la mínima sospecha de que su hijo está siendo intimidado.

SEÑALES DE ALARMA

■ Teniendo en cuenta que el *bullying* se caracteriza por el ocultismo tanto de los acosadores como de la víctima, hay toda una serie de actitudes en esta última que pueden hacer sospechar a los padres y educadores de que el joven está siendo objeto de maltrato:

• El niño manifiesta temor por ir a la escuela, llegando a llorar y encerrarse en su habitación con tal de no asistir al colegio.

- Presenta heridas, arañazos, cortes o moratones y no es capaz de dar una explicación clara y convincente de cómo se han producido estas lesiones. Se contradice en sus explicaciones porque está muy nervioso.

- Tiene habitualmente un aspecto triste y deprimido, ha perdido la alegría que siempre le caracterizaba. Habla muy poco, a veces sólo si alguien le pregunta algo.

- Se muestra algo más irritable que de costumbre y parece que todo y todos le molestan en exceso.

- Se produce un descenso notorio en su rendimiento escolar. Empieza a suspender asignaturas que nunca le había ofrecido dificultad alguna.

- Falta de interés por organizar actividades con sus compañeros. No quiere quedar con ellos a la salida del colegio ni siquiera reunirse para hablar a la hora del recreo.

- Escasez de amigos y tendencia a estar en casa completamente solo. Le empiezan a gustar los momentos en que los padres no están en la casa y, por lo tanto, no se ve obligado a darles conversación o a que estos le pregunten algo.

- Presencia de síntomas físicos, especialmente los domingos por la noche y las mañanas antes de ir al colegio: vómitos, lágrimas, alteraciones en la piel, insomnio, etc.

LA HORA DEL JUEGO

LO QUE HAY QUE SABER

A esta franja de edad, el concepto de juego está irremediablemente asociado a la tecnología y a la electrónica. Todos aquellos entretenimientos que les supongan superar retos y obstáculos van a ser los más acertados en este período.

También en este sentido tienen un papel importante juguetes más tradicionales, como las maquetas, a través de los cuales van a dar rienda suelta a su creatividad a la vez que desarrollan su destreza manual y su capacidad de concentración. Iniciarse en el coleccionismo puede beneficiarle desde el punto de vista social, ya que puede ponerle en contacto con otros jóvenes que compartan la misma afición. Otra de los grandes entretenimientos en esta etapa es el deporte. Conviene que practique varios, aunque aquí influyen sus aptitudes y sus gustos.

EL PERFIL DEL NIÑO DE 9 A 14 AÑOS

- Tendencia a exagerar.
- Facilidad para realizar gran variedad de planes.
- Individualismo.
- Afición a la lectura.
- Predisposición a pasar horas delante de la televisión.
- Gusto por los juegos que se desarrollan al aire libre.
- Interés por las salidas a la montaña y las acampadas.
- Interés por clubes, colecciones o intercambio de objetos.
- Interés por actividades que resultan complicadas, juegos de adivinanzas, la búsqueda del tesoro.

Los juguetes más adecuados

- Complementos deportivos, bicicletas, monopatines.
- Mecanos de metal, construcciones complejas, maquetas.
- Juegos manuales.
- Juegos de estrategia y reflexión, juegos de sociedad.
- Juegos audiovisuales y electrónicos, cajas de experimentos.
- Material de papelería.

Parte II

Las claves de la salud infantil

✓ **El desarrollo del niño**
¿Está creciendo adecuadamente? • Tablas de medición • Pautas de crecimiento • ¿Cuánto medirá de mayor? • Factores que intervienen en el crecimiento • Signos de retraso en el desarrollo psicomotor

✓ **Controles médicos**
La elección del pediatra • Cuándo acudir a la consulta • Análisis de sangre y orina: qué datos aportan • Principales controles médicos durante la infancia • Prevenir problemas en la vista • La visita al dentista • Cuándo hay que ir al otorrino • Problemas en el desarrollo del lenguaje • Radiografías y otras pruebas

✓ **Nutrición**
Alimentos esenciales para el desarrollo infantil • Vitaminas y minerales: cuáles, cuándo y por qué • El niño celiaco • Obesidad infantil • Dieta vegetariana, alimentos funcionales...

✓ **Vacunas**
El calendario de vacunación • Vacuna triple vírica • Vacuna frente a la polio • Vacuna de la hepatitis B • Vacuna frente al HIB • Vacuna DTPA • Vacuna del meningococo C • Vacuna del neumococo • Vacuna de la varicela • Reacciones y otros efectos secundarios de las vacunas

✓ **Urgencias y primeros auxilios**
El botiquín infantil • Atragantamientos • Hemorragias externas • Hemorragias internas • Heridas y cortes • Intoxicaciones • Fracturas • Golpes y caídas • Golpes en la cabeza • Insolaciones y golpes de calor • Pérdida de consciencia • Mordeduras y arañazos de animales • Picaduras • Quemaduras • Shock • Shock por descarga eléctrica • Cuándo acudir a urgencias

✓ **Seguridad infantil**
Seguridad en el hogar • Seguridad fuera del hogar • Cómo prevenir lesiones • Juegos y juguetes seguros • Seguridad en viajes y desplazamientos

✓ **Cuidados especiales**
Enfermedades crónicas: cómo afrontarlo • El niño prematuro

El desarrollo del niño

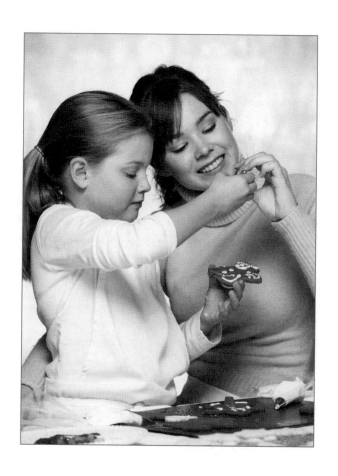

El correcto aumento de talla y peso, así como el adecuado desarrollo psicomotor, son las pautas principales que nos van a indicar que el niño está creciendo de forma normal y saludable o que, por el contrario, existe algún problema de base que se debe solucionar de forma inmediata.

¿ESTÁ CRECIENDO ADECUADAMENTE?

El crecimiento del niño no sólo hay que entenderlo como el aumento de la estatura, sino que también hay que valorar todas las modificaciones que se producen en sus proporciones corporales y su maduración ósea, visceral, bioquímica y neuropsíquica.

Todo ello se inicia en la vida intrauterina y termina al final de la adolescencia. Durante este tiempo se presentan períodos críticos, que corresponden a momentos de máximo crecimiento en el tamaño y el número de las células, en los que el organismo es mucho más vulnerable, de ahí la importancia de realizar un seguimiento adecuado.

Durante el primer año de vida se recomienda el control pediátrico mensual-bimensual de talla, peso y circunferencia cefálica. A partir del segundo año, esta medición pasa a ser semestral y a partir de los 3 años, se mide la talla y el peso coincidiendo con las visitas al pediatra. A partir de esta edad, los controles pasan a ser anuales, para estar seguros del correcto desarrollo del niño.

Se considera que el niño tiene un patrón de crecimiento normal si su talla evoluciona de forma paralela a las curvas de referencia para la población a la que pertenece (percentiles), estando situada su línea de crecimiento entre unos límites aceptados como normales (percentil 3 y percentil 97). Otros indicadores que determinan el crecimiento normal son el peso, la velocidad de crecimiento y el grado de maduración puberal a partir de los 9 o 10 años.

TABLAS DE MEDICIÓN

■ Las tablas de crecimiento son esquemas de medidas que permiten valorar y comprobar el crecimiento del niño con relación a un rango estándar. Para ello, se emplean los datos de referencia correspondientes a la comunidad, país o población en la que el niño ha nacido y a la que pertenece, y en ellas constan los gráficos de peso, talla y el perímetro craneal:

- *Altura.* A los niños más pequeños se les mide tumbados y en los mayores la medición se realiza de pie.

- *Peso.* Se pesa al niño en báscula pediátrica cuando es pequeño y en una convencional cuando es mayor, y se determina su peso en kilogramos.

- *Perímetro craneal.* Se mide con una cinta métrica firmemente alrededor de la cabeza, por encima de las cejas, hasta la parte posterior del cráneo. Este parámetro solamente se realiza hasta los 18 meses de edad.

INTERPRETAR LOS RESULTADOS

Las medidas obtenidas se comparan con las que se consideran normales para niños de la misma edad, sexo y raza, y los resultados se interpretan como percentiles, es decir, el número en que está situado el niño entre 100 niños de edades similares.

Si su estatura está en el percentil 50, significa que alrededor del 50 por ciento de los niños de la misma edad y sexo son más altos y alrededor del 50 por ciento son más bajos en estatura. Al interpretar estos resultados siempre hay que tener en cuenta la genética del niño, ya que, por ejemplo, unos padres bajos suelen tener niños de percentil bajo, sin que esto sea orientativo de otras patologías.

Sólo hay que preocuparse cuando el peso o la altura del niño están desproporcionados entre sí o cuando se salen de la línea superior o inferior de la gráfica.

Qué indican

El seguimiento del crecimiento permite evaluar los problemas existentes o prevenir aquellos que puedan estar produciéndose sin dar síntomas. Así:

• Un crecimiento anormal del perímetro craneal puede indicar la posible aparición de una hidrocefalia, un tumor cerebral, etc.

• Un crecimiento demasiado lento podría ser síntoma de malformaciones cerebrales, una fusión temprana de las suturas u otros problemas. Por su parte, el creci-

miento lento tanto del peso como de la talla podría ser indicio de problemas en el desarrollo debido a alteraciones en la alimentación o a enfermedades subyacentes.

PAUTAS DE CRECIMIENTO

■ En lo que respecta a las principales y más generales pautas de crecimiento, debemos tener en cuenta que:

• Durante el primer año de vida, el niño casi triplica el peso que tenía al nacer y además crece unos 30 cm aproximadamente.

• Durante el segundo año se produce una desaceleración, con respecto al primer año, en el ritmo del crecimiento infantil. Así, hay que tener en cuenta que, por término medio, ganará aproximadamente 2,5 kg y crecerá, más o menos, 12 cm.

• En el tercer, cuarto y quinto año de vida las ganancias de peso y estatura son relativamente constantes, siendo aproximadamente de 2 kg y de 6 a 8 cm por año, respectivamente.

• A partir de los 6-7 años se produce un período de crecimiento relativamente permanente con respecto a lo ocurrido hasta ahora, que termina con el «estirón» de la adolescencia. En cuanto al peso, el aumento durante estos años es de 3 a 3,5 kg por año, mientras que la altura se incrementa cerca de 6 cm anualmente.

• En la adolescencia, los cambios físicos se producen más o menos en la misma secuencia, pero hay grandes variaciones entre un niño y otro respecto a su tiempo de aparición, velocidad y edad de finalización. Por ejemplo, la aceleración del crecimiento en los niños comienza entre los 13 y los 15 años y medio, y durante este tiempo hay un promedio de crecimiento de unos 20 cm. En las niñas, esta aceleración se produce más o menos un año y medio antes que en los niños, y prácticamente concluye en torno a los 13 años, asociado a la primera menstruación. Durante el año de mayor crecimiento pueden ganar más o menos 8 centímetros de altura y a partir de ahí, la ganancia de altura es progresivamente menor. Esta es la razón por la que la talla final que alcanzan niños y niñas es distinta.

OTRAS CARACTERÍSTICAS

- Hay que tener en cuenta que las distintas partes del cuerpo crecen de forma diferente, así es que sus proporciones cambian a medida que el niño se hace mayor.

- Mientras la cabeza del recién nacido representa prácticamente una cuarta parte de su altura, durante la infancia la relación cuerpo-cabeza va cambiando hasta que, en la adolescencia, representa sólo una octava parte del total.

- Las piernas del recién nacido representan aproximadamente 3/8 de la longitud total, mientras que en un adolescente sólo suponen la mitad.

- Tras el primer año, el cuerpo del niño crece más deprisa que el tronco, pauta que se invierte cuando llega la pubertad.

- En los años de la pubertad, el ritmo de crecimiento aumenta rápidamente y, además, va acompañado de importantes

El crecimiento de un niño se entiende como el desarrollo físico y también psicológico.

cambios fisiológicos y un aumento brusco de la talla. La altura final suele alcanzarse hacia los 18 años.

- En cuanto al cerebro, éste crece muy deprisa durante la primera infancia y a los 2 años posee entre el 75 y el 80 por ciento del tamaño que tendrá al llegar a adulto. Este ritmo rápido de crecimiento continúa hasta los 5 años, cuando adquiere el 90 por ciento de su tamaño definitivo, y se hace más lento a partir de entonces.

- En cuanto a los sexos, tanto los niños como las niñas crecen al mismo ritmo durante la infancia aunque, en general, los niños tienden a ser más corpulentos.

¿CUÁNTO MEDIRÁ DE MAYOR?

■ Hay varios métodos que permiten aproximarnos a cuál será la talla definitiva del niño:

- Una de las fórmulas más empleada es: en niños, la altura del padre + la altura de la madre + 13, y el resultado que se obtiene, dividido entre 2; en niñas, altura del padre + altura de la madre – 13, y el resultado dividido entre 2.

- Otro método es la «talla proyectada», que se realiza siguiendo sobre una gráfica de crecimiento el percentil por el cual crece el niño hasta la edad de 18 años. Es más sencillo pero puede resultar impreciso.

- El método más seguro se realiza a través de cálculos en los que se toman en consideración la edad cronológica, la talla, la edad ósea, la velocidad de crecimiento y el grado de desarrollo en la pubertad. El margen de error es de 2 a 4 cm. Con este

método, el especialista puede predecir la estatura definitiva con una posibilidad de acierto de entre el 80 y el 95 por ciento.

FACTORES QUE INTERVIENEN EN EL CRECIMIENTO

■ El crecimiento del niño es un fenómeno biológico y, como tal, en él participan e interactúan factores tanto internos al organismo infantil como derivados del ambiente que le rodea:

- *Factores internos.* Dependen éstos de las características genéticas del niño en las que están incluidas la talla de sus padres, la raza y el sexo del niño. También interviene el sistema endocrino, que va a ser responsable de la producción de hormonas, entre ellas la del crecimiento, las tiroideas y las sexuales, todas ellas implicadas en el correcto desarrollo infantil. Aunque por lo general los padres bajos suelen tener hijos de baja estatura, o viceversa, esto no constituye una regla fija, ya que los genes no solamente se heredan de los padres, sino también de antepasados, y, por tanto, es poligénica (es decir, intervienen varios genes): se debe en un 50 por ciento a los padres y hermanos, de abuelos y tíos en un 25 por ciento y de primos en un 12,5 por ciento.

- *Factores externos.* Son los que vienen determinados por el ambiente que rodea al niño, entre los que hay que incluir el tipo de alimentación que se sigue, las enfermedades que haya padecido e incluso la intervención de circunstancias de tipo emocional. Así, el hecho de vivir en un ambiente estresante o haber padecido algún tipo de situación traumática pueden afectar al correcto crecimiento del niño, sin olvidar la influencia de factores psicosociales.

PRINCIPALES PROBLEMAS EN EL DESARROLLO

- *Progreso insuficiente.* Los lactantes y los niños pequeños siempre se miden y se pesan durante las revisiones periódicas. El pediatra compara estas mediciones con las obtenidas en las visitas anteriores así como con las tablas de los percentiles. Si el ritmo del crecimiento es el adecuado, el niño será normal, aunque sea pequeño de tamaño. Para determinar por qué el niño es pequeño, el médico realiza un examen físico y formula a los padres preguntas relacionadas con la situación del niño: enfermedades padecidas, sus pautas de alimentación o el ambiente social y psicológico en el que se está desarrollando. También pueden realizarse análisis sistemáticos, como los de sangre. El progreso insuficiente suele afectar a los menores de 2 años de edad. La causa más frecuente es el hecho de que el niño no está recibiendo suficientes nutrientes como para crecer y desarrollarse de forma normal. Puede haber un trastorno físico subyacente que afecte a su capacidad para ingerir, absorber, procesar o retener los alimentos. También pueden influir ciertos factores psicológicos, sociales e incluso económicos. El niño puede no tener apetito o puede no estar recibiendo alimentos suficientes. Hay que tratar de inmediato cualquier enfermedad que se sospeche que pueda estar causando dificultades en el progreso del niño. Si la causa del retraso es que el niño no se está alimentando adecuadamente, se pueden buscar factores psicológicos o de otro tipo, además de los de índole física.

- *Talla baja.* Se dice que el niño tiene una talla baja cuando ésta se encuentra tres desviaciones por debajo del percentil estipulado para su edad. En condiciones favorables, la curva de crecimiento del niño debería ajustarse a su perfil genético. El hecho de que esto no sea así puede ser debido a una serie de factores: desnutrición, enfermedades gastrointestinales, problemas hormonales, disminución de las hormonas tiroideas o de la hormona del crecimiento, insuficiencia renal y alteraciones cromosómicas, las cuales se traducen en una alteración de la talla y a veces también del peso. La evaluación del crecimiento debe comenzarse con la confirmación del retraso mediante un estudio de la talla y peso actuales del niño, así como la trayectoria en la ganancia de estatura y peso desde el nacimiento. Las medidas de la talla deben repetirse durante, por lo menos, seis meses para así poder calcular la velocidad de crecimiento. También hay que evaluar las proporciones corporales y la densidad ósea. Todos estos datos permiten evaluar las posibles causas, así como la existencia de una deficiencia de la hormona de crecimiento. La administración de la hormona de crecimiento solamente sirve para hacer crecer a aquellos pequeños que tengan un déficit de esta hormona, pero no es efectiva para aumentar la talla final en niños con baja estatura que esté determinada genéticamente u otras causas no dependientes de esta hormona. (Ver «Enfermedades endocrinas».)

- *Retraso en la maduración ósea.* La maduración ósea es quizá el mejor método para poder valorar el estado de maduración (o edad biológica) del niño. El progreso de maduración del esqueleto puede ser analizado y controlado mediante radiografías, siendo los huesos más estudiados los de la mano y muñeca izquierda. La edad ósea del niño siempre se relaciona con su edad cronológica, y con ello se sabe si el niño tiene una maduración ósea adelantada, retardada o está en la media. Si la edad ósea está más o menos un año en relación con la edad cronológica, se dice que está dentro del grupo clasificado como madurez dentro de la media. Cuando la edad ósea es un año mayor en relación a la edad cronológica, entonces el pequeño será clasificado como de madurez temprana o avanzada, y cuando sea menor de un año en relación con la edad cronológica, el niño entonces entraría dentro del grupo de madurez tardía o retrasada.

- *Retraso en la maduración sexual.* Este tipo de retraso se determina en general por medio del estudio del desarrollo de los caracteres sexuales secundarios, es decir: desarrollo del pecho y menarquia (la primera regla) en chicas, del desarrollo de los testículos y el pene en los chicos y el vello pubiano en ambos sexos. (Ver «Pubertad tardía».)

SIGNOS DE RETRASO EN EL DESARROLLO PSICOMOTOR

Hay que tener en cuenta que no todos los niños poseen los mismos niveles de psicomotricidad, y algunos son temporalmente más lentos que otros sin que esto implique necesariamente la existencia de un retardo psicomotor o de desarrollo.

A esto hay que unir que los trastornos psicomotrices están muy ligados al mundo afectivo, de ahí que el análisis integral del niño sea fundamental para poder diagnosticar y tratar las posibles deficiencias. Sin embargo, hay algunos logros inherentes a cada etapa de desarrollo cuya no consecución debe ser consultada con el pediatra.

Estas son algunas señales que hay que tener en cuenta:

- Al mes: succiona de manera lenta, no responde al ruido.

- A los 3 meses: no fija la mirada, está muy apático o se enfada con frecuencia, permanece sin moverse la mayor parte del tiempo.

- A los 3-4 meses: no fija la mirada, permanece apático e inmóvil la mayor parte del tiempo, mantiene las manos cerradas, no sostiene la cabeza ni se ríe.

- A los 6 meses: no tiene interés ni intención de coger objetos o no usa las dos manos.

- A los 7 meses: no se apoya en las manos cuando está tendido boca abajo, no hace prensión del objeto, no dirige la mirada a la voz, no lleva la cabeza avanzada en relación al tronco en la maniobra del paso a sentado.

- A los 9 meses: no se sostiene sentado, no tiene interés por tocar o mirar las cosas, no parlotea, no parece reconocer a la persona más próxima, no se pasa objetos de una mano a otra.

- A los 12 meses: no es capaz de sostenerse de pie cogido a un mueble (aunque no camine), no busca la comunicación con el adulto o no explora nuevos juguetes, no se mantiene sentado estable y solo, ausencia de desplazamientos, ausencia de pinza manual con la base del pulgar y cara lateral del índice, no introduce objetos en un recipiente, no estira los brazos para que le cojan.

- A los 15 meses: no realiza demandas gestuales claras a las personas adultas, no pasa por sí solo de estar tumbado a sentarse, no colabora cuando hay que vestirle, no comprende algunas palabras y le resulta prácticamente imposible separarse de su madre.

- A los 18 meses: todavía no camina, desconoce el nombre de algún objeto o persona familiar, no se pone de pie por sí solo y sin soporte, no emite palabras de dos sílabas con sentido (como «mamá»), no señala con el índice, no se acerca un vaso a la boca, ausencia de juego imitativo, falta de reconocimiento de imágenes familiares.

- A los 21 meses: no obedece a órdenes verbales sencillas, no pasa las páginas de un cuento, es incapaz de hacer una torre con dos cubos, no corre y no dice, al menos, tres palabras además de «papá» y mamá».

- A los 2 años: no sube peldaños cogido de la barandilla, no hace una torre con cuatro cubos, no señala, al nombrarla, al menos, una parte de su cuerpo, no acerca la cuchara a la boca, no utiliza la palabra «no».

- A los 3 años: no utiliza pronombres ni frases de tres palabras, es incapaz de nombrar cinco imágenes, no imita las labores caseras, no sabe estar de pie a la pata coja, no nombra o señala cuatro o cinco partes de su cuerpo por lo menos, no chuta la pelota.

- A los 4 años: no se mantiene sobre un pie ni es capaz de saltar con los dos pies juntos, no reconoce los colores, es incapaz de copiar un círculo o reproducir un puente, no usa el verbo «ser», no distingue entre «largo» y corto», no nombra diez imágenes, no identifica su sexo, no va solo al aseo.

- A los 5 años: no salta hacia atrás ni puede mantener el equilibrio sobre un solo pie, no diferencia claramente la mañana de la tarde, no domina los colores, no se desviste solo.

- A los 6 años: no ha sido capaz de alcanzar el lenguaje con todos sus elementos completos.

Controles médicos

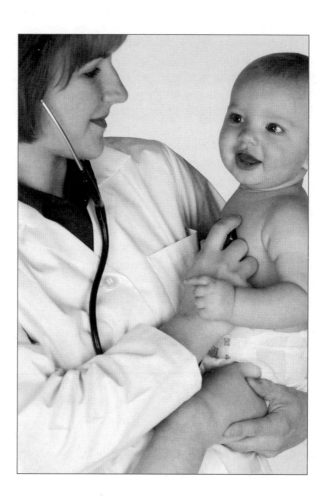

Durante toda la infancia son muy frecuentes las visitas que el niño debe realizar al pediatra y a otros especialistas con el objetivo no solamente de curar y prevenir ciertas patologías, sino también de mantener los controles así como la vigilancia adecuada sobre su salud, algo que resulta básico para su perfecto bienestar y correcto desarrollo. Las visitas al médico se inician en el momento en que los padres elijan a un pediatra de su gusto.

LA ELECCIÓN DEL PEDIATRA

El pediatra es una figura fundamental en el crecimiento y correcto desarrollo del niño, ya que será el punto de referencia para los padres durante muchos años. De ahí que no sea recomendable dejar esta importante elección al azar.

Es importante asegurarse tanto de su competencia profesional como de su capacidad de diálogo, ya que deberá ganarse la confianza tanto de los padres (obteniendo de ellos aquellas informaciones que le permitan establecer un correcto historial del niño) como de su «pequeño paciente», a quien debe inspirar, sobre todo, seguridad.

Lo ideal es realizar la elección antes de que el niño nazca. En este sentido, es importante informarse y valorar las recomendaciones que ofrezcan amigos, parientes o conocidos. Si se opta por la Seguridad Social, hay que incluir al niño nada más nacer en la cartilla de los padres. En el centro de salud correspondiente se informa de los requisitos necesarios y, por lo general, se puede elegir facultativo siempre y cuando éste no esté demasiado saturado de pacientes. En caso de pertenecer a una sociedad médica, el margen y la posibilidad de elección son más amplios.

A la hora de iniciar la relación con el pediatra, hay que tener en cuenta algunas consideraciones:

- Es recomendable que la consulta no esté muy lejos del domicilio familiar de forma que, en caso de emergencia, se tarde poco tiempo en llegar.

- Datos como la posibilidad de que el pediatra realice visitas a domicilio o atienda a consultas telefónicas también pueden ser orientativos, sobre todo en el caso de que los horarios de trabajo de los padres sean complicados o tengan muchos más hijos.

- Un punto esencial es que el pediatra esté receptivo a cualquier pregunta que los padres deseen formular, resolviendo absolutamente, y cuantas veces sea necesario, todas las dudas y explicándoles con detenimiento y claramente aquellos términos o circunstancias que éstos desconozcan.

- También hay que tener en cuenta otros aspectos tales como la forma en la que reacciona el niño cuando está en la consulta o, por ejemplo, si el pediatra se encuentra actualizado en cuanto a conocimientos.

- La actitud de los padres debe ser lo más abierta posible y comunicativa; no en vano, ellos son la principal fuente de información que el especialista tiene sobre los síntomas, hábitos o problemas que presenta el niño.

- Hay que procurar que el pediatra sea el mismo durante todo el tiempo que sea posible, ya que los niños se acostumbran a su médico y eso les aporta seguridad y tranquilidad.

CUÁNDO ACUDIR A LA CONSULTA

No se debe acudir al pediatra solamente cuando el niño está enfermo, sino que es muy importante que a lo largo de toda la infancia, se le someta a un control riguroso y periódico de su salud.

Las visitas de control, que se hacen sin que aparentemente resulten indispensables, van ofreciendo poco a poco una importantísima información, ya que permiten acumular los datos necesarios para evaluar los aspectos referentes a la evolución del niño, algo que resulta esencial en el caso de que en algún momento se detecte un problema. Esta información «acumulada» puede resultar fundamental para de esta manera conseguir un diagnóstico certero y determinar el tratamiento más apropiado a seguir.

ANÁLISIS DE SANGRE
Y DE ORINA: QUÉ DATOS APORTAN

Ante la sospecha de cualquier alteración en el normal desarrollo y crecimiento del niño, una de las primeras medidas que suele adoptar el pediatra es la realización de un análisis de sangre y/u orina, ya que los parámetros obtenidos con estas pruebas, arrojan datos muy importantes y significativos que son determinantes en todos los casos para el diagnóstico o también, para descartar la existencia de una patología.

ANÁLISIS DE SANGRE

■ Estos son los aspectos sobre los que un análisis de sangre proporciona información y cuyo contrario resultado respecto a los valores normales (resultado que suele destacarse claramente en los resultados de la analítica) son indicativos de alteraciones y de diferentes patologías:

- *Leucocitos*. Son los glóbulos blancos, que inician y organizan la respuesta del organismo ante las agresiones infecciosas (bacterias, virus, hongos, parásitos), jugando un papel importante en los procesos inflamatorios y alérgicos. Su fórmula engloba cinco tipos de células: neutrófilos (niveles altos indican patologías infecciosas); linfocitos (su disminución puede indicar la presencia de enfermedades graves, mientras que su aumento es indicativo de mononucleosis infecciosa (paperas y hepatitis); monocitos (descienden con los estados de estrés, algunas leucemias e infecciones agudas y su aumento puede indicar la presencia de tumores); eosinófilos (implicadas en procesos alérgicos, su aumento es propio de asma bronquial, urticaria, alergias a fármacos y sarampión); y basófilos (los valores bajos se dan en alergias, mientras que el aumento es propio de diabetes).

- *Hematíes*. Son los glóbulos rojos, cuya disminución suele corresponder con la presencia de anemia. Un aumento significativo nos puede estar indicando enfermedades cardiacas, renales o pulmonares obstructivas.

- *Hemoglobina*. Su descenso se correlaciona con anemia, aunque también con patología renal o hepática importante.

- *Plaquetas*. Están implicadas en la coagulación, por lo que una cifra baja predispone a la hemorragia mientras que un excedente puede dar lugar a la formación de coágulos (trombosis).

- *Hierro*. Su descenso es común en niños que sufren hemorragias repetidas y en anemias ferropénicas.

- *Glucosa*. Popularmente conocida como azúcar en sangre, se trata de un hidrato de carbono indispensable para el correcto funcionamiento celular. La disminución o hipoglucemia se produce después de ayunos prolongados o un esfuerzo físico intenso. Su aumento se presenta sobre todo en la diabetes así como en infecciones agudas.

- *Urea*. Es una molécula sintetizada en el hígado y que se elimina por vía urinaria, informando del funcionamiento renal y hepático. La causa más importante de su aumento es la insuficiencia renal, mientras que niveles bajos se asocian a dietas pobres en proteínas y ricas en hidratos de carbono.

- *Ácido úrico*. Su aumento indica un exceso de purinas en la dieta y también insuficiencia cardiaca y renal.

- *Transaminasas*. Son dos enzimas (GOT y GPT) cuyo aumento podría deberse a graves complicaciones hepáticas. También sería posible que se debiese a un traumatismo muscular intenso, pancreatitis agudas o cálculos de vesícula.

- *GGT*. Es otra enzima hepática cuyo aumento se presenta en las hepatitis agudas y crónicas y en la mononucleosis.

- *Fosfatasa alcalina*. Es una enzima que procede fundamentalmente de los huesos y cuya disminución es propia del hipotiroidismo infantil así como de la enfermedad celiaca.

- *Triglicéridos*. Su cantidad está relacionada directamente con el consumo de grasas a través de la dieta. Su excesivo descenso puede deberse a malnutrición y patologías como el hipertiroidismo, y su aumento está relacionado con dietas ricas en grasas.

- *Colesterol*. El total se compone del ligado a las proteínas de baja densidad (LDL o «malo») y del ligado a las lipoproteínas de alta densidad (HDL o «bueno»). En los últimos tiempos se han experimentado unos incrementos de los valores de colesterol LDL en los niños, debido sobre todo al tipo de alimentación y al aumento de los casos de obesidad infantil. También es necesario valorar el componente genético (la existencia de hipercolesterolemias familiares).

ANÁLISIS DE ORINA

■ Es una prueba que permite detectar y medir la presencia en el organismo de distintas sustancias, que pueden orientar sobre la existencia de determinadas alteraciones o patologías en el niño:

- *Proteínas.* Su presencia (proteinuria) es generalmente indicativa de enfermedad renal.

- *Glucosa (azúcar).* La diabetes es la causa más frecuente de su presencia. Si sigue apareciendo glucosa en la orina después de normalizarse las concentraciones de azúcar en la sangre, probablemente se trate de una alteración renal.

- *Cetonas.* La cetonuria (presencia de cetonas) se desencadena tras un período de inanición o en caso de diabetes incontroladas (aumento de la glucosa).

- *Sangre.* La hematuria casi siempre es indicativa de infección.

- *Concentración.* Es un dato importante para el diagnóstico de un funcionamiento anormal de los riñones.

PRINCIPALES CONTROLES MÉDICOS DURANTE LA INFANCIA

La visita frecuente al pediatra y la realización de los controles médicos pertinentes son la mejor arma de la que disponen los padres para evaluar el estado de salud de su hijo (tanto físico como psíquico y emocional) y evitar sorpresas y preocupaciones en el futuro.

Los especialistas insisten en la necesidad de vigilar periódicamente también al niño sano y no acudir al pediatra exclusivamente cuando se presenta alguna alteración o dolencia.

- *Primer año.* Este es el período de mayor crecimiento y desarrollo del niño y a lo largo del mismo son realmente notorios los avances que se producen con respecto a su peso, talla, madurez neurológica y psicomotriz. Si durante este período las visitas al especialista se hacen regularmente, con toda seguridad se puede detectar la más mínima alteración y actuar en consecuencia. Lo habitual es que pasado el primer o primeros dos meses, las visitas al pediatra sean mensuales.

- *De 1 a 3 años.* La frecuencia de visitas al especialista varía dependiendo del criterio del pediatra y del estado de salud del niño. Lo habitual es visitar al especialista cada 2-3 meses hasta que cumpla 2 años y a partir de esa edad lo recomendable es que el especialista los reconozca 2-3 veces al año. Sin embargo, es a partir de este momento, y coincidiendo con un período de «estabili-

Si las visitas al pediatra son constantes, se detectarán muchos problemas que se pueden evitar.

dad» en el desarrollo del niño (la alimentación definitiva ya está instaurada, le ha salido toda la primera dentición, etc.) cuando muchos niños dejan de aparecer por la consulta del especialista, una actitud nada recomendable, ya que a esta edad se puede realizar la detección precoz de muchos problemas. Así, por ejemplo, es importante no perder de vista el crecimiento y controlar que la talla responde a los percentiles de la curva de crecimiento; vigilar sus pautas de alimentación, comprobando si existe algún déficit nutricional; o descubrir alguna sintomatología que haya podido pasar inadvertida a los padres y que pueda ser significativa.

- *Edad escolar.* En los niños de hasta 4 y 5 años es frecuente la presencia de parásitos, cuyas repercusiones pueden valorarse en la consulta del pediatra. Asimismo, a partir de este momento es muy importante vigilar el crecimiento óseo, y otras circunstancias como, por ejemplo, comprobar si el niño presenta deformidades en sus piernas, o si el arco del pie se está desarrollando correctamente.

- *De los 6 a los 8 años.* No se suelen presentar para entonces patologías graves pero, en cambio, sí que es bastante importante empezar a valorar otros aspectos tales como el estado mental, intelectual y emotivo del niño, de qué forma está desempeñando sus distintos roles, la relación que mantiene con padres, compañeros y amigos, etc., a fin de poder detectar tan pronto como se pueda posibles problemas en el entorno familiar, escolar o social que, sin considerarse una dolencia propiamente dicha, sí pueden estar interfiriendo en su correcto desarrollo.

- Entre los 8 y los 10 años, los controles pediátricos se refieren fundamentalmente al desarrollo físico, siendo fundamental observar a esta edad la talla, el peso y también los niveles de tensión arterial que presenta el niño, así como la detección precoz de una posible hipercolesterolemia. Se trata de medidas preventivas que buscan la detección de patologías que aún no dan síntomas y que, sin embargo, pueden solucionarse de forma muy favorable de cara al futuro si se inicia un tratamiento precoz.

- *A partir de los 10 años.* Son muy importantes los controles periódicos y rutinarios sobre la columna vertebral, y si, por ejemplo, se detecta una escoliosis (una desviación lateral de la columna) a estas edades, se pueden tomar las medidas necesarias para adecuar esta situación con la importante pauta de crecimiento que se produce en esta etapa.

PREVENIR PROBLEMAS EN LA VISTA

Se estima que los problemas oculares afectan a más del 20 por ciento de los niños en edad escolar, debido, además de a factores orgánicos y hereditarios, al gran esfuerzo intelectual que deben desarrollar y que se ve incrementado por las horas que pasan delante del ordenador, el televisor o la pantalla de videojuegos.

Los problemas de la vista más frecuentes en los niños son la miopía (no ve correctamente los objetos que se encuentran lejos, por lo que suelen entornar o apretar los ojos para enfocar mejor), hipermetropía (tienen una percepción borrosa de los objetos cercanos), astigmatismo (percepción deformada de las cosas, tanto de lejos como de cerca), estrabismo y ambliopía. (Ver «Enfermedades de los ojos».) A todo ello hay que unir el hecho habitual de que al tener que forzar la vista, estos niños padezcan con relativa frecuencia molestos dolores de cabeza, lagrimeo y pestañeo intenso.

Debido a que muchos niños a menudo no tienen posibilidad de saber si su visón está disminuida, estos problemas son difíciles de detectar, por lo que tanto los padres como los educadores deben estar muy atentos de las señales que pueden indicar que el niño no ve bien, ya que estos defectos, si no son tratados a su debido tiempo, acaban por dificultar el aprendizaje del niño.

SEÑALES A TENER EN CUENTA

■ A continuación vamos a señalar cuáles son algunos de los motivos más frecuentes que obligan a los niños a realizar una visita al oftalmólogo:

– Acercarse excesivamente para ver la televisión o al papel cuando leen o escriben.
– Entornar los ojos cuando miran objetos lejanos.
– Bizquear o restregarse mucho los ojos.
– Problemas para ver la pizarra.
– Usar habitualmente el dedo como guía para leer.
– Dolor de cabeza tras forzar la vista.
– Ojos rojos de manera muy frecuente.
– Desviación de los ojos.
– Diferencias de visión al tapar un ojo u otro.
– Colocar la cabeza en posiciones difíciles al leer.
– Pupila de color blanco o grisáceo (leucocoria).

REVISIONES RECOMENDADAS

■ De manera rutinaria, se recomiendan los siguientes controles oftalmológicos:

– Durante el primer mes de vida: descartar enfermedades oculares graves y malformaciones (tales como glaucoma y catarata congénita).
– A los 7 meses, es posible un diagnóstico del estrabismo.
– A los 18 meses, puede diagnosticarse el retinoblastoma (el tumor intraocular maligno más frecuente que se da en la infancia).
– A los 3-4 años, agudeza visual y defectos de refracción.
– Cada dos años, hasta cumplir los 14 años de edad: visita rutinaria al oftalmólogo.

EL NIÑO CON GAFAS

Mientras que unos las consideran una «seña de identidad», para un número importante de niños, el hecho de tener que llevar gafas puede suponer un problema añadido: se ven feos, les incordian para jugar, correr o hacer deporte, no las cuidan y pueden convertirse en el centro de las burlas de sus compañeros. En este caso, los padres, los hermanos mayores y también los educadores deben hacerle comprender que es la mejor solución a sus problemas de visión y que se trata de un objeto al que no hay que dar mayor importancia (símiles como el de las gafas de sol que suelen usar los adultos o la evocación de personajes infantiles populares como Harry Potter suelen dar resultado).

Es importante que él participe en la elección del modelo de gafas y se respete su gusto y su criterio.

Si el niño se acerca en exceso a la pantalla de la televisión, probablemente tenga un problema de visión.

En cuanto al tipo de lente que se debe de usar, los expertos recomiendan que para los niños las mejores son las de policarbonato, pues se trata de unas lentes mucho más finas y más seguras que las no policarbonatadas, disminuyendo de esta forma el riesgo de lesiones oculares en el caso de que se rompan las gafas.

LA VISITA AL DENTISTA

Hacia los 2 o 3 años ya han salido todos los dientes de leche, los cuales cumplen su función durante los primeros 6 o 9 años.

A pesar de que estos primeros dientes se pierden en su totalidad, son muy importantes porque proporcionan una pauta de orientación y contribuyen a mantener el espacio de los dientes permanentes.

Es, por tanto, muy importante que los niños realicen su primera visita al dentista antes de los 6 años y, si se puede, incluso con anterioridad.

Esta visita es fundamental, porque es a esta edad cuando empieza a salir la dentición permanente y se pueden detectar y subsanar problemas futuros.

A partir de haberse establecido esta primera «toma de contacto» con el dentista, la visita debe ser anual.

COMBATIR EL MIEDO

Se estima que entre el 10 y el 15 por ciento de la población experimenta ansiedad cuando tiene que acudir al dentista, siendo por lo general los niños y los adolescentes quienes pasan más miedo ante la inminencia de esa temida e inevitable consulta con el odontólogo.

Para ayudarles a superar esa ansiedad es importante, en la medida de lo posible, elegir una consulta en la que impere un ambiente relajado y agradable, potenciando la sinceridad y explicándole al niño, en un lenguaje adaptado a sus niveles de comprensión, qué tratamiento le van a realizar y que va a sentir.

Hay que escoger para la cita momentos en los que el niño no se encuentre estresado por otros motivos, como es la época de los exámenes. Si los padres también tienden a mostrarse ansiosos ante la cita con el odontólogo, deben intentar no manifestarlo delante del niño porque éste sentirá lo mismo. Asimismo, es bastante importante crear un ambiente familiar en el que se fomenten las visitas regulares al dentista (el niño puede, por ejemplo, acompañar a los padres o hermanos) y una actitud positiva hacia los cuidados dentales, para evitar que en los más pequeños este temor pase a convertirse en fobia.

CUÁNDO HAY QUE IR AL OTORRINO

El normal desarrollo de la capacidad auditiva de todo niño está directamente relacionado con la adquisición de las correctas habilidades del habla. Ya desde que se es muy pequeño, hay toda una serie de síntomas que indican que el niño no puede escuchar correctamente.

El hecho de que no manifieste las reacciones que se enumeran a continuación, las cuales se deberían producir en cualquier caso respecto a los sonidos de acuerdo a su edad, hace necesario que se comprueben los niveles de audición del niño:

– *Recién nacido.* Debe sobrecogerse (mover brazos y pies) y abrir mucho los ojos en respuesta a un sonido para él repentino y fuerte.
– *Bebés de 4-5 meses.* Debe reconocer la voz de los padres, sonriendo o dejando de llorar, y mover la cabeza y ojos hacia quien le habla.
– *A los 7-8 meses.* Debe girar la cabeza y cuerpo hacia la voz de sus padres o las llamadas telefónicas.
– *A los 11-12 meses.* Escucha sonidos familiares y balbucea en alto como respuesta. Puede repetir un par de sílabas.
– *Entre los 12 meses y los 2 años.* El niño debe realizar respuestas a instrucciones habladas, decir palabras simples y reaccionar cuando se dice su nombre.
– *Los mayores de 2 años.* Deben empezar a unir dos o más palabras.

Si estas respuestas no aparecen, hay que consultar al pediatra, quien seguramente lo remitirá al otorrino.

Además, y en niños mayores, hay una serie de señales de advertencia sobre la audición que aconsejan la consulta inmediata con el otorrino:

– No responde cuando se le llama desde el otro lado de la habitación, aunque se le requiera para algo que sabemos que a él le entusiasma.
– Habla en voz demasiado alta o demasiado baja.
– Gira la cabeza estando el mismo oído siempre vuelto hacia el lugar de donde viene el sonido.
– Tiene dificultad para comprender lo que se ha dicho a la edad de 3 años o incluso mayor.
– No se asusta cuando hay algún ruido excesivo.
– Pone la televisión o la radio excesivamente altas.
– Pregunta reiteradamente «¿qué?» cuando se le habla.

PROBLEMAS EN EL DESARROLLO DEL LENGUAJE

Cualquier dificultad para adquirir o usar el lenguaje hablado, escrito o leído se encuadra dentro de los llamados trastornos en el desarrollo del lenguaje, y su gravedad varía mucho de un niño a otro.

Suelen estar producidos estos trastornos por problemas congénitos o infecciones crónicas en el oído medio, lo que les impide oír lo suficiente para adquirir las palabras y sonidos de su lengua.

En algunos casos, las facultades implicadas en el lenguaje maduran más tarde, produciéndose un retraso.

Las pautas que permiten orientarnos sobre si el lenguaje del niño se está desarrollando según los cánones establecidos, son las siguientes:

- 1-2 meses: llantos cada vez más diferenciados (hambre, incomodidad, etc.).
- 3-4 meses: balbuceos (combinaciones de sonidos).
- 7-8 meses: soliloquios (se divierte con sus propias vocalizaciones y ruidos hechos con la boca).
- 10-11 meses: empieza a mostrar, dar y apuntar los objetos, y también comienza la ecolalia (repite lo que acaba de oír).
- 1 año: primeras palabras: «tata», «papá», «mamá»...
- 18 meses: su vocabulario consta de unas 15 palabras.
- 2 años: aumenta su vocabulario y comienza el uso de palabras-frase: «mamámala», «niñobueno».
- 4 años: dice frases compuestas por 10 palabras y pregunta frecuentemente «¿por qué?».
- 6 años: entiende y usa correctamente las oraciones clasificadas de tipo pasivas.

SEÑALES DE ADVERTENCIA SOBRE EL HABLA Y EL LENGUAJE

- No usa los sonidos o las palabras apropiadas para su edad.
- Las personas de su entorno tienen dificultad para comprender lo que dice el niño.
- El niño no parece estar haciendo un esfuerzo por hablar.
- Tiene una gramática pobre y un vocabulario limitado.
- Presenta dificultad tanto para leer como para escribir.
- Le resulta difícil hablar y comprender el lenguaje hablado.

CONSULTA AL ESPECIALISTA

Tanto si comprueba que el niño no ha alcanzado los objetivos respecto a los propios para su edad como si se detectan algunas de las señales enunciadas, hay que consultarlo con el pediatra, que es el especialista idóneo para valorar en su justa medida el estado madurativo del niño decidiendo si es necesaria o no la visita al psiquiatra infantil o psicopedagogo, para que evalúe su desarrollo psicoemocional. En estos casos, lo primero que suele hacer el facultativo es encargar un examen de audición del niño por parte de un especialista en ORL experto en infancia, que cuenta con métodos de exploración que no requieren la colaboración del niño (especialmente si éste es muy pequeño), como la timpanometría o impedanciometría, por ejemplo.

Con mucha frecuencia, detrás de una aparente dificultad para hablar existe una sordera (hipoacusia) debida a una otitis serosa bilateral (tapón mucoso detrás de los tímpanos) que no había dado señales de presencia y cuyo tratamiento es sencillo.

Asimismo, hay que tener en cuenta que hay familias en las que varios de sus miembros han tardado mucho en hablar, sin experimentar por ello retrasos o consecuencias en el manejo futuro del lenguaje.

Según los expertos, además del tratamiento específico de ORL, son muy eficaces los ejercicios de logopedia y de estimulación del lenguaje.

PRINCIPALES TRASTORNOS DEL LENGUAJE

Cuando el niño es mayor y no existe un problema auditivo que lo justifique, es posible que se produzcan problemas en la articulación y pronunciación de determinadas palabras y fonemas, que es lo que se conoce como trastorno patológico del lenguaje.

En líneas generales, se considera que a los 6 años el niño debe haber conseguido un desarrollo completo del lenguaje, y si a esta edad no ha asimilado todos los elementos de este desarrollo, habría que ponerlo en conocimiento del pediatra, quien a su vez remitirá al psicopedagogo o logopeda.

Los trastornos más comunes con respecto al lenguaje son estos:

- *Retraso simple del lenguaje.* Se trata de niños que hablan poco y además no articulan bien las palabras, sin que la causa sea ningún problema auditivo, motor ni retraso intelectual. Se detecta porque articulan pocos fonemas, utilizan mucho la mímica, cometen errores de articulación y pueden utilizar un lenguaje muy rápido que únicamente entienden los padres. Normalmente, no tienen ningún problema de entendimiento, sino que comprenden lo que se les dice.

- *Dislalia.* Consiste en la presencia de errores en la articulación de los sonidos del habla, que puede deberse a algún problema en los órganos implicados o simplemente porque se produce una reproducción incorrecta de uno o varios fonemas debido a que no se colocan adecuadamente los órganos para su emisión. Los signos más característicos son sustituir un fonema por otro («gosa» por «rosa»); omitir o no decir algún fonema («pato» por «plato»); o intercalar sonidos para facilitar su pronunciación («buruja» por «bruja»).

- *Disfasia.* Se define como la aparición tardía e imperfecta del lenguaje sin que se presente ningún tipo de alteración auditiva, motora, sensorial o intelectual. Algunos ejemplos típicos son el hecho de decir sílabas sin significado y repetirlas continuamente, no comprender bien lo que se les dice, tener un vocabulario muy pobre y limitado para su edad y la dificultad en la asociación del gesto con la articulación del fonema (por ejemplo, ponen la boca para pronunciar la sílaba «o», aunque, sin embargo, emiten la «a»).

- *Farfulleo o taquifemia.* El niño habla muy rápido, desorganiza las frases, omite sílabas y fonemas y tiene una articulación imprecisa.

EL NIÑO TARTAMUDO

Es uno de los trastornos del lenguaje más frecuentes (concretamente de la locución) que suele aparecer entre los 3 y los 6 años. Predomina más en niños que en niñas y tiene un componente hereditario.

El tartamudeo consiste en la repetición de sílabas o palabras al hablar o en el bloqueo del habla, que puede ir acompañado de movimientos de manos, cierre de ojos o gesticulación facial.

Fundamentalmente, se distinguen los siguientes tipos de tartamudez:

- *Tónica.* El niño intenta emitir una palabra, pero se queda bloqueado debido a una especie de espasmo que le hace contractuar (gesticular) la cara y todo el cuerpo para terminar saliendo la palabra bruscamente.

- *Clónica.* Consiste en repeticiones más o menos largas de los fonemas, generalmente la sílaba de la primera palabra o de las intermedias, siendo la forma de tartamudez más frecuente y de mejor pronóstico.

- Formas *mixtas* de tartamudez. Son las que más predominan. Se trata de una mezcla de ambas.

Al abordar este problema deben emplearse medidas de distinto tipo. Por un lado, hay que hablar con el niño de forma lenta y relajada, empleando frases cortas y con un vocabulario sencillo para así proporcionarle fluidez. En este sentido, los padres juegan un papel muy importante para que el niño supere el problema. Asimismo, es conveniente que los profesores sean conscientes de esta dificultad del niño y le ayuden a manejarlo en clase. Hay que intentar reducir las presiones psicosociales y, por supuesto, consultar al pediatra, que ha de ser quien recomiende acudir al especialista adecuado para llevar a cabo ciertas técnicas de relajación (fundamentales) y ejercicios de logopedia.

RADIOGRAFÍAS Y OTRAS PRUEBAS

■ Un buen número de patologías y accidentes infantiles requieren la realización de determinadas pruebas diagnósticas que pueden suponer un auténtico suplicio para el niño, especialmente para aquellos más pequeños: radiografías, ecografías, resonancias magnéticas, punciones lumbares... A esto hay que unir el recelo con que la mayoría de los niños (y también de los adolescentes) suelen acudir a los hospitales y consultas médicas, de ahí la importancia de que los padres les preparen adecuadamente y pongan en marcha determinadas estrategias que pueden convertir estas situaciones en mucho más llevaderas si les tranquilizan y calman sus nervios:

- Antes de llevar a cabo una prueba o un procedimiento médico: hay que explicarle al niño, en un lenguaje comprensible para él, qué es lo que le van a hacer, uti-

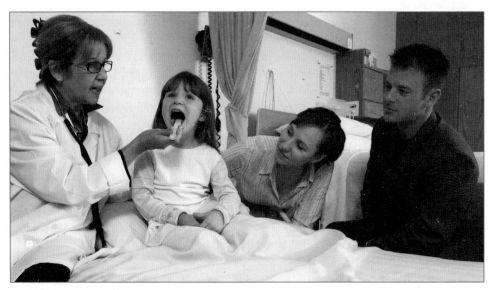

Existen pruebas médicas que precisan la colaboración de los padres para lograr que el niño permanezca quieto.

lizando términos lo más concretos posible. Describirle de forma aproximada qué va a sentir durante la realización del examen o prueba y dejarle que grite, llore y exprese su dolor de forma verbal, sin coaccionarle ni regañarle en ningún momento. Un método que suele funcionar bastante bien es la preparación psicológica ante la prueba mediante el juego, sobre todo con los más pequeños: explicarles a través de su muñeca o juguete preferido (se define como la llamada «comunicación en tercera persona») en qué posición le van a poner, dónde le van a pinchar o qué le van a preguntar. Si el niño ya es más mayor, practicar con él la respiración profunda de relajación u otras actividades reconfortantes: masajes, caricias meternales, etc. Si la prueba lo permite, se debe dejar que tome la mano del acompañante así como pedirle que la apriete cuando sienta dolor. Otras medidas efectivas que pueden contribuir a la calma del niño son contar números u objetos, relajarse con pensamientos agradables o recordar un chiste o cualquier anécdota divertida con la que se libere parte de la tensión que siente en ese momento.

- Cuándo hay que inmovilizar al niño: las radiografías, las resonancias magnéticas y las punciones son pruebas que requieren que el niño esté lo más quieto posible, a fin de garantizar la precisión del procedimiento y la seguridad durante toda la prueba. Sin embargo, la inmovilidad infantil es algo que no siempre resulta sencillo, sobre todo cuando se trata de niños de corta edad. El niño puede ser inmovilizado con las manos, pero teniendo en cuenta que los más pequeños carecen de autocontrol y de la capacidad

para acatar órdenes, es frecuente que se recurra a dispositivos físicos (inmovilizadores más o menos fuertes) para garantizar así la inocuidad de la prueba. Muchas veces se usan simples vendas alrededor de muñecas y tobillos, que no les aprieten ni hagan daño pero que impidan que puedan moverse, caerse o pegar patadas y puñetazos a la persona que está a su lado.

- Durante la realización de la prueba: la presencia del adulto conocido es la ayuda más importante que pueda recibir el niño, de forma que el padre o la madre debe manifestar al especialista la intención de acompañar a su hijo. En muy pocos casos es imposible que el adulto acompañe al niño durante la prueba. Si el adulto cree que puede impresionarse o ponerse nervioso, es conveniente que permanezca a cierta distancia, pero siempre dentro del campo visual del niño, para tranquilizarle. En caso de que no se permita la presencia del adulto, se puede dejar un juguete u objeto familiar acompañándole. Es posible que el niño se resista al procedimiento e incluso que salga corriendo; en este caso, es importante que se le aborde de forma firme y directa, recordándole que se le está sometiendo a la prueba por su bien, que no le va a implicar dolor excesivo y que si se mueve habrá que repetirla. Se debe solicitar al médico que limite el número de personas extrañas que entren o salgan de la habitación o estancia, ya que ello puede incrementar la ansiedad y los nervios del niño. También, y en los casos en que se considere adecuado, los padres pueden preguntar por la posibilidad del uso de sedación, para reducir la molestia que el niño pueda sentir. Se trata de una sedación muy leve, que no entraña riesgo alguno al niño. En los bebés es una buena medida pedirle al especialista que los procedimientos dolorosos no se realicen en su cuna o su capazo, para que el niño no asocie este lugar en un futuro con una experiencia desagradable.

Nutrición

No hay vuelta de hoja: de las adecuadas pautas de nutrición que se sigan en la infancia depende no sólo el correcto desarrollo y crecimiento durante estos años, sino también, y en gran medida, la salud en la vida adulta. De ahí que sea tan importante asegurar la ingesta de todos los nutrientes esenciales en esta etapa de la vida.

ALIMENTOS ESENCIALES PARA EL DESARROLLO INFANTIL

LOS NUTRIENTES IMPRESCINDIBLES

Es muy importante que en la dieta de niños y jóvenes se incluyan a diario alimentos de todos los grupos.

Frutas, verduras y hortalizas

- Incluir cada día dos o tres piezas de fruta madura y dos raciones de verduras y hortalizas frescas (si no es posible, recurrir a los congelados).

- Lavar las verduras y frutas enteras, sin dejarlas en remojo, para de esta manera evitar la difusión de nutrientes al agua de lavado.

- Deben de pelarse, para evitar contaminantes.

- La cocción debe realizarse con un mínimo de agua o bien al vapor, en el menor tiempo que sea posible y además sin luz ni aire.

- Es muy recomendable almacenar las frutas y verduras en lugares donde no les dé la luz ni el aire (lo mejor es en la nevera, en el compartimento destinado para ello, o en una bodega).

Cereales

- En este grupo se incluyen los cereales fortificados o integrales (que son los más aconsejables), el pan, el arroz, las patatas y las pastas.

- Se recomienda como beneficioso para el organismo consumir seis raciones al día de alguno de estos nutrientes.

- Se trata de nutrientes ricos en hidratos de carbono complejos, todos ellos muy recomendables en una perfecta alimentación para la infancia.

Lácteos

- La ingesta de leche y sus derivados (queso, yogur, petit suisse...) debe ser de entre 500 y 1.000 ml al día, el equivalente a dos o tres raciones.

- Constituyen la principal fuente de calcio, un mineral esencial para el correcto desarrollo e indispensable durante las etapas de crecimiento.

Carnes, pescados, huevos y legumbres

- Se recomiendan dos raciones diarias de alimentos como pollo, pavo, pescado, legumbres, huevos y frutos secos.

- Hay que dar prioridad a las carnes y los pescados magros.

- Evitar la grasa visible, la piel de las aves de corral y los sesos, por su elevado contenido graso.

- Es aconsejable el consumo de pescado frente a la carne, debido a su menor contenido energético y su mejor perfil graso.

- Limitar el consumo de embutidos, por ser ricos en grasa saturada, colesterol y sal.

- El consumo de huevos está limitado a no más de uno al día y tres a la semana.

- Es muy importante promover el consumo de legumbres, que son una fuente importante de proteínas.

Grasas

- Se recomienda que no superen el 30 por ciento de la ingesta calórica diaria, favoreciendo el consumo de ácidos grasos monoinsaturados (aceite de oliva) y reduciendo la ingesta de los poliinsaturados.

VITAMINAS Y MINERALES: CUÁLES, CUÁNDO Y POR QUÉ

¿SON NECESARIOS SUPLEMENTOS?

Los expertos recomiendan que los niños obtengan todos los nutrientes, vitaminas y minerales incluidos, a través de alimentos naturales y no de suplementos vitamínicos. La razón es que si se sigue una dieta equilibrada y el niño está en perfecto estado de salud, el organismo es capaz no sólo de asimilar sino también, en el caso de las vitaminas liposolubles, el calcio y el hierro, de almacenar estos nutrientes, de forma que no es fácil que se produzcan déficits. Además, la ingesta abusiva de suplementos vitamínicos puede desencadenar distintas patologías. Únicamente en algunas situaciones concretas, y siempre bajo la prescripción del médico, es aconsejable recurrir al uso de preparados farmacológicos:

- Aquellos niños que tienen déficit diagnosticado o patologías asociadas a la carencia de vitaminas D y K. En estos casos, y como parte del tratamiento que debe de seguirse, se recurre a suplementos de estas vitaminas.

- Niños que tienen poco apetito o con dificultades para comer, lo que impide que obtengan las vitaminas y minerales naturalmente, a través de la alimentación.

- Adolescentes, sobre todo chicas, que siguen habitualmente dietas de adelgazamiento, abusan de la comida basura o se saltan comidas con regularidad. En estos casos, el médico puede prescribir suplementos que ayuden a compensar las carencias de hierro y calcio, sobre todo, que este estilo de vida suele producir.

VITAMINA A

Cómo le beneficia

Es necesaria para la formación y mantenimiento de las membranas mucosas del organismo (incluyendo los ojos) y para la piel. Las últimas investigaciones han demostrado que durante la fase de desarrollo infantil, esta vitamina colabora con la hormona de crecimiento. Además, fortalece los huesos de las mandíbulas y vigoriza las encías, lo que contribuye a evitar el crecimiento defectuoso de los dientes.

Señales de déficit

Se detecta por las uñas frágiles, cabello reseco y quebradizo, erupciones cutáneas, falta de apetito, deficiencias del crecimiento y problemas de la vista.

Dónde se encuentra

La podemos encontrar en dos formas: como betacaroteno (derivada de las plantas, que nuestro cuerpo transforma en vitamina A) y la «verdadera» vitamina A, derivada de los animales, o retinol. Como betacaroteno la encontramos en la zanahoria, las verduras de hojas verdes oscuras (espinacas, brécol), albaricoques, melón y calabaza. Las fuentes de vitamina A (retinol) son el hígado, el aceite de hígado de pescado, los riñones, los productos lácteos, los huevos, las angulas y la mantequilla enriquecida.

Vitamina B1 (tiamina)

Cómo le beneficia

Esta vitamina interviene en el metabolismo de los hidratos de carbono, facilitando la liberación de la energía que éstos aportan; asegura el correcto funcionamiento de los nervios, e interviene en la óptima actividad intelectual (es imprescindible en épocas de exámenes). Además, favorece la cicatrización de heridas.

Señales de déficit

Pérdida de la capacidad de concentración, fatiga, pérdida de apetito, hormigueos en brazos y piernas.

Dónde se encuentra

Semillas de girasol, germen de trigo, cereales integrales, arroz entero, cereales enteros, hígado, guisantes y patatas.

Vitamina B2 (riboflavina)

Cómo le beneficia

La vitamina B2 es necesaria e importante para la producción de anticuerpos y ayuda a la utilización de los carbohidratos así como de las proteínas. Asimismo, activa a nivel celular la producción de energía y además interviene de forma importante en la correcta ganancia de peso.

Señales de déficit

Grietas en la comisura de la boca y ojos fatigados y enrojecidos, con sensación de ardor, e hipersensibilidad a la luz; pérdida en la capacidad de concentración, melancolía, así como depresiones, tristeza y trastornos del sueño.

Dónde se encuentra

Podemos encontrar esta vitamina en la leche, el yogur y los quesos (estos tres alimentos proporcionan aproximadamente el 40 por ciento de las necesidades diarias de esta vitamina), así como en los huevos, el germen de trigo, el salvado de trigo, las setas y en los cereales enriquecidos.

Vitamina B3 (niacina)

Cómo le beneficia

Es fundamental para la correcta circulación sanguínea y el metabolismo de hidratos de carbono, grasas y proteínas. Además, está directamente implicada en los estados anímicos, ya que interviene en los circuitos de la regulación hormonal, controlando los patrones de sueño y el equilibrio mental.

Señales de déficit

Fatiga, debilidad muscular, pérdida de apetito, anomalías de la piel, mal aliento, llagas en la boca y en los labios, dolores de cabeza y encías sensibles.

Dónde se encuentra

Hígado, riñones, carne (los productos cárnicos proporcionan alrededor del 35 por ciento de las necesidades), pescado, levadura de cerveza, cacahuetes, salvado, legumbres, trigo integral, café.

Acido pantoténico (vitamina B5)

Cómo le beneficia

Ésta es la vitamina de la buena forma física, ya que la misma interviene en la producción de energía. Además, su efecto antiinflamatorio es muy importante en pleno período de formación muscular. Favorece la agilidad mental y la capacidad de concentración.

Señales de déficit

Caída del cabello, rigidez articular, entumecimientos y calambres tanto en los brazos como en las piernas, trastornos de la visión e irritabilidad.

Dónde se encuentra

Levadura de cerveza, jalea real, hígado, riñones y yema de huevo.

Biotina (vitamina H)

Cómo le beneficia

Interviene esta vitamina en el metabolismo de las grasas así como en el de los hidratos de carbono; es fundamental para la salud de la piel, las uñas y el cabello; la biotina participa en la regulación de los niveles de azúcar en la sangre y además asegura el correcto aporte de energía a las células del cerebro y a los nervios.

Señales de déficit

Pérdida de memoria y capacidad de concentración; trastornos del sueño y de la circulación, dolores de cabeza, zumbido en los oídos y estreñimiento.

Dónde se encuentra

Hígado, harina de soja, yema de huevo, nueces, cacahuetes, sardinas y almendras.

Vitamina B6 (Piridoxina)

Cómo le beneficia

Interviene en la producción de glóbulos rojos en la sangre, reforzando el sistema inmune; participa en el funcionamiento del sistema nervioso; controla el esfuerzo muscular, la

El déficit de alguna vitamina afectará seriamente al crecimiento físico del niño y a su desarrollo intelectual.

vista, la actividad cardiaca y el crecimiento del cabello.

Señales de déficit

Fatiga, tendencias depresivas, estados de angustia, nerviosismo, irritabilidad, caída del cabello, debilidad muscular.

Dónde se encuentra

Hígado, riñones, cereales integrales, carne, pescado, cacahuetes, plátanos, nueces, aguacates, patatas, huevos y jalea real.

FOLATOS

Cómo le benefician

Para la correcta formación del feto y, luego, actúan en el cerebro y en el sistema nervioso, interviniendo en el proceso de crecimiento, apetito, hígado y actividad gastrointestinal.

Señales de déficit

Fatiga, decaimiento, trastornos del sueño, fallos de memoria, trastornos de crecimiento, anomalías de la digestión, lengua inflamada, anemia.

Dónde se encuentran

Germen de trigo, extracto de levadura, hígado, riñón, espinacas, brécol, remolacha azucarera, salvado, col, lechuga, aguacates, plátano, naranja, pan integral, huevos y algunos pescados.

VITAMINA B12

Cómo le beneficia

Es muy importante para el crecimiento óseo, ya que éste se produce por unas células especiales llamadas osteoblastos, las cuales necesitan dicha vitamina para así poder actuar. También es necesaria la vitamina B12 para la médula ósea, para la formación y maduración de los glóbulos rojos así como para el buen funcionamiento de todo el sistema nervioso central.

Señales de déficit

Síntomas de anemia (palidez, cansancio, dificultades respiratorias), pérdida de peso además de diversos síntomas mentales y neurológicos.

Dónde se encuentra

Hígado, riñón, sardinas, ostras, carne, huevos, queso y leche.

Vitamina D

Cómo le beneficia

Esta vitamina interviene directamente en el crecimiento óseo y en el correcto desarrollo de la dentadura. Es importante también para la actividad muscular, la secreción hormonal y el fortalecimiento del sistema inmune. Además, la vitamina D es necesaria para la absorción y el uso del calcio, lo cual es particularmente importante para bebés y niños pequeños.

Señales de déficit

Dolores musculares y óseos, malformaciones dentales.

Dónde se encuentra

Aceites de hígado de pescado, pescados grasos (sardinas, arenques, caballa, atún, salmón); margarina enriquecida (proporciona alrededor del 54 por ciento de las necesidades), leche infantil, huevos, hígado.

Vitamina C (ácido ascórbico)

Cómo le beneficia

Defiende el sistema inmune (de hecho, es la mayor enemiga de todos los gérmenes patógenos, parásitos, virus, microbios y radicales libres). Además, activa la producción de hormonas y neurotransmisores relacionados con el bienestar anímico y protege la barrera mucocutánea.

Señales de déficit

Encías sangrantes, resfriados recurrentes, propensión a inflamaciones de la mucosa, fatiga, trastornos del sueño, pérdida del cabello, alteraciones de la vista.

Dónde se encuentra

Pimiento verde, naranjas y otros cítricos, coliflor, brécol, col, coles de Bruselas, legumbres germinadas, grosellas.

Vitamina E (tocferol)

Cómo le beneficia

La vitamina E combate las inflamaciones, preserva la salud ocular, es eficaz en el tratamiento de patologías como el acné. Además, evita una clase de ceguera en niños recién nacidos que han estado sujetos a una terapia de oxígeno.

Señales de déficit

Debilidad visual, fatiga, menor rendimiento intelectual, inflamaciones del tracto digestivo, irritabilidad, tardanza en la cicatrización.

Dónde se encuentra

Aceites vegetales (el más rico es el aceite de germen de trigo), margarinas, huevos, mantequilla, cereales integrales, pan, brécol.

VITAMINA K

Cómo le beneficia

Aumenta la coagulación y previene los problemas relacionados con ella, como las hemorragias nasales.

Señales de déficit

Trastornos intestinales, heridas que tardan en cicatrizar, fatiga, hemorragias nasales. En los recién nacidos es frecuente la carencia de esta vitamina, con la consiguiente propensión a las hemorragias.

Dónde se encuentra

Vegetales y verduras verdes, aceite de soja y de hígado de pescado y yogur.

ENFERMEDADES RELACIONADAS CON LAS VITAMINAS

- *Deficiencia de vitamina E.* Es relativamente frecuente en niños prematuros, ya que la placenta hace de filtro para las vitaminas liposolubles. Estos niños pueden padecer debilidad muscular y anemia hemolítica entre las seis y las diez semanas de vida, asociadas a valores reducidos de esta vitamina en la sangre. Además, esta carencia también influye en el desarrollo de la retinopatía del prematuro, un problema de la vista que se complica por la exposición a los niveles elevados de oxígeno de las incubadoras. Estas situaciones se corrigen con complementos de dicha vitamina. Los niños con mala absorción intestinal pueden desarrollar una forma grave de insuficiencia de vitamina E que produce una variedad de síntomas neurológicos como reducción de los reflejos, visión doble, pérdida del sentido de ubicación y debilidad muscular. Todos ellos pueden ser reversibles con el tratamiento. También puede presentarse en niños que padecen trastornos que interfieren la absorción de grasas, como la fibrosis quística y ciertas anomalías genéticas.

- *Deficiencia de vitamina K.* La patología más destacable es la enfermedad hemorrágica del recién nacido, que se manifiesta por diversos factores: porque la placenta deja atravesar adecuadamente las grasas, incluyendo la vitamina K liposoluble; por no estar el hígado del recién nacido lo suficientemente desarrollado; por presentar la leche materna una escasa cantidad de esta vitamina. Por regla general, se manifiesta entre el primer y el séptimo día tras el nacimiento mediante el sangrado de piel, del estómago o del intestino.

DOS MINERALES IMPRESCINDIBLES

Hierro

Su papel es fundamental en períodos de desarrollo y crecimiento, ya que estimula la resistencia a las infecciones y al cansancio, aumenta el rendimiento físico, desempeña un importante papel antioxidante y forma parte de la hemoglobina que transporta el oxígeno en los glóbulos rojos. Numerosos estudios han constatado la relación entre el nivel de hierro almacenado en el organismo y la asimilación de conocimientos, la fluidez verbal, la habilidad para prestar atención y la capacidad de concentración en los estudiantes universitarios. Frente a este dato está la evidencia de que entre el 10 y el 20 por ciento de los jóvenes, fundamentalmente las chicas, presentan carencia de hierro. Según las investigaciones realizadas, este hecho afecta a su rendimiento escolar, obteniendo varios puntos menos en sus calificaciones académicas que aquellas cuyos niveles de hierro son los adecuados.

Entre las causas de este déficit están los regímenes de adelgazamiento que se suelen seguir. Los principales síntomas del déficit de

DOSIS DIARIAS RECOMENDADAS DE VITAMINAS	
VITAMINA	DOSIS
Vitamina A	De 1 a 3 años, 400 mg; de 4 a 6 años, 500 mg; de 7 a 10 años, 700 mg; de 11 a 14 años, 1.000 mg en niños y 800 mg en niñas.
Vitamina B1 (tiamina)	De 1 a 3 años, 0,5 mg; de 4 a 8 años, 0,6 mg; de 9 a 14 años, 0,9 mg.
Vitamina B2 (riboflavina)	De 1 a 3 años, 0,5 mg; de 4 a 8 años, 0,6 mg; de 9 a 14 años, 0,9 mg.
Vitamina B3 (niacina)	De 1 a 3 años, 6 mg; de 4 a 8 años, 8 mg; de 9 a 14 años, 12 mg.
Vitamina B5 (ácido pantoténico)	De 1 a 3 años, 2 mg; de 4 a 8 años, 3 mg; de 9 a 14 años, 4 mg.
Vitamina H (biotina)	De 1 a 3 años, 8 mg; de 4 a 8 años, 12 mg; de 9 a 14 años, 20 mg.
Vitamina B6 (piridoxina)	De 1 a 3 años, 0,5 mg; de 4 a 8 años, 0,6 mg; de 9 a 14 años, 1,0 mg.
Folatos	De 1 a 3 años, 150 mg; de 4 a 8 años, 200 mg; de 9 a 14 años, 300 mg.
Vitamina B12	De 1 a 3 años, 0,9 mg; de 4 a 8 años, 1,2mg; de 9 a 14 años, 1,8 mg.
Vitamina D	De 1 a 3 años, 5 mg; de 4 a 8 años, 5 mg; de 9 a 14 años, 5 mg.
Vitamina C (ácido ascórbico)	De 1 a 3 años, 15 mg; de 4 a 8 años, 25 mg; de 9 a 14 años, 45 mg.
Vitamina E (tocferol)	De 1 a 3 años, 6 mg al día; de 4 a 8 años, 7 mg al día; de 9 a 14 años, 11 mg al día.
Vitamina K	De 1 a 3 años, 15 mg; de 4 a 8 años, 25 mg; de 9 a 14 años, 45 mg.

hierro son cansancio continuo, tez pálida, un descenso del umbral de dolor, alteraciones en la percepción del frío o el calor, caída del cabello y debilitamiento del sistema inmune.

Las principales fuentes de adquisición del hierro son la carne (incluyendo el hígado), los frutos secos, las verduras de hoja verde oscuro, judías blancas, lentejas, sardinas, ciruelas pasas, cereales integrales y huevos.

Las dosis diarias recomendadas de hierro son: de 1 a 3 años, 10 mg; de 4 a 8 años, 10 mg, de 9 a 14 años, 12 mg para los niños y 15 mg para las niñas.

Calcio

Durante la infancia y la adolescencia, el calcio constituye un elemento esencial para el fortalecimiento y densidad de los huesos. La asimilación de este mineral alcanza su punto culminante en la adolescencia, de ahí que acumular reservas de calcio durante la juventud sea fundamental para prevenir patologías futuras como la osteoporosis.

La mejor forma de digerirlo durante los primeros años de vida es la ingesta de alimentos que lo contengan en gran cantidad, sin olvidar que hacer ejercicio con regularidad contribuye a desarrollar la masa y la densidad ósea.

Aunque el síntoma más notorio de déficit es la osteoporosis, que se suele manifestar en la edad adulta, hay otras señales que pueden indicar niveles bajos de calcio, como dolores musculares y palpitaciones.

Las principales fuentes para adquirir el calcio necesario son la leche y los productos lácteos, frutos secos, legumbres, col y otros vegetales de hoja verde; pan integral, sardinas en lata y pescado blanco.

Las dosis diarias recomendadas son: de 1 a 3 años, 500 mg; de 4 a 8 años, 800 mg; de 9 a 14 años, 1.300 mg.

EL NIÑO CELIACO

La enfermedad celiaca es la enfermedad intestinal más frecuente en niños, y está originada por una intolerancia permanente al gluten, una proteína presente en determinados cereales. Los síntomas más comunes son la pérdida de apetito y de peso, diarrea crónica, distensión abdominal, alteraciones del carácter y retraso del crecimiento en el niño, aunque esta sintomatología también puede ser atípica o estar ausente, dificultando el diagnóstico. Las investigaciones realizadas al respecto han demostrado que llevar una dieta sin gluten es el único tratamiento existente en la actualidad para tratar la enfermedad, ya que si no se suprime por completo esta sustancia de la dieta del celiaco, puede producirse una respuesta inmunológica anómala y una lesión severa de la mucosa del intestino delgado superior, con la consecuente mala absorción de principios inmediatos, minerales, vitaminas y oligoelementos, entre otros.

Entre los alimentos que contienen gluten están el pan, la repostería, la pasta, las bebidas malteadas, destiladas o fermentadas a partir de cereales (trigo, centeno y avena) y productos manufacturados que contengan gluten como excipiente. Otros alimentos que pueden contenerlo son los embutidos, productos de charcutería, quesos fundidos, patés, conservas de pescado y de carne, dulces y chucherías, frutos secos tostados con sal, helados, sucedáneos de chocolate y colorante alimentario. (Ver «Celiaquía».)

OBESIDAD INFANTIL

Se estima que entre un 16 y un 33 por ciento de los niños y adolescentes son obesos. Teniendo en cuenta que los niños obesos mayores de 6 años tienen una probabilidad del

50 por ciento de seguir siéndolo de adultos y que entre el 70 y el 80 por ciento de adolescentes que sufren problemas de obesidad continuarán padeciéndola de mayores, la necesidad de prevenir y atajar este problema en edades tempranas es prioritaria.

Generalmente, un niño no se considera obeso hasta que sobrepasa por lo menos en el 10 por ciento el peso recomendado para su estatura y constitución. Normalmente, la obesidad infantil se comienza a perfilar entre los 5 y 6 años y durante la adolescencia.

DETONANTE, EL ESTILO DE VIDA

- Aunque en el incremento de los casos de obesidad inciden varios factores, la ingesta excesiva de energía (kcal) así como el sedentarismo (falta de actividad física) son los principales desencadenantes de esta situación ya que, básicamente, este fenómeno se produce cuando se consumen más calorías de las que el cuerpo quema.

- Aunque por sí sola la genética no explica el incremento de los casos de obesidad infantil en los últimos tiempos, sí es cierto que existe un componente hereditario. Si el padre es obeso hay un 50 por ciento de posibilidades de que el niño también lo sea, mientras que cuando la obesidad afecta al padre y la madre, el riesgo de obesidad asciende al 80 por ciento.

- Ciertas enfermedades, como problemas endocrinológicos o neurológicos o la ingesta de determinados medicamentos, también pueden propiciar la obesidad.

- Los cambios en la rutina que pueden producir estrés, la baja autoestima, la existencia de problemas familiares también están relacionados con esta patología.

CONSECUENCIAS DE LOS KILOS DE MÁS

■ La obesidad infantil puede desencadenar una serie de complicaciones de distinto tipo tanto durante la infancia y la adolescencia como en la vida adulta:

- *Problemas físicos precoces.* Diabetes tipo II, pubertad precoz, apnea del sueño, trastornos hepáticos, hipertensión, desarreglos de los lípidos en sangre (triglicéridos y colesterol), alteraciones arteriales, cálculos biliares y pies planos.

- *Problemas psicológicos.* Imagen negativa de uno mismo, baja autoestima y rechazo social.

EL NIÑO OBESO: CUIDADOS QUE NECESITA

- Lo más importante es someterlo a una evaluación médica por parte del pediatra o el médico de familia para determinar la causa y descartar la existencia de un problema físico.

- Se debe comenzar un programa de control del peso supervisado por un profesional y adaptado a las características del niño.

- Introducir cambios en sus hábitos alimentarios: comer despacio, desarrollar una rutina, planificar las comidas, hacer una mejor selección de los alimentos, controlar las porciones, realizar las comidas en familia...

- Es importante que los padres controlen las comidas del niño en el colegio o cuando se encuentra fuera de casa.

- Limitar las meriendas y no utilizar nunca los alimentos como premio.

- Fomentar en el niño otros intereses e inquietudes que lo distraigan de la comida.

- Ayudarle a mejorar su autoestima enfatizando sus puntos fuertes y cualidades positivas en vez de centrarse sólo en el problema del peso.

- Concienciar al niño de lo importante que es el desarrollo de una actividad física. Si debido al sobrepeso, rehuye la práctica de deportes de grupo, animarle a caminar todos los días un rato o a montar en bicicleta y, a ser posible, acompañarle, para que así se encuentre siempre motivado.

Así se puede evitar

- *Optar por la lactancia materna.* Los primeros meses suponen un período transcendental en el desarrollo y salud futuras del niño. Este tipo de alimentación le aporta todos los nutrientes que el niño necesita y le protege del sobrepeso.

- *Proporcionarle una dieta variada.* Cuanto mayor sea la variedad de alimentos a la que tiene acceso el niño, más garantías hay de que siga una alimentación equilibrada y con los nutrientes necesarios.

- *Dar prioridad al desayuno.* Es la comida del día más importante ya que contribuye a conseguir los aportes nutricionales más adecuados, evita o disminuye el consu-

mo de azúcares y bollería y mejora el rendimiento intelectual y físico y la actitud en el trabajo escolar.

- *Las grasas no deben superar el 30 por ciento de la ingesta diaria*, reduciendo el consumo de las saturadas y los ácidos grasos presentes en alimentos industrializados como bollos, dulces y snacks.

- *La base de la alimentación deben ser los cereales (pan, pasta y arroz), las patatas y legumbres*, de forma que los hidratos de carbono complejos sean entre el 50 y el 60 por ciento de las calorías de la dieta.

- *Las proteínas deben aportar entre el 10 y el 15 por ciento de las calorías totales*, combinando las de origen animal (pollo sin piel y grasa, ternera magra y, fundamentalmente, pescado) y vegetal.

- *Incrementar la ingesta diaria de frutas, verduras y hortalizas* hasta alcanzar, al menos, 400 g/día, equivalente a consumir cinco raciones diarias de estos alimentos.

- *Reducir el consumo de sal* a menos de 5g/día y favorecer la toma de sal yodada.

- *Moderar el consumo de los productos ricos en azúcares simples*: golosinas, refrescos, azúcar, dulces... Lo mejor es no tenerlos en casa para evitar que los niños accedan fácilmente a ellos.

- *Beber entre 1,5 y 2 litros de agua al día.*

- *Evitar que hagan otras actividades mientras comen.* Varios estudios han revelado que cuanto más tiempo pasen niños y adultos frente al televisor, más probabilidades tienen de engordar. La razón es que cada comida que se hace frente al televisor añade de 38 a 73 minutos al tiempo que se pasa frente a la pantalla a lo largo del día, con el consiguiente sedentarismo.

La importancia del ejercicio físico

Está comprobado que la falta de ejercicio derivada tanto de los hábitos sedentarios como de la escasez de posibilidades medioambientales que muchas veces dificultan el desarrollo de una vida más activa (las peculiaridades de las grandes ciudades, la ausencia o escasez de parques e instalaciones deportivas...) es determinante en el desarrollo, evolución y perpetuación de la obesidad tanto en la infancia como durante la adolescencia.

La actividad física no sólo tiene una gran importancia en el desarrollo del sobrepeso y la obesidad, sino que también influye en la aparición posterior de enfermedades crónicas como las cardiopatías, algunos tipos de cáncer, diabetes, hipertensión, problemas intestinales y osteoporosis. Además, el ejercicio físico ayuda a mejorar la flexibilidad del cuerpo, el equilibrio, la agilidad y la coordinación, y también estimula la producción de endorfinas, unas sustancias cerebrales relacionadas con la sensación de bienestar.

Actualmente se recomienda que los niños practiquen algún tipo de actividad física durante al menos 60 minutos al día.

DIETA VEGETARIANA, ALIMENTOS FUNCIONALES...

¿Pueden consumirse?

- *Dieta vegetariana.* En principio, una dieta vegetariana puede ser saludable para bebés y niños pequeños. La alimentación a los 4-6 meses es igual que en cualquier otro niño, pero en cuanto se le comiencen a variar los menús hay que asegurarse de que tome las cantidades suficientes de proteínas y hierro. La cantidad y la calidad de las proteínas consumidas en una dieta vegetariana son factores importantes, puesto que durante los períodos de crecimiento las necesidades proteicas son mayores por kilogramo de peso corporal. La leche, los huevos y los productos lácteos son grandes fuentes de proteínas, y los cereales carecen de lisina y treonina (dos aminoácidos importantes en el crecimiento y en el desarrollo) complementándose este déficit con el consumo asociado de legumbres. De todas formas, no es aconsejable una dieta vegetariana estricta durante los primeros años de vida, ya que se corre el riesgo de no aportar todos los nutrientes que son indispensables para su crecimiento.

- *Soja y derivados.* Es una alternativa a las fórmulas adaptadas. De hecho, en el mercado existen preparados a partir de la soja pensados para lactantes que presentan intolerancia a la lactosa o a otros componentes de la leche, y también pueden servir a la alimentación de aquellos niños que sean vegetarianos. Aunque a la proteína de soja le falta un aminoácido, la metionina, en estas fórmulas este problema se resuelve añadiendo al preparado este aminoácido o cereales, que lo contienen en cantidad suficiente.

- *Alimentos funcionales.* Se definen como todos aquellos alimentos que, además de aportar lo que normalmente debe suministrar un alimento, en forma de valor nutritivo, tiene algún efecto que va más allá de la estricta nutrición. Puede ser un efecto preventivo o protector (por ejemplo, ciertos yogures con propiedades para reducir el colesterol), pero los expertos defienden que, para ser considerado alimento funcional, estos productos deben demostrar fehacientemente un efecto terapéutico o de la disminución del riesgo sobre ciertas enfermedades. En el caso de los niños, es siempre conveniente consultar a su pediatra acerca de la conveniencia o no de incluir estos nutrientes en su dieta.

Vacunas

Los niños necesitan vacunarse para estar protegidos frente a las enfermedades infantiles peligrosas. Estas patologías pueden tener complicaciones graves y provocar incluso la muerte. La vacunación debe iniciarse en el momento del nacimiento y haber terminado en su mayor parte a la edad de 4 años. Vacunando al niño a tiempo (es decir, antes de esta edad), se le puede proteger de infecciones e impedir que contagie (o sea contagiado por otros) en la escuela o guardería. Los niños menores de 5 años son muy susceptibles a contraer enfermedades debido a que su sistema inmunológico no ha desarrollado aún las defensas necesarias para luchar contra las infecciones. Es muy raro que las vacunas produzcan una reacción seria pero, de cualquier forma, los riesgos de contraer una enfermedad grave por no administrar la vacuna son mucho mayores que las molestias de una vacuna.

EL CALENDARIO DE VACUNACIÓN

Cuando se tiene bien estudiada a una población y se sabe qué bacterias o virus pueden existir en su entorno más habitual, se prepara para estar inmunizada con el fin de que pueda defenderse de las epidemias posibles en su entorno de vida común. Ésta es la razón por la que los calendarios de vacunación varían de un país a otro.

Por tanto, la realización de las vacunaciones obligatorias a una población tiene como objetivo defender a cada individuo contra esas infecciones y prevenir las epidemias masivas.

Los calendarios vacunales son revisados periódicamente por las organizaciones sanitarias públicas de cada país, evaluando la eficacia de cada vacuna, los riesgos de las mismas así como las necesidades de cada vacuna en una población, motivo por el cual no se generalizan otras vacunas que en ciertos casos y momentos oportunos (epidemias) sí se pueden indicar a poblaciones localizadas y de forma puntual.

¿QUÉ OCURRE SI NOS OLVIDAMOS DE PONERLE UNA DOSIS?

Es muy importante respetar las pautas indicadas por el calendario vacunal vigente ya que, si bien muchas de las enfermedades prevenibles mediante la administración de vacunas tienen escasa incidencia o están prácticamente erradicadas en muchas partes del mundo, muchos de los virus y las bacterias que las producen siguen presentes en muchas sociedades, a lo que hay que unir la incidencia de los movimientos migratorios. Se recomienda llevar un registro sanitario de vacunas, que asegure que éstas se han administrado a tiempo. Siempre que sea posible hay que hacer coincidir las dosis con las edades correspondientes al calendario vacunal vigente en cada comunidad o país.

En caso de que se haya olvidado alguna dosis o vacunación, no es demasiado tarde, ya que la mayoría de las vacunas se pueden administrar a cualquier edad y un niño en el que se haya olvidado alguna dosis no debe empezar de nuevo, ya que las vacunas administradas siguen contando, aunque haya pasado más tiempo del aconsejado.

ANTES DE VACUNARLE...

■ Es muy importante saber si el estado de salud del niño permite la vacunación y asegurarse de que no existe ninguna contraindicación a la misma. Por ello, hay que tener en cuenta las siguientes consideraciones:

– ¿Ha estado el niño enfermo o ha tenido fiebre o diarrea en las últimas 24 horas?
– ¿Toma algún tipo de fármaco o recibe algún tratamiento especial?
– ¿Recibe cuidados sanitarios a causa de alguna enfermedad?
– ¿Le ha sido administrado plasma, gammaglobulinas o alguna transfusión en los últimos meses?
– ¿Hay alguien en el hogar afectado de algún tipo de inmunodeficiencia, cáncer o con tratamiento a base de corticoides, quimioterapia o radioterapia?
– ¿Padece el niño asma o alguna enfermedad alérgica?
– ¿Ha presentado el niño alguna reacción grave a anteriores vacunaciones?
– Si es niña, ¿ha comenzado ya los períodos menstruales?

SITUACIONES ESPECIALES

● *Prematuros.* Se pueden vacunar normalmente, según la edad cronológica, una vez hayan sido dados de alta. La primera dosis de la hepatitis B en niños cuya madre sea portadora crónica de la enfermedad (riesgo de transmisión madre-hijo durante el parto), debe administrarse sin demora durante las primeras horas de vida, independientemente de si el niño haya sido prematuro.

● *Niños infectados por SIDA.* Muchos autores aconsejan la vacunación con la triple vírica, incluso en el período sintomático de la enfermedad. Otras vacunas, como la polio oral, puede ser sustituida por la inyectable. El resto de las vacunas no suponen riesgo alguno para ellos.

● *Alérgicos.* En niños con alergias demostradas de tipo anafiláctico a estas sustancias existen preparados vacunales alternativos que permiten la vacunación en casi todos los casos. Así, en niños alérgicos a algún componente de la vacuna oral de la poliomielitis existe una vacuna antipolio alternativa (la vacuna inactivada de la polio) fabricada a partir de virus muertos, que resulta adecuada en casi todos los casos de hipersensibilidad.

● *Asmáticos.* Con una crisis asmática u otro cuadro alérgico exacerbado, no es aconsejable vacunar al niño, sino que hay que esperar a la remisión de la sintomatología.

VACUNA TRIPLE VÍRICA

FRENTE A QUÉ ENFERMEDAD PROTEGE

Protege frente al sarampión, la parotiditis y la rubéola. Se trata de infecciones producidas por tres virus que afectan principalmente a los niños. Por regla general, cursan sin complicaciones pero, en ocasiones, pueden complicarse y dar lugar a situaciones graves. Asimismo, cuando se dan en personas con problemas de defensas o con enfermedades de base, pueden incluso llegar a ser mortales.

Por qué es necesaria esta vacuna

Para evitar que el niño pase estas tres enfermedades, muy contagiosas (fundamentalmente por vía aérea con las secreciones que se expulsan al hablar, toser, etc., y entran por la boca y nariz del niño), y con complicaciones a veces graves. Otra razón importante, en el caso de la rubéola, es para evitar el contagio de la mujer embarazada. Si se vacuna a todos los niños es posible lograr que alguna de estas enfermedades pueda desaparecer para siempre.

¿Por qué se vacuna frente a las tres enfermedades en una sola vacuna?

Los tres virus se dan conjuntamente en una sola vacuna, la triple vírica. La razón de administrarse juntas es evitar pinchazos a los niños. Está demostrado que aunque se mezclen las tres vacunas, el valor protector de cada una de ellas se conserva íntegro y no se producen más efectos adversos.

¿Cómo se vacuna de triple vírica?

Se debe administrar en dos dosis. La primera se suele poner entre los 12 y los 15 meses y la segunda entre los 3 y los 6 años. Sólo en situaciones de riesgo de contagio se debe poner antes de los 12 meses y, si esto sucede, es necesario que se vuelvan a poner posteriormente las dos dosis a las edades indicadas.

¿Produce efectos adversos?

Puede producir una erupción o fiebre moderada en algunos casos a la semana de ser administrada. También, aunque raro, puede darse una hinchazón en el cuello. De forma más esporádica, puede dar lugar a convulsiones por la fiebre, así como dolor e hinchazón en las articulaciones de piernas y brazos. Más graves, aunque mucho menos frecuentes, son las reacciones alérgicas severas en los alérgicos al huevo.

¿En qué niños se debe posponer la vacunación?

En aquellos que tengan alergia al huevo, a la gelatina o a un antibiótico que se llama neomicina, hay que poner en conocimiento del pediatra esta situación para que sea él quien la valore en su justa medida y decida si se puede poner esta vacuna bajo vigilancia médica o se debe evitar definitivamente la vacunación. No hay que administrar una segunda dosis si con la primera se produce una reacción alérgica severa. No se debe poner en aquellos niños que tengan sus defensas disminuidas. Tampoco se debe poner si se han administrado al niño defensas que puedan interferir con la vacunación.

Se puede poner al mismo tiempo que la vacuna de la varicela en sitios del cuerpo diferentes, y con agujas y jeringuillas distintas. Si no es así, la administración de la vacuna de la varicela se debe separar cuatro semanas de la triple vírica.

VACUNA FRENTE A LA POLIO

Frente a qué enfermedad protege

El virus de la polio (o poliomielitis) produce una parálisis aguda que puede traer como consecuencia incapacidad física permanente e incluso la muerte. Este virus se transmite a través de las deposiciones y entra en el organismo por la boca.

Por qué es necesaria esta vacuna

Antes de que existiera la vacuna frente a la polio, cada año había miles de casos de esta enfermedad. La vacuna ha conseguido erradicar la patología en toda Europa y en los países del hemisferio occidental. Sin embargo, debido a los grandes y numerosos movimientos de población que se están produciendo en la actualidad, es frecuente que lleguen a estas zonas personas procedentes de países en los que todavía no se ha erradicado la polio.

Hay dos tipos de vacunas: la que se administra por vía oral (VPO) y que contiene virus vivos, aunque si bien atenuados, de la enfermedad; y la que se administra por vía intramuscular (VPI), que contiene virus muertos y, por lo tanto, no provoca efectos adversos graves.

¿Cómo se vacuna de la polio?

Dependiendo del país, se pueden administrar 4 o 5 dosis: a los 2, 4, 6 y 18 meses y una última de recuerdo entre los 4 y los 6 años. La vacuna se administra por vía intramuscular (en el muslo las tres primeras dosis y en el brazo las últimas) conjuntamente (en una misma inyección) con las otras vacunas que se ponen a estas edades. Actualmente, la vacuna intramuscular frente a la polio está combinada (en una misma inyección) con la DTPa y la Hib.

En casos de que el niño haya recibido las primeras dosis por vía oral (VPO), en las dosis siguientes se pueden poner por vía intramuscular sin ningún problema.

¿Cuándo está contraindicada?

Sólo está contraindicada cuando haya sucedido previamente con una vacuna de la polio una reacción alérgica grave. Asimismo, si el niño está con fiebre o se siente enfermo el día de la vacunación, hay que posponer la vacuna. Sin embargo, los niños con una enfermedad leve, como un resfriado, sí pueden recibir la vacuna.

¿Cuáles son sus riesgos?

La vacuna intramuscular que se pone actualmente (VPI) lleva virus muertos y, por tanto, no puede dar lugar a la enfermedad. Las únicas reacciones adversas previsibles son el dolor y el enrojecimiento en el lugar de la inyección o una reacción alérgica en niños susceptibles. Sin embargo, los posibles riesgos de contraer esta enfermedad por no administrar la vacuna son mucho mayores que el riesgo de que la vacuna produzca una reacción seria.

VACUNA DE LA HEPATITIS B

Frente a qué enfermedad protege

Se trata de una infección causada por un virus que da lugar a una infección aguda (hepatitis B aguda). Sin embargo, el verdadero problema de esta infección son las complicaciones que pueden aparecer al cabo de un tiempo (hepatitis B crónica) y que son principalmente cirrosis, cáncer de hígado y a veces la muerte. El virus se contagia a través del contacto con sangre y otros líquidos corporales de una persona infectada, siendo los mecanismos de contagio más frecuentes en los niños los pinchazos accidentales con agujas usadas y la transmisión desde la madre al hijo durante el nacimiento.

¿POR QUÉ HAY QUE VACUNAR AL NIÑO FRENTE A LA HEPATITIS B?

Los lactantes y los niños que se infectan de este virus corren un riesgo más alto que un adulto de desarrollar una infección de por vida, lo cual puede causar la muerte por lesiones hepáticas (cirrosis) y cáncer de hígado durante la edad adulta en aproximadamente un 25 por ciento de los casos. Se estima que antes de la puesta en marcha de los programas de vacunación para los lactantes, cada año unos 1.000 niños nacidos de madres infectadas con el virus de la hepatitis B también contren el virus. Desde la introducción rutinaria de la vacuna frente al virus el número de casos es casi inapreciable, aunque no puede decirse que esta infección esté erradicada.

¿CÓMO SE VACUNA DE LA HEPATITIS B?

Todos los niños deberían estar vacunados antes de la adolescencia y, si no ha sido así, todos los adultos con prácticas de riesgo deberían recibir la vacuna. Se necesitan tres dosis que se administran por vía intramuscular (en el brazo en los mayores de 12 meses y en el muslo en los menores), y existen varias pautas de vacunación: si la madre tiene la hepatitis B, la primera dosis se pone al nacer, la segunda a los 1-2 meses y la tercera a los 6 meses; si se trata de un niño con problemas, la primera dosis es a los 2 meses, la segunda a los 4 y la tercera a los 6 y junto con las otras vacunas del calendario. En niños mayores, adolescentes y adultos se administrará una primera dosis, la segunda dosis al cabo de un mes y la tercera al cabo de 6 meses.

¿CUÁNDO ESTÁ CONTRAINDICADA?

Sólo está contraindicada cuando haya sucedido previamente con una vacuna de la hepatitis B una reacción alérgica grave. Asimismo, si el niño tiene fiebre o se siente indispuesto el día de la vacunación, ésta debe posponerse. Los niños con enfermedades leves tipo resfriado, sí pueden recibir la vacuna.

¿CUÁLES SON SUS RIESGOS?

El riesgo de que la vacuna de la hepatitis B produzca un efecto adverso grave es muy raro, y las únicas reacciones adversas pueden ser el dolor y el enrojecimiento en la zona de la inyección, fiebre poco importante o una infección alérgica en personas susceptibles.

VACUNA FRENTE AL HAEMOPHILUS INFLUENZAE B (HIB)

FRENTE A QUÉ ENFERMEDAD PROTEGE

Se trata de una bacteria que puede causar infecciones graves como meningitis, epiglotitis, mastoiditis, artritis o neumonía, en los niños menores de 5 años. Esta bacteria entra por la boca o la nariz y una vez en esta zona puede invadir, por causas desconocidas, zonas contiguas como el oído o la sangre. Desde ahí puede posteriormente infectar al pulmón, huesos, articulaciones, meninges o epiglotis.

¿POR QUÉ HAY QUE VACUNAR AL NIÑO FRENTE AL HIB?

Porque la vacunación es muy segura y eficaz, y se ha demostrado desde su aplicación un descenso espectacular de las infecciones que provoca la bacteria, entre las que destaca por su gravedad la meningitis.

¿Cómo se vacuna frente al Hib?

La vacunación contra esta enfermedad se debe hacer con tres dosis a los 2, 4 y 6 meses, y una cuarta de recuerdo a los 18 meses. Las inyecciones intramusculares se ponen en el muslo las tres primeras y la cuarta se puede poner en el brazo. Por regla general, no se vacuna a los niños mayores de 5 años ya que a partir de esa edad es muy rara la infección, y sólo se hace en casos en los que las defensas están alteradas como, por ejemplo, aquellos que no tengan bazo.

Se administra conjuntamente con las siguientes vacunas: difteria, tétanos, tos ferina y polio inyectada. También se puede dar junto a la vacuna de la hepatitis B y la combinación de las seis vacunas constituyen la llamada vacuna hexavalente, la cual es tan segura y eficaz como las administradas por separado.

Posibles reacciones

Es muy segura, ya que se fabrica con una parte de la bacteria que no tiene poder de producir la enfermedad. Las reacciones, que rara vez se dan, son leves: hinchazón en la zona de la inyección y fiebre moderada en las 24 horas siguientes a su administración. Existe una remota posibilidad de que se dé una reacción alérgica grave.

¿En qué casos se debe posponer?

En aquellos niños que hayan tenido una reacción alérgica grave con una dosis previa de HIB; en los niños menores de un mes, en los que debe posponerse la vacunación porque puede ser menos eficaz; y si se presenta una enfermedad grave o si se padece una enfermedad puntual el día de la vacunación.

VACUNA DTPA

Frente a qué enfermedad protege

La difteria, el tétanos y la tos ferina. Las tres están producidas por bacterias que se contagian desde individuos infectados a los sanos a través de las secreciones de las vías respiratorias en el caso de la difteria y la tos ferina y por heridas infectadas en el del tétanos.

¿Por qué hay que vacunar al niño frente a estas enfermedades?

Porque la vacunación es el arma más eficaz para combatirlas. Gracias a estas vacunas hoy día es muy difícil que se den casos de tétanos y difteria en muchos países. Los niños no vacunados pueden enfermar de estas patologías, y los problemas que esto acarrea suponen más efectos indeseables graves que los que puedan suceder con la vacunación.

¿Cómo y a quién se vacuna de DTPA?

Para los niños a los 2, 4 y 6 meses, y se les debe poner una dosis de recuerdo a los 18 meses y a los 5-6 años. Con estas dosis no se protege para toda la vida, por lo que hay que poner otra a los 14 años y a partir de entonces, y durante el resto de la vida adulta, cada diez años (aunque en esta dosis sólo se pone difteria y tétanos). A par-

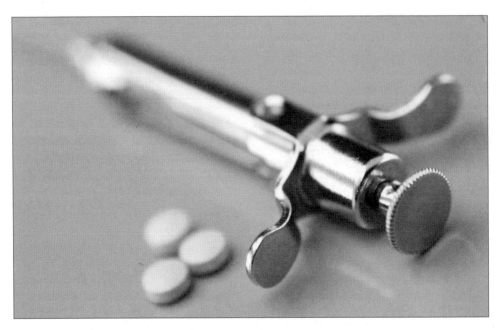

El 85 por ciento de los casos de meningitis se dan en personas menores de 20 años.

tir de los 7 años se deben poner versiones de esta vacuna con menor cantidad de antígenos para evitar reacciones adversas que se pueden dar en adolescentes y adultos. Existe la vacuna DTPA específica para estas edades. Actualmente, hay ya vacunas pentavalentes (DTP más polio e HIB) y hexavalentes (pentavalente más hepatitis B), que disminuyen los pinchazos.

¿QUÉ PROBLEMAS PRODUCE ESTA VACUNA?

Produce efectos secundarios leves (fiebre, enrojecimiento en el punto de inyección) y es más frecuente después de la cuarta y quinta dosis. Reacciones adversas muy poco frecuentes son convulsiones, llanto inconsolable y fiebre alta.

¿CUÁNDO ESTÁ CONTRAINDICADA?

Si ha ocurrido una reacción alérgica grave en dosis precedentes. En casos de enfermedad neurológica grave no controlada, con convulsiones, tampoco se debe poner la vacuna hasta que se estabilice la enfermedad. En el caso de que haya una enfermedad leve infecciosa, se debe posponer la vacunación.

VACUNA DEL MENINGOCOCO C

FRENTE A QUÉ ENFERMEDAD PROTEGE

Se trata de una bacteria que causa infecciones como la meningitis o la sepsis en niños y adolescentes. El 85 por ciento de los casos se dan en personas menores de 20 años. La bacteria entra por boca o nariz, puede invadir el torrente sanguíneo y, desde ahí, las meninges.

¿POR QUÉ HAY QUE VACUNAR A LOS NIÑOS?

Antes de la vacunación, esta infección era una de las causas más frecuentes se sepsis y meningitis bacteriana. La primera podía ser mortal, mientras que la meningitis muy grave podía dejar secuelas. La vacunación es muy segura y eficaz, y se ha demostrado desde su aplicación un descenso espectacular de las infecciones producidas por esta bacteria.

¿Cómo se vacuna frente al Meningococo C?

Se trata de una vacuna conjugada (MCC), que se compone de una parte del meningococo C que proporciona defensas pero que no puede producir la enfermedad. La vacunación se debe hacer con tres dosis a los 2, 4 y 6 meses. Se administra combinada con las otras vacunas que se dan a estas edades. Se aconseja administrarla hasta los 20 años de vida, y si el niño es mayor de 11 meses y no se ha podido vacunar con anterioridad, se necesita una sola dosis. Se administra conjuntamente con las vacunas de la difteria, tétanos, tos ferina, polio inyectada y hepatitis B, aunque en una zona del cuerpo distinta.

¿Produce efectos adversos?

Es una vacuna segura, ya que se fabrica con una parte de la bacteria que no tiene poder de producir la enfermedad. Las reacciones, que rara vez se producen, son leves: hinchazón en la zona de la inyección y fiebre moderada en las 24 horas siguientes a su administración.

¿Cuándo está contraindicada?

No deben vacunarse los niños que hayan tenido una reacción alérgica grave con una dosis previa de MCC; si presenta una enferme-

dad grave o si la enfermedad es puntual el día de la vacunación (en cuyo caso hay que posponerla); en los niños menores de un mes se debe posponer la vacunación, ya que puede ser menos eficaz.

VACUNA DEL NEUMOCOCO

Frente a qué enfermedad protege

El neumococo es una bacteria que puede causar infecciones graves como la meningitis, bacteriemia o neumonía, principalmente en niños pequeños. El 85 por ciento de los casos se dan en menores de 5 años.

El neumococo puede afectar a cualquier niño sano, en especial con edades comprendidas entre los 2 meses y los 2 años, debido a que su sistema inmune no ha madurado aún como para hacer frente a estas enfermedades. También afecta a aquellos niños mayores de 2 años con patologías de base como procesos tumorales, diabéticos, enfermedades crónicas cardiopulmonares, así como a aquellos pacientes que sean inmunodeprimidos.

El neumococo se encuentra habitualmente en la nariz y en la garganta en niños sanos, siendo portador del mismo el 40-60 por ciento de los niños menores de 5 años. La bacteria entra por la boca o la nariz y desde ahí, puede invadir el oído medio, los senos paranasales, el pulmón, la sangre y las meninges.

¿Por qué vacunar al niño?

Porque la vacunación es muy segura y eficaz, habiéndose demostrado desde su aplicación un descenso espectacular de las infecciones que provoca esta bacteria.

¿Cómo se vacuna?

Se trata de una vacuna conjugada que contiene 7 serotipos de neumococo (los más agresivos) que aportan defensas pero no pueden producir la enfermedad. La vacunación se debe hacer con tres dosis a los 2, 4 y 6 meses y una cuarta dosis de recuerdo entre los 18 y los 24 meses de edad. Se administra combinada con las otras vacunas que se dan a estas edades y conjuntamente con las vacunas de la difteria, tétanos, tos ferina, polio inyectada, hepatitis B y meningococo, aunque en un lugar anatómico distinto.

¿Produce efectos adversos?

Esta vacuna es muy segura, ya que se fabrica con una parte de la bacteria que no tiene poder de producir la enfermedad. Las reacciones, que rara vez se producen, son leves: hinchazón en la zona de la inyección y fiebre moderada en las 24 horas siguientes a su administración.

VACUNA DE LA VARICELA

Frente a qué enfermedad protege

Es una infección producida por el virus varicela-zóster y que afecta principalmente a los niños. El 90 por ciento de los niños pasa esta enfermedad antes de los 15 años de edad.

Por regla general, se pasa sin excesivas complicaciones, pero en ocasiones, aunque las menos, puede llevar a situaciones graves. Es una de las enfermedades más contagiosas que existen hoy por hoy, y el contagio se produce lo mismo por contacto directo con las lesiones cutáneas, como por vía aérea respiratoria.

¿Por qué vacunar al niño?

El principal motivo con esta vacuna es evitar que el pequeño pase la varicela que, si bien no está considerada una infección grave, sí que es cierto que puede traer complicaciones a veces serias.

¿Cómo se vacuna?

Se debe administrar en una sola dosis que debe ponerse entre los 12 y los 15 meses. Si no se ha podido vacunar a esta edad, puede hacerse a cualquiera, aunque debe tenerse en cuenta que a partir de los 13 años se necesitan dos dosis separadas por 6-8 semanas. Se puede poner en el mismo momento que la vacuna triple vírica en sitios del cuerpo diferentes, con agujas y jeringuillas distintas. Si no es así, la vacuna de la varicela se debe separar cuatro semanas de la triple vírica.

¿Produce efectos adversos?

Puede ocasionar dolor transitorio, hipersensibilidad o eritema en el lugar de la inyección, erupciones y fiebre moderada. Estos efectos son más frecuentes en inmunodeprimidos. De forma excepcional se puede producir encefalitis, ataxia, neumonía, convulsiones o descenso de las plaquetas.

¿Cuándo se debe posponer?

No se debe administrar una segunda dosis si se ve que con la primera se ha producido una reacción alérgica severa; tampoco es una vacuna que se deba poner en niños con las defensas disminuidas.

REACCIONES Y OTROS EFECTOS SECUNDARIOS DE LAS VACUNAS

Las reacciones son aquellas lesiones o condiciones que se presentan como resultado de la aplicación de una vacuna para proteger contra alguna enfermedad. Por lo general son benignas y puntuales, siendo extremadamente raras las más graves. Entre las vacunas consideradas capaces de producir reacciones anormales (como convulsiones) están la DTP, la triple vírica y la vacuna oral contra la polio.

SÍNTOMAS MÁS HABITUALES

Fundamentalmente, las vacunas en la mayoría de los casos pueden producir una ligera subida de fiebre que remite con facilidad tras la administración de antitérmicos. También puede aparecer tumefacción (es decir, hinchazón, enrojecimiento, calor y dolor) en la zona del pinchazo, que se trata con la aplicación de frío local y, si existe dolor, con analgésicos (paracetamol o ibuprofeno) durante un máximo de 24-48 horas tras haber sido administrada la vacuna. Asimismo, pueden producirse nódulos subcutáneos (es decir, la formación de un bultito duro) especialmente después de administrar la vacuna de la tos ferina. Aunque pueden ser dolorosos y, lógicamente, alarmantes para los padres, estos nódulos no suelen causar mayores problemas, desapareciendo espontáneamente.

REACCIONES MÁS GRAVES

Fiebre superior a 40,5 °C

Es una de las reacciones más frecuentes y se produce durante las 48 horas siguientes a la

CALENDARIO DE VACUNACIÓN *	
Meses	Dosis
Recién nacido	Hepatitis B.
2 meses	Difteria, tétanos, tos ferina, H. influenzae B, polio inactiva, hepatitis B, meningococo C.
4 meses	Difteria, tétanos, tos ferina, H. influenzae B, polio inactiva, meningococo C.
6 meses	Difteria, tétanos, tos ferina, H. influenzae B, polio inactiva, hepatitis B, meningococo C.
15 meses	Sarampión, parotiditis, rubéola.
18 meses	Difteria, tétanos, tos ferina, H. influenzae B, polio inactiva.
4 años	Difteria, tétanos, tos ferina, polio, sarampión, rubéola, parotiditis.
14 años	Tétanos, difteria dultos.

* El calendario de vacunación varía de un país a otro. Este cuadro es orientativo.

vacunación. Suele relacionarse con la vacuna contra la tos ferina.

Reacción anafiláctica

Es un tipo grave de alergia que puede aparecer de forma inmediata o postergarse hasta 48 horas después de la vacunación. Suele relacionarse con las vacunas fabricadas con virus vivos (polio oral, sarampión, rubéola, paperas y varicela), que pueden llevar en su composición restos de proteínas de huevo (medio de cultivo) o de los antibióticos empleados para inhibir la contaminación bacteriana durante el proceso de fabricación. Actualmente, estas reacciones son raras, por

el enorme grado de calidad de las técnicas de purificado con el que se fabrican hoy día las vacunas.

Colapso hipotónico

Es un cuadro muy raro, caracterizado por falta de tono muscular. Puede producirse hasta 48 horas después de la vacunación antitosferínica.

Encefalopatía grave

Puede presentarse hasta 7 días tras la vacuna de la tos ferina y hasta 15 días tras la triple vírica. Es muy poco frecuente.

Urgencias y primeros auxilios

L os niños son imprevisibles, de ahí que estén expuestos continuamente a numerosos riesgos y situaciones peligrosas que pueden dar lugar a accidentes y lesiones más o menos
graves. En estos casos, es fundamental saber cómo actuar, por lo que es aconsejable que
los padres conozcan, aunque sea someramente, algunas pautas básicas de primeros auxilios y,
sobre todo, sepan valorar cuándo es necesario llevar al niño a Urgencias.

EL BOTIQUÍN INFANTIL

• Los productos del botiquín tienen que estar en un lugar seco y fresco.

• Debe contener pocos elementos y todos
muy bien escogidos, siempre en función
de la teórica frecuencia con la que deberán ser utilizados.

• Lo más importante es que esté lejos del
alcance de los niños, pero no hay que ce-
rrarlo con llave, ya que en un caso de
emergencia puede resultar difícil de
abrir.

• Aunque suele ser su ubicación habitual,
el cuarto de baño no es el mejor sitio para
colocar el botiquín, ya que existe demasiada humedad ambiental y se producen
cambios bruscos de temperatura.

• Hay que revisar la fecha de caducidad de
los fármacos periódicamente.

ATRAGANTAMIENTOS

Se producen por la ingestión accidental de
objetos que obstruyen el paso del aire a través de las vías respiratorias. Lo más frecuente es que ocurra en niños pequeños, ya
que se lo llevan todo a la boca. También
puede estar producido por un pedacito de
hueso o una espina de pescado. Asimismo,
puede suceder que un bocado mal masticado
o ingerido muy rápidamente se atasque en
uno de los pliegues del esófago.

Cuando el cuerpo extraño, en vez de dirigirse con la deglución a la boca del esófago y de ahí al estómago, pasa de la boca a la
tráquea, la respiración se dificulta hasta ce-
sar completamente. En caso de que se produzca la oclusión total de las vías respiratorias, los síntomas son muy perceptibles:
respiración boqueante, cianosis (la piel se
vuelve azul, empezando por los labios, las
uñas y las orejas) y el niño no puede ni hablar ni respirar.

La obstrucción parcial suele estar producida por un objeto de pequeñas dimensiones
o por un fragmento de comida.

Los primeros síntomas son un acceso repentino de tos violenta, ruido sibilante al pasar el aire por las vías respiratorias, agitación y movimientos involuntarios (tales
como llevarse las manos a la garganta o gol-
pearse el tórax). Si no se liberan las vías respiratorias, el color de la piel puede volverse
morado y después azulado y se detiene la

respiración. Es más, el niño puede incluso perder el conocimiento.

<small>CÓMO ACTUAR</small>

- La oclusión total es una auténtica emergencia, y hay que trasladar al niño al centro médico más cercano, ya que debe ser el médico quien extraiga el cuerpo extraño y, en casos excepcionales, practicar una traqueotomía (pequeña incisión en el cuello para que el aire llegue a los pulmones sin pasar por la boca o la nariz).

- En el caso de la oclusión parcial, lo primero que hay que hacer es animar al niño a toser para eliminar el objeto que produce la obstrucción de la vía aérea.

- Si se presencia el accidente y el niño es lo suficientemente mayor como para responder a una orden, decirle que baje la cabeza y que tosa fuerte, sin inspirar demasiado.

- En niños de hasta un año, ponerle boca abajo sujetándole bien por los tobillos y, con la mano abierta, golpear entre las paletillas.

- Si el niño tiene más de un año, hay que recostarle boca abajo sobre el borde de la cama o colocarle sobre el antebrazo, cabeza abajo, con la boca abierta. Darle unos golpes con la mano abierta sobre la parte central de la espalda hasta que expulse el objeto que está dentro. Cuando esté en la boca, intentar retirarlo con los dedos y si no surte efecto todo este procedimiento, acudir inmediatamente al hospital.

- En el caso de niños mayores y adolescentes, deberemos colocarlos de espaldas, delante de nosotros y comprimirles el abdomen hacia dentro y hacia arriba con los brazos para forzar la expulsión del objeto.

- Nunca hay que dar de beber al niño hasta que salga el objeto extraño, ya que el líquido puede aspirarse y empeorar la situación.

Importante

Si después de la expulsión del objeto extraño no se normaliza la respiración, practicar la respiración artificial (boca a boca) y si al cabo de tres minutos no hay movimientos respiratorios espontáneos, trasladarlo urgentemente al hospital, sin dejar de practicar la respiración artificial durante el trayecto.

HEMORRAGIAS EXTERNAS

■ Pueden ser de tres tipos según el vaso sanguíneo afectado:

- — *Capilar*: si la sangre rezuma.
- — *Arterial*: cuando la sangre es de color brillante y brota siguiendo el ritmo de las pulsaciones.
- — *Venosa*: la sangre fluye a escasa presión y es de color rojo oscuro.

La mayor o menor gravedad de una hemorragia viene determinada por la edad del niño (los más pequeños tienen una resistencia menor), la localización del vaso o arteria lesionada y el diámetro de dicho vaso, es decir, la cantidad de sangre perdida.

En el caso de los niños, las más frecuentes son las externas, de tipo venoso o capilar, que suelen detenerse espontáneamente o con la compresión local.

Si la herida es más profunda o afecta a una arteria, hay que controlar inmediatamente la hemorragia para evitar complicaciones, de ahí que lo mejor sea trasladar al niño a un centro médico.

Cómo actuar

■ Se actúa de forma distinta, según el tipo de hemorragia y la zona en la que aparece la hemorragia:

- *En las extremidades inferiores.* Si se trata de una hemorragia leve y superficial, hay que localizar la herida y limpiarla de todo el resto de suciedad para, después, separar los bordes y localizar el punto exacto que sangre, sobre el que se aplica un apósito grueso de gasa estéril (en su defecto, sirve un pañuelo o toalla muy limpia) y apretar firmemente hasta que la hemorragia remita. En caso de que se trate de una hemorragia abundante o arterial que afecta al muslo, la pantorrilla o el pie, hay que aplicar presión (con la palma de la mano o el puño cerrado) sobre la arteria femoral, más accesible en la ingle.

- *En la palma de la mano.* Hay que aplicar un apósito de gasa estéril sobre la zona accidentada y hacer que el niño apriete el puño.

- *En el hombro y en los brazos.* Comprimir la primera costilla, por encima y por detrás, de la clavícula, haciendo que así el pequeño gire e incline la cabeza hacia el lado comprimido, con el hombro hacia el frente.

- *En el cuero cabelludo.* Separar los cabellos para poder de esta forma observar con detalle la herida y una vez localizada, apretar con firmeza la piel que le rodea y esperar un rato para ver si se cierra sola. Después lavar la lesión con abundante agua fría. Hay que cortar a ras de piel los cabellos que están a unos 3 cm de la herida para reducir el riesgo de una posible infección y facilitar la sutura que se suele necesitar en estos casos.

- *En el oído.* Puede producirse una hemorragia externa o interna. La primera remite presionando con los dedos pulgar e índice durante unos 10 minutos, y colocando un apósito y un vendaje para cubrirla. En el caso de que se trate de una hemorragia interna tras un traumatismo importante, hay que colocar al niño en posición semisentada con la cabeza inclinada hacia la parte lesionada para que así la sangre fluya fácilmente hacia el exterior. Después, poner una gasa en el oído y llevar al niño inmediatamente al hospital.

Importante

Cuando se trata de una hemorragia externa, es muy difícil determinar si la cantidad de sangre que el niño pierde es mucha o no. Lo importante no es tanto la cantidad como otros síntomas que pueda presentar el niño y, sobre todo, detener la hemorragia hasta que sea atendido por un especialista. En caso de que se trate de una hemorragia abundante, hay que acudir a urgencias inmediatamente, ya que el niño puede caer en estado se shock: piel pálida, sudorosa y fría, pulso acelerado y fallo multiorgánico. Si tiene alguno de estos síntomas, se trata de una urgencia vital.

HEMORRAGIAS INTERNAS

Pueden ser incluso más graves que las externas. Las señales con las que se manifiestan son la presencia de un shock tras algún traumatismo en abdomen, tórax o espalda, después de una caída o atropello. Hay casos en que sangrar por boca, ano, oídos o nariz puede ser indicativo de hemorragia interna. Hay que acudir inmediatamente al médico si notamos que el niño tiene la piel pálida y fría, el pulso rápido y cada vez más débil o pierde la consciencia.

Las hemorragias internas presentan síntomas que nos indican su origen:

- *Gástricas*. La sangre vomitada es oscura y con coágulos. Suelen ser consecuencia de úlceras o gastritis.

- *Pulmonares*. La sangre vomitada es roja y espumosa, y se expulsa coincidiendo con un ataque de tos. Su causa principal son las heridas punzantes en el pecho, a veces como consecuencia de la fractura de una costilla.

- *Intestinales*. Se manifiestan con deposiciones negras si se producen en la parte superior del tramo intestinal y rojo si la hemorragia procede del tramo inferior.

- *Rectales o anales*. Se expulsa por estas zonas sangre roja de tonalidad vino.

- *Renales o urinarias*. Producen una orina de color rojo oscuro.

Cómo actuar

- Sobre todo, hay que evitar un posible shock: tender al niño de espaldas y con las piernas elevadas; comprobar su respiración y el pulso y cubrirlo con una manta.

- Si el niño vomita o tose, ponerle la cara hacia un lado, para que no se ahogue.

- Hay que mantenerlo en reposo absoluto y llamar al médico cuanto antes.

Importante

Hay que tomar en serio los síntomas aunque no exista hemorragia externa. Siempre es causa de urgencia médica. En caso de hemorragia fuerte, el niño no puede ingerir nada.

HERIDAS Y CORTES

■ Tanto los cortes como las heridas suponen roturas del tejido cutáneo, que pueden ser superficiales (afectan sólo a la piel o las mucosas) o profundas (están implicados músculos, tendones, nervios y órganos internos). Pueden ser de varios tipos:

- *Incisas*. Producidas por cuchillos, trozos de vidrio o cristales y otros objetos cortantes. Presentan los bordes limpios y suelen ser poco profundas.

- *Contusas*. Tienen su origen en choques con instrumentos romos o bien por caídas. Los bordes presentan magulladuras e irregularidades.

- *Punzantes*. Causadas por agujas, tijeras, clavos y otros instrumentos puntiagudos y cortantes. Suelen ser bastante profundas y poco anchas. Por lo general, son benignas, a no ser que queden infectadas por el instrumento causante o haya afectado a nervios, arterias u órganos.

- *Por despellejamiento.* Se producen por torsiones o tirones violentos.

Cómo actuar

- Lavarse bien las manos con agua y jabón y limpiar bien la herida con agua.

- En las heridas superficiales, hay que comprimir ligeramente la parte lesionada con una gasa esterilizada o con una tela de algodón para detener la eventual pérdida de sangre (que suele ser muy leve).

- En las heridas de corte, la detención de la sangre se consigue juntando los bordes de la herida con el pulgar y el índice.

- Después de detener la hemorragia, hay que enjuagar la parte lesionada con agua corriente fría y, si no es posible, limpiarla con una gasa o tela de algodón empapada en agua. Pasar el tejido por la herida sin presionar, para evitar que penetren en la herida, tierra, polvo u otros cuerpos extraños.

- Después, mojar con desinfectante líquido (povidona yodada) una gasa estéril doblada en cuatro partes y pasarla sobre la lesión, desde la zona enferma hacia el exterior.

- Nunca hay que soplar sobre la herida para que pase el ardor, ya que el aliento puede contener gérmenes.

- Una vez seco el desinfectante, colocar una tirita. Si la herida es muy grande es mejor usar una gasa doblada, fijándola por los cuatro lados con esparadrapo.

- En cuanto a la postura del niño, lo mejor es que esté echado o tumbado mientras se le cura, para evitar así posibles bajadas de tensión (cuyos síntomas son sudoración, palidez, pulso acelerado) debidas a la impresión, al miedo o al dolor.

- La cura debe renovarse a diario para verificar que no se ha infectado.

- En caso de que la herida esté enrojecida, hinchada o tumefacta o si en los apósitos aparecen pus o un líquido pajizo-rosa pálido, hay que consultar al médico, ya que es posible que se haya infectado.

- En condiciones normales, la curación total se debería producir a los 8-10 días. Durante el período en el que la herida se mantiene abierta, hay que protegerla del contacto con la orina, las heces, el polvo y los gérmenes, por lo que si el niño es aún pequeño, hay que aislar la zona afectada con un vendaje de gasa en rollo y también con un material completamente impermeable.

Importante

Una cura mal hecha de las heridas puede provocar con toda seguridad un retraso de la curación, complicada con infecciones locales o generales, cicatrización irregular con daño funcional y estético.

INTOXICACIONES

Es un tipo de accidente muy frecuente en niños de 1 a 4 años, debido a la curiosidad sin límites que caracteriza a los pequeños de esta edad y que les lleva a investigar en armarios y cajones, sintiendo especial atracción por envases de diferentes formas y colores, bolitas, píldoras... No es extraño entonces que en un descuido puedan llevarse algo a la boca o verterse encima cualquier sustancia, lo que puede causarle lesiones (si se trata de compuestos irritantes) o una intoxicación.

La mayoría de las intoxicaciones están producidas por productos químicos de uso doméstico (un 36 por ciento), medicamentos (un 33 por ciento) y pesticidas (un 23 por ciento).

En cuanto al lugar en el que suelen ocurrir, lo más frecuente es que sea en la cocina. La mayoría de las veces los padres se dan cuenta porque se encuentran frascos o los recipientes que contienen los medicamentos vacíos, aunque también puede sospecharse una intoxicación si el niño tiene dificultad para andar y está somnoliento, se presentan trastornos respiratorios o vómitos y diarrea muy intensos.

Cómo actuar

■ Si se conoce el tóxico que ha ingerido el niño, hay que aplicar los siguientes primeros auxilios:

- Hacer que el niño vomite, excepto si se ha intoxicado con derivados de petróleo (gasolina, queroseno, líquidos desengrasantes), o con productos cáusticos (lejía, amoniaco), si está inconsciente o es menor de 6 meses.

- Identificar el tóxico y calcular la cantidad que haya podido ingerir, telefoneando después al Centro de Información To-

xicológica correspondiente (suele venir en la etiqueta de los productos) y pidiendo ayuda médica inmediata.

- Examinar el frasco por si contiene instrucciones sobre un posible antídoto.

■ Según la forma y el tipo de producto que se ha ingerido:

- *Por cáustico.* Es extremadamente grave, ya que existen quemaduras alrededor de la boca, labios y lengua, además de desorientación, calambres y diarreas sanguinolentas. No hay que dar al niño absolutamente nada; tan sólo se le debe enjuagar la boca para eliminar restos del tóxico, y llevarlo inmediatamente al hospital junto con una muestra de lo que haya ingerido.

- *Por inhalación.* Ojos, garganta y nariz están irritados. Hay tos, dolor de cabeza, respiración entrecortada, náuseas, mareos y convulsiones. Lo primero es sacar al niño al aire libre, aflojarle las ropas y tratar el estado de shock si se produce.

- *Por petróleo y derivados.* Hay crisis de tos y palidez preocupante, somnolencia, problemas respiratorios e incluso puede haber coma. Hay que dar al niño uno o dos vasos de leche y aflojarle las ropas.

- *Por ingestión de plantas tóxicas.* El tejo, la cicuta, el estramonio, el acebo y la cristobalina pueden producir náuseas, vómitos, ardor de boca, vértigo, convulsiones... Hay que llamar inmediatamente al Centro de Información Toxicológica y vigilar la respiración del niño por si es necesario practicar la respiración artificial.

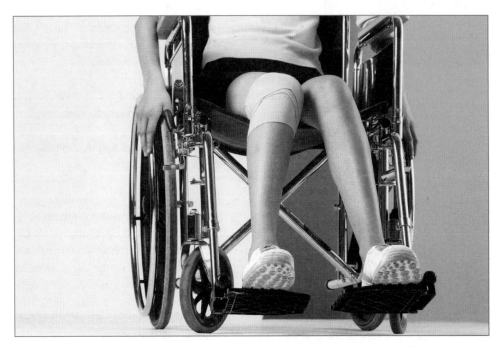

Si el niño tiene una fractura o lesión, hay que intentar inmovilizar la zona y acudir a Urgencias.

Importante

En la mayoría de los casos, los primeros auxilios en casa son fundamentales, siguiendo las indicaciones médicas o de los expertos en toxicología.

FRACTURAS

Se trata de la rotura de un hueso producida por diversas causas: un golpe directo o indirecto, una caída, la torsión brusca o violenta de una articulación o aplastamiento de las misma (pillarse los dedos con una puerta, por ejemplo).

Según la forma en la que se haya roto el hueso, puede ser de distintos tipos, siendo la más frecuente en niños la llamada fractura de caña o tallo verde, en la que sólo se rompe una porción de hueso y la otra parte queda intacta.

Los síntomas que hacen sospechar de la existencia de una fractura es dolor muy violento o localizado en el punto de la fractura, la total incapacidad de mover el segmento del hueso lesionado o al que está unido (si la fractura se ha producido en los brazos o las piernas es posible que no pueda mover los dedos), deformación en el punto de la fractura. Las más frecuentes en los niños son las siguientes:

- *Fractura abierta.* El extremo astillado del hueso causa una laceración en la piel e incluso puede salir por ella. Se trata de una lesión muy grave, ya que hay peligro de infección y hemorragia, por lo que requiere ayuda profesional inmediata.

- *Fractura de tibia y peroné.* Son los huesos que unen el pie a la rodilla (es muy importante inmovilizar la pierna fracturada colocándola sobre una tabla de madera, sujetándola después con varias vendas o pañuelos).

- *Fractura de rótula.* Es frecuente en los niños mayores y rara vez se da en los más pequeños. Se detecta por el dolor que se produce y tumefacción en la parte anterior de la rodilla y pérdida de movimiento de la articulación.

- *Fractura del cuello de fémur.* La pierna lesionada es más corta que la sana y además se encuentra girada con el pie hacia fuera, la rodilla está distendida y el niño no puede realizar ningún movimiento con la pierna.

- *Fractura de clavícula.* Al hacer la exploración, el punto de la fractura está muy sensible y el niño lo identifica fácilmente. A veces se detecta una protuberancia, ya que el hueso se encuentra directamente debajo de la piel.

- *Fractura de antebrazo.* Suele localizarse en la parte final del antebrazo y puede afectar al cúbito y al radio.

- *Fractura de brazo.* Se da una gran deformidad del brazo acompañada de dolor espontáneo y dificultad de movimiento.

- *Fractura de muñeca.* Puede no detectarse en una simple radiografía y generalmente no se pierde todo el movimiento, aunque puede quedar reducido y resultar doloroso.

Cómo actuar

■ Aunque el tipo de actuación depende de la zona del cuerpo en la que se haya produ-

cido la factura, hay una serie de medidas de carácter general que conviene seguir en todos los casos:

- Siempre que se sospeche que hay una fractura, hay que llevar al niño al servicio de urgencias después de haber inmovilizado la zona lesionada (en caso de que la fractura afecte a alguna extremidad).

- La inmovilización se realiza de la siguiente forma: primero, aplicar frío y un vendaje y, después, usar una tabla, una almohada, una manta doblada, un periódico enrollado o cualquier otro objeto que se pueda colocar debajo de la extremidad afectada. Atar el objeto elegido al miembro con dos pañuelos o unas vendas largas.

- En el caso de las piernas, si no se puede improvisar una férula, hay que inmovilizarla colocando una almohadilla blanda entre las piernas (desde las rodillas hasta los tobillos), sujetándolas entre sí con un pañuelo de banda ancha alrededor de las rodillas y por encima de la fractura.

- Para las fracturas en brazos y clavículas, lo más aconsejable son los cabestrillos que, además de inmovilizar la lesión, disminuirán el peso del brazo, evitando cargar el hombro fracturado.

- Nunca hay que quitar la ropa al niño, ya que el movimiento podría empeorar la fractura. Hay que tranquilizarle y tumbarle si está mareado y no darle de comer ni de beber.

- No intentar recolocar el hueso dentro de la herida.

- Proteger la herida y el hueso fracturado con gasas esterilizadas, fijadas con una venda o pañuelo.

- Nunca hay que poner algodón hidrófilo en contacto directo con la herida.

- Al trasladar al niño al hospital hay que llevarlo siempre estirado en el asiento trasero.

Importante

Hay casos en los que es contraproducente trasladar al herido: si el niño no mueve ninguna extremidad, sólo mueve una, no mueve ni los brazos ni las piernas del mismo lado o no mueve ninguna de las dos piernas.

GOLPES Y CAÍDAS

Aunque la mayoría carecen de importancia y son muy habituales en los niños, pueden producir lesiones graves si se trata de golpes fuertes o caídas desde cierta altura. Su mayor importancia radica en que pueden ocasionar fracturas, hemorragias internas o heridas abiertas que si no se curan a tiempo, pueden infectarse.

La sintomatología propia de los golpes y las caídas consiste en hinchazón o inflamación de la zona circundante, enrojecimiento, herida con hemorragia o supuración, hematomas o cardenales y, en casos graves, fiebre, pérdida de conocimiento o fracturas.

Cómo actuar

- En caso de que las consecuencias del golpe o la caída se limiten a una contusión o cardenal, hay que quitarle importancia a la lesión delante del niño y aplicar com-

presas frías o hielo envuelto en un paño durante aproximadamente media hora.

- Si se ha producido erosión en la piel, hay que tratar la contusión como si fuera un corte. No hay que tapar la zona, sino que es más recomendable dejarla al aire libre.

- Para bajar la inflamación se puede utilizar una pomada antiinflamatoria.

- Si el niño se queja de que tiene mucho dolor se le puede dar un analgésico (consultarlo con el médico).

Importante

Aunque es normal que el niño llore bastante cada vez que se cae y se golpea, esto suele ser debido más al susto que se lleva que al dolor que le pueda producir la lesión. No obstante, no hay que perderlo de vista, en previsión de que puedan aparecer síntomas de alguna lesión de carácter interno.

GOLPES EN LA CABEZA

Una caída desde una altura o un fuerte golpe en la cabeza provocado por un objeto pesado o un cabezazo contra una arista pueden provocar lesiones en la cabeza. Hay que tener en cuenta que cuando se habla de lesiones en el cráneo, se incluyen también aquellas que se producen en la cara, de ahí que, por ejemplo, un fuerte golpe en la frente, en la nariz o en la mandíbula pueda causar un trauma craneal. Debido a ello, cualquier lesión que se produzca en esta zona debe tenerse siempre en consideración, ya que puede dar lugar a una conmoción cerebral e incluso a una fractura de cráneo.

El signo más preocupante es la pérdida de consciencia, en cuyo caso es siempre necesario acudir al médico para que lo mantenga en observación. En caso de que se haya producido fractura craneal, puede producirse presencia de sangre o líquido incoloro (líquido cefalorraquídeo) por las orejas, la boca o la nariz. También puede aparecer estrabismo, una sordera repentina y pérdida de equilibrio.

En el caso de los traumas faciales, el más frecuente es la fractura del tabique nasal (se produce hinchazón y hemorragia nasal).

El traumatismo cráneo-encefálico se reconoce por la pérdida de conocimiento (musculatura flácida, rostro pálido y frío, respiración breve y rápida...). También pueden producirse vómitos, vértigos o dificultad en los movimientos. Todos estos síntomas pueden aparecer horas después del accidente o golpe. Un dato muy importante a recordar es que un sueño «demasiado fácil» y prolongado puede ser síntoma de conmoción cerebral, en cuyo caso hay que llamar inmediatamente al médico.

CÓMO ACTUAR

- Controlar inmediatamente si el llanto del niño es fruto del susto o si le duele algo concreto.

- En caso de que la única lesión visible sea un chichón y no vaya acompañado de otros síntomas, basta con poner una bolsa con hielo en la hinchazón durante algunos minutos y luego mantener al niño tranquilo y estirado, y ponerle un poco de crema antiinflamatoria sobre el bulto.

- Pasar el dedo con mucha cautela y suavidad, sin presionar nunca, por toda la cabeza del niño, para verificar al tacto si hay fracturas. Si no se percibe ninguna depresión ósea, pero los síntomas son los de una fractura o conmoción cerebral, hay que llamar inmediatamente al médico o a una ambulancia para trasladar al niño al hospital y, mientras (y a no ser que se intuya que pueda tratarse de una fractura en la columna vertebral), mantenerlo estirado, quieto y tapado.

Importante

No hay que darle al niño nada de beber hasta que sea evaluado por el médico.

INSOLACIONES Y GOLPES DE CALOR

Sobre todo durante el primer año de vida, los niños son muy sensibles al calor, ya que el sistema que regula su temperatura corporal aún no está del todo perfeccionado, de

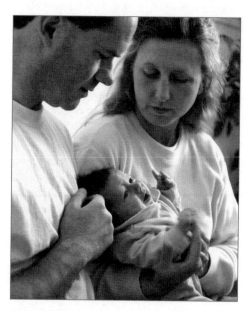

Los bebés no tienen la misma tolerancia que los adultos a la luz solar.

ahí que sufran con más frecuencia deshidrataciones, insolaciones y los llamados golpes de calor (caso extremo de insolación) derivados de una sobreexposición al sol o a un ambiente muy caluroso. Los síntomas más habituales son dolor de cabeza, náuseas y vómitos; congestión facial; aumento de la temperatura corporal; ausencia de sudor; mareo, letargo y confusión; sed intensa; piel enrojecida, reseca y caliente y, en casos graves, pueden incluso llegar a aparecer convulsiones, alteraciones en la respiración y pérdida de conocimiento.

Cómo actuar

- Lo primero es retirar al niño del sol o fuente de calor y, a continuación, tratar de bajar la temperatura corporal con distintos métodos.

- Colocar al niño en un lugar a la sombra, en posición ligeramente incorporada y con la ropa algo aflojada.

- Ponerle paños húmedos o ligeramente fríos en la frente y darle de beber un poco de agua o, mejor aún, una solución de rehidratación oral de las que se encuentran en las farmacia.

- Bañar al niño varias veces seguidas en agua fresca.

- También, y después de humedecer la piel del niño con unos paños mojados de agua fresca, se puede frotar todo el cuerpo con cubitos de hielo o rociarlo con agua fría.

- Una vez mojado, estirarlo en un lugar ventilado y darle de beber.

Importante

En caso de náuseas, vómitos o trastornos de conciencia hay que abstenerse de suministrar líquidos por la boca.

PÉRDIDA DE CONSCIENCIA

Es un estado provocado por un descenso severo del oxígeno y las sustancias nutritivas (como la glucosa) que alimentan a las células del cerebro, que no llegan debido a una alteración en la presión sanguínea. El niño permanece inconsciente y no reacciona ante estímulos externos. También puede presentar palidez de la piel, sensación de frío en las extremidades, aceleración del pulso y debilidad física generalizada. Puede estar producida por enfermedades cardiacas, como consecuencia de una infección, un traumatismo craneal, un ataque cerebral, un descenso del nivel de glucosa en sangre o un estado de shock.

Cómo actuar

- Ante todo, hay que comprobar si respira y tiene pulso y si es así, mantenerlo tendido y cubrirlo para que no coja frío.

- Aflojar la ropa de alrededor del cuello y despejar sus vías respiratorias (nariz y boca) para que respire mejor.

- Mover la cabeza hacia un lado ya que si vomita, podría asfixiarse al aspirar restos por el conducto respiratorio, cosa que se evita con esta postura.

- No darle nada de comer ni de beber hasta que le vea el médico.

- Mojarle la frente con agua y levantarle ligeramente las piernas para que la sangre riegue el cerebro.

Importante

Si se da la situación de que no respira o no tiene pulso, aplicar las técnicas de reanimación y pedir ayuda médica o llamar a una ambulancia.

MORDEDURAS Y ARAÑAZOS DE ANIMALES

Las más frecuentes son las provocadas por animales domésticos, aunque también puede haber otras causas como la mordedura de otros niños durante una pelea o de otros animales, como las serpientes (suele ser más infrecuente).

Según la violencia del animal, se pueden producir simples abrasiones (arañazos) o bien heridas lacerantes contusas con pérdida de bordes de tejidos. A menudo, la herida presenta la forma de los dientes (la más evidente y profunda es la de los perros) o de la garra del animal. La zona se inflama, está enrojecida y puede presentar herida sangrante. Además de la mayor o menor profundidad de estas heridas, estas lesiones pueden ser vehículo de infecciones provocadas por gérmenes presentes en el ambiente o bien por enfermedades específicas (tétanos, rabia, enfermedad del arañazo de gato).

Cómo actuar

- Si el animal que ha mordido al niño es salvaje o vagabundo, hay que ir al hospital o, mejor aún, a la Oficina de Higiene más cercana donde, además de la medicación, harán al niño las pruebas oportu-

nas. Si es necesario, allí mismo se le administrará la primera dosis de vacuna antirrábica.

- Si el animal es doméstico, hay que preguntar si está vacunado contra la rabia y cuándo. Si está inmunizado, pedir al dueño que lo lleve al veterinario y lo mantenga en control durante diez días durante los cuales, si la enfermedad no aparece, no hay que temer por la salud del niño.

- Limpiar la zona afectada con agua y jabón neutro durante un mínimo de 15 minutos. No conviene moverla ni aplicar antisépticos.

- Si hay sangre, tratar de detenerla con una gasa esterilizada haciendo presión.

- Siempre es aconsejable llevar al niño a la consulta para que el médico le examine.

- Si es una mordedura de una serpiente, hay que acudir a urgencias.

- Como primera medida, lavar la parte que rodea el mordisco y cubrirla con un pañuelo limpio o gasas esterilizadas.

- Si el niño ha sido mordido en un miembro articulado, inmovilizarlo y mantenerlo bajo respecto a la cabeza.

Importante

Además del aspecto que presente la herida, es muy importante controlar en todo momento las constantes vitales del niño, para prevenir en lo posible la aparición de un estado de shock o actuar inmediatamente en caso de que este se produzca.

PICADURAS

Las más frecuentes son las producidas por himenópteros (es decir, las abejas, las avispas, los abejorros y las hormigas rojas, entre otros). Por lo general, su veneno sólo produce reacciones locales: dolor, enrojecimiento, hinchazón y picor. Las abejas y las avispas suelen dejar el aguijón, lo que produce dolor. Puede que en las semanas siguientes a la picadura aparezcan otros síntomas: urticaria, dolor de cabeza, fiebre e hinchazón de los ganglios.

Por lo general, esta sintomatología es leve y remite a los pocos días. Sólo si el niño que ha sido picado es alérgico al veneno o a las sustancias contenidas en él, se puede producir el shock anafiláctico, cuyos síntomas son: caída de presión, cianosis en las extremidades, colapso, pulso débil y frecuente, manos y pies fríos y sudados, pérdida de conocimiento y edema de glotis con asfixia. Se trata de una urgencia vital que precisa inyectar adrenalina.

Otro tipo de picaduras son las producidas por las medusas y los erizos. Cuando una medusa entra en contacto con la piel provoca una lesión similar a la urticaria, ardor, hinchazón, ampollas y, en casos graves, ulceraciones, que pueden ir acompañados de náuseas, vómitos e incluso pérdida de consciencia. Los erizos producen pinchazos muy dolorosos localmente, y se suelen producir de forma accidental al pisarlos sin darse cuenta. Al dolor que produce el pinchazo se añade el del veneno. Normalmente, las púas se rompen y, al caminar, pueden clavarse más e infectarse.

CÓMO ACTUAR

■ Picaduras de insectos:

● Si el aguijón ha quedado dentro, hay que extraerlo con una pinza, previamente desinfectada, procurando que no se rompa. Nunca hay que apretar la parte lesionada para hacer salir el aguijón, pues se podría facilitar la extensión del veneno por la sangre. En caso de que la punta del aguijón no se aprecie a simple vista, debe ser el médico quien practique una incisión para extraerlo.

● Lavar muy bien la picadura con agua y jabón y desinfectarla con un antiséptico líquido.

● Nunca hay que aplicar barro o arcilla (pues podría facilitar la infección de la herida) y tampoco amoniaco.

● Si la zona está hinchada o enrojecida y supera los 5 cm de diámetro, aplicar una compresa de agua helada o cubitos de hielo unos minutos. También se puede consultar con el médico la posibilidad de administrar un antihistamínico por vía oral.

■ Picaduras de medusas y erizos:

● Lavar la herida con agua de mar o agua salada para arrastrar los filamentos y tentáculos.

● En el caso de un pinchazo de erizo, conviene extraer las púas enteras enseguida. Una vez extraídas, hay que limpiar bien la herida y aplicar un antiséptico para que no se infecte. No suelen dar mayores problemas, si se extrae toda la púa clavada.

● Si son varias las púas clavadas o no se pueden extraer con facilidad, hay que acudir a un centro médico.

Importante

Suelen ser lesiones benignas por lo general, que sí pueden llegar a ser graves si surge shock anafiláctico.

QUEMADURAS

■ Se definen como las lesiones producidas por el calor sobre los tejidos cutáneos o las mucosas. Pueden ser producidas por sustancias cáusticas (ácidos y soluciones alcalinas), por las radiaciones (sol, rayos UVA) y por contacto (plancha caliente, caldos hirviendo). En los niños, las partes más afectadas suelen ser la cabeza (sobre todo la cara), las manos y el tórax. La importancia se establece en función de la superficie afectada y su profundidad. Los síntomas dependen del tipo de quemadura:

- *De primer grado.* Están provocadas por una exposición prolongada al sol o un breve contacto con un objeto que quema. Son superficiales y se curan en unos cuatro días sin dejar señal. Sus síntomas son enrojecimiento de la piel, ardor, escamas y dolor localizado al tacto.

- *De segundo grado.* Se deben al contacto prolongado con objetos calientes (planchas, estufas, etc.) o de mediana duración con líquidos en ebullición y agentes químicos en una concentración no demasiado alta. Como consecuencia, la piel se levanta y forma ampollas con líquido interno amarillento procedente de los vasos sanguíneos lesionados.

- *De tercer grado.* Se producen por el contacto con grandes cantidades de agua y otros líquidos en ebullición o por un contacto prolongado de la piel con fuego o sustancias químicas cáusticas. Afectan a todas las capas de la piel, que quedan seriamente destruidas, y también pueden afectar a los músculos, los nervios y los tendones. Producen insensibilidad en la zona afectada, y la piel queda blanquecina y negra.

Cómo actuar

- En las quemaduras que sean de primer grado: lavar la zona con agua fría y protegerla con una venda ligera que no apriete ni se pegue.

- Las quemaduras de segundo grado es conveniente que las revise el médico, debido a su gravedad:

  - Si es pequeña (2-4 cm de diámetro) o está en una zona no sometida a tracciones, actuar igual que en una de primer grado.
  - No hay que reventar las ampollas, ya que se facilita la infección. Tampoco hay que aplicar desinfectantes, aceites o ungüentos grasos.
  - Darle de beber mucho al niño.

- En las quemaduras de tercer grado:

  - Si la ropa se incendia, sofocar las llamas con una manta de lana, abrigo o sábana de algodón. Impedir que el niño corra, porque esto avivaría el fuego.
  - En caso de que la ropa se quede pegada a la piel, hay que cortarla, nunca arrancarla.
  - Mantener baja la temperatura del cuerpo con compresas frías, que renovaremos cada poco tiempo.

– Una vez que se enfríen las zonas quemadas, recubrirlas con gasas esterilizadas para evitar el contacto con sustancias contaminadas. No aplicar ningún tipo de crema o aceite porque son contraproducentes.
– Trasladar al niño inmediatamente al hospital para que le hagan las curas pertinentes.

Importante

La gravedad está en relación con el tipo de quemadura, pero en todos los casos es conveniente que el médico examine la lesión para valorarla.

SHOCK

Es un estado del organismo en el que la cantidad de sangre que llega a las células de los diversos tejidos (sobre todo de órganos vitales, sistema nervioso central, corazón, pulmón y riñón) no es suficiente para garantizar el correcto funcionamiento de éstos. Sus síntomas principales son pérdida de conocimiento, frialdad, palidez, sudor frío, piel seca, disminución de la tensión arterial, alteraciones de la respiración, convulsiones, náuseas o vómitos y sed. Se pueden dar todos a la vez o algunos de ellos, dependiendo de la intensidad de esta alteración en el organismo.

Puede suponer la fase final de muchas situaciones de riesgo, como deshidratación severa, infecciones graves, traumatismos con hemorragias o reacciones alérgicas muy agudizadas. También puede ser consecuencia de una impresión importante o miedo intenso por una situación concreta, en cuyo caso se trata de un shock temporal y remitirá en cuanto el niño se calma y empiece a tomar conciencia y a asumir la situación que le provocado llegar a tener tanta tensión nerviosa.

Cómo actuar

• Ante todo, pedir ayuda inmediatamente y después, tumbar al niño de espaldas en el suelo y aflojarle la ropa.

• Si no hay lesión en esta zona, colocar la cabeza baja, y si existe lesión, al mismo nivel o levemente elevada con la ayuda de una almohada o manta.

• Si el cuello o la columna están lesionados, mantener baja la cabeza del niño y girarla hacia un lado con mucho cuidado. Elevar las piernas apoyándolas sobre unas almohadas.

• Cubrir al niño para protegerlo del frío que siente y no exponerlo a fuentes directas de calor.

• No darle de beber nada, ni siquiera un vaso de agua.

• Tranquilizar al niño y animarle a hablar si se mantiene consciente. Si pierde la consciencia, evaluar su estado y reanimarlo.

• Si presenta dificultades para respirar, se pueden iniciar técnicas de reanimación simples.

Importante

Se trata de una urgencia grave que requiere tratamiento hospitalario inmediato debido a sus consecuencias físicas y psíquicas.

SHOCK POR DESCARGA ELÉCTRICA

Es un tipo de shock que puede producirse por contacto directo con un elemento que normalmente tiene un fluido eléctrico o por contacto indirecto, esto es, por tocar un elemento por el que pasa corriente debido a defectos de aislamiento. Cada niño puede haber sufrido un accidente distinto. Pero las circunstancias más frecuentes en las que se producen son las siguientes: el niño toca un cable eléctrico descubierto, la parte metálica de un portalámparas o un enchufe no introducido por completo; se lleva a la boca un hilo eléctrico por el que pasa corriente; introduce un objeto metálico en un enchufe; usa algún aparato eléctrico estando descalzo o sobre un suelo húmedo... Los más habitual es que estos accidentes sucedan en el hogar, por eso hay que extremar la vigilancia de los niños más pequeños y no dejarles nunca solos.

Como consecuencia de un shock por descarga eléctrica se produce la pérdida de conocimiento, el debilitamiento de la respiración y el cuerpo toma un tinte amoratado o totalmente blanco. El pulso es débil e imperceptible y en el punto que ha estado en contacto con la corriente eléctrica aparecen lesiones similares a una quemadura. Además, el cuerpo queda muy rígido (contracturas o tetania) por la propia acción de la electricidad.

CÓMO ACTUAR

- Interrumpir inmediatamente el contacto entre el conductor eléctrico y la víctima. No se debe tocar al pequeño hasta no haber dado este paso. Si el accidente se ha producido en casa, desconectar la corriente.

- En caso de que no se trate de un cable de alta tensión, subirse a un montón de periódicos o libros y, con un palo de madera seco, retirar el cable o empujar al niño. También se puede enrollar la mano con tela completamente seca y tirar del herido por la ropa hasta separarlo del conductor.

- Si el shock no ha sido muy grave y se practica la respiración artificial, es posible la recuperación.

Importante

Se trata de una situación de peligro en la que hay que mantener la calma y actuar deprisa y sin excitaciones, ya que cada minuto que pasa puede ser precioso para la vida del niño.

CUÁNDO ACUDIR A URGENCIAS

■ Hay una serie de síntomas indicativos de que el niño precisa atención médica urgente. Son los siguientes:

- La respiración es rápida o difícil, emitiendo sonidos roncos.
- Está excesivamente somnoliento, cuesta mucho despertarlo o tiene dificultad para mantenerse despierto y con la mente despejada.
- No orina nada desde hace más de 12 horas.
- Fiebre persistente superior a 38,5 °C.
- Padece un ataque epiléptico o se pone azul o muy pálido.
- No parece reconocer a las personas que habitualmente le rodean.
- Aparece un sarpullido rojo o púrpura general.

– Vómitos y diarreas persistentes si el niño es menor de un año.

CÓMO ACTUAR
EN CASO DE ACCIDENTE

- Evitar las concentraciones y aglomeraciones de gente (si sucede en un sitio público), ya que pueden estorbar a las personas que deben practicar los primeros auxilios.

- En la medida de lo posible, hay que tranquilizar al niño, y los padres deben intentar dominar sus propios nervios. Es muy importante hablarle mientras se practican los primeros auxilios, explicándole qué se le está haciendo y por qué, ya que esta actitud llevará al niño a colaborar y a dominar el susto que está sufriendo.

- Intentar siempre que el niño esté tumbado y estirado cuando se le practiquen los primeros auxilios para reducir el riesgo

Si el niño está muy nervioso, conviene hacerle caso porque seguramente sufre algún tipo de dolor y habrá que reaccionar con bastante rapidez.

de eventuales pérdidas de consciencia y caidas producidas por el miedo, el dolor o cualquier tipo de reacción.

- Si se ha caído al suelo de forma violenta, hay que impedir moverle hasta no determinar exactamente qué es lo que ha sucedido.

- No mover al niño sin tomar las precauciones necesarias para evitar que el transporte produzca un agravamiento de las lesiones. Mantener alineado el eje cabeza-cuello-tronco en dichas movilizaciones.

- Hay que tener en cuenta que puede haber lesiones no evidentes (fractura de columna, hemorragia interna, trauma craneal).

- Nunca hay que intentar dar de beber (ni siquiera agua) a un niño inconsciente, ya que normalmente en ese estado se pierden los reflejos, por lo que el líquido puede entrar por las vías respiratorias, propiciando la asfixia del pequeño. Tampoco hay que hacerle beber si llora mucho o notamos que tiene una respiración anormal (ya sea agitada o más lenta de lo habitual).

- Si el traslado del niño al hospital se hace en coche particular, hay que colocarlo en el asiento posterior, a ser posible con una persona al lado. Por supuesto, hay que conducir despacio.

TÉCNICAS DE REANIMACIÓN

- Se trata de actuaciones que sólo deben emplearse en situaciones especiales: si el niño no respira o se produce un paro cardiaco. El objetivo es mantener las constantes vitales durante el tiempo que hace falta hasta que intervenga el médico o se llegue al hospital.

- *Boca a boca.* Colocar al niño boca arriba con una almohada o prenda de ropa doblada bajo los hombros. Inclinar ligeramente la cabeza hacia atrás, de forma que la barbilla apunte siempre hacia arriba. En caso de que haya lesión en el cuello o la espalda, sólo hay que levantar las mandíbula, sin que mueva el cuello en absoluto. En esta posición, hay que despejar muy bien las vías respiratorias limpiando las posibles mucosidades y, después, taparle la nariz con dos dedos, poner la boca sobre la suya e insuflar bocanadas de aire con fuerza hasta notar que su pecho se mueve. Si el niño es menor de un año, el ritmo de las bocanadas debe ser una vez cada 3 segundos (20 respiraciones por minuto). Para niños mayores, cada 4 segundos (15 respiraciones por minuto). Después de dos insuflaciones de aire, comprobar el pulso en el cuello para asegurarse de que el corazón no se ha parado y seguir practicando el boca a boca hasta que el niño recupere la respiración de forma espontánea. Si el niño no tiene pulso, debemos practicar el masaje cardiaco externo, con insistencia y constante. Si la respiración

---

CONTENIDO BÁSICO DE UN BOTIQUÍN

- Tiritas adhesivas.
- Esparadrapo ancho (5 cm de tela) y estrecho (2 cm de papel).
- Vendas de gasa de unos 5 y de 10 cm de ancho.
- Algodón hidrófilo.
- Apósitos de gasa estéril de 20 x 20 cm de medida.
- Agua oxigenada y alcohol.
- Tijeras con punta redondeada.
- Pinzas.
- Termómetro pediátrico.
- Analgésicos y antitérmicos (paracetamol, ibuprofeno) para bajar la fiebre y calmar los dolores.
- Desinfectante líquido no alcohólico.
- Antiinflamatorio en espuma, crema o gel.
- Antihistamínico, en gotas o pomada, que sirve en caso de picaduras de insectos y de reacciones alérgicas.

- Antitusígeno (sedante para la tos) en gotas o jarabe.
- Calmante en gotas para el dolor de oídos, aunque no debe emplearse sin consultar con el médico.
- Suero fisiológico en unidosis.
- Una pomada o spray especial antiquemaduras, para calmar el dolor y hacer cicatrizar la piel (no aplicar en las mucosas).
- Pastillas o jarabe para el mareo.
- Antiácido en grageas.

- CONSEJO: es buena idea poner en la puerta o tapadera del botiquín una pegatina o etiqueta en la que se haya escrito el nombre y teléfono del médico, el número de teléfono del hospital más cercano y el del Centro de Información Toxicológica.

del niño no se recupera, llevarlo al hospital inmediatamente, mientras otra persona le sigue haciendo la respiración artificial boca a boca.

- *Masaje cardiaco.* El boca a boca fuerza la entrada de aire en los pulmones, así que debe alternarse con compresiones en la parte central del pecho para que la sangre llegue bien a los órganos más importantes. La compresión se debe hacer, en niños muy pequeños, con dos o tres dedos de la mano en la región que hay entre el final del esternón y su parte central. Hay que comprobar el pulso cada minuto. Si ya lo ha recuperado, se debe suspender el masaje y seguir con el boca a boca hasta que el niño pueda respirar por sí solo.

Seguridad infantil

Aproximadamente el 51 por ciento de los accidentes infantiles ocurren en el hogar. El perfil del niño con más riesgo de accidentarse es el de varón de 1 a 5 años, de nivel sociocultural más bien bajo, emprendedor y curioso, sin vigilancia de ningún adulto. En el lactante y durante la edad preescolar predominan los accidentes domésticos, sobre todo las contusiones, heridas y quemaduras; en la edad escolar, las intoxicaciones; y en el adolescente, las caídas y los accidentes de tráfico.

SEGURIDAD EN EL HOGAR

La cocina y el cuarto de baño son con diferencia las estancias más peligrosas del hogar y en las que más accidentes infantiles se registran. Tampoco hay que bajar la guardia en otras estancias, sobre todo a partir del momento en que el niño empieza a gatear y, por tanto, a desplazarse.

LA COCINA

- No dejar nunca a los niños solos si se está cocinando o el horno se encuentra encendido.
- Todos los productos de limpieza deben guardarse en alto, nunca debajo del fregadero.
- Nunca se debe dejar que manipulen las llaves de gas ni los enchufes y siempre que sea posible, emplear sistemas de bloqueo.
- Guardar lejos del acceso de los niños cuchillos, tijeras, cerillas...
- Cerrar la puerta de la terraza y no dejar en ella a la vista nada que pudiera parecer atractivo (juguetes, cubos de playa...).

- Colocar bloqueadores de puertas (se encuentran en grandes superficies y tiendas especializadas).
- Los hornos, lavadoras, secadoras y planchas deben estar siempre fuera del alcance de los niños o disponer de un cierre de seguridad.
- La plancha es causa de buen número de accidentes infantiles incluso cuando está apagada, ya que el niño puede tirar del cable y caerse encima de él.
- No permitir que toquen batidoras y trituradoras, y desenchufarlas siempre que termine su uso.

EL BAÑO

- Secar siempre el suelo mojado y acostumbrarles a calzarse nada más abandonar la bañera.
- Controlar siempre la temperatura del agua.
- Si hay algún electrodoméstico en el baño, desenchufarlo y guardarlo.
- Guardar las maquinillas y las cuchillas después de su uso.
- Cerrar la llave de paso del agua del bidé, pues resulta un lugar de juego

atractivo, pudiendo abrir el grifo, mojar el suelo y resbalarse.

– Aunque no es aconsejable guardarlo en esta estancia, si está en ella el botiquín, hay que tenerlo perfectamente cerrado y lo más alejado posible de los niños.

– Colocar las tomas de corriente lejos del alcance de los niños.

– Vaciar el agua de la bañera al terminar.

– No dejar en la repisa de la bañera cosméticos, colonia, jabones ni otros productos.

– No utilizar pastillas para limpiar ni dejar dentro lejía u otros detergentes, y dejar siempre correr abundante agua al acabar la limpieza.

– Si hay pestillo de seguridad, debe poder abrirse desde fuera.

El dormitorio del niño

– La ropa de cama debe ser de tejido ligero y no demasiado larga.

– El colchón tiene que ser firme y plano, indeformable y quedar fijo.

– La separación entre el somier y los laterales no debe ser superior a 2,5 cm.

– La barandilla debe ser alta para que el niño no trepe por ella.

– La distancia entre los barrotes de la cuna debe ser de entre 5,5 y 7 cm, para evitar que el niño meta la cabeza.

– La cuna debe llevar cuatro ruedas, dos de ellas con freno.

– Las pinturas y barnices no deben ser tóxicos.

– No colocar ningún mueble o silla debajo de la ventana.

– Las cortinas deben ser cortas y de material resistente al fuego.

– Las tronas, sillas altas, andadores, sillitas de paseo y parques infantiles deben ser estables y no presentar aristas vivas ni elementos punzantes.

– Proteger los enchufes y poner un tope a los cajones.

El resto de la casa

– Asegurarse de que se dispone de interruptor diferencial, que los enchufes tienen toma de tierra y están cubiertos.

– No dejar por medio tijeras o agujas, pilas (sobre todo las de botón), medicamentos o productos tóxicos y recipientes (ni siquiera vacíos) de productos peligrosos.

– Los medicamentos y productos tóxicos deben guardarse en lugares inaccesibles para los niños.

– Las bolsas de plástico pueden ser peligrosas, ya que si los niños meten la cabeza, pueden ahogarse.

– Las escaleras y ventanas deben protegerse para evitar caídas.

– Las casas con chimeneas, brasero y estufas de leña o eléctricas tienen mayor riesgo de que se produzcan quemaduras o incendios, por lo que deben disponer de extintores y extremar el cuidado con los niños.

– Algunos animales domésticos pueden morder o atacar a los niños si no están correctamente adiestrados.

SEGURIDAD FUERA DEL HOGAR

En la escuela

A pesar de las precauciones que se toman y de que las características de higiene y seguridad de estos centros están reglamentadas, es prácticamente inevitable que los niños sufran traumatismos, habitualmente leves o moderados, sobre todo durante los primeros años de escolaridad.

En la calle

Todos los niños necesitan recibir al menos nociones básicas de Educación Vial por el hecho de ser peatones, patinadores y conductores de bicicletas o ciclomotores.

Está comprobado que el uso del casco al ir en bicicleta resulta muy eficaz (evita el 40-75 por ciento de los traumatismos craneales en quienes lo usan).

En el caso de los adolescentes, el consejo antialcohólico debe considerarse como parte de la prevención de futuros accidentes.

En el parque infantil

Es fundamental controlar que no haya nada que pueda causar daño al niño. Los toboganes y columpios deben estar instalados sobre un suelo que tenga la propiedad de reducir los efectos de posibles caídas.

En cuanto a los toboganes, deben estar apartados de otros aparatos y tenemos que educar a los niños para que suban sus escaleras de una en una. Los columpios también deben estar alejados de otros aparatos y hay que vigilar al niño constantemente mientras esté subido en cualquiera de ellos.

Las estructuras para trepar no deben sobrepasar los 2,40 m de altura, y además deben de estar situadas justo en el centro de superficies de tierra o césped; este tipo de instalaciones sólo deben ser usadas por niños de entre 5 y 12 años de edad.

En la piscina

Para prevenir accidentes y ahogamientos por inmersión es importante enseñar a nadar al niño lo antes posible ya que, según las estadísticas, éste es el tipo de accidente que ocurre con mayor frecuencia entre niños y jóvenes de 10 a 19 años. Hay que tener especial

Toda precaución es poca cuando se trata de la seguridad de los niños.

precaución con las piscinas no valladas, sin cubierta o en las que no existan equipos de salvamento. Las piscinas hinchables pueden ser otra fuente de disgustos.

CÓMO PREVENIR LESIONES

DE 0 A 2 AÑOS

- Mantener la seguridad en el coche.
- Vigilar la temperatura del agua del baño.
- Prevención de incendios en el hogar (especialmente en la cocina).
- Tener bajo control los elementos peligrosos del hogar (espitas, enchufes, puntas, cortantes, ventanas, ángulos de puertas).
- Prevención de la aspiración de cuerpos extraños.
- Almacenamiento de drogas y sustancias tóxicas y cáusticas (a partir de 9 meses).
- Tener siempre a mano el teléfono del Instituto Nacional de Toxicología.

DE 2 A 6 AÑOS

- Mantener la seguridad en el automóvil e impartir educación vial.
- Almacenamiento seguro de fármacos y sustancias tóxicas.
- Vigilancia sobre los elementos peligrosos en el hogar.
- Prevención de incendios en el hogar.
- Seguridad en las piscinas.
- Prevención de la aspiración de cuerpos extraños.
- Seguridad en bicicleta.
- Tener siempre a mano el teléfono del Instituto Nacional de Toxicología.

DE 6 A 14 AÑOS

- Mantener la seguridad en el automóvil e impartir educación vial.
- Seguridad en bicicleta, ciclomotor y monopatín.
- Consejo antialcohol en adolescentes.
- Prevención de incendios en el hogar.
- Seguridad en la piscina.
- Prevención de intoxicaciones.
- Prevención de la conducta violenta y el uso de armas en adolescentes.
- Tener siempre a mano el teléfono del Instituto Nacional de Toxicología.

JUEGOS Y JUGUETES SEGUROS

En la mayoría de los países, la producción y comercialización de los juguetes están debidamente reglamentadas, de ahí que haya que asegurarse siempre de que los juguetes que se ofrecen al niño reúnen todas las garantías. Así, por ejemplo, deben especificar en el embalaje la edad mínima de los usuarios y, en su caso, la necesidad de que se usen sólo bajo la vigilancia de un adulto. Además, tanto en el envase como en las instrucciones que los acompañan, se debe alertar sobre los riesgos que puede conllevar su uso y la forma de evitarlos, así como incluir una descripción detallada de los materiales utilizados, propiedades mecánicas, normas de no inflamabilidad y eléctricas.

Hay que prestar mucha atención al sello: «No apto para menores de 36 meses», lo que no significa sólo que el niño no sea capaz de usar el juguete de la mejor forma y que le ayudará a desarrollarse, sino que puede resultar peligroso por algún mecanismo o pieza.

Según los expertos, estos son los juguetes más adecuados a cada edad de acuerdo a los criterios de seguridad:

- *De 0 a 8 meses.* Sonajeros, artículos de goma que favorecen la dentición, carillón, objetos torneados o perfilados para ensartar y desensartar y, en general, juguetes fuertes y ligeros, de colores y en los que todas las piezas sean mayores que su boca.

- *De 9 a 12 meses.* Dados y cubiletes de madera o plástico, construcciones, muñecos de trapo, juguetes que puedan flotar, pelotas, juguetes con ruedas y partes que se muevan.

- *Primer año.* Juguetes sobre los que se puede montar, construcciones con elementos geométricos complejos, cajas para encajar, peonzas, libros ilustrados y muñecos.

- *Segundo año.* Caballo balancín, teléfono, muñecas, animales, cubo y pala, instrumentos musicales a percusión, lápices de cera de colores.

- *De 3 a 5 años.* Mecanos, teatrillos, coches, trenes, puzzles, plastilina, tizas, muñecos con sonido y movimiento, casas de muñecas, libros, construcciones, etc.

PRECAUCIONES IMPORTANTES

- Aunque pueda parecer una obviedad, es importante leer las instrucciones antes de facilitar el juguete al niño, ya que muchas veces contienen advertencias que pueden haberse pasado por alto.

- Los muñecos y juguetes de trapo rellenos deben estar sólidamente cosidos; si se descosen enseguida y se corre el riesgo de que el relleno se les salga, hay que impedir que el niño utilice o maneje ese tipo de juguete.

- El juguete no debe tener puntas salientes ni partes agudas.

- Hay que tener cuidado con los juguetes de cuerda, ya que, al girarla, los pequeños dedos del niño pueden quedar atrapados.

- Los juguetes para arrastrar no deben tener cuerdas con nudos corredizos. Las cuerdas deben ser sólidas y cortas para impedir que el niño pueda enredarse y hacerse daño.

- Los muñecos y juguetes con superficies peludas deben estar fabricados con material ignífugo.

- Los juguetes que funcionan con electricidad, los que tienen proyectiles y los que necesitan de alguna combinación química sólo deben usarse bajo la vigilancia directa de un adulto.

- Tampoco hay que perder de vista los envases de los juguetes, ya que las bolsitas de plástico, las grapas, la cinta adhesiva, etc., pueden resultar perjudiciales para el niño, así que lo mejor es desprenderse de todas estas cosas cuanto antes.

- A la hora de ordenarlos, no se deben poner los juguetes dentro de una caja, en cajas con respaldo o en armaritos sin agujeros y aperturas, ya que se corre el riesgo de que el niño se quede encerrado. Lo más recomendable son las cajas de cartón, los cajones y las cestas.

- Especialmente cuando se trata de niños pequeños, hay que vigilar la correcta higiene de los juguetes, lavándolos de vez en cuando con agua tibia y jabón y enjuagándolos muy bien. Y lo mismo en el caso de los peluches, ya que acumulan polvo y gérmenes con facilidad (lo que perjudica sobre todo a los niños alérgicos), por lo que hay que meterlos en la lavadora cada poco tiempo.

- Los juguetes de los hermanos mayores y sus amigos pueden resultar peligrosos cuando caen en manos de niños más pequeños.

SEGURIDAD EN VIAJES Y DESPLAZAMIENTOS

Los niños en el coche

Está comprobado que el uso de asientos de seguridad en los automóviles es especialmente efectivo, reduciéndose la cifra de lesiones graves hasta en un 70 por ciento.

Recomendaciones generales

- Tener siempre presente que los niños son muy livianos y ofrecen mínima resistencia, por lo que cualquier choque o frenazo brusco les puede proyectar contra el parabrisas, las paredes y los vidrios. Además, su escasa masa les defiende bastante poco de otros cuerpos que puedan golpearlos.

- Nunca deben viajar en brazos de los adultos ni en el asiento del copiloto ni en los posteriores. Tampoco debe viajar de pie, en el asiento delantero sin los dispositivos adecuados o sin cinturón.

- Cuando hay un niño menor de 5 años a bordo del coche no deben tenerse las ventanillas bajadas, aunque haga mucho calor. Lo mejor es emplear la ventilación o aire acondicionado o abrir la ventanilla solo un par de dedos. Hay que evitar que le lleguen directamente las corrientes de aire. En caso de frío, no hay que excederse con la calefacción, ya que carga demasiado el ambiente del interior del vehículo. Así pues, lo mejor será ponerla al mínimo y abrigar de la manera más adecuada al niño, con ropa adecuada a cada temporada.

- Nunca dejar solo dentro del coche aparcado a un niño y menos aún con las ventanas abiertas. Los más pequeños pueden pasar excesivo calor o, por el contrario, mucho frío, mientras que los mayores pueden accionar el freno de mano, la palanca de cambios, etc., con consecuencias muy graves.

- Si se hace un viaje largo y con mucho sol, lo mejor es emplear cortinillas o parasoles, para evitar la incidencia directa de la radiación solar.

- En verano o cuando hace mucho calor es importante parar con frecuencia, darle de beber agua en abundancia y dejar que se mueva durante un rato en una zona protegida del sol. Si se puede, intentar que un viaje en verano se desarrolle en las horas del día en que el sol está menos fuerte, a primera hora de la mañana o al atardecer, evitando la franja de 12 a 17 horas.

- Es mejor darle de comer y cambiarle con el coche parado.

- Si se viaja por autopista, no se debe parar en el arcén, sino en las áreas de descanso habilitadas a tal fin.

Si el niño es excesivamente travieso, hay que ponerle límites.

- Si el niño tiende a marearse en el coche, hay que evitar en lo posible los recorridos con curvas y los firmes irregulares. Siempre bajo consejo médico, se le puede administrar algún fármaco específico para evitar el mareo.

- Si el viaje es de larga distancia, conviene planificarlo de forma que coincida con las horas de menos tráfico y de menos calor.

LA SILLITA DEL COCHE

■ Los niños deben ir siempre perfectamente asegurados dentro del vehículo según una serie de pautas que aunque pueden variar de un país a otro, se ajustan generalmente a las siguientes:

- De 0 a 9 meses, en una silla de seguridad en el asiento anterior y en sentido inver-

so a la marcha. En caso de que el coche disponga de air bag en el asiento del acompañante del conductor, éste se debe desconectar, ya que si está operativo, los niños de cualquier edad deben viajar siempre en el asiento trasero.

- De 9 meses a 3 años, puede ir en una silla delantera orientada en sentido inverso a la marcha o trasera fija orientada en el sentido de la marcha.

- De 3 a 12 años debe ir en asientos traseros con cojines elevadores (con respaldo para menores de 6 años), mecanismos de ajuste del cinturón del automóvil o cinturones especiales. No conviene utilizar el cinturón diseñado para los adultos hasta la adolescencia.

- La costumbre de utilizar sillas de segunda mano (usadas anteriormente por familiares, amigos o adquiridas directamente de segunda mano), aunque en principio puede parecer inocua, es cierto que puede afectar a la seguridad de nuestro hijo, ya que la mayoría de las veces se trata de sillas que no llevan manual de instrucciones y puede ser difícil montarlas correctamente.

■ En cuanto a la elección de la silla, siempre debe tratarse de un modelo homologado (en Europa lleva la etiqueta con la CE). La clasificación por grupos, pesos y edades es la siguiente:

- *Grupo 0.* Recién nacido hasta 10 kg de peso (de 0 a 9 meses, aproximadamente): los cucos, capazos o moisés portátiles son dispositivos de seguridad rígidos que se colocan en el asiento posterior del coche en posición transversal. Se sujetan con los propios cinturones de seguridad del vehículo y con unos arneses suplementarios. Se trata de los capazos que forman parte de la estructura del coche de paseo.

- *Grupo 0+*. Recién nacidos hasta 13 kg de peso (es hasta aproximadamente los 18 meses). Es una silla similar a la del grupo 0, pero con un mayor margen de tiempo de uso. Se ancla con el cinturón de seguridad del coche en sentido contrario a la marcha del mismo (según los expertos, esta postura es la más efectiva, ya que reduce el riesgo de posibles lesiones en la cabeza). También se puede adaptar a una silla de paseo sujetada con el cinturón de seguridad.

- *Grupo I*. Niños de 9 a 18 kg de peso (de los 9 meses hasta los 4 años, aproximadamente). Se recomienda instalarlas en el asiento trasero, y por lo general se fijan con el cinturón de seguridad o mediante un sistema que las sillas ya llevan incorporado. El asiento debe ir siempre en el mismo sentido que lleva la marcha del coche.

- *Grupos II y III*. Niños de 15 a 36 kg de peso (de 3 hasta 12 años, aproximadamente). Las sillas con respaldo se ajustan en el asiento trasero mediante los cinturones de seguridad en el mismo sentido de la marcha. Incluyen una guía para pasar el cinturón por el regazo del niño y no por el abdomen, con el fin de evitar lesiones en la columna. El objetivo es impedir que el niño se desplace por debajo del cinturón. Otra opción son los asientos elevadores: se trat del mismo sistema, pero en este caso no lleva respaldo.

EN EL AVIÓN

- Llevar siempre todo lo que va a necesitar el niño (comida, pañales, juguetes...) a mano, en una bolsa o neceser. La previsión y la planificación adecuada antes de ponernos en marcha pueden ahorrar más de un disgusto.

- Si el niño es aún pequeño, conviene reservar un asiento cerca de la ventanilla para que se le pueda dar el pecho o el biberón más cómodamente.

- En el momento de despegar y aterrizar, para evitarle un posible dolor de oídos, hay que procurar que el niño trague a menudo, ofreciéndole alternativamente biberón o chupete.

EN EL TREN

- Reservar plaza en el departamento de no fumadores, preferiblemente en la cabeza o en la cola del vagón, de forma que sea menor el número de personas que pase molestando o que pueda ser molestada por el niño.

- Evitar las corrientes de aire durante todo el trayecto. Llevar alguna prenda de abrigo por si el aire acondicionado está demasiado fuerte.

- Tener a mano todo lo necesario para su papilla o aseo.

EN EL MAR

- Si el niño se marea, hay que sacarlo a cubierta para que respire aire fresco. Enseñarle a respirar como en los ejercicios de respiración: concentrándose en cada toma y explusión de aire.

- Además, y en caso de que el pequeño tenga tendencia a los mareos producidos por la locomoción, hay que evitar en la medida de lo posible darle comidas pesadas, dulces o bebidas azucaradas un par de horas antes y también después del viaje. Consultar al médico sobre algún medicamento que evite el mareo.

Cuidados especiales

Hay circunstancias de la salud infantil frente a las que los padres deben actuar de forma especial, sobre todo teniendo en cuenta que, por lo general, el hecho de tener un hijo prematuro o que padezca una enfermedad crónica es algo para lo que los progenitores no suelen estar preparados.

ENFERMEDADES CRÓNICAS: CÓMO AFRONTARLO

Aunque si por separado las enfermedades crónicas que se presentan en la infancia son poco frecuentes, todas juntas afectan a entre el 10 y el 20 por ciento de los niños. Las que más les afectan son el asma, la parálisis cerebral, la fibrosis quística, cardiopatías, diabetes, espina bífida, enfermedad inflamatoria intestinal, insuficiencia renal, epilepsia, artritis juvenil, hemofilia, sida y retraso mental.

CONOCE Y CONTROLA LOS SÍNTOMAS

■ Independientemente de cuál sea la enfermedad que le afecte, hay una serie de síntomas que son comunes y constantes en estos niños:

– Dolor y malestar.
– El crecimiento y su desarrollo insuficientes.
– Visitas frecuentes a médicos y hospitales.
– Necesidad de cuidado médico diurno (a veces con tratamientos molestos y dolorosos).
– Menos posibilidades de jugar con otros niños.

– Rechazo por parte de otros niños y problemas de socialización.

Frente a estas circunstancias, los padres deben seguir unas pautas que harán que la situación sea más llevadera y redundarán en una mayor y mejor calidad de vida del niño:

● *Documentarse al máximo sobre la enfermedad de su hijo.* Cuantos más conocimientos tengan al respecto, más sabrán lo que pueden esperar de él (por ejemplo, qué actividades, deportes o disciplinas escolares va a ser capaz de llevar a cabo), qué síntomas y situaciones son normales y cuáles pueden ser preocupantes y qué cambios hay que introducir en la rutina diaria tanto del niño como de la familia.

● *Estar en contacto directo con los especialistas que atienden al niño.* No hay que tener miedo a hacer todas las preguntas que consideremos oportunas, tanto sobre la enfermedad y su desarrollo como acerca de su tratamiento. Es importante despejar cualquier tipo de duda (anotar en una libreta las cuestiones que surgen cada día es una buena idea).

● *Explicar al niño la enfermedad que padece.* El momento más adecuado depende de la edad y circunstancias del niño y del tipo de patología. Lo mejor es que los padres sean abiertos y honestos con su hijo enfermo, ya que los niños son muy receptivos y detectan cualquier intento de engaño u ocultación. Hay que proporcionar respuestas de acuerdo con el nivel de entendimiento del niño.

- *Ayudar al niño a procesar sus sentimientos acerca de la enfermedad.* La mejor forma de hacerlo es escuchándole, proporcionándole ayuda y, sobre todo, aportándole una sensación de seguridad, transmitiéndole la idea de que siempre va a contar con el apoyo, la ayuda y, por supuesto, el cariño de sus padres. Es muy importante que exista una relación fluida y que impere la confianza y la comprensión, de forma que el niño nunca sienta miedo o vergüenza respecto a cualquier aspecto relacionado con su enfermedad.

- *Preparar al niño para los procedimientos médicos.* Tener que someterse a tratamientos desconocidos para él (y a menudo dolorosos o, cuanto menos, molestos), en un entorno tan poco reconfortante como el de los hospitales, causa en el niño una angustia que incluso puede agravar algunos cuadros. Aunque muchos padres creen que es lo mejor, ocultarle información no resulta efectivo, ya que el niño puede reaccionar incluso peor ante el «factor sorpresa». Lo mejor es que tanto los padres como el personal médico dediquen un tiempo a prepararle, explicándole cómo le va a curar o mejorar el tratamiento, quién se lo va a hacer, cuánto durará y qué tipo de molestia experimentará. Proporcionar esta información permite que los niños se preparen en vez de preocuparse por lo desconocido.

- *Ayudarle a llevar una vida tan normal como sea posible.* Hay que mantener un equilibrio entre tratarle como a un niño normal y tener en cuenta su dolencia y necesidades. Es importante que, en la medida de lo posible, se intente integrar en las actividades propias de un niño de su edad.

- *Mantener una rutina familiar.* Hay que establecer horarios y pautas de actuación dentro del hogar, ya que esto ofrece al niño un marco de seguridad y desarrolla su autocontrol.

- *Educarle y disciplinarle.* Como cualquier otro niño, el enfermo necesita normas y disciplina, ya que, además de educarle, estas pautas le aportan seguridad y le enseñan a controlar su comportamiento.

- *Darle responsabilidades.* Es importante que el niño tenga tareas asignadas y se le exija su cumplimiento, pues le ayuda a llevar una vida lo más normal posible.

- *Preparar al niño para las reacciones de otros.* Muchas veces los niños no saben cómo explicar su situación a sus amigos y compañeros. Los padres pueden ayudarle sugiriendo respuestas a las posibles preguntas, en las que no debe faltar el humor y la desdramatización del asunto.

- *Ponerle en contacto con otros enfermos.* Los niños se benefician mucho de tener contacto con otros que padecen la misma enfermedad, ya que esto les ofrece la oportunidad de seguir el ejemplo de aquellos que están sobrellevando de forma óptima la dolencia. Las distintas asociaciones de enfermos crónicos juegan un papel importante en este sentido.

- *Vigilar la escolarización*. Muchas enfermedades crónicas interfieren en la educación de los niños.

EL NIÑO PREMATURO

El niño nacido antes de las 35 semanas de gestación está «inmaduro», por lo que es frecuente que tenga dificultades para controlar su temperatura, su respiración y para alimentarse. Los cuidados en la Unidad de Neonatología están destinados a proporcionarle ayuda en estas tres funciones, y es por ello que se les lleva a una incubadora o cuna térmica, para mantener la temperatura; se les conecta a un respirador y se les alimenta mediante sonda insertada en una vena o a través de la nariz al estómago. Afortunadamente, tras la estancia en el hospital, son dados de alta y los padres los llevan a casa, donde hay que seguir con los cuidados prescritos por el especialista.

CARACTERÍSTICAS ESPECIALES

■ Cuando llagan a su hogar, la mayor parte de los niños prematuros tienen una edad inferior en una o dos semanas o aproximadamente igual a la que tendrían si hubiesen nacido a término. De ahí que sea posible que presenten las siguientes peculiaridades:

- Puede no mostrar signos claros de que tiene hambre o está cansado.
- Está todavía algo débil y es difícil alimentarlo.
- Pasa el día dormido o llorando, pasando de un estado a otro en pocos segundos.
- Sus reacciones pueden tener un carácter brusco o sobresaltado, porque todavía está intentando adaptarse a los cambios de su entorno e incluso a sus propias necesidades fisiológicas.
- Es posible que sus brazos y piernas se pongan rígidos de repente o que los encoja. A veces, su cuerpo puede quedar flácido y poco después ponerse tenso.
- Los patrones de respiración y el color de la piel pueden sufrir cambios bruscos.
- En cuanto al sueño, al principio puede que duerma entre 15 y 22 horas diarias. Suelen alternar largos períodos de sueño con cortos intervalos despierto.
- Al principio, es posible que llore poco y posteriormente el llanto se active, según se acerca la fecha del parto prevista inicialmente.

CUÁNDO LLAMAR AL MÉDICO

■ Acudir al médico inmediatamente si el niño prematuro:

- Tiene fiebre superior a 39 °C sin causa evidente de enfermedad. También si la temperatura es inferior a 36 °C.
- Duerme mal durante dos noches consecutivas.
- Muestra signos de deshidratación (menor emisión de orina, hundimiento de los ojos, indiferencia, orina de color amarillo oscuro o marrón y sequedad de la boca).
- Sufre una convulsión.
- Se produce una reducción drástica en el número de pañales mojados (alrededor de la mitad del número habitual).
- No hace una deposición durante más de tres días.

– Tiene la piel azulada o pálida.
– Aparecen manchas violáceas en la piel con aspecto similar a hematomas.
– Tiene fiebre con inflamación de las articulaciones (o no mueve una o más extremidades).
– Llora inconsolablemente durante una hora.
– No es capaz de despertarse del sueño.
– Sufre un cambio en la respiración (aleteo nasal al respirar, respira principalmente por la boca, tiene secreciones nasales o tose con frecuencia).
– Presenta un comportamiento poco usual.

Otros cuidados necesarios

● *Salidas.* El niño podrá salir cuando tenga la edad que corresponda a la fecha de su posible nacimiento, teniendo el cuidado de evitar lugares en que se concentre mucha gente (guarderías, centros comerciales, etc.). Cuando se acuda a la consulta médica hay que evitar los momentos de aglomeración o las esperas junto a niños mayores en épocas epidémicas.

● *Tabaco.* Hay que evitar exponerlo al humo del tabaco, ya que está demostrado que puede aumentar los problemas respiratorios (bronquiolitis, tos, asma, etc.). Si alguno de los padres fuma, nunca debe hacerlo con el niño en brazos o cuando se encuentre cerca.

● *Visitas en casa.* No existe ningún problema en que esté en contacto con las visitas, pero sí hay que evitar que lo hagan varias personas a la vez, sobre todo si están resfriadas o padecen alguna enfermedad infecciosa.

Enfermedades más frecuentes en prematuros

● *Enfermedad por reflujo gastroesofágico (ERG).* Se desarrolla como consecuencia de los problemas pulmonares. Cuando el niño tiene que hacer mucho esfuerzo para respirar o cuando respira muy rápidamente, el esfínter esofágico inferior queda abierto, produciendo el reflujo del contenido del estómago. En la mayoría de los casos suele resolverse durante el primer año de vida, pero es importante vigilar los signos de esta enfermedad, ya que puede ser grave si no es debidamente tratada.

● *Virus respiratorio sincitial (VRS).* Es un virus muy frecuente en los niños pequeños, pero en el caso de los prematuros, al tener menos desarrolladas sus defensas, puede producir una infección respiratoria grave, que podría dejarle secuelas como el asma u otros problemas respiratorios. De hecho, el VRS es la principal causa de hospitalización por dolencias respiratorias en niños prematuros, de ahí que sea tan importante suministrarle medicación inicial para protegerle de un contagio. Esta prevención consiste en administrar al niño un anticuerpo que los demás niños ya han recibido de forma natural, en las últimas semanas del embarazo, y se realiza mediante una inyección intramuscular en el muslo una vez al mes durante toda la temporada de VRS. Esta protección tiene una duración aproximada de 30 días, de ahí que sea importante iniciar el tratamiento cuanto antes y mantenerlo durante toda la temporada de VRS.

● *Gastroenteritis.* Las deposiciones de un niño prematuro suelen ser amarillas o castaño oscuro, de consistencia blanda y en un número variable de 1-6 por día. Si el niño hace las deposiciones líquidas, muy frecuentes en 6-8 horas, hay que consultar al médico, así como si el niño vomita abundantemente.

- *Otitis.* Los prematuros suelen presentar durante los dos primeros años de vida inflamación del oído medio (otitis) con más frecuencia que los nacidos a término. Es conveniente que cuando esté muy llorón, sin calmarse con las medidas habituales y rechazando el alimento, se acuda con urgencia al médico.

- *Hernia.* Al nacer con muchos órganos inmaduros, muchas aberturas existentes en el feto no han podido cerrarse, más concretamente por lo general a nivel del ombligo y las ingles, y esto es lo que hace que el niño prematuro pueda desarrollar posteriormente una hernia inguinal. Las hernias de ombligo, aunque a veces pueden llegar a ser bastante grandes, suelen desaparecer en los dos primeros años de vida y únicamente necesitan cirugía si son muy grandes o se estrangulan. Sin embargo, las hernias inguinales deben operarse, y el médico decidirá cuál es el mejor momento.

Parte III

Guía de síntomas: cómo interpretarlos

✓ Síntomas más comunes en la infancia

- Acidez
- Afonía
- Cansancio
- Convulsiones febriles
- Deshidratación
- Diarrea
- Dolor al tragar
- Dolor articular
- Dolor de cabeza
- Dolor de cuello
- Dolor de espalda
- Dolor de garganta
- Dolor de oídos
- Dolor de tripa
- Dolores de crecimiento
- Erupciones cutáneas
- Estreñimiento
- Fiebre
- Flemas

- Ganglios
- Gases
- Hematuria
- Hemorragia nasal
- Hinchazón de tobillos
- Ictericia (bilirrubina)
- Mareos
- Ojos rojos
- Parálisis facial
- Pérdida de apetito
- Pérdida de peso
- Picor en la piel
- Pitidos en el tórax
- Problemas de sueño
- Proteinuria
- Sensación de ahogo
- Soplo cardiaco
- Tos
- Vómitos

Síntomas más comunes en la infancia

Descifrar qué se esconde detrás de los signos de enfermedad y quejas que a menudo presentan los niños no siempre resulta fácil, ni siquiera para el pediatra, ya que un buen número de las dolencias típicas infantiles tienen unos síntomas bastante similares. A lo anterior hay que añadir que, cuando se trata de niños muy pequeños, es imposible que éstos comuniquen exactamente dónde les duele y, en la mayoría de las ocasiones, manifiestan su malestar mediante el llanto o la pérdida de apetito. Por eso, conocer datos como los signos de los que va acompañado un determinado dolor, las causas más frecuentes a las que pueden atribuirse, qué recursos emplear para aliviarlos y, por supuesto, cuándo hay que acudir con el niño a la consulta del pediatra pueden servir de gran ayuda a la hora de saber qué es realmente lo que le ocurre al bebé y qué se puede hacer para solucionarlo.

Así pues, enumerados por orden alfabético, se expone a continuación, y tal y como ya se apuntaba en el índice de esta tercera parte, cuáles son, cómo se manifiestan, qué pueden indicar y de qué manera tratar los más característicos y comunes síntomas de enfermedad que pueden enumerarse en la infancia.

No obstante, y a pesar de todo lo que se exponga en este libro, siempre debemos de recordar que la consulta con el especialista se hace fundamental en cualquier caso.

ACIDEZ

La acidez no es ni más ni menos que la sensación de ardor, generalmente en la región abdominal media superior, que corresponde con el estómago y que en ocasiones puede ascender por el esófago, llegando incluso a la boca.

En niños muy pequeños, la acidez les causa una profunda desazón y los chicos más mayores se quejan por lo general de malestar y dolores de tripa.

SÍNTOMAS

– Ardor o sensación de quemazón en la región abdominal alta.
– A veces, puede ir acompañado de dolor y molestias en la zona.
– También puede asociarse a regurgitaciones alimenticias.
– El niño pequeño está irritable así como inapetente.
– Generalmente, se calma con la ingesta de alimentos.

QUÉ PUEDE INDICAR

– Una gastritis como consecuencia de una infección.
– También puede estar producida por la ingesta de algún medicamento.
– Un alimento que le ha caído pesado o le ha producido ardor puede dar lugar también a acidez.
– Mal de reflujo gastroesofágico.
– Hipertrofia del píloro.

– Úlcera gastroduodenal.
– Hernia de hiato.

Cómo tratarla

– Muchas veces, se alivia la molestia y el niño se calma simplemente con la ingesta de alimentos, sobre todo aquellos que contrarrestan el ácido, como los lácteos.
– Es importante tener en cuenta si aparecen cuando el niño está echado, recostado o levantado.
– La medicación en primera instancia está dirigida a aliviar los síntomas, y es a base de antiácidos.

Cuándo acudir al médico

Si la sintomatología se va acentuando con el paso de las horas; si se asocia con fiebre, vómitos o diarrea o si se prolonga en el tiempo durante más de 48-72 horas.

AFONÍA

En sentido estricto, la afonía consiste básicamente en la incapacidad de emitir sonidos (palabras) de forma adecuada y que se puedan entender. El niño cambia el tono de su voz, que se vuelve ronca. Puede estar producida por una irritación de garganta derivada del llanto prolongado, en cuyo caso remite al poco tiempo.

Síntomas

– Dificultad extrema o incapacidad para hablar; el niño no emite sonidos.

– Voz ronca.
– Cambio del tono de la voz.
– Emisión de «gallos».
– Picor de garganta.
– Frecuentemente, se desencadenan episodios cortos de tos.
– Molestias al tragar.
– Tos seca.

Qué puede indicar

– Inflamación de las cuerdas vocales.
– Resfriados o bien inflamaciones de garganta.
– Laringitis, una enfermedad infecciosa que afecta a la vía respiratoria que se presenta sobre todo en niños entre los 3 meses y 3 años.
– Faringitis baja, es decir, una inflamación de tipo vírico.
– Una afección alérgica de laringe y de las cuerdas vocales, que puede también estar producida a causa de la contaminación ambiental o el humo del tabaco.

Cómo tratarla

– Mantener la humedad ambiental intensa (humidificadores o vapor de agua en la ducha).
– Tranquilizar al niño y evitar en lo posible que grite o llore.
– Es muy importante aumentar la hidratación del niño, procurando que beba abundantes líquidos con relativa frecuencia y evitando así que se le reseque la garganta.
– Si hay fiebre, deberemos de recurrir a antitérmicos comunes, como el paracetamol.

CUÁNDO ACUDIR AL MÉDICO

Si se produce un empeoramiento progresivo, con aparición de dificultad respiratoria; si los labios o la cara se tornan de un color amoratado; si la fiebre no remite con los analgésicos habituales; o si el niño es alérgico conocido o se sospecha que este cuadro pueda estar causado por una alergia medicamentosa, alimenticia o, también, por la picadura de una avispa u otro insecto.

CANSANCIO

El cansancio crónico o fatiga es un síntoma frecuente, sobre todo en los adolescentes, que, si bien puede resultar alarmante, no suele revestir gravedad.

La aparición de cansancio producido en el menor puede atribuirse a determinadas situaciones puntuales y, por lo general, tiene fácil solución.

SÍNTOMAS

- Disminución en el desarrollo de las actividades habituales.
- Poco nivel de actividad física y mental, que además empeora en situaciones de estrés o de sobreesfuerzo físico y que persiste durante períodos prolongados.
- El sueño resulta poco reparador.
- Puede asociarse a molestias y dolores musculares, articulares y de cabeza.
- En niños pequeños, puede ir acompañado de irritabilidad, mayor distracción y dolor abdominal.
- También es frecuente que aparezcan ganglios por diferentes partes del cuerpo.

QUÉ PUEDE INDICAR

- Si la situación es permanente, puede tratarse de un Síndrome de Fatiga Crónica, una patología que afecta más a las mujeres ya desde la adolescencia.
- También puede indicar la existencia de diferentes procesos infecciosos, tales como ciertos tipos de herpes o una mononucleosis.
- La hipotensión, el hipotiroidismo, la diabetes y las hepatitis A y B son otras patologías que producen cansancio.
- Puede ser un indicio de otras enfermedades más serias, como la leucemia y la tuberculosis.
- Los efectos adversos de ciertos medicamentos también pueden producir cansancio y fatiga.
- Las anemias también producen un cuadro de desgana y cansancio.

CÓMO TRATARLO

- Todas las medidas terapéuticas están encaminadas fundamentalmente al alivio de los síntomas. Los fármacos más empleados son, en este caso, los analgésicos tipo ibuprofeno, muy efectivos cuando se presentan dolores musculares, articulares o bien dolores de cabeza.
- Es muy importante asegurar el equilibrio necesario entre las horas dedicadas a las actividades y aquellas otras de descanso.
- Todas las medidas destinadas a solucionar los problemas del sueño pueden resultar bastante efectivas, mejorando el pronóstico.

Cuándo acudir al médico

Si los síntomas del cansancio se mantienen o empeoran; si surgen nuevos síntomas como la fiebre; si el niño se queja de dolor muscular o articular constante y si la situación es tal que deja de realizar un número cada vez mayor de sus actividades habituales.

CONVULSIONES FEBRILES

Pese a manifestarse de forma muy alarmante, las convulsiones febriles son un proceso benigno que afecta a 3 o 4 de cada 100 niños menores de 5 años y excepcionalmente aparecen después de esta edad. Se producen por la especial susceptibilidad del niño a reaccionar mediante una crisis convulsiva ante la existencia de fiebre, lo que origina una serie de descargas nerviosas que se traducen en movimientos especiales y pérdida de consciencia. No son peligrosas y la mayoría de las veces cesan por sí solas. Se sabe que existe una cierta predisposición genética a padecer este tipo de convulsiones. En el 65 por ciento de los casos se padece una única convulsión durante el cuadro febril; un 13 por ciento de los niños experimentan dos convulsiones y el tanto por ciento restante padece tres episodios o más durante el mismo proceso febril.

Síntomas

– Pérdida de consciencia.
– Rigidez del cuerpo alternando con flojera. Puede ser total o simplemente de una mano, una pierna o una combinación de brazos y piernas.
– Sacudidas musculares rítmicas de todas las extremidades o de las de un solo lado.

– Movimientos de los ojos, de la mandíbula, etc.
– Desplazamiento hacia atrás de la cabeza.
– Posibilidad de defecaciones o micciones involuntarias (pérdida del control de esfínteres).
– Puede durar unos segundos o minutos, finalizando con cansancio y sueño.
– En casos excepcionales, la duración se prolonga más de 15-20 minutos.

Qué pueden indicar

– Una fiebre elevada (de 38 °C o más) es el principal desencadenante de las convulsiones.
– En niños de entre 1 y 4 años la causa más frecuente es la fiebre producida por alguna enfermedad vírica (catarro común), infecciones en las vías respiratorias y enfermedades eruptivas.
– El golpe de calor o la reacción que producen las vacunas también pueden desencadenar un episodio convulsivo.
– Infecciones de oídos y patologías como la gastroenteritis pueden producir fiebre elevada, propiciando las convulsiones.

Cómo tratarlas

– Ante una convulsión, lo primero que hay que hacer es tumbar al niño sobre una superficie blanda para evitar que se golpee y comprobar que no tenga nada en la boca con lo que se pueda atragantar y, si es así, extraerlo con los dedos. También se debe extender su cabeza hacia atrás y colocarla de lado, para evitar que en caso de vómito se produzca una broncoaspiración del mismo.

– Después, lo más importante es bajar la fiebre en el menor tiempo posible, pero evitando hacerlo de forma muy brusca. Para ello, lo mejor es quitarle la ropa y administrarle un antitérmico (paracetamol). También se puede humedecer al niño con una esponja impregnada de agua tibia templada, de forma que pierda la mayor cantidad de calor.

– En el caso de los niños pequeños, los expertos recomiendan la visita hospitalaria cuando sufren la convulsión febril por primera vez para averiguar la causa de una fiebre tan alta e intentar bajar la temperatura lo antes posible.

Cuándo acudir al médico

Si la duración de la convulsión es superior a 5 minutos, si los episodios son muy repetidos, si la piel del niño adquiere un tono azulado, si pese a haber descendido la fiebre, el niño permanece obnubilado o somnoliento o si la fiebre que ha originado la convulsión no cede con antitérmicos.

DESHIDRATACIÓN

Es la pérdida de agua y sales en el organismo del niño. Teniendo en cuenta que el organismo de los lactantes y recién nacidos está compuesto en un 70-80 por ciento de agua, cualquier alteración de este equilibrio hídrico, que suele ir acompañado de la pérdida de sales (sodio y potasio), puede producir consecuencias importantes en el organismo. La pérdida de agua se produce sobre todo por vómitos, diarreas y sudoración excesiva.

Síntomas

– Irritabilidad continua del niño, que se queja por todo.
– Poca emisión de orina (moja pocos pañales al día) y ausencia de sudor.
– Orina concentrada (de color oscuro).
– La piel está seca y se forman pliegues con facilidad. Adquiere un color pálido y grisáceo.
– Las lágrimas son escasas.
– Si se pellizca la piel, el pliegue ocasionado tarda en remitir y volver al estado inicial (piel lisa).
– Saliva escasa y también más espesa de lo normal.
– En los lactantes, la fontanela y los ojos pueden estar hundidos.
– Debilidad, apatía, movimientos poco vigorosos y llanto apagado.

Qué puede indicar

– Lo más frecuente es que sea consecuencia de una gastroenteritis que cause, vómitos, diarrea y fiebre.
– Es posible también que suceda cuando el niño está en un medio caluroso y pasa mucho tiempo sin beber, algo que ocurre con más frecuencia durante el verano.

Cómo tratarla

– Lo más importante es restablecer el nivel normal de líquidos lo antes posible mediante la ingesta continua de líquidos y de preparados rehidratantes específicos de venta en farmacias, los cuales contienen una combinación de sales minerales esenciales y glucosa y que, debido a su rápida absorción, permiten la reposición casi inmediata de las sales y la hidratación perdidas.

— Darle de beber agua a pequeños sorbos con mucha frecuencia. Hay que evitar en cambio otro tipo de bebidas, como leche o zumos de fruta, especialmente si presenta diarreas.

— Tratar la causa que ha producido la deshidratación, como la diarrea o el vómito.

— Si hace calor, deberemos colocar al niño en un lugar lo más sombreado y fresco posible.

Cuándo acudir al médico

Siempre que el cuadro de deshidratación se presente en lactantes o niños muy pequeños; si el niño tiene alguna patología de base (una enfermedad crónica, por ejemplo); si hay diarrea líquida difícil de controlar; si el niño presenta fiebre elevada, si el estado de decaimiento del niño es preocupante o si la piel y los labios están excesivamente secos.

DIARREA

Se habla de diarrea cuando se produce un aumento en la frecuencia y número de deposiciones. Se trata de un sistema de defensa que utiliza el aparato digestivo para hacer frente a infecciones provocadas por virus y bacterias. Los pediatras estiman que alrededor del 90 por ciento de los niños menores de 5 años sufren de alguna diarrea vírica, sobre todo entre los 4 meses y los 3 años de edad.

Los bebés suelen presentar diversos episodios de diarreas debido a que sus estómagos no están lo suficientemente maduros, lo que los hace más vulnerables frente a las infecciones. Mientras el niño toma el pecho, su intestino está protegido, pero en cuanto abandona la lactancia materna, pasa a estar más predispuesto a este tipo de dolencias.

Síntomas

— Las deposiciones se hacen blandas y voluminosas. En algunos casos pueden llegar a ser totalmente líquidas.

— El color de las deposiciones puede ser verdoso o amarillento.

— Además de su peculiar textura, estas deposiciones presentan muy mal olor.

— Pueden presentar moco y/o sangre.

— En ocasiones, están acompañadas de vómitos, subida de la temperatura, cansancio y dolor de tripa, con o sin retortijones.

— El estado general es de decaimiento.

Qué puede indicar

■ Las infecciones diarreicas pueden tener un origen viral, bacteriano o parasitario:

— *Infección por virus.* El rotavirus del grupo A es la principal causa de diarrea en niños menores de 2 años. Produce un cuadro diarreico que puede prolongarse entre 24 y 72 horas. Las infecciones virales son autolimitadas y mejoran espontáneamente.

— *Infección por bacterias.* La más frecuente es la *escherichia coli*, que daña la mucosa intestinal. La salmonella también produce diarrea, vómitos, fiebre y dolor de cabeza. Se incuba en alimentos como las aves del corral y huevos, leche y productos lácteos, carnes y vegetales crudos, pescados y mariscos. Cuando se trata de una diarrea así es frecuente que el niño esté muy decaído, las deposiciones sean especialmente fétidas y presenten moco o sangre, por lo que en menores de 1 año se recomienda la consulta hospitalaria.

– *Infección por parásitos.* La *entamoeba histolytica* y el *giardia lamblia* provocan diarrea prolongada y desnutrición.

– Otra causa de diarreas infantiles son las intoxicaciones alimentarias, por el consumo de algún alimento en mal estado.

– Otras infecciones frecuentes en los niños también pueden provocar diarrea: otitis, neumonía, infección de orina, etc.

El síntoma más evidente de que al niño le sucede algo es que no quiere jugar.

CÓMO TRATARLA

– Lo más importante al tratar una diarrea infantil es evitar la deshidratación, ya que el niño puede perder mucha agua y sales minerales (cloro, potasio, sodio y bicarbonato), de ahí que sea tan importante asegurarse de que bebe líquidos con frecuencia, siempre que el niño lo demande y, especialmente, si las deposiciones son líquidas y abundantes.

– Lo mejor es suministrarle las llamadas soluciones de rehidratación, de venta en farmacias, que se pueden presentar en polvo para preparar o ya preparadas. Estos productos contienen la proporción de sales y azúcar ideal para reponer el agua y los minerales perdidos. Una vez preparada, hay que conservarla en un ambiente fresco (en la puerta de la nevera) y agitarla bien antes de administrarla para que la concentración de sales sea la adecuada.

– Los bebés que toman leche materna deben seguir realizando las mismas tomas, mientras que a aquellos que se alimentan con biberón hay que ofrecerles unas tomas un poco más diluidas y en menor cantidad, aunque más frecuentes.

– Entre toma y toma puede beber agua de arroz, de zanahoria o con electrolitos (preparado de solución de rehidratación).

– Si el niño es un poco mayor conviene sustituir el puré o papilla habitual por uno de arroz o zanahoria.

– Ante una diarrea vírica no existe tratamiento farmacológico, y durante el tiempo que tarde en remitir es muy importante la higiene, ya que es contagiosa.

Si la diarrea es más grave de lo habitual, persiste durante más de una semana o se observa la presencia de sangre en las deposiciones. También si va acompañada de fiebre elevada, mucha sed, falta de apetito y si las deposiciones son muy frecuentes y acuosas en un período de 4-6 horas.

DOLOR AL TRAGAR

Se trata de una fuerte sensación de dolor al deglutir, que se localiza en la parte alta del cuello o en la parte inferior, por detrás del esternón. La deglución es un acto complejo que involucra la boca, el área de la garganta y el esófago, de ahí que un problema en cualquier punto de este recorrido pueda provocar esta molestia. Los niños pequeños no pueden especificar la dolencia y lo manifiestan con el llanto, mientras que los más mayores lo identifican con el dolor de garganta, de ahí la importancia de confirmar que esta molestia se produce siempre con la deglución.

SÍNTOMAS

– Sensación de ardor al tragar.
– Dolor opresivo e intenso.
– Puede ir acompañado de dolor torácico, sensación de alimento atascado en la garganta o pesadez y presión en el cuello o en la parte superior del tórax.

QUÉ PUEDE INDICAR

– Puede estar producido por una infección, absceso faríngeo o enfermedad de la encía.
– También es síntoma de faringitis.
– Una causa frecuente en niños puede ser la presencia de un cuerpo extraño, como una espina de pescado o un hueso de ave.
– Otras infecciones como la candidiasis oral, herpes o infección por citomegalovirus.
– Las aftas en la boca o en la garganta, debidas a infecciones, medicamentos o ingestión de químicos también es posible que produzcan este síntoma en algunos casos.
– Puede deberse a una esofagitis, esto es, una inflamación del esófago.

CÓMO TRATARLO

– Ante todo, es muy importante determinar la causa, por lo que es imprescindible la consulta al médico para que éste determine el tratamiento más adecuado.
– Como medida general, se recomienda comer lentamente y masticar muy bien los alimentos.
– Si se observa que el niño rechaza el alimento sólido, hay que asegurarle la ingesta de líquidos y purés.
– Se recomienda evitar darle al niño alimentos demasiado fríos o demasiado calientes, si se observa que empeora el problema.

CUÁNDO ACUDIR AL MÉDICO

Siempre que se presente este síntoma hay que consultar al especialista, aunque sea de forma intermitente. Es importante hacerle saber al médico la existencia de otros síntomas como tos, «pitos», fiebre, escalofríos, dolor abdominal, náuseas, vómitos, pérdida de peso, acidez o sabor agrio en la boca.

DOLOR ARTICULAR

Se trata de molestias en las articulaciones, localizadas en cualquier parte del cuerpo. Lo normal es que se acompañe de inflamación de la articulación dolorida. El dolor se suele producir con la movilización de la misma, aunque también puede presentarse en reposo.

Síntomas

– Dolor en una o varias articulaciones.
– Puede presentarse inflamación en la articulación misma o en la zona que la rodea.
– Dificultad para mover la articulación afectada.
– Aumenta el dolor con el movimiento.
– A veces va acompañada de fiebre.

Qué puede indicar

– Puede ser consecuencia de un golpe o contusión directa.
– También puede ser síntoma de un esguince o torcedura.
– En algunas ocasiones, puede ser señal de una artritis infecciosa.
– Hay enfermedades reumáticas que se dan con dolor e inflamación articular.
– Aunque rara en niños, podría ser sintomático de artritis por microcristales.

Cómo tratarlo

– Aplicar frío local si hay inflamación.

– Poner la extremidad afectada en alto.
– En la medida de lo posible, realizar una inmovilización relativa de la articulación (vendas de compresión).
– Suministrar un analgésico habitual o un antiinflamatorio.

Cuándo acudir al médico

Si hay una herida cutánea e inflamación articular acompañada de fiebre; si afecta a varias articulaciones al mismo tiempo; si produce un dolor muy intenso, que dificulta en gran medida la realización de los movimientos habituales, y está acompañado de una gran inflamación; ante un traumatismo directo significativo también hay que acudir rápido, para que el especialista determine mediante una radiografía el alcance de la lesión.

DOLOR DE CABEZA

Se trata de una sensación dolorosa difícil de definir sobre todo cuando se trata de niños muy pequeños. Es un síntoma, y no una enfermedad, que puede ser producido por múltiples procesos (infecciones, problemas oftalmológicos, emocionales, etc.). Es frecuente en la infancia, y su origen puede ser de distinto tipo. Se estima que aproximadamente la cuarta parte de los niños en edad escolar padecen dolores de cabeza ocasionalmente y aproximadamente uno de cada diez sufre migraña. En la mayoría de los casos se trata de un dolor que no reviste gravedad.

Síntomas

– Dolor o malestar en la parte superior de la cabeza.

– En el caso de los niños más pequeños, llanto continuo.
– Irritabilidad y malestar general.
– Síntomas que pueden acompañar al proceso causante: fiebre, náuseas, vómitos...

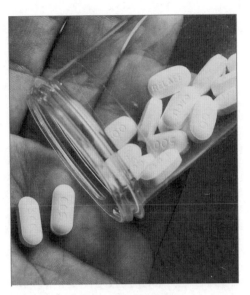

QUÉ PUEDE INDICAR

– Los procesos febriles (propios de la gripe y los catarros de las vías altas respiratorias) o la práctica de alguna actividad física (correr, por ejemplo).
– *Migraña.* Esta enfermedad es mucho más frecuente en los niños de lo que se cree. Suele localizarse en un lado de la cabeza e ir acompañada de náuseas, vómitos, dolor de estómago, alteraciones visuales (ver fenómenos luminosos o «moscas volando»), vértigo, adormecimiento alrededor de la boca, hormigueo en brazos y piernas, fotofobia y (rechazo al ruido. Tiene un elevado componente hereditario. Después de varias horas de dolor, éste desaparece, pero el niño continúa quejándose de un gran cansancio, por lo que suele quedarse profundamente dormido.
– *Cefaleas de tensión.* Cualquier forma de alteración, tensión o excitación puede producir dolor localizado en la frente o alrededor de la cabeza.
– *Sinusitis.* La inflamación de los senos nasales puede producir dolor de cabeza en los niños más mayores.
– *Meningitis.* Produce un dolor intenso que afecta repentinamente al niño.
– *Problemas de visión.* Si el pediatra no encuentra otra causa del dolor de cabeza, conviene consultar al oftalmólogo.

La migraña es una enfermedad frecuente en los niños, pero como no saben identificar de dónde les viene el malestar general que sienten, es difícil de detectar por los padres.

– *Problemas emocionales.* A veces, el origen del dolor de cabeza radica en un sufrimiento de causa psicológica. Algunos datos que lo distinguen de otros dolores de cabeza son: el niño se despierta por las noches, el dolor le impide realizar actividades placenteras, es más frecuente por las mañanas, se acompaña de vómitos que los alivian o los padres han notado cambios recientes en su conducta.
– Infecciones del tracto respiratorio: rinitis, otitis, amigdalitis...
– Traumatismos craneales.
– Abscesos dentales.

CÓMO TRATARLO

– Además de tratar de eliminar los posibles factores desencadenantes, en la mayoría de los casos se recomienda un tratamiento farmacológico con analgésicos.

- El reposo y la tranquilidad siempre alivian la intensidad del dolor.
- En el caso de las migrañas, el tratamiento dependerá de la edad del niño, la frecuencia del dolor y el grado de incapacidad que produzca; se recomienda eliminar aquellos alimentos que puedan causarla (chocolate, queso, carnes procesadas con nitritos).
- En caso de que haya fotofobia, es conveniente mantenerle a oscuras.

Cuándo acudir al médico

Si el dolor es muy fuerte sin que ceda con los analgésicos habituales o se repite con frecuencia. También si el dolor aparece y se mantiene en relación a fiebre elevada o si se acompaña de somnolencia u otra alteración de los niveles de conciencia o el niño muestra dificultades para hablar o caminar, o si el dolor es muy persistente e interfiere en la actividad del niño. Asimismo, hay que acudir inmediatamente al especialista si el dolor se acompaña de vómitos frecuentes, rigidez en el cuello, o si se produce después de haberse dado un golpe en la cabeza o empeora pese a haberle suministrado paracetamol.

DOLOR DE CUELLO

Es uno de los síntomas más temidos por los padres, ya que lo suelen asociar a la meningitis. Sin embargo, en la mayoría de las ocasiones se trata de un dolor temporal causado generalmente por un tirón producido a su vez por distintas causas: una mala postura al dormir, la pantalla del ordenador, como consecuencia de la práctica deportiva, etc.

Síntomas

- Dolor o molestia localizada en un lado del cuello.
- Espasmos musculares que impiden la correcta gesticulación.
- Dolor irradiado a las zonas musculares próximas al cuello o a los brazos.
- Dolor intenso de los músculos del cuello al tacto o con los movimientos.

Qué puede indicar

- Una tensión muscular producida por un gesto forzado o mala postura.
- La tortícolis es otra de las causas de este cuadro.
- También puede ser sintomático de infecciones virales o bacterianas que inflaman los ganglios del cuello y, como reflejo, de los músculos cercanos, que se contraen y duelen con el movimiento.
- En ocasiones, las tortícolis en menores de 6 meses puede deberse a defectos congénitos o adquiridos en el parto: fibrosis del músculo esternocleidomastoideo, la tortícolis postural secundaria a la posición intraútero, la secundaria a una hemivértebra cervical y el secundario al desequilibrio de los músculos oculares.
- Si el dolor va acompañado de rigidez, fiebre, vómitos violentos o cefalea, puede ser síntoma de una meningitis bacteriana.

Cómo tratarlo

- Uno de los métodos más efectivos para aliviar el dolor es la aplicación de calor local: almohadilla especial o toalla previamente calentada, colocada sobre la parte dolorida durante aproximadamente 20 minutos. Otra opción con el mismo efecto es, simplemente, permanecer un rato bajo el chorro caliente de la ducha.

— Después de esta aplicación es conveniente estirar los músculos del cuello suavemente, siempre que no produzca un dolor excesivo.

— Sustituir la almohada por una toalla doblada envuelta alrededor de la mitad del cuello, lo que evitará que la cabeza se mueva demasiado durante el sueño, evitando las malas posturas.

— Evitar que el niño realice cualquier tipo de ejercicio que implique a la zona afectada hasta que no esté totalmente recuperado.

— La analgesia resulta muy efectiva, ya que permite aliviar los espasmos musculares.

— Si estos episodios son frecuentes, es conveniente mejorar la tonicidad de los músculos del cuello con dos o tres minutos diarios de ejercicios de estiramiento, como tocarse la barbilla con cada hombro y mover la cabeza hacia delante o hacia atrás.

— En caso de que el dolor se derive de una caída o traumatismo importante con dolor de cuello inmediato, no se debe mover al niño: hay que dejarlo sobre una superficie plana, con la cabeza centrada mirando hacia arriba, y llamar al facultativo.

CUÁNDO ACUDIR AL MÉDICO

En cuanto el niño se queje de dolor de cuello, es muy importante que se le inste a doblarse hacia delante y tocarse el pecho con la barbilla: si no es capaz de hacerlo y, además, presenta un cuadro febril, es muy importante acudir al especialista, ya que es sintomático de meningitis.

También hay que acudir al médico si el dolor se vuelve grave y persiste durante más de dos horas tras haberse administrado un analgésico; si aparece adormecimiento u hormigueo en los brazos o la parte superior de la espalda; si el dolor va acompañado de fiebre más alta de 37,8 °C, de vómitos o de un empeoramiento del estado general; si el dolor es inexplicable (no procede de ningún tirón o torcedura) y persiste durante más de 24 horas, incluso aunque se esté suministrando analgesia; si el dolor no mejora después de tres días de tratamiento o persiste pasadas dos semanas.

DOLOR DE ESPALDA

En los últimos años se ha observado un incremento importante de los casos de dolor de espalda en los niños, sobre todo en aquellos que se encuentran en edad escolar. De hecho, según las últimas investigaciones, entre los 13 y los 15 años las cifras son similares a las de los adultos. Lo normal es que estas molestias tengan unas causas concretas perfectamente identificables (coger peso excesivo, una práctica deportiva inadecuada...); suelen durar de cuatro a cinco días y por lo general remiten con tratamiento.

SÍNTOMAS

— Molestias en la zona de la espalda.
— Sobrecargas musculares.
— Tirones.
— Dolor que se mantiene pese al reposo y se acentúa con los movimientos.

QUÉ PUEDE INDICAR

- La mayoría de estos dolores están producidos por distensiones y contracturas musculares, causadas por el ejercicio brusco en niños que no están acostumbrados a ellos.
- Pueden estar producidos por cargar.
- Un mal funcionamiento de la musculatura de la espalda (en muy raras ocasiones se debe a una enfermedad de la columna vertebral).
- Un excesivo sedentarismo, que conlleva falta de fuerza muscular.
- Unos hábitos posturales incorrectos.
- La inadecuada práctica de algunos deportes.
- En algunos casos, actividades como la gimnasia rítmica en las niñas pueden llegar a causar deformaciones de la columna vertebral, como la escoliosis.
- El entrenamiento deportivo inadecuado puede causar desequilibrios en la musculatura, que afectan al funcionamiento normal de la espalda.
- En algunas ocasiones, pueden tener un origen psicológico, sobre todo en adolescentes, siendo la manifestación de una patología psicosomática.
- Otras causas pueden ser: hernia de disco, cifosis, patologías tumorales, enfermedades reumatológicas o infecciosas.

CÓMO TRATARLO

- Lo más efectivo es administrar antiinflamatorios, junto con medidas posturales y de fisioterapia.
- Evitar hacer deporte y los movimientos bruscos hasta que remita el dolor.

- En caso de que el dolor sea a nivel lumbar o cervical, aplicar calor local.
- Vigilar el reparto del peso de las mochilas escolares y optar por modelos de ruedas, tipo *trolley*.
- Para evitar que el dolor vuelva a aparecer, calentar siempre adecuadamente antes de iniciar cualquier práctica deportiva.

CUÁNDO ACUDIR AL MÉDICO

Si el dolor dura más de una semana; si se acompaña de fiebre y si la espalda está tumefacta o enrojecida; si el dolor es consecuencia de una caída importante, si se irradia hacia las piernas y las rodillas o se acompaña de debilidad en las piernas. También si el dolor afecta a un niño menor de 4 años o si provoca alguna alteración funcional al niño: no quiere hacer deporte o jugar o le provoca alguna alteración de la movilidad.

DOLOR DE GARGANTA

Un síntoma muy frecuente en la infancia son las molestias de garganta, que suelen acentuarse al tragar alimentos y saliva. Puede llegar a ser un dolor muy molesto para el niño, que cuando es muy pequeño lo manifiesta mediante el llanto y llevándose la mano a esta zona. Puede presentarse también de forma continuada.

SÍNTOMAS

- Dolor bastante intenso en el área de la garganta.
- Dificultad y dolor al tragar.
- Suele provocar fiebre y malestar.

– A veces puede acompañarse de ganglios en el cuello.
– Irritación y picor en la garganta.
– Pérdida de apetito.

QUÉ PUEDE INDICAR

– La mayor parte de las veces se produce a causa de una infección viral que afecta a la garganta.
– Puede ser consecuencia de un catarro o un enfriamiento.
– Faringitis y laringitis.
– La otitis, debido a la estrecha conexión que tiene con esta zona, puede también ser la causa de este dolor.
– Las paperas (parotiditis) también cursan con dolor de garganta.
– La mononucleosis infecciosa es otra de las patología que provocan este síntoma.

CÓMO TRATARLO

– Inicialmente, con analgésicos comunes, que pueden ser también antitérmicos.
– A veces se prescribe algún tipo de antiinflamatorio.
– Se recomienda beber abundantes líquidos, para evitar de esta manera la sequedad bucal que empeora este síntoma.
– Mientras no remite el dolor, se debe dar al niño alimentos blandos, con abundancia de zumos y papillas.
– En ocasiones se precisan antibióticos, concretamente cuando el dolor es resultado de una infección producida por bacterias, siempre bajo prescripción médica.

CUÁNDO ACUDIR AL MÉDICO

Si no mejoran los síntomas, a las 72 horas de tratamiento; si el niño tiene cefalea o hay un gran quebrantamiento del estado general; si aparece dolor de oído o se acompaña de una erupción cutánea; o si pese a la administración de antitérmicos no se consigue hacer bajar la fiebre.

DOLOR DE OÍDOS

El dolor de oídos u otalgia es muy común en niños menores de 5 años. Su origen puede ser diverso, aunque la mayoría de las veces está producido por una otitis o infección bacteriana del oído medio. Éste es una porción de oído ubicada detrás del tímpano que drena a través de un conducto estrecho y corto, la trompa de Eustaquio, hacia las fosas nasales, manteniendo así la presión igual en ambos oídos. En los niños, este conducto es más corto y horizontal. Cuando la trompa de Eustaquio se cierra, impide el drenaje normal del líquido desde el oído medio y éste se acumula, provocando mala circulación, dolor, pérdida de audición e infección de oído.

SÍNTOMAS

– Llanto incesante y agudo sin otras manifestaciones que lo justifiquen.
– El niño se muestra molesto y sólo se calmará al cogerlo en brazos.
– Se lleva la mano hacia el oído que está enfermo.
– Agita la cabeza de un lado a otro.
– Pese a tener hambre, rechaza el biberón y apenas coge el pecho.
– El dolor y el malestar pueden ir acompañados de fiebre.

Los problemas de audición provocan que el niño juegue solo y aislado.

- Algunos niños presentan una pérdida de audición leve durante e inmediatamente después de la infección.

QUÉ PUEDE INDICAR

- Puede ser resultado de un resfriado o de una alergia, patologías que obstruyen la trompa de Eustaquio debido a una inflamación o acumulación de las secreciones.
- La acumulación del agua del baño así como la retención de jabón y champú puede dar lugar al dolor del oído.
- La obstrucción del oído externo por un objeto extraño o por una acumulación de cera.
- Infección en el oído externo o medio.
- Tímpano roto o perforado.
- Infección dental.
- Infección de los senos paranasales.

- Artritis de la mandíbula.
- Irritación de la garganta con dolor que se irradia a los oídos.
- Lesión en el oído a causa de un cambio de presión (barotrauma), debido a las grandes alturas u otras causas.
- El llamado «oído de piscina», es decir, la acumulación de agua dentro del conducto auditivo que facilita el desarrollo de gérmenes y la invasión de la piel del conducto produciendo una otitis externa. En este caso, el dolor aumenta al mover el pabellón auricular y a veces puede producir la inflamación de la región del pabellón y por delante del oído.

CÓMO TRATARLO

- Mantener un ambiente húmedo y aplicar localmente compresas frías (durante unos 20 minutos) pueden ayudar a aliviar el dolor.
- Los analgésicos (paracetamol e ibuprofeno) son muy efectivos.
- Las gotas óticas son suaves y efectivas (preguntar al pediatra antes de administrarlas).
- Poner a dormir al niño con la cabeza un poco levantada puede paliar el dolor, ya que ayuda a reducir la presión en el oído medio.
- En el caso de la otitis de piscina, se suelen recetar gotas antibióticas y, por supuesto, evitar el uso de la piscina hasta que remita la infección.
- Si el dolor está producido por un descenso o una subida rápida desde o a grandes alturas, se puede aliviar mascando chicle, deglutiendo o tragando saliva; en el caso de los bebés, se puede dejar que succionen un biberón.

CUÁNDO ACUDIR AL MÉDICO

Si los síntomas que presenta el niño (dolor, fiebre, irritabilidad) no mejoran en un plazo máximo de 24-48 horas; si el niño presenta fiebre muy alta o dolor severo, o si el dolor severo cesa rápidamente (pues en este último caso puede indicar rotura de tímpano). También hay que consultar al experto si inicialmente el niño aparenta sufrir algo más serio que una leve infección de oído o si aparecen nuevos síntomas, como pueden ser el dolor de cabeza severo, mareos, inflamación alrededor del oído o movimientos musculares involuntarios.

DOLOR DE TRIPA

Es uno de los síntomas más frecuentes durante los primeros años de vida.

Se trata de un dolor localizado entre el costado y la ingle. Lo más importante es identificar un dolor que corresponde a un episodio aislado (dolor abdominal agudo) o recurrente (dolor crónico). Puede corresponder a situaciones puntuales (cólicos, indigestiones), a patologías extra-abdominales (de causa infecciosa, traumática, metabólica o malformativa) y a razones de tipo psicológio (nervios, ansiedad, berrinches). También es una de las «excusas» más frecuentes que alegan los niños cuando, por ejemplo, no quieren comer determinado alimento.

Para distinguir una simulación de un dolor real de tripa, se debe observar al niño en los momentos en que afirma tener dicho dolor; si el pequeño está pálido, presenta sudoración, ruidos intestinales y deja de realizar sus actividades normales y juegos habituales, así como si presenta vómitos, diarreas o fiebre, se trata, efectivamente, de un dolor «real».

SÍNTOMAS

— En el caso de niños muy pequeños, habrá llanto intenso, con flexión de las extremidades inferiores.
— Palidez excesiva y sudoración.
— Diarrea o estreñimiento prolongado.
— Fiebre.
— Vómitos.
— Decaimiento general.
— Hinchazón del abdomen.
— Irritabilidad y malestar.

QUÉ PUEDE INDICAR

— En los lactantes, puede tratarse de un cólico del lactante, una invaginación intestinal (enfermedad obstructiva que se produce cuando un segmento del intestino se introduce en el interior de otro segmento intestinal vecino), una diarrea aguda (el dolor se suele acompañar de «pinchazos» en el lado izquierdo, que es donde está el intestino grueso) o una infección del tracto urinario.
— En edad preescolar, las causas más frecuentes son la diarrea aguda, la infección del tracto urinario o una amigdalitis o faringitis (el proceso infeccioso inflama los ganglios del cuello y el plexo solar que pertenecen a la misma cadena ganglionar que se ubica en el abdomen).
— En niños que son más mayores, puede indicar pielonefritis, neumonías, amigdalitis y apendicitis (el dolor se localiza en el lado derecho, bajo el ombligo, pudiéndose extender hacia la pierna, y va acompañado de un endurecimiento de la zona y de fiebre muy alta).

– Si se trata de un dolor recurrente, puede estar producido por parásitos (giardias u oxiuros), los cuales, al introducirse en el apéndice, pueden producir dolor.
– Los nervios y las situaciones de ansiedad o inseguridad también producen dolor estomacal. Por ejemplo, un cuadro frecuente es el dolor que se presenta el lunes por la mañana, antes de asistir al colegio. Su causa es psicológica, pero debe ser tratado por el especialista.

Cómo tratarlo

– Se debe dejar al niño en reposo y observar cómo evolucionan todos los síntomas.
– Si presenta vómitos o diarreas, corre el riesgo de deshidratarse, por lo que se le deben administrar líquidos cada 5-10 minutos.
– No es aconsejable darle analgésicos hasta descartar que se trata de un dolor abdominal agudo, ya que en estas situaciones posiblemente hay que intervenir quirúrgicamente y al suprimir el dolor se puede enmascarar el cuadro. Algunas medidas, como los masajes o la aplicación del calor local, pueden aliviar los síntomas.

Cuándo acudir al médico

Si el niño llora o grita de dolor a intervalos de 15 a 20 minutos, sufre un dolor intenso durante más de 2 horas, el dolor va acompañado de vómitos y/o fiebre elevada y mantenida; además, si el dolor se localiza en un punto determinado, se observa sangre en las heces, o el niño no ha hecho deposiciones en las últimas 24-48 horas.

DOLORES DE CRECIMIENTO

Se definen los dolores de crecimiento como aquellos dolores óseos no relacionados con traumatismos que aparecen en los miembros inferiores (muslos y piernas), principalmente durante el descanso nocturno. Afecta a un 10-20 por ciento de los niños en edad escolar, entre los 4 y los 12 años. En la gran mayoría de los casos, este dolor es una evidencia de que el niño está creciendo, tratándose de una patología benigna y limitada, que no reviste gravedad. Desde el punto de vista anatómico, lo que crece (aumenta de volumen) son las masas óseas (los huesos), las cuales, al aumentar de tamaño, generan en los músculos un «estirón», lo que constituye un estímulo para que aumente la masa muscular, que es la verdadera causa del dolor.

Según investigaciones recientes, el hecho de que este dolor se produzca por la noche puede deberse a que el cartílago de crecimiento, situado en los extremos de los huesos largos, se comprime al caminar o estar de pie, mientras que la presión sobre este cartílago cesa cuando el cuerpo está acostado, de forma que es entonces cuando los huesos pueden alargarse.

Síntomas

– Dolor de aparición nocturna (aunque eso no quita que a veces se pueda presentar al final de la tarde o al despertar), localizado habitualmente en muslos, pantorrillas y por detrás de las rodillas.
– Tiene más de 3 meses de evolución.

— Se trata de un dolor no localizado en las articulaciones, y que puede llegar a limitar la actividad normal del niño.

— Persiste desde minutos a horas y varía considerablemente en cuanto a frecuencia e intensidad.

— Típicamente empeora por la tarde e incluso puede llegar a despertar al niño por la noche.

— Siempre son dolores bilaterales: ocurren a ambos lados del cuerpo, aunque no de forma simétrica; una noche puede doler el muslo izquierdo y la pantorrilla derecha y la noche siguiente puede ser al contrario.

— No se acompaña de manifestaciones externas como hinchazón o eritema (enrojecimiento) y tampoco de cojera ni limitación articular. No produce dolor al tacto.

— En algunos casos pueden surgir también dolores de cabeza, dolores abdominal y dolores de extremidades.

Qué puede indicar

— Estos dolores son una manifestación del crecimiento, de forma armónica y normal, del niño. El hecho de que se presenten todos los síntomas característicos sirve para descartar otras dolencias.

— También pueden presentarse como consecuencia de una actividad física exagerada en niños que se encuentran en edad de crecimiento.

Cómo tratarlos

— Mejoran notablemente con la aplicación de calor local (compresas, bol-

sas de agua caliente, manta eléctrica) sobre los músculos doloridos.

— También son muy efectivos los masajes que activan la circulación venosa (de abajo arriba).

— Los estiramientos musculares, realizados lenta y tranquilamente, sin forzar los músculos, también pueden aliviar un poco.

— En cuanto a los fármacos, se puede recurrir a analgésicos comunes (paracetamol e ibuprofeno).

Cuándo acudir al médico

Hay que consultar al especialista ante cualquier deformidad de la extremidad o de las articulaciones, así como si cambia de color y de temperatura. También hay que acudir al médico en caso de que sólo duela una pierna o el dolor se localice en alguna zona articular.

ERUPCIONES CUTÁNEAS

Se trata de la aparición de lesiones en la piel acompañadas de enrojecimiento, que pueden ir acompañadas o no de picor.

El niño puede mostrarse molesto o, por el contrario, no manifestar ninguna afectación por este problema cutáneo que, pese a ser benigno la mayoría de las veces, produce gran alarma en los padres.

Síntomas

— Presencia de lesiones cutáneas, localizadas en partes concretas del cuerpo o generalizadas.

— Manchas rojizas con puntos de pus, costras.

– Algunas causan picor, mientras que otras no producen ninguna molestia significativa a nivel cutáneo.
– Fiebre en determinadas ocasiones.
– Malestar inespecífico.

QUÉ PUEDEN INDICAR

– Enfermedades exantemáticas, es decir, que cursan con erupciones cutáneas: sarampión, varicela, rubéola.
– Urticarias: reacciones alérgicas cutáneas producidas por el contacto con determinados alergenos.
– Algunas de estas erupciones pueden estar causadas por microorganismos o bien por sobreinfecciones que se producen después de éstos.
– Infecciones por virus, bacterias u hongos.
– Eccemas irritativos o alérgicos.
– Reacciones medicamentosas.

CUÁNDO ACUDIR AL MÉDICO

Si el cuadro es generalizado; si se sospecha que está producido por una alergia; si cursa con dolor y fiebre; si afecta a regiones delicadas, como los ojos, la boca o los genitales; o si se produce la progresión en pocas horas.

ESTREÑIMIENTO

Se define como la retención de heces, traducida en una disminución del número de evacuaciones, las cuales adquieren una consistencia dura. También se aplica este término a la dificultad para defecar, unida a la sensación permanente de evacuación incompleta. La población infantil es uno de los colectivos más afectados por esta disfunción: uno de cada cuatro niños que acuden al Servicio de Gastroenterología Pediátrica lo hacen a causa de este problema. Sin embargo, es un síntoma difícil de determinar, ya que hay que tener en cuenta que cada niño tiene un ritmo intestinal distinto y, además, éste suele ser irregular a edades tempranas.

Al contrario de lo que ocurre en los adultos, entre la población infantil este trastorno es más frecuente en los varones que en las niñas, en una relación de 15 a 1. En el 25 por ciento de los casos, comienza a manifestarse en el primer año de vida, registrando la prevalencia más alta en los niños de entre 2 y 4 años de edad. Se trata de un síntoma que si no se diagnostica y se trata lo antes posible, puede fácilmente convertirse en crónico.

SÍNTOMAS

– Una alteración significativa en el ritmo habitual de defecación. Como regla general, un bebé menor de 6 meses debe evacuar al menos una vez al día; a partir de los 2 años, los niños pueden tener entre una y dos evacuaciones diarias.
– Evacuaciones con dolor (e incluso con sangrado por fisura anal).
– Puede ir acompañado de inapetencia (el niño se niega a comer) y malestar general.
– Cansancio.
– Distensión abdominal.
– Dolor tipo cólico.

QUÉ PUEDE INDICAR

– Una dieta pobre en fibra.
– Retirada del pañal inadecuadamente.

– Un exceso en la ingesta de alimentos astringentes: plátano, arroz, ciertas golosinas...

– Desorden en los horarios de comida.

– Falta de hábitos adecuados respecto al control de esfínteres.

– Problemas psicológicos derivados de problemas de ansiedad ante determinadas situaciones (es frecuente que el niño se aguante las ganas de ir al baño cuando está fuera de casa).

– Otras causas de tipo orgánico: malformaciones anales, hemorroides, diabetes, enfermedades neurológicas, hipotiroidismo, ingesta de ciertos medicamentos (anticonvulsionantes, antiespasmódicos, etc.).

– Cualquier alteración en los hábitos del niño: viajes, mudanzas o separación familiar.

Cómo tratarlo

– Debido a que cada niño tiene un ritmo intestinal diferente, es aconsejable consultar al pediatra para que lo diagnostique y, también, prescriba el tratamiento.

– Introducir las cantidades de fibra necesaria en la alimentación. En niños menores de un año, se puede recurrir a las papillas con frutas, cereales y verduras. Para el resto, es imprescindible asegurar un menú que sea variado y sobre todo muy rico en cereales integrales, frutas, verduras y legumbres, así como tomar líquidos en abundancia.

– En niños menores de 4 años, no son recomendables los suplementos dietéticos o las fibras comerciales purificadas.

– En cuanto a los laxantes y los supositorios de glicerina, sólo deben administrarse bajo supervisión médica.

– El papel de los padres es fundamental en dos sentidos: reeducándole en el aprendizaje del hábito de la defecación regular y suministrándole una alimentación que le aporte el contenido necesario en fibra.

Cuándo acudir al médico

Si el estreñimiento va acompañado de un importante deterioro del estado general del niño; también, si se presenta con un importante dolor abdominal.

FIEBRE

La fiebre es un síntoma, no una enfermedad. Se considera que un estado es febril cuando la temperatura corporal es superior a la normal (entre los 36 y los 37 ºC). Por sí sola, no es dañina, ya que se trata de una respuesta del organismo desencadenada por diversas causas, las cuáles hay que determinar para iniciar el tratamiento.

El cuadro febril puede ser de distinto tipo, a saber:

– Fiebre continua (temperatura elevada continuamente, la cual, a pesar de tomar antitérmicos, no oscila en más de 1 °C).

– Remitente (oscila entre 1-2 °C con tratamiento, pero no vuelve a la normalidad).

– Intermitente (la temperatura oscila en picos, pero entre ellos es normal).

– Oscilante (la temperatura alcanza diferentes valores a lo largo del día).

– Ondulante (aumenta en escalera hasta los 40 °C, alcanza una meseta durante unos días y luego vuelve a bajar en escalera).
– Febrícula (la temperatura que se mantiene entre 37 y 38 °C).

Síntomas

– El niño está caliente al tacto (especialmente en el cuello y la cabeza, mientras las manos y los pies permanecen fríos).
– Una temperatura rectal sobre los 38 °C y axilar mayor a 37,5 °C.
– Pérdida de apetito, irritabilidad y somnolencia excesiva.
– Se queja de frío o suda en exceso.
– Dolor de cabeza.
– Deja de moverse y de jugar como lo hace habitualmente.
– Llanto persistente.
– Vómitos o dolor abdominal.

La fiebre siempre es un síntoma, no una enfermedad, por lo tanto nos da el aviso de que alguna patología se está desarrollando.

– Dificultad para respirar, dolor de garganta o de oídos.

Qué puede indicar

– Infecciones por virus, especialmente catarro, varicela y gripe, producen fiebre alta. Concretamente, en el caso de la gripe, la fiebre alta puede mantenerse por 5 días o más.
– Infecciones bacterianas, como puede ser la infección por esteptococos en la garganta o las posibles infecciones de oído.
– La dentición también puede dar lugar a cuadros febriles leves, que no revisten mayor gravedad.
– La insolación o golpe de calor puede elevar la temperatura corporal.
– Las patologías de tipo inflamatorio, como la artritis o la inflamación intestinal.

Cómo tratarla

– Vestir al niño con ropa ligera, no abrigarle en exceso y mantenerle en un ambiente que no sea excesivamente caluroso.
– Asegurarse de que ingiera líquidos en abundancia.
– Administrarle antitérmicos (paracetamol, ibuprofeno, dipirona), preferiblemente por vía oral. Aunque suele venir detallado en el prospecto, no está de más consultar al pediatra cuál es el más adecuado para el niño y qué dosis corresponde al pequeño según su peso y edad. No es conveniente alternar varios medicamentos para bajar la fiebre.

– Para acelerar el descenso de la fiebre, se puede dar un baño al niño con agua templada durante 20 minutos, aproximadamente.

– También se pueden colocar compresas o paños húmedos (nunca en agua fría) en aquellas zonas en las que los vasos sanguíneos pasan más cerca de la superficie: cuello, axilas, ingles y cuero cabelludo.

– Los antibióticos sólo deben administrarse por prescripción médica y en aquellos casos en los que haya una patología que lo justifique (causa bacteriana de la infección).

– Tomar la temperatura con frecuencia: puede tardar hasta una hora en bajar.

CUÁNDO ACUDIR AL MÉDICO

Si, además de fiebre, el niño tiene vómitos, dolor de cabeza fuerte, sueño excesivo (es difícil despertarle) o tiene rigidez en la nuca. También, si la fiebre va acompañada de respiración rápida y difícil, babeo o incapacidad para tragar, sarpullido o ronchas, dolor de oídos y dolor al orinar. También hay que acudir a la consulta si el niño es menor de 3 meses y presenta un episodio febril agudo, acompañado o no de otros síntomas, y, en todas las edades, si la fiebre no justifica un estado excesivo de decaimiento.

FLEMAS

Se trata del aumento de secreciones de las vías respiratorias. Se producen sobre todo en bronquios y faringe. También afecta a la nariz y a los senos paranasales. Pueden ser líquidas o espesas (purulentas) y suelen resultar muy molestas para el niño, ya que le impiden respirar con normalidad. También pueden producir molestias estomacales al ser tragadas.

SÍNTOMAS

– Aumento de las secreciones en la boca que proceden del aparato respiratorio.

– Aumento de mucosidad en la nariz y la faringe.

– Las secreciones pueden presentar una consistencia líquida, o bien ser espesas y malolientes.

– Suelen acompañarse de tos, que las expulsa hacia la boca.

– En ocasiones, es posible que se tiñan de sangre.

QUÉ PUEDEN INDICAR

– Es un síntoma típico de bronquitis.

– También es sintomático de otras afecciones del aparato respiratorio, tales como la bronconeumonía y la fibrosis quística.

– Otra de sus causas típicas suele ser la sinusitis alérgica y también la de tipo infeccioso.

– Las rinitis, independientemente de sus causas, provocan flemas.

– La tuberculosis es otra de las patologías que tienen este síntoma.

CÓMO TRATARLAS

– Para fluidificarlas conviene que el niño tome mucho líquido. Así las podrá expulsar más fácilmente.

– El pediatra puede recomendar la administración de algunos mucolíticos, sobre todo si las secreciones son más bien espesas.

- La tos no debe tratarse en principio, ya que es un mecanismo que ayuda a eliminar las flemas.
- Colocar al niño en posiciones laterales y otras similares que favorezcan la eliminación de las secreciones.

CUÁNDO ACUDIR AL MÉDICO

Si las secreciones se acompañan de dolor de cabeza o en el tórax; si además se presenta fiebre elevada; si las flemas se tiñen de sangre; si son muy espesas y malolientes (suelen indicar una causa bacteriana y, por tanto, precisarán antibióticos); o si se prolongan en el tiempo (más de una semana) o aumentan su frecuencia de emisión.

GANGLIOS

Los ganglios linfáticos son cúmulos de células defensivas (linfocitos), que se sitúan en estructuras redondas de menos de un centímetro, y se encuentran conectadas entre sí mediante una espesa red de vasos, que corre paralela a las venas (sistema linfático). Están distribuidos en distintas zonas del cuerpo y actúan como barreras defensoras.

En efecto, su función es neutralizar aquellas sustancias extrañas que penetran en la circulación linfática (por ejemplo, virus y bacterias), para lo cual producen gran cantidad de linfocitos, debido a lo cual se inflaman, siendo perceptibles al tacto y a la vista. En la mayoría de las ocasiones no revisten gravedad, y remiten al tratar la infección o alteración que los ha producido. En los niños, además de ser más notorios que en los adultos, la aparición de ganglios es bastante fre-

cuente, ya que su sistema inmunitario aún no está maduro, por lo que todavía no ha desarrollado las defensas adecuadas para neutralizar los distintos agentes patógenos del ambiente y que son bastante frecuentes en colegios y guarderías.

SÍNTOMAS

- Inflamación y dolor de los ganglios linfáticos.
- Inflamación de la piel que recubre el ganglio.
- Pueden ir acompañados de fiebre, escalofríos, taquicardia, dolor de cabeza, pérdida de peso y de apetito y sensación generalizada de malestar.

QUÉ PUEDEN INDICAR

- Lo más normal es que se produzcan por una alteración en la zona en la que están ubicados. Así, por ejemplo, la aparición de ganglios en la nuca puede indicar infecciones en el cuero cabelludo o golpes en la cabeza, mientras que si se localizan debajo de la mandíbula pueden estar producidos lo mismo por una caries dental, que por una infección en la boca (estomatitis) o por la mala adaptación a los aparatos de ortodoncia.
- Los más frecuentes son los ganglios que aparecen debajo de las orejas, los cuales suelen ser, por lo general, indicativos de una otitis (infección de oídos), una faringitis, una amigdalitis aguda u otra patología de las vías respiratorias.
- Los ganglios en las piernas suelen ser debidos a traumatismos y rasguños

que se infectan, mientras que cuando se localizan en la ingle pueden indicar una inflamación en los genitales o también una infección a causa de una herida en la pierna o pie (los frecuentes rasguños en la rodilla son una causa habitual).

— Los ganglios linfáticos de la axila pueden inflamarse a consecuencia de una herida (una picadura infectada, por ejemplo) en el brazo, la mano o el pecho.

— La mononucleosis, esto es, una enfermedad vírica que se transmite fundamentalmente por la saliva, suele cursar con la inflamación de ganglios en el cuello.

— Otra causa de la inflamación de los ganglios es la llamada enfermedad del arañazo del gato, producida por un germen que habita debajo de las uñas del felino.

— Los linfomas y otros tumores sólidos también se dan en los ganglios.

Cómo tratarlos

— Como la mayoría de los ganglios están producidos por una infección, el tratamiento pasa por recurrir a la medicación adecuada para el tratamiento de la mismas y seguir siempre las indicaciones del médico.

— Evitar tocarlos continuamente y no aplicar ningún producto para reducir la hinchazón.

— Vigilar de cerca la evolución de la inflamación. Lo normal es que los ganglios permanezcan visibles, fundamentalmente al tacto, dos semanas después de producirse la infección, pero menos inflamados y sin dolor.

En caso de que la inflamación aumente y el dolor persista pasados 2 o 3 días después de iniciar el tratamiento, hay que llamar al médico.

Cuándo acudir al médico

En el caso de que la inflamación esté producida por un traumatismo o infección; suele durar pocos días.

Si la infección es más seria, tanto la infección como el dolor pueden mantenerse durante varias semanas, en cuyo caso hay que consultar al médico, al igual que si, pese a estar tratándose la enfermedad, la inflamación del ganglio persiste.

También hay que acudir al médico si la infección se traslada a uno o varios ganglios, o si éstos aumentan aún más de tamaño y se vuelven dolorosos o si van acompañados de fiebre persistente.

En caso de que la presencia de ganglios vaya acompañada de fiebre elevada, enrojecimiento de la garganta y las amígdalas y un estado de decaimiento generalizado y mantenido, hay que acudir a la consulta del pediatra, ya que podría ser sintomático de una mononucleosis.

GASES

En la infancia, el acúmulo de gases se debe a la aerofagia (ingesta de aire durante la comida) y no a la producción de gases por las bacterias intestinales. Es muy frecuente: de hecho, se estima que más del 30 por ciento de los menores de 12 meses la padecen. Se trata de un síntoma propio de bebés y niños que comen con ansias o aquellos que padecen cólico del lactante. Se manifiestan mediante dolor abdominal.

SÍNTOMAS

- Se manifiestan mediante dolor abdominal y una opresión por distensión del estómago.
- Los eructos y ventosidades son sus manifestaciones más frecuentes.
- Pueden ir acompañados de regurgitación, hipo e incluso, en ocasiones, disfagia.
- La hinchazón abdominal es otro de sus síntomas.

QUÉ PUEDEN INDICAR

- En recién nacidos y menores de 3 meses, la causa más frecuente es el cólico del lactante.
- En el caso de los lactantes, puede indicar una técnica alimenticia inadecuada, algo más frecuente en los niños que toman biberón: éste no se inclina lo suficiente, el agujero de la tetina es demasiado estrecho, por lo que el niño debe hacer mucho esfuerzo y, en consecuencia, traga más aire...
- También se producen cuando el niño tiene problemas para respirar por la nariz, debido fundamentalmente a un catarro.
- En niños más mayores, pueden denotar un estado de ansiedad y, también, la costumbre de comer y deglutir muy rápidamente.
- Si los eructos son bastante frecuentes, pueden ser indicativos de otras patologías, tales como el reflujo gastroesofágico.
- Un exceso de flatulencias puede indicar también una mala absorción de los hidratos de carbono.

- El abuso de las bebidas gaseosas y las comidas copiosas también favorece la aparición de gases.

CÓMO TRATARLOS

- En el caso de bebés, el tratamiento más eficaz es prevenir la ingesta de aire mediante una buena técnica de alimentación (no más de 10 minutos en cada pecho, colocación del niño en vertical durante la toma, ligeramente inclinado hacia atrás y hacia la izquierda; asegurar la expulsión correcta de los eructos, etc.).
- En caso de que vayan acompañados de dolor abdominal, los masajes circulares en la barriga, en la posición de sentado, son muy efectivos.
- Intentar siempre que la hora de la comida transcurra en un ambiente lo más relajado posible.
- En niños propensos a los gases, limitar la ingesta de chicle y evitar la ingesta de bebidas con pajitas.
- A cualquier edad, puede aliviarle ponerle boca abajo atravesado en el regazo para ayudarle a eructar.
- Las infusiones de manzanilla (una planta que calma los espasmos) o de tila y melisa (reguladores nerviosos) suelen ser efectivas.
- Los fármacos específicos (dimeticona) sólo deben administrarse en aquellos casos en que sean prescritos por el pediatra.

CUÁNDO ACUDIR AL MÉDICO

Pese a ser un síntoma muy molesto, sólo en casos muy exagerados es necesario acudir al médico. Sólo si aparecen otros símtomas como fiebre, estreñimiento agudo, heces con presencia de sangre o rechazo al alimento se debe consultar con el especialista, y también si los gases se acumulan en el lado derecho, los síntomas pueden ser similares a los de la apendicitis. También hay que acudir al especialista si los gases van acompañados de dolor abdominal intenso y una afectación del estado general del bebé; también si, de forma conjunta, aparecen diarreas y dolores de tripa fuertes, ya que podría ser debido a una intolerancia a la leche.

HEMATURIA

Es la condición en la que la orina del niño está muy concentrada o teñida de sangre. Varía desde orina oscura hasta una tonalidad casi negra (de un color similar a las bebidas de cola).

SÍNTOMAS

– Orina oscura cada vez que el niño micciona.
– Escozor o dolor al orinar.
– Aumento de la frecuencia con la que el niño orina.
– Posible dolor en el abdomen bajo, en concreto en la región de la vejiga.

QUÉ PUEDE INDICAR

– Lo más frecuente es que se trate de un síntoma de infecciones de orina.
– También puede deberse a una cistitis.
– Puede ser indicio de una patología renal (concretamente de una glomerulonefritis).

– Podría interpretarse como signo de hepatitis.
– Muchas enfermedades metabólicas presentan este síntoma.
– Algunos fármacos tiñen la orina, y lo mismo ocurre con ciertos alimentos.
– En algunos casos, podría ser un signo de una malformación neurológica congénita.
– Podría ser indicativo de cálculos renales, una patología que es excepcional en el caso de los niños.

CÓMO TRATARLA

– Forzar al niño a beber abundante líquido para aclarar la infección por arrastre.
– Evitar en la medida de lo posible que el niño realice esfuerzos.
– No administrarle ningún tipo de medicación sin haber consultado antes al médico.

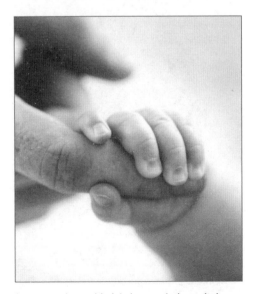

Intentar relajar al bebé durante la hora de la comida disminuye el riesgo de padecer gases.

– Recoger una muestra de orina para analizarla (a ser posible, la primera de la mañana).

CUÁNDO ACUDIR AL MÉDICO

Si el color oscuro de la orina es muy intenso; si se asocia con un dolor en la región de la espalda; si va acompañado de fiebre elevada; si se producen escalofríos; o cuando se acompaña de un intenso cansancio, ya que puede ser indicativo de anemia por pérdida de sangre o hepatitis aguda.

HEMORRAGIA NASAL

Conocidas médicamente como epistaxis, las hemorragias nasales son un problema frecuente en la niñez que, pese a que resultan alarmantes, no suelen revestir gravedad ni resultan peligrosas. La nariz tiene una gran variedad de

La hemorragia nasal puede producirse por el golpe de una pelota en la cara o por una climatología muy seca.

vasos sanguíneos diminutos que sangran fácilmente cuando el revestimiento nasal se reseque y se irrite por distintas causas. Por ejemplo, estas hemorragias son bastante comunes en los climas secos o durante los meses de invierno debido al calor seco en el interior de las casas y edificios a causa de las calefacciones; este ambiente puede causar sequedad, agrietamiento o costras dentro de la nariz. Se clasifican en dos tipos: hemorragia nasal anterior, que proviene de la parte frontal de la nariz y comienza fluyendo por una de las fosas nasales; son las más habituales en niños. El otro tipo, la hemorragia nasal posterior, viene desde el fondo de la nariz y cae hacia la parte posterior de la boca y la garganta. A menudo son más severas y requieren asistencia médica. La tendencia a las hemorragias nasales suele superarse una vez llegada la adolescencia.

SÍNTOMAS

– Puede ir acompañada de un vómito de sangre oscura debido a que es frecuente que el niño trague una cantidad de sangre antes de detener la hemorragia.

QUÉ PUEDE INDICAR

– Las hemorragias nasales son frecuentes en los casos de alergias, resfriados, rinitis y sinusitis.
– Son frecuentes las hemorragias nasales traumáticas producidas por accidentes y también las derivadas de una autolesión digital de la mucosa nasal (el niño se hurga con el dedo).
– Si el sangrado va acompañado de una secreción con mal olor y en un solo lado de la nariz puede indicar la intro-

ducción de un cuerpo extraño en las vías nasales.

– Las personas con tabique desviado son propensas a las hemorragias nasales frecuentes.

– Sonarse la nariz demasiado fuerte puede ser otra de las posibles causas de una epistaxis

– Ocasionalmente, pueden ser indicio de otros trastornos tales como una hipertensión.

– El consumo de medicamentos antiagregantes plaquetarios también se relaciona con este síntoma.

– Asimismo, puede estar producida la hemorragia por un trastorno de la coagulación (hemofilia) o una disminución de las plaquetas.

Cómo tratarla

– Para cortar la hemorragia, hay que hacer que el niño se siente en posición erguida e inclinarlo hacia delante para evitar que trague sangre.

– Nunca hay que colocar la cabeza hacia atrás, ya que la sangre caerá por la garganta, con lo que el niño corre el riesgo de atragantarse.

– En esta posición, hacer que se apriete con los dedos índice y pulgar (si es muy pequeño, lo hacemos nosotros) las fosas nasales durante unos 5-10 minutos.

– Se puede aplicar un poco de hielo o una compresa de agua fría en el puente de la nariz.

– No se debe taponar la nariz con gasas.

– Para prevenir una nueva hemorragia después de que ésta ha parado, se debe aspirar suavemente, evitar que el niño se incline y así procurar que

mantenga la cabeza más alta que el corazón.

Cuándo acudir al médico

Si la hemorragia no puede ser detenida o si se reanuda continuamente; si hay un cuerpo extraño en la nariz (en este caso, se aconseja acudir a urgencias , debido al peligro de que ese cuerpo extraño descienda y pase a la tráquea o al pulmón); si sangra rápido o la cantidad de sangre perdida es importante; si el niño presenta también una lesión de nariz que puede indicar un problema más serio (como una fractura u otro traumatismo en la cabeza); si se siente cansado, débil o tiene problemas para respirar; si se presentan hemorragias en otras partes del cuerpo (heces, orina o encías) o le salen moratones con facilidad.

HINCHAZÓN EN TOBILLOS

Se trata de la acumulación de líquido en la zona de los tobillos del niño, lo que produce una hinchazón que, aunque notoria, no suele resultar molesta o dolorosa. También puede producirse hinchazón en los tobillos como consecuencia de un golpe o contusión, en cuyo caso sí que produce dolor, tanto en reposo como al moverlo.

Síntomas

– Mayor grosor del tamaño en la zona de los tobillos.

– Se notan blandos: al presionar, el dedo se hunde y poco a poco va recuperando el aspecto anterior.

– No suele acompañarse de dolor ni producir molestias significativas.

— Tampoco duele al moverlo, a no ser que la hinchazón sea producida por un golpe o torcedura.

QUÉ PUEDE INDICAR

— Contusión o esguince de tobillo. Puede producirse inmediatamente tras la lesión e incluso un tiempo después de producirse la misma.
— Problema cardiaco que provoca insuficiencia cardiaca.
— Puede ser sintomático de patología renal.
— También podría ser indicativo de problemas de retorno venoso en las piernas (varices), aunque es un cuadro raro en niños.

CÓMO TRATARLA

— Disminuir el consumo de líquidos.
— Reducir en lo posible la utilización de sal en la dieta infantil, así como de alimentos salados.
— Elevar las piernas para reducir la hinchazón.

CUÁNDO ACUDIR AL MÉDICO

Si la hinchazón es consecuencia de un traumatismo; si el acúmulo de líquido es intenso y se acompaña de otros síntomas generales como fatiga, falta de apetito o pérdida de peso; en recién nacidos o en niños que son muy pequeños se trata de un cuadro que debe estudiarse siempre; si hay disminución o ausencia de orina; o si se acompaña de sensación de ahogo o una tolerancia muy baja al esfuerzo.

ICTERICIA (BILIRRUBINA)

Se trata de una coloración amarilla de la piel, de las mucosas y de la conjuntiva debida al aumento de una sustancia, la bilirrubina, en la sangre. En el caso de los recién nacidos, este aumento se produce por el hecho de que, al nacer, el bebé respira aire, rico en oxígeno, y el exceso de glóbulos rojos (algo frecuente debido a su «estancia» en el líquido amniótico) es destruido por el organismo. Al romperse, estos glóbulos rojos liberan una sustancia amarilla, la bilirrubina, que normalmente es eliminada por el hígado del bebé para convertirse en bilis. Sin embargo, y como es frecuente que este órgano no esté totalmente maduro, la bilirrubina excesiva no es eliminada eficientemente y se deposita en la piel. La ictericia fisiológica es más evidente en el 50-60 por ciento de los recién nacidos normales, en los de bajo peso y en los prematuros. En niños mayores es indicativa de un mal funcionamiento hepático.

SÍNTOMAS

— En el caso de la ictericia fisiológica, aparece un color amarillento en la piel que se refleja primero en la cara, después en el tórax, abdomen y, por último, en las extremidades.
— No aparece en el momento del nacimiento, sino a partir del segundo o cuarto día de vida, alcanzando el máximo a partir del tercer día y desapareciendo habitualmente al décimo día.

QUÉ PUEDE INDICAR

— La causa más frecuente es la ictericia fisiológica. En niños alimentados con leche materna, la duración puede ser mayor (ictericia por lactancia materna). En estos casos, no es preciso tratamiento ni tampoco se recomienda abandonar la lactancia natural.

— En recién nacidos, también es indicativa de inmadurez del hígado.

— Además, es sintomática de las infecciones graves del recién nacido, de problemas congénitos de las vías biliares o de una deshidratación importante.

— Puede ser el primer síntoma de enfermedades del hígado: hepatitis, cálculos biliares, enfermedades crónicas del hígado.

— Asimismo, puede ser sintomática de enfermedades de los glóbulos rojos, (anemias por disminución de glóbulos rojos) como por ejemplo, la incompatibilidad Rh madre-hijo recién nacido.

Cómo tratarla

— En el caso de la ictericia fisiológica, el tratamiento dependerá de los días de vida, de la edad de gestación y de la cantidad de bilirrubina. Generalmente, suele tratarse exponiendo al bebé al sol durante aproximadamente 20 minutos al día.

— También se puede recurrir a un tratamiento de fototerapia, que consiste en poner al niño bajo una luz especial (ultravioleta) que degrada la bilirrubina en exceso convirtiéndola en moléculas más solubles, favoreciendo su eliminación por la orina. Este tratamiento con fototerapia solamente se emplea en el caso de la ictericia fisiológica intensa.

— Cuando la ictericia se debe a hepatitis, el tratamiento depende de la causa.

Cuándo acudir al médico

Toda ictericia debe ser puesta en conocimiento del médico en cuanto se observe, y es él quien debe hacer el diagnóstico y pautar el tratamiento. Además, hay que acudir al especialista si la ictericia fisiológica dura más de 10 días, se acompaña de heces de color blanco o el bebé presenta un abdomen muy abultado. También si, además de la ictericia, el niño presenta hemorragias de la piel o vómitos, o también si hay presencia de sangre en las heces.

MAREOS

Consiste en una sensación de desmayo o pérdida del tono muscular. También puede producirse una sensación de embotamiento mental (el niño se muestra confundido) y a veces se puede acompañar de palidez, sudor frío y un aumento de la presencia cardiaca. El niño se queja de malestar difuso.

Síntomas

— Sensación de inestabilidad.

— Palpitaciones y aumento de la frecuencia cardiaca.

— Sudor frío.

— Palidez.

— Sensación inminente de pérdida de conocimiento.

— El niño afirma estar «como flotando», perdiendo el control sobre sí mismo.

— Puede ir acompañado de náuseas y vómitos.

QUÉ PUEDE INDICAR

- Puede estar producido por una anemia o hemorragia.
- La aprensión o el miedo a una circunstancia determinada (síncope vasovagal) es una causa frecuente de mareo en el caso de los niños.
- Sensibilidad al movimiento que se produce al viajar en coche (curvas) o en barco.
- La deshidratación también puede dar lugar a mareos, debido a la debilidad física que produce.
- Las reacciones a algunos fármacos también pueden producir mareos.
- En adolescentes, puede ser debido al consumo de alcohol y drogas.
- Una de las causas más típicas son las lipotimias (bajadas de tensión arterial).
- Algunas afecciones neurológicas, como la meningitis y la encefalitis, cursan con mareos.
- Otras causas pueden ser una arritmia importante, diabetes, hipoglucemia o pequeño mal (un tipo de epilepsia).
- Algunos problemas de vista no diagnosticados pueden dar lugar a visión borrosa y, por tanto, a mareos.

CÓMO TRATARLO

- Hacer que el niño se tumbe y, en esta posición, elevarle las piernas.
- Ventilar la estancia (abrir las ventanas) y abanicar al niño.
- Darle de beber un líquido fresco y azucarado (agua con azúcar).
- Colocar al niño en un sitio bien seguro, de forma que no se golpee si se desmaya.

- Para prevenir el mareo en los medios de locomoción se puede recurrir a fármacos específicos (siempre previa consulta al pediatra), la mayoría de los cuales ofrecen formulaciones para niños.
- En caso de que se sospeche que el mareo pueda estar producido por un problema de la vista, hay que consultar cuanto antes con el oftalmólogo.

CUÁNDO ACUDIR AL MÉDICO

Si el niño no responde o se recupera a los pocos minutos; en caso de que llegue a perder el conocimiento; si se acompaña de otros síntomas como déficit neurológico o fiebre alta; si se recupera bien, pero el mareo se repite en varias ocasiones.

OJOS ROJOS

El enrojecimiento de los ojos en los niños puede ser de dos tipos: cuando los vasos sanguíneos de la conjuntiva están dilatados, por lo que aparecen más rojos debido a la presencia de un mayor flujo sanguíneo y, también, cuando aparecen manchas color sangre debido a pequeñas hemorragias que persisten dentro de la conjuntiva. En la mayoría de las ocasiones se trata de situaciones transitorias que no revisten mayor gravedad y que, por lo general, son sintomáticas de otras afecciones o circunstancias de carácter leve.

SÍNTOMAS

- La parte blanca de los ojos y el interior de los párpados están rojos.
- Hinchazón de los párpados.

— Hay líquido acuoso que sale del ojo.
— Puede haber más lagrimeo (ojos llorosos).
— No presentan pus ni otro tipo de supuración.

QUÉ PUEDEN INDICAR

— La causa más frecuente de enrojecimiento ocular es una infección de tipo vírico o bacteriano (conjuntivitis).
— También es un síntoma típico de los resfriados.
— Pueden ser indicativos de otras afecciones como una abrasión corneal, blefaritis, iritis, úlceras e infecciones corneales y uveitis.
— La presencia de objetos extraños en la córnea o en la conjuntiva también produce enrojecimiento ocular.
— Las irritaciones por causas puntuales, como el champú, el jabón, la contaminación del aire, el humo o el cloro de la piscina.
— Puede ser síntoma de la enfermedad de Kawasaki, una patología poco frecuente que afecta a niños de corta edad.
— Conjuntivitis alérgicas.
— Hemorragias conjuntivales.

CÓMO TRATARLOS

— En caso de que sean síntoma de una afección viral, hay que lavar los párpados con una gasa cada 1-2 horas mientras el niño esté despierto.
— Enjuagar suavemente los ojos con agua templada cada 5 minutos.
— Si el niño utiliza lentillas, deberá sustituirlas temporalmente por gafas para prevenir un daño en la córnea.

Conviene acudir al médico si los párpados tienen un color muy rojo, están hinchados y el niño se queja de dolor.

— Evitar en lo posible que se toque y se rasque.
— En caso de contacto con irritantes leves (humo, niebla, cloro de la piscina), lavar la cara y después los párpados con agua y un jabón suave, para remover así cualquier irritante. Normalmente, los ojos vuelven a la normalidad pasadas 1 o 2 horas.
— No recurrir a las gotas antibióticas ni vasoconstrictoras a no ser que las prescriba el especialista.

CUÁNDO ACUDIR AL MÉDICO

Si los párpados del niño se ponen muy rojos o hinchados o si tiene visión borrosa y se queja de dolor de ojos; también, si parpadea o lagrimea constantemente, si es menor de 3 meses y el enrojecimiento está acompañado de fiebre superior a 38 ºC; si tiene sólo un ojo rojo durante más de 24 horas o si aparece una supuración amarilla o verdosa. Asimismo, hay que acudir al médico si el enrojecimiento se mantiene durante más de una semana (que es el tiempo que suele durar este síntoma cuando va asociado a un resfriado) o si el estado general del niño empeora.

PARÁLISIS FACIAL

Hay ocasiones en las que puede producirse una parálisis de los músculos de la cara, la cual puede ser unilateral (en un solo lado), que es la más común, o afectar a toda la cara. Estamos ante un síntoma que aparece de repente, la mayoría de las veces sin sintomatología previa. El niño no siente dolor, pero se trata de un situación muy alarmante para los padres.

SÍNTOMAS

- Parálisis de los músculos faciales de uno o los dos lados de la cara.
- Pérdida de expresión o de los gestos faciales.
- Dificultad para hablar así como para articular sonidos.
- No suele ser doloroso y el niño no experimenta ninguna molestia especial.
- La boca suele estar desviada hacia un lado.

QUÉ PUEDE INDICAR

- Parálisis transitoria producida por un frío intenso.
- También puede ser de tipo psicógeno, es decir, producida por una emoción intensa o pánico.
- Podría tratarse de un síntoma de infección, sobre todo viral.
- Puede estar producida por una alteración cerebral: abscesos, tumores o infecciones.

- Las migrañas con déficit neurológico acompañante pueden cursar con parálisis.
- También puede ser indicativo de un estado postconvulsivo.

CÓMO TRATARLA

- En primer lugar, tranquilizando al niño.
- Ponerlo en un ambiente adecuado, a ser posible sin demasiada gente a su alrededor.
- No darle alimentos ni líquidos en los primeros momentos.
- No administrar analgésicos u otros fármacos que dificulten la exploración médica.

CUÁNDO ACUDIR AL MÉDICO

Siempre que suceda y se mantenga la situación al menos durante varios minutos; si se acompaña de cefalea intensa; si hay otra alteración neurológica asociada; si hay disminución de la conciencia o pérdida de conocimiento.

PÉRDIDA DE APETITO

Puede darse el caso de que, sin motivo aparente ni presencia de patología que lo justifique, el niño pierde la apetencia por la comida así como las ganas de comer. Puede ocurrir a cualquier edad, pero en el caso de los menores de 12 meses debe considerarse como un síntoma de enfermedad. En niños mayores se puede producir un rechazo a la alimentación de causa emocional; con ello, el niño busca llamar la atención de sus padres. En la etapa de la pubertad puede ser signo inequívoco de un trastorno de la alimentación, como la anorexia.

SÍNTOMAS

– El niño no tiene ganas de comer.
– Tarda horas frente al plato sin acabar de comérselo.
– Se levanta con frecuencia de la mesa.
– Si es muy pequeño, rechaza la tetina del biberón o aprieta la boca con fuerza y gira la cabeza para impedir que entre la cuchara con la comida.
– Mastica mucho tiempo el alimento y luego lo expulsa.
– En ocasiones, esta inapetencia puede ir acompañada de cansancio.
– Puede presentarse también pérdida de peso.

QUÉ PUEDE INDICAR

– Con frecuencia, la causa es una anorexia orgánica: multitud de patologías tienen como síntoma una pérdida de apetito: infecciones, dolores abdominales, cuadros febriles y con quebrantamiento general, patologías crónicas como insuficiencia renal y otras.
– También puede ser reflejo de alguna situación traumática o alteración psicológica que esté experimentando el niño (depresión infantil, por poner un ejemplo).
– Muchas veces, y al igual que ocurre con los patrones de sueño, los cambios producidos en su rutina habitual (mudanzas, enfermedad de un familiar, separación de los padres) pueden traducirse en una alteración de las pautas habituales de alimentación, que, en la mayoría de las ocasiones, es transitoria.

– Puede ser indicativo de la llamada anorexia funcional: el niño que, «desde siempre», come poco y mal.
– Otra causa, sobre todo en la adolescencia, es la anorexia nerviosa.

CÓMO TRATARLO

– Ofrecerle la comida que más le gusta.
– Decorar los menús de forma que le «entren» por los ojos.
– Motivarle a comer mediante juegos y recompensas.
– Si se niega a tomar alimento sólido, recurrir a los purés, los batidos y los zumos de alto valor nutritivo.
– Si el pediatra lo considera oportuno, se pueden administrar al niño vitaminas o algún estimulante del apetito.

CUÁNDO ACUDIR AL MÉDICO

Si la situación se mantiene durante varias semanas; se acompaña de una detención de la ganancia de peso o altura; se presentan signos indicativos de enfermedad general (fiebre, cansancio, fatiga e irritabilidad); en el caso de que se trate de un adolescente, éste evita las comidas en familia o comienza a prepararse sus menús con cierto secretismo y comienza a perder peso.

PÉRDIDA DE PESO

El ritmo de ganancia de peso se estanca en primer lugar para pasar luego a experimentar una pérdida de kilos.

SÍNTOMAS

- Disminución de peso.
- A veces, puede ir acompañado de falta de apetito.
- Se produce una reducción significativa de las ganas de comer.
- Se presenta cansancio general así como fatiga.

QUÉ PUEDE INDICAR

- Infecciones agudas de cualquier localización.
- Puede ser una consecuencia de padecer una enfermedad congénita.
- La enfermedad celiaca suele provocar pérdida de peso.
- Fibrosis quística.
- Gastroenteritis y cualquier otro cuadro de mala absorción.
- Circunstancias de tipo psicológico como depresión infantil y anorexia nerviosa.
- Diabetes.
- Hipertiroidismo.
- Ciertos tumores.
- Infecciones crónicas, como la tuberculosis.
- En adolescentes, puede ser sintomático de abuso de drogas.
- Ciertos tumores.

CÓMO TRATARLO

- En primer lugar, se debe investigar y corregir la causa.
- Intentar que el niño siga una dieta lo más equilibrada posible.
- Hacerle comer sin prisas, masticando bien y en un ambiente tranquilo.

- Seleccionar alimentos de alto contenido energético y evitar el exceso de azúcares.
- Instaurar el reposo tras la comida para facilitar la digestión.

CUÁNDO ACUDIR AL MÉDICO

Si se produce una pérdida excesiva de peso; si hay retardo del crecimiento; si se produce una situación de deshidratación; si se dan síntomas generales como fiebre mantenida, astenia, pérdida de conocimiento o diarrea intensa mantenida.

PICOR EN LA PIEL

Se trata de una sensación desagradable en la piel que incita al rascado para lograr el alivio. Puede ser localizada en determinadas regiones anatómicas o bien de forma generalizada.

SÍNTOMAS

- Prurito (picor) en la piel de diversa intensidad.
- Irritabilidad causada por el picor.
- A veces, se asocia con una erupción en la piel y en otras ocasiones ésta no se presenta.
- Interfiere en el patrón de sueño, causando insomnio.
- Como consecuencia, pueden aparecer lesiones de rascado.

QUÉ PUEDE INDICAR

- Puede ser la manifestación de una infección bacteriana en la piel.

- También es consecuencia de una infección por parásitos (sarna o piojos).
- Las quemaduras solares producen picor de piel.
- La varicela se caracteriza por un picor intenso en la epidermis.
- Picaduras de insectos.
- Eccemas de piel.
- Urticaria o reacción alérgica cutánea.
- Puede estar producido por la ictericia.

Cómo tratarlo

- Los baños de agua tibia alivian el picor. Después, secarlo sin frotar.
- La aplicación de aceite hidratante tras el baño o el empleo de soluciones que contienen avena también proporcionan un importante alivio.
- Vestirlo con ropa holgada y de algodón, evitando las fibras artificiales.
- Es importante recortarle y limarle las uñas para evitar que se haga daño al rascarse.
- Emplear polvos antihistamínicos contra el picor (consultar antes con el pediatra).

Cuándo acudir al médico

Si el niño tiene coloración amarilla de piel o conjuntiva; si se asocia con una erupción cutánea; si existe la sospecha de que el picor esté producido por una causa alérgica; o si existe picor generalizado sin lesión en la piel.

PITIDOS EN EL TÓRAX

Son ruidos respiratorios a modo de silbidos que, si son intensos, pueden ser directamente audibles, mientras que si son más leves, entonces necesitan ser auscultados para poder ser percibidos.

Síntomas

- Silbido audible o auscultable con los movimientos respiratorios.
- Pueden ser inspiratorios o espiratorios.
- Suelen acompañarse de dificultad respiratoria.
- Ritmo respiratorio jadeante y muy acelerado.
- Opresión o tensión en el pecho.

Qué pueden indicar

- Con mucha frecuencia se trata de un síntoma de asma bronquial.
- También pueden indicar la presencia de un broncoespasmo.
- Bronconeumonía.
- Osbtrucción parcial de la vía aérea debido a la presencia de un cuerpo extraño.

Cómo tratarlos

- Ante todo, hay que tranquilizar al niño, intentado regularizar su ritmo respiratorio.
- Proporcionarle un ambiente debidamente humidificado, ya que la sequedad ambiental empeora el cuadro.
- Intentar que el niño esté en reposo.
- No recostar al niño; mantenerlo semisentado para favorecer la respiración.
- Si el médico lo considera oportuno, emplear un broncodilatador inhalado.

Los niños somatizan muchas de sus vivencias del día en las horas del sueño de la noche.

CUÁNDO ACUDIR AL MÉDICO

Si hay dificultades importantes para respirar; si el niño se pone morado o su piel se vuelve violácea; si hay accesos de tos repetidos.

PROBLEMAS DE SUEÑO

Algunos niños presentan pequeñas dificultades para conciliar el sueño mientras que otros suelen despertarse a mitad de la noche. La mayoría de estas alteraciones de conducta suelen tener una causa emocional y son pasajeras, de ahí que lo importante sea descubrir cuál es el motivo de esas irregularidades en el sueño. Si el niño duerme pocas horas pero concilia el sueño pronto y no se despierta durante la noche, no debe considerarse un problema. Al igual que ocurre con los adultos, cada niño necesita un número de horas distinto: mientras unos necesitan dormir mucho otros funcionan bien durmiendo poco.

SÍNTOMAS

- Se niega a irse a dormir.
- Dificultad para conciliar el sueño e inquietud a medida que se acerca la hora de dormir.
- Un incremento de la actividad en los momentos previos a irse a la cama.
- Sueño inquieto y poco profundo.
- Despertares a mitad de la noche, con o sin llanto.
- Pesadillas y terrores nocturnos.

QUÉ PUEDEN INDICAR

- A veces, los despertares nocturnos están producidos por causas físicas: dificultades respiratorias, dolor, sequedad del aire, exceso de calor, etc.
- Los niños mayores pueden presentar miedo o ansiedad por la presencia de ruidos o sombras nocturnas (en su mente, lo magnifican).
- Muchas veces, la ansiedad o el temor a la hora de iniciar el sueño coincide con la entrada en la guardería o el inicio del período escolar.
- Las alteraciones en la rutina o la cotidianeidad del niño también pueden desencadenar despertares nocturnos: fallecimiento de un familiar, separación de los padres, etc.
- La ausencia de la madre o el padre debido a un viaje, cuestiones laborales, etc., es otro factor que puede alterar los patrones normales de sueño del niño.
- Puede ser un síntoma de estrés infantil, producido porque el niño esté

afrontando alguna situación conflictiva o, simplemente, porque esté sometido a una sobreestimulación, como puede ser el exceso de actividades extraescolares, pasar muchas horas delante de la televisión...

Cómo tratarlos

– Mantener de forma más o menos firme un horario de inicio del sueño, que debe cumplirse a ser posible todos los días (fines de semana incluidos).

– En el caso de los recién nacidos, no hay que dejar que duerma más de tres horas seguidas durante la mañana.

– Desde que es pequeño, hay que intentar acostarlo solo, en el mismo lugar, a la misma hora y cuando todavía esté despierto.

– Acostarle con los padres es algo totalmente contraproducente y, de hecho, puede ser el desencadenante de muchos problemas de sueño.

– Si los problemas de sueño se han convertido en algo cotidiano, sería bueno reducir la duración e incluso suprimir la siesta.

– Evitar a toda costa los programas de televisión que presenten algún grado de violencia.

– Bañarle por la noche y mantener un entorno lo más tranquilo posible (evitar ruido, luz suave) en los momentos previos a irse a la cama.

– Nunca administrar somníferos ni medicamentos tranquilizantes, a no ser bajo indicación médica. Si el niño está especialmente nervioso, se le puede dar alguna infusión específica para bebés o, si ya es mayorcito, tila o manzanilla.

Cuándo acudir al médico

Si los problemas de sueño del niño se vuelven crónicos (se dan a diario), repercutiendo seriamente en su estado físico durante el día; si los despertares nocturnos van acompañados de llantos y quejas inespecíficas; si la falta de sueño está acompañada de otros síntomas (menos apetito, pérdida de peso, alteraciones de conducta); si el problema se mantiene en el tiempo: el niño puede padecer insomnio, por lo que debe ponerse en manos de un profesional para solucionar el problema.

PROTEINURIA

El término proteinuria indica la presencia de proteína en la orina de forma persistente, excediendo de los valores considerados como normales: en niños, 100 mg/m^2 al día (4 mg/m^2 a a la hora). A medida que la sangre se mueve a través de los riñones, éstos filtran los productos de desecho, líquidos en exceso, sales y sustancias tóxicas. Después de esta «depuración», la sangre limpia vuelve a circular de regreso a través del cuerpo. La mayoría de las proteínas son demasiado grandes para atravesar los filtros de los riñones, de ahí que su presencia en la orina no sea habitual. Se detecta introduciendo una tira especial de papel dentro de una muestra de orina o, en caso de que se sospeche la existencia de una patología renal, se puede realizar una recolección de la orina de 24 horas para que así el especialista pueda realizar una medición más exhaustiva.

Síntomas

– Esta condición sólo se detecta a través de una analítica de orina.

– Puede ir acompañada de manifestaciones como hinchazón en los párpados, tobillos y piernas del niño debido a que cuando se eleva la cantidad de proteína en orina disminuyen los niveles en sangre, lo que favorece las inflamaciones.
– Una presión elevada también puede ser señal del problema.
– Se trata de una condición totalmente indolora.

QUÉ PUEDE INDICAR

– El hallazgo de proteinuria en una muestra aislada se da con relativa frecuencia (entre un 5 y un 15 por ciento de los niños en edad escolar). Sólo si persiste al menos en tres o cuatro muestras a lo largo de 3 meses se requiere realizar estudios más exhaustivos, ya que suele ser significativo de una enfermedad renal, siendo su prevalencia de un 0,1 por ciento.
– Si es transitoria, se asocia a cuadros de fiebre, deshidratación y ejercicio excesivo.
– La llamada proteinuria ortostática (intermitente) es la presencia de proteínas en la orina solamente cuando se está en posición erecta, desapareciendo cuando la medición se realiza en posición de decúbito supino. Es inocua y poco frecuente: los niños con esta condición no tienen daño renal, pero por alguna razón desconocida (su origen es una anomalía genética), pierden proteínas dentro de la orina durante el día, es decir, cuando están activos.
– En la proteinuria persistente, los valores de proteínas están siempre altera-

dos, por lo que se trata de una condición anormal que debe ser investigada, ya que indica que los riñones del niño pueden no estar funcionando adecuadamente.

CÓMO TRATARLA

– Si es una proteinuria ortostática, o solamente se presentan cantidades pequeñas de proteína en la orina, no se necesita ningún tipo de tratamiento ni tampoco hay que prescribir al niño reposo (ya que la actividad física propicia esta condición).
– Si la cantidad de proteína en la orina no cambia o se incrementa, el médico remitirá al niño al especialista (nefrólogo).
– En caso de que haya hinchazón, ésta se puede reducir limitando la sal en los menús infantiles.
– Si se ha detectado una patología renal, el especialista prescribirá un fármaco específico. Los IECA han demostrado su eficacia en la reducción de la proteinuria.

CUÁNDO ACUDIR AL MÉDICO

Esta condición precisa siempre la consulta del médico, que es quien prescribirá la analítica y actitud pertinente. En caso de que la analítica indique alteraciones renales, remitirá al especialista.

SENSACIÓN DE AHOGO

Se trata de una dificultad respiratoria que va acompañada de la sensación de que el aire tiene dificultad para llegar correctamente a los pulmones.

SÍNTOMAS

– Dificultad para inspirar.
– Sensación de que los músculos intercostales «tiran».
– Ruidos respiratorios anormales.
– Con frecuencia, se acompaña de tos.
– Suele acentuarse al acostarse.

QUÉ PUEDE INDICAR

– Asma bronquial.
– Edema pulmonar (presencia de líquido en el pulmón).
– En casos extremos, pueden ser síntoma de una insuficiencia cardiaca.
– Bronconeumonía y fibrosis quística.
– Patología neuromuscular.
– Embolismo pulmonar.

CÓMO TRATARLO

– Poner al niño en reposo, pero no en posición echada.
– Tranquilizarle, para que la respiración se haga más pausada y así llegue el aire a los pulmones con más facilidad.
– Si el pediatra lo considera oportuno, empleo de broncodilatador inhalado.

CUÁNDO ACUDIR AL MÉDICO

Si la dificultad respiratoria se hace más intensa; si se sospecha que hay obstrucción de la vía aérea por un cuerpo extraño; o si el niño se pone cianótico (amoratado).

SOPLO CARDIACO

Uno de cada 20 bebés padece este tipo de soplos en alguna ocasión. Se define como soplo al ruido que se produce en el corazón o al nivel de las válvulas cardiacas. Pueden ser de dos tipos: patológicos u orgánicos (significa que existe un problema en la estructura cardiaca) y funcional o inocente, sin patología de base que lo explique. Estos últimos están presentes en un 30 por ciento de los niños con edades comprendidas entre los 3 y los 7 años y son benignos, casuales y suelen desaparecer con el crecimiento.

SÍNTOMAS

– Un ruido ligero, adicional al latido del corazón, que se percibe durante la auscultación cardiaca.
– Habitualmente se modifican con los cambios de posición y pueden hacerse más intensos en estados febriles, después de hacer ejercicio, en situaciones de ansiedad.
– Cuando es orgánico, puede ir acompañado de otros síntomas de enfermedad cardiaca como pérdida o estancamiento del peso, fatiga, retardo en el crecimiento, coloración azulada de la piel, mareos, etc.

QUÉ PUEDE INDICAR

– En algunos casos, puede ser indicativo de la existencia de una válvula cardiaca estrecha o que no cierra bien.
– También es manifestación de una malformación congénita cardiaca, como un orificio que comunique dos cavidades normalmente separadas o

una válvula que no se formó de manera adecuada.

CÓMO TRATARLO

– Menos del 50 por ciento de los niños que presentan soplos precisan atención médica, pues el 70 por ciento de los mismos se corrigen por sí solos. Puede llevar semanas o años, y el niño deberá ser observado con regularidad.
– Si el recién nacido presenta uno o varios soplos, pero se alimenta y respira bien, el médico no volverá a auscultarle hasta pasadas 6-8 semanas.
– En caso de que los soplos sigan presentes, le pueden realizar un ecocardiograma o un test de saturación de oxígeno, para averiguar cuánto oxígeno transporta su sangre.

CUÁNDO ACUDIR AL MÉDICO

Siempre que se detecte un soplo cardiaco hay que acudir al especialista, ya que será él quien determine la causa, vigile la evolución del mismo y marque las pautas de actuación.

TOS

Se trata de golpes violentos de aire espirado que en muchas ocasiones actúa como mecanismo de limpieza y de defensa del aparato respiratorio para eliminar las secreciones.

SÍNTOMAS

– Tos repetida irritativa (sin flemas).
– Dificultad respiratoria.

– Tos repetida productiva (con secreciones).
– Dolor en el tórax debido precisamente a la tos repetida.
– Ruidos respiratorios anormales.
– Vómitos.
– Además, todo ello puede ir acompañado de fiebre, dolor de garganta o síntomas gripales.

QUÉ PUEDE INDICAR

– La causa más común es la presencia de infecciones respiratorias: faringitis, laringitis, bronquitis o neumonía.
– También puede indicar asma bronquial.
– Fibrosis quística.
– Tuberculosis.
– Irritación de las vías aéreas debido a humos o sustancias químicas.
– Aspiración de un cuerpo extraño.
– Edema de pulmón.
– Insuficiencia cardiaca.
– Tos ferina.

CÓMO TRATARLA

– Si hay mucosidad nasal, limpiarla con suero fisiológico.
– Conseguir un ambiente con los niveles adecuados de humedad, mediante el empleo de humidificadores.
– Que el niño beba abundantes líquidos.
– Si hay fiebre, dar antitérmicos.
– Muy importante: no administrar antitusígenos.
– No exponer al niño al humo del tabaco ni a otros irritantes de las vías respiratorias: insecticidas, ambientadores, productos de limpieza...

Cuándo acudir al médico

Si empeora el estado general (decaimiento, somnolencia e irritabilidad); si aparece dificultad para respirar, si la respiración es acelerada o deja de respirar durante unos segundos; si a causa de la tos la cara adquiere un tono violáceo; si la tos comienza tras un atragantamiento con alimentos o algún juguete u objeto que se ha llevado a la boca; o si hay dificultad para tragar y babea abundantemente.

VÓMITOS

Son un síntoma frecuente en niños de cualquier edad y pueden estar originados por un buen número de causas. Lo más importante es diferenciarlo de la regurgitación, esto es, la expulsión de leche que se produce en el lactante poco después de alimentarse sin esfuerzo y, aparentemente, sin malestar. Suele tratarse de cantidades pequeñas de alimento que el pequeño estómago infantil expulsa para no sufrir molestias. El vómito, a su vez, puede ser un síntoma inespecífico de enfermedad (no necesariamente digestiva) o, también, la expresión máxima de una regurgitación en un niño predispuesto.

Síntomas

- Eliminación de cantidades variables de alimento, jugos gástricos o bilis, con arcadas o náuseas previas.
- Sensación de malestar antes y después de las náuseas.
- Puede ir acompañado de diarrea.
- También pueden darse cuadros de fiebre y decaimiento.
- Deshidratación como consecuencia de la pérdida de líquidos y sales.

Qué pueden indicar

- Es un síntoma muy frecuente de las infecciones intestinales (en cuyo caso van acompañados de diarreas).
- También son indicativos de otras infecciones: catarros, otitis, amigdalitis.
- Cuando se inician repentinamente, sin náuseas, «explotando» de repente (vómito explosivo), puede sugerir un aumento de la presión craneal (hemorragia intracerebral a causa de un traumatismo...) o patologías como la meningitis, en cuyo caso tiene que ir acompañado de otros síntomas: fiebre, rigidez de nuca...
- Si el vómito es de color oscuro puede sugerir una obstrucción intestinal o hemorragia digestiva, y es motivo de urgencia médica.
- Si el vómito se produce durante un viaje en un medio de locomoción (coche o barco, por ejemplo) puede deberse a un mareo.
- También puede ser síntoma de una estenosis de píloro, una estrechez del esfínter inferior del estómago que se presenta en los dos primeros meses de vida y que habitualmente requiere intervención quirúrgica.
- Si el vómito es abundante y tras él el estado de salud del niño mejora notablemente, puede deberse a un empacho o indigestión.

Cómo tratarlos

- Hay que evitar la deshidratación ofreciéndole líquidos de forma constante y en cantidades pequeñas. A medida que los va tolerando, se puede ir aumentando la frecuencia y la cantidad.

– Si los vómitos van acompañados de diarrea es más recomendable recurrir a las soluciones de rehidratación de venta en farmacias.
– Una vez que tolere bien los líquidos, se le puede introducir dieta blanda, en pequeñas cantidades.
– Nunca se deben suministrar medicamentos para frenar los vómitos sin prescripción médica.

Cuándo acudir al médico

Si se producen vómitos explosivos de forma repetida (sobre todo si observamos que éstos se producen posteriormente a un golpe en la cabeza, no hay que dudar en llevar al niño a urgencias). Si, además de los vómitos, notamos que el niño se queja de dolor de cabeza u oídos o si se presenta rigidez de cuello; si se produce un dolor de estómago intenso o si el abdomen del niño está duro e inflamado; si aparece sangre en el vómito, si es un bebé menor de 3 meses y ha vomitado dos o más tomas; si el niño está adormilado, decaído, tiene mucha sed, sus ojos están hundidos, llora sin lágrimas y orina poco; si en niños mayores el vómito persiste durante más de 12 horas, o si los vómitos se mantienen pese a que el niño no haya comido o bebido nada en las últimas horas.

Parte IV

Enfermedades más frecuentes en la infancia

✓ Enfermedades del aparato digestivo

✓ Enfermedades del aparato respiratorio

✓ Enfermedades cardiovasculares

✓ Enfermedades del sistema nervioso central

✓ Enfermedades de la sangre

✓ Cáncer infantil

✓ Enfermedades del aparato urogenital

✓ Enfermedades endocrinas

✓ Enfermedades infecciosas

✓ Enfermedades de la piel

✓ Enfermedades oftalmológicas

✓ Enfermedades otorrinolaringológicas

✓ Trastornos alérgicos

✓ Enfermedades del aparato locomotor

✓ Enfermedades congénitas

✓ Alteraciones psicopatológicas

Enfermedades del aparato digestivo

ENFERMEDADES DEL APARATO DIGESTIVO

Aftas
Apendicitis
Caries dental
Diarrea aguda
Enfermedad celíaca
Enfermedad inflamatoria
    intestinal
Estenosis hipertrófica del
    píloro
Estreñimiento
Fibrosis quística
    de páncreas
Gastritis erosivo-
    hemorrágicas

Gastritis/úlcera
    gastroduodenal
Hepatitis crónicas
Hepatitis víricas agudas
Hernia de hiato
Hernia inguinal
Hipo
Invaginación
    intestinal
Lengua saburral
Malformaciones digestivas
    en el recién nacido
Muguet
Reflujo gastroesofágico

AFTAS

Se trata de pequeñas ulceraciones muy dolorosas de la mucosa de la boca. Generalmente son múltiples, aunque puede tratarse de una única lesión. Lo más típico es que tengan repeticiones frecuentes, espaciadas por períodos de remisión.

La etapa más frecuente de su aparición es en la adolescencia, y tienden a desaparecer en la edad adulta. Sus causas son muy variadas, y lo más frecuente es que sean lesiones benignas que pueden aparecer debido a traumatismos menores por el cepillado de los dientes o por morder objetos de muy diversa índole; también por el consumo de ciertos fármacos (ácido acetilsalicílico).

Asimismo, pueden estar producidas por múltiples infecciones, como los herpes virus, varicela-zóster, enfermedad boca-mano-pie;

otras veces pueden corresponderse con patologías graves, como la enfermedad de Crohn, el síndrome reumatológico conocido como Behcet e incluso cuadros tumorales, como es el caso de la leucemia mieloide aguda, entre otros.

Diagnóstico

Por inspección visual en la cavidad bucal.

Tratamiento

Va dirigido a aliviar las molestias que causa empleando analgésicos orales y, además, es importante beber líquidos y evitar alimentos duros y mantener una buena higiene oral. En los casos graves, el tratamiento es más intenso y va dirigido a las causas directas de su aparición, tanto con antivirales como con corticoides o incluso quimioterápicos.

APENDICITIS

Se trata de una inflamación del apéndice, que supone una urgencia quirúrgica. El apéndice es una especie de «dedillo» localizado al inicio del intestino grueso, cuya función no está del todo clara, pero parece tener relación con el sistema inmune del niño.

Se produce generalmente por un daño en la mucosa del apéndice, lo que permite la colonización por microorganismos, generalmente bacterias del apéndice. También se ha apuntado como causa la infección del apéndice desde una infección sanguínea.

Síntomas

Un dolor agudo localizado en la línea media del abdomen o alrededor del ombligo, que no se modifica con los cambios de postura ni con la toma de alimentos ni la evacuación. Al cabo de las horas, según va evolucionando la enfermedad, el dolor se localiza en su sitio típico, que es la fosa iliaca derecha (la región del abdomen situada en el cuadrante inferior derecho). Se suele acompañar de fiebre, que no es muy alta (es raro que supere los 38 °C), y también se acompaña de náuseas y vómitos. La típica postura del niño es la de estar acostado con las piernas flexionadas sobre el abdomen.

En la exploración, el abdomen del niño suele estar duro o contraído en la zona del dolor, aunque es habitual que los niños se resistan a la exploración, debido al intenso dolor que ocasiona. Si el niño ha vomitado muchas veces, puede presentarse un cuadro de deshidratación.

Hay un signo bastante específico que consiste en que la temperatura rectal es más de 0,5 °C superior a la típica temperatura tomada en la axila.

Diagnóstico

Consiste en la exploración médica básica del niño, aunque se realizan algunas pruebas para confirmar el diagnóstico, como un análisis de sangre donde se observa una elevación de los glóbulos blancos. Además, hay que realizar una radiografía de abdomen, que en ocasiones muestra una imagen redondeada en la fosa iliaca derecha, que se corresponde con el material que obstruye el apéndice. En otras ocasiones se aprecia masa de intestino delgado en la zona abdominal baja lateral derecha. También se puede hacer una ecografía e incluso un TAC (escáner).

Tratamiento

Precisa cirugía urgente para extirpar el apéndice. Actualmente para hacer esta intervención se realizan pequeñas incisiones por laparoscopia.

En casos de apendicitis complicadas se emplean antibióticos tras un lavado intenso con suero de la cavidad abdominal.

CARIES DENTAL

Es una enfermedad destructiva del diente que se inicia con una descalcificación local causada por ácidos producidos por la fermentación bacteriana de los hidratos de carbono que se ingieren con la dieta. A esa descalcificación del esmalte dental le sigue una invasión secundaria bacteriana de la pieza dental. Se estima que cerca del 80 por ciento de los niños de 5 años la presentan. Su primera apreciación es una opacidad dental asintomática de color blanquecino que progresa con bastante rapidez y produce una solución de continuidad en la superficie del diente. Si no se trata, va destruyendo la pieza dental y se extiende a los tejidos vecinos, causando dolor e infección.

Los picos de mayor incidencia de caries son durante el primer año escolar y en la adolescencia, debido al gran consumo de chucherías y otros alimentos «poco sanos», a los que se suma una deficiente higiene bucal y una escasa frecuencia de visitas preventivas al odontólogo. Ha sido ampliamente demostrado que el flúor protege la dentición haciéndola más resistente a la aparición de caries, bien a través de colutorios, dentífricos o incluso fluoraciones de agua potable.

Diagnóstico

Visita odontológica preventiva (una revisión al año es lo habitual) o ante el dolor dental.

Tratamiento

Consiste en acudir al dentista, quien elimina y limpia toda el área cariada del diente y obtura la pieza con un empaste. Ahora bien: lo más importante es prevenirla por medio de unos buenos hábitos alimenticios, una adecuada higiene dental y las cada vez más extendidas campañas escolares de fluoración y educación higiénico sanitaria del niño, ya desde la primera dentición.

DIARREA AGUDA

Es una patología muy frecuente que puede corresponder a causas infecciosas o no infecciosas del tubo digestivo.

Según la OMS, las infecciones diarreicas representan el factor más importante de mortalidad infantil en niños menores de 5 años en países en vías de desarrollo, mientras que la mortalidad por dicha causa en países industrializados es excepcional. Las causas más frecuentes son las infecciones, que pueden ser intestinales o no:

- Las intestinales pueden estar causadas por bacterias (como son la *E. Coli*, salmonella, *Shigella* y *Campilobacter*), virus (los responsables más frecuentes son los rotavirus, adenovirus y *Norwalk*) y parásitos (aunque éstos tienen menor relevancia, destacan entre otros la giardia y el cryptosporidium).
- Entre las infecciones no intestinales que producen diarrea podemos encontrar la otitis, la amigdalitis, la faringitis, las neumonías, las infecciones urinarias o la apendicitis.

Como causas no infecciosas destacan las enfermedades inflamatorias intestinales, la celiaquía, la fibrosis quística, las intolerancias alimentarias, las transgresiones dietéticas, los antibióticos, los laxantes o el hipertiroidismo.

Síntomas

Cualquiera que sea la causa, la diarrea produce una pérdida de líquidos (deshidratación) y de sodio, cloro o bicarbonato. Puede presentarse dolor abdominal y vómitos, que suelen ser intensos al inicio, agravando el estado general y dificultando el tratamiento a seguir. Además, el niño suele tener sed y falta de apetito.

También hay generalmente pérdida de peso, sequedad en la lengua, piel seca que, al ser pellizcada, tarda en recuperar su posición normal, todo ello a consecuencia del estado de deshidratación.

Asimismo, es frecuente que se acompañe de fiebre.

Diagnóstico

Simplemente por la sintomatología, aunque se hacen determinadas pruebas para conocer el mecanismo concreto responsable o la causa que la provoca. Se puede recomendar un examen de heces para ver la presencia de glóbulos rojos o blancos. Se suelen hacer dos o tres cultivos de heces de forma consecutiva para ver los gérmenes responsables de la diarrea. También se hace una analítica de sangre, mediante la que se trata de encontrar anticuerpos contra determinados virus o bacterias.

Tratamiento

Se dirige a reponer los líquidos y electrolitos perdidos, así como el estado de malnutrición y pérdida de peso.

La rehidratación oral siempre es el primer recurso y se ofrece al niño cada 10-15 minutos en las primeras 4-12 horas. Luego, si la rehidratación es adecuada, se inicia la alimentación suave; si no fuera así, se continúa con la rehidratación oral unas 6 horas más, aunque espaciando la ingesta de líquidos a cada hora. Si no se obtienen buenos resultados o persiste la diarrea, se plantea la hidratación con sueros intravenosos en el hospital.

La realimentación debe de iniciarse una vez hidratado el niño. En lactantes, debe seguirse con leche materna según las pautas habituales; si ya toma leche de continuación, se sigue con la misma pauta en cuanto la tolere, ya que esto favorece la curación de los daños intestinales. Si la reintroducción de la leche empeora el cuadro, entonces se hace necesario emplear leches sin lactosa durante un mes aproximadamente.

En niños más mayores, los alimentos se van introduciendo de forma progresiva, comenzando por dietas blandas sin excesivos condimentos.

En cuanto al tratamiento farmacológico, los antibiótico sólo se emplean en determinados casos (cuando la diarrea está producida por una infección bacteriana).

ENFERMEDAD CELÍACA

Consiste en una patología que se localiza en el intestino delgado en sus primeros tramos sobre todo. Está ocasionada por una intolerancia al gluten, una proteína que se encuentra en algunos alimentos, principalmente en cereales como el trigo, la cebada o el centeno. Se puede presentar en la infancia, pero en muchos casos se diagnostica en la edad adulta e incluso en muchas ocasiones no llega a diagnosticarse.

En cuanto a su origen, está considerada la teoría inmunológica como causa principal, esto es, la reacción del sistema inmune en el intestino delgado, que se produce contra el gluten de ciertos alimentos. Además, hay factores genéticos muy marcados en el caso de los gemelos, y se detectan alteraciones intestinales hasta en un 5-10 por ciento de familiares asintomáticos.

Se podría decir que se trata de una alergia intestinal frente al gluten que se manifiesta con un proceso inflamatorio y de mala absorción de los alimentos y, a su vez, aparecen una serie de anticuerpos específicos que pueden ser muy útiles para el diagnóstico.

Los padres deben vigilar la alimentación de sus hijos por si desarrollan un problema alérgico.

Síntomas

Al estar dañada la superficie intestinal hay problemas para la absorción de los principios inmediatos alimenticios como las grasas, las proteínas y los hidratos de carbono, así como las vitaminas y minerales, con lo que se produce un síndrome de mala absorción. La edad típica de presentación es entre los 6 meses y los 2 años de vida del niño, aunque cada vez es más frecuente la tendencia a que aparezca en edades posteriores.

Lo más común es que haya un período de varios meses sin síntomas desde que se introduce el gluten en la dieta del niño hasta que aparezcan síntomas como la diarrea, abombamiento de la tripa y signos de malnutrición. Las deposiciones son muy abundantes, de color blanquecino grisáceo y muy fétidas, con abundantes gases antes de su expulsión. También hay irritabilidad y períodos de falta de apetito, o, por el contrario, ganas exageradas de comer.

Suele haber palidez y cansancio debido a la anemia que por lo general presentar estos niños. La piel suele estar seca y áspera, y también se presentan edemas (cúmulo de líqui-

dos). Se pierde masa muscular y fuerza en las extremidades; también desaparece la grasa subcutánea. El peso es bajo y la talla también es pequeña.

Hay casos silentes o atípicos, cuyo diagnóstico cuesta más, ya que son monosintomáticos y pueden evolucionar de muy diversa forma. En algunas ocasiones cursan con estreñimiento, cuadros psicóticos, vómitos y, también, diarreas.

Hay patologías asociadas a esta enfermedad, así como manifestaciones extradigestivas como la anemia, disminución de la masa ósea, dermatitis, linfomas o síndrome de Down, entre otras.

Diagnóstico

En las heces hay exceso de grasa y en la sangre disminuyen el colesterol, la albúmina y la glucosa; también se detecta anemia, con cifras bajas de hierro.

Hay una serie de análisis inmunológicos muy específicos que se utilizan ante sospechas fehacientes de casos, así como con el estudio de familiares de primer grado afectados. Estos son los anticuerpos antigliadina y antiendomisio, que en caso de positividad estaría indicada una biopsia intestinal para confirmar el diagnóstico. Dichos anticuerpos serían también útiles para el seguimiento de la enfermedad. Asimismo, también se pueden recomendar pruebas de absorción intestinal, biopsia intestinal y radiografías.

Tratamiento

Es tan simple como retirar el gluten de la dieta de por vida. Alimentos como el maíz, el arroz y la soja no presentan problema, pero se deben evitar el trigo, la cebada, el centeno y la avena.

Tras la retirada del gluten se ve una rápida mejoría en muy pocos días en el carácter del niño y en semanas se aprecia una mejora considerable del apetito, del tono muscular y de las diarreas, corrigiendo el peso a los pocos meses. Los niños pequeños que han sido sometidos a tratamiento más precozmente responden mejor.

También, sobre todo al inicio del tratamiento, se aportan diversas vitaminas, sobre todo las A, D, E y K, ácido fólico, vitaminas del complejo B y vitamina C, así como hierro y calcio, además de rehidratación, siendo necesario en algunos casos recurrir a sueros de forma inicial.

ENFERMEDAD INFLAMATORIA INTESTINAL

Bajo esta denominación genérica se engloban diversas patologías, las cuales se caracterizan por dolor abdominal y diarrea, a veces sanguinolenta y habitualmente con fiebre, lo que lleva a una alteración del estado general del niño.

Las dos principales enfermedades que comprende esta denominación son la colitis ulcerosa y la enfermedad de Crohn.

COLITIS ULCEROSA

Generalmente se da en niños o adolescentes, si bien es cierto que puede ocurrir a cualquier edad, aunque suele ser muy raro encontrarla antes de la primera década de vida. Hay un componente genético poco claro pero patente por ser más frecuente entre los familiares afectados.

La lactancia natural favorece la flora con bifidobacterias que parecen ser protectoras del intestino y potenciadoras del sistema inmune, lo que parece proteger en cierta medida frente a esta enfermedad. Aumenta de cuatro a siete veces el riesgo de cáncer de colon frente a niños sanos.

Síntomas

Los más destacables afectan al sistema digestivo, con diarrea continuada, en ocasiones con sangre, con unas cuatro o cinco deposiciones diarias que suelen acompañarse de dolor abdominal, con molestias al palpar el abdomen, que aparece blando y distendido. El tacto rectal, aunque doloroso, suele ser normal.

Como síntomas generales se encuentran fiebre, falta de apetito y retraso de talla y peso para la edad del niño, así como cansancio de forma más o menos mantenida.

Otros síntomas extradigestivos son: inflamación de grandes articulaciones, que suelen coincidir con un agravamiento del cuadro diarreico. Con cierta frecuencia se producen algunas alteraciones cutáneas, como el eritema nodoso. También pueden aparecer aftas en la boca y alteraciones oftalmológicas, como la uveitis.

Diagnóstico

Se realiza un análisis de sangre en el que se detecta una elevación de los parámetros inflamatorios poco específicos, como la VSG (vellosidad de sedimentación globular) y la PCR (proteína C reactiva). La prueba más concluyente es la colonoscopia, que permite observar directamente las lesiones, así como tomar muestras para su estudio microscópico.

La evolución es muy variable. Algunos casos presentan brotes repetidos de moderada gravedad. Otras formas son intensas y agudas, con complicaciones infecciosas hemorrágicas o con megacolon tóxico.

Tratamiento

Va encaminado en primer lugar a controlar el proceso inflamatorio y, en segundo lugar, a corregir los déficits nutricionales y complicaciones que puedan presentarse. El fármaco más empleado es la sulfasalazina, indicada en los brotes moderados y que tiene efectos antiinflamatorios y antibacterianos. También se emplean corticoides, imprescindibles en los brotes agudos y graves, inmunosupresores, que complementan el tratamiento, anticuerpos monoclonales y antibióticos.

En los casos graves, a veces la única forma de controlar la enfermedad es mediante el tratamiento quirúrgico, extirpando el recto o segmento de colon afectado.

El tratamiento nutricional, sobre todo a base de fórmulas con ácidos grasos omega 3, parece regular la respuesta inmune e inflamatoria. A veces se aplican mediante enemas.

En muchos casos es preciso tratar al niño de la angustia y la depresión que con cierta frecuencia aparecen asociadas a esta enfermedad.

ENFERMEDAD DE CROHN

También se trata de una patología inflamatoria intestinal y, a diferencia de la anterior, puede afectar desde la boca hasta el ano, aunque la localización más típica es al final del intestino delgado y al inicio del grueso. Sus causas son similares a las de la colitis ulcerosa, predominando el origen inflamatorio inmunológico.

Síntomas

Tiene esta enfermedad un inicio más insidioso, por lo que suele tardarse uno o dos años en diagnosticarse.

Suelen predominar los síntomas generales como retraso de talla y peso, astenia, anorexia y fiebre baja (solamente unas décimas), apareciendo en un segundo momento los síntomas digestivos que no son muy relevantes, como diarrea, que contienen mucosidad, pus o sangre, y cambios en la consistencia de las heces.

Es muy frecuente la afectación perianal, con diversas lesiones como abscesos, fisuras o fístulas. Los síntomas extradigestivos son similares a los de la colitis ulcerosa.

Diagnóstico

Se realizan análisis similares a los de la colitis ulcerosa. La ecografía permite detectar lesiones en la pared intestinal y la formación de abscesos y otras complicaciones. También se puede realizar un TAC para aclarar el diagnóstico. Es imprescindible realizar una colonoscopia tanto para un diagnóstico exacto como para el seguimiento de la enfermedad.

Su evolución es a base de brotes y la curación es prácticamente excepcional, llegando como mucho al 10 por ciento.

Las complicaciones más frecuentes suelen ser las fístulas entre asas intestinales o entre el intestino y otros órganos abdominales o la piel.

Tratamiento

Es similar al empleado en la colitis ulcerosa, si bien el abordaje quirúrgico es más frecuente por obstrucciones intestinales, perforaciones, hemorragias digestivas o neoplasia (malignización). A veces, precisan cirugías muy agresivas con segmentos largos intestinales que requieren ser extirpados.

ESTENOSIS HIPERTRÓFICA DEL PÍLORO

Se caracteriza por un aumento de la musculatura del píloro, que es la parte del intestino delgado que sale del estómago, lo que causa un estrechamiento del intestino en esa región. Entre los factores predisponentes parece haber un carácter genético-hereditario, y es más frecuente en los varones.

Es típico del recién nacido con una frecuencia aproximada de uno de cada 200 recién nacidos. Otro factor desencadenante que parece apuntarse es el aumento de la secreción de la hormona gastrina o por determinados fármacos que la produzcan, lo que iría provocando progresivamente una estrechez digestiva a la salida del estómago.

Además, se han visto alteraciones en los nervios del píloro que serían responsables de una contracción permanente de los músculos de la pared intestinal en dicha región.

Síntomas

Esta dolencia se manifiesta con vómitos de repetición que se inician en el recién nacido tras un período inicial de dos a tres semanas sin ellos. Se trata de unos vómitos de carácter intenso y fuertes tras la ingesta de alimentos con frecuencia y en otras ocasiones al cabo de un determinado tiempo de la toma; lo más generalizado es vomitar tras todas las tomas y de 12 a 15 veces al día como promedio. El contenido es alimenticio, con la leche ya un poco cuajada, o bien alimentos en el inicio de ser digeridos. En casos graves puede haber presencia de sangre. Al persistir estos vómitos en el tiempo, el niño no absorbe los alimentos, y esto da origen a la aparición de un cuadro de malnutrición: el niño se estabiliza en el peso en primer lugar y posteriormente continúa con pérdida de el mismo. También se va deshidratando, lo que conlleva a estreñimiento y a una disminución de la emisión de orina.

Además, hay un estado de irritabilidad continua con dolor en el abdomen alto, región correspondiente al píloro (salida del estómago). En esta zona, al palpar la tripita del niño se nota una bola dura, del tamaño de una aceituna, lo que se conoce como «oliva pilórica», muy sugestiva de la enfermedad.

Diagnóstico

El diagnóstico tras una exploración clínica sugestiva vendría dado por una ecografía, prueba sencilla y poco invasiva que es capaz de detectar los primeros estadios de la enfermedad cuando hay aumento de la masa muscular de la pared del píloro, pero cuando todavía no hay obstrucción del tubo digestivo.

Otra técnica diagnóstica consiste en el tránsito esófago-gastroduodenal, que se basa en la toma de una papilla radio-opaca, que se visualiza luego en una serie radiográfica donde se ve la tardanza en la salida del contenido del estómago debido a la obstrucción.

También puede diagnosticarse a través de una endoscopia, donde se aprecia directamente la lesión y la obstrucción.

Tratamiento

El tratamiento de elección es quirúrgico; casi siempre se trata de una cirugía poco agresiva y con muy pocas complicaciones que, además, hoy día se suele hacer por vía laparoscópica, lo que disminuye la agresividad y la hospitalización. Hay una alternativa que es la dilatación del píloro mediante el hinchado de un balón en la zona obstruida pero, aunque es menos agresiva, no suele corregirla del todo y suele volver a aparecer, de ahí que la técnica de elección sea la cirugía.

ESTREÑIMIENTO

Consiste en la dificultad de evacuar de una forma espontánea y periódica el contenido del intestino grueso. Suele coincidir con la emisión de heces de consistencia dura y compacta con aspecto fragmentado, y dificultad de emisión de las mismas.

Muchas veces es el único motivo de consulta, pero en otras ocasiones es un síntoma acompañante de otra enfermedad de base que debe ser investigada y estudiada.

En cuanto a las causas, hay que considerar en principio si la dieta es insuficiente, caso de los lactantes con una ración escasa o bien niños más mayores que consumen dietas pobres en residuos. Además, hay que estar muy pendientes en el caso de los adolescentes, para detectar posibles anorexias nerviosas iniciales.

El abuso de supositorios y laxantes, la rigidez de los padres en cuanto al tema del control de los esfínteres o circunstancias ambientales desfavorables, tanto familiares como escolares, pueden producir cuadros de estreñimiento. También existe un factor hereditario muy claro: familias con tendencia al estreñimiento en casi todos sus miembros.

Síntomas

Pueden darse cuadros transitorios, generalmente banales y limitados en el tiempo, frente a los estreñimientos crónicos. En este caso hay que considerar la edad de aparición: si se presenta en el recién nacido, posiblemente se trate de una enfermedad congénita.

Además, las características de las heces pueden orientar sobre la causa: unas heces en forma de bolitas pueden indicar un espasmo intestinal, mientras que las heces acintadas indican un obstáculo anatómico, generalmente por estrechamientos congénitos, cicatriciales o hemorroides.

Otros síntomas suelen ser los vómitos, que pueden ser la causa o consecuencia del estreñimiento.

El dolor abdominal es también muy típico de esta dolencia. Puede haber falta de apetito, palidez, pérdida de peso y algunas décimas de fiebre. En los casos graves, las complicaciones pueden llegar a producir una obstrucción intestinal o bien una perforación del intestino, hernias, fisuras anales o prolapsos rectales.

Diagnóstico

Suele venir dado por los síntomas y siempre es necesario hacer una exploración rectal para descartar malformaciones y otras patologías en la zona que puedan causarlo. También se puede hacer un enema opaco, una manometría anorrectal o una ecografía endoanal.

Las gastritis erosivas son muy graves y producen náuseas, vómitos, dolor abdominal y falta de apetito.

Tratamiento

Se trata de corregir la causa que lo provoca. Como normas generales, se siguen las siguientes pautas: aumentar el contenido de los alimentos ricos en fibra y otros residuos, como el pan, la fruta y las verduras. Además, hay que mantener al niño muy bien hidratado, aportando abundante líquido según la edad.

Asimismo, hay que reducir la ingesta de alimentos astringentes como el arroz, la manzana, el plátano, el membrillo y los quesos, principalmente.

Se pueden suministrar hidratos de carbono con efecto laxante suave, como la lactosa y los extractos de malta. En niños más mayorcitos, se pueden emplear laxantes naturales como algunas frutas: ciruelas, higos, dátiles y kiwi.

En cuanto a los fármacos, únicamente en los casos que sean muy intensos, cuando no haya respuesta a ninguna de las medidas anteriores, se puede administrar algún laxante de acción local que aumente el movimiento intestinal.

Cuando se trata de estreñimientos funcionales se puede recurrir a medidas psicopedagógicas.

FIBROSIS QUÍSTICA DE PÁNCREAS

Es una enfermedad genética que se manifiesta desde el nacimiento. Se trata de una patología compleja que afecta a muchos órganos del cuerpo, aunque se puede manifestar en distintos grados y de distintas formas, si bien la afectación pulmonar es la más grave y la que determina el pronóstico de la enfermedad, llegando en ocasiones a precisar un trasplante pulmonar.

Lo importante es diagnosticarla precozmente para así poder instaurar un tratamiento y seguimiento minucioso para reducir al máximo sus consecuencias.

Se produce cuando se han heredado dos genes alterados, ya que los niños con un gen normal y otro alterado son portadores sanos que no manifiestan la enfermedad, pero que son transmisores potenciales a sus descendientes.

Síntomas

Los respiratorios suelen ser los más frecuentes durante la infancia y se deben sobre todo al aumento de la viscosidad de las secreciones y a las infecciones; por tanto, puede haber enfisema, bronquitis, neumonías y fibrosis pulmonar, todas ellas manifestadas como tos persistente, seca y espasmódica, y dificultad de expulsión del aire apresado en zonas distales de los pulmones.

También se manifiestan algunos síntomas digestivos, y así, en los lactantes, por ejemplo, aparecen diarreas crónicas durante los primeros seis meses, lo que ocasiona una malnutrición a pesar del buen apetito del niño. Además hay dolores abdominales y retraso del crecimiento, más patente en niños un poco más mayores. Suele presentarse anemia e hipovitaminosis.

En diversas ocasiones hay que hablar de obstrucciones intestinales con intenso estreñimiento y distensión abdominal, con grandes masas fecales.

Asimismo, pueden producirse úlceras gastroduodenales e hiperacidez gástrica, siendo frecuente el reflujo gastroesofágico, más típico en el adolescente.

También se produce un engrosamiento de las glándulas salivales y disfunción de las glándulas sudoríparas, siendo ésta la piedra angular del diagnóstico, y que puede llevar a la deshidratación, sobre todo en épocas calurosas. En el 20 por ciento de los casos aparece el prolapso rectal, siendo más frecuente en la primera infancia. Otros síntomas son alteraciones cardiacas y trastornos endocrinos.

Diagnóstico

Lo ideal sería hacer un análisis de sangre a los niños nada más nacer, pero no es una medida que esté generalizada.

En niños en los que se sospechan síntonas se practica el conocido como «test del sudor», que consiste en analizar los iones en una muestra de sudor del niño, sobre todo el sodio, que es muy alto, lo que hace hablar en ocasiones de «niños salados». Si esta prueba es positiv,a habría que confirmar el diagnóstico con pruebas genéticas que deben incluir a hermanos y padres.

Tratamiento

Se aplica para paliar los daños y lograr una mejora general de la salud del afectado ya que, hoy por hoy, estamos ante una enfermedad incurable. En general, el tratamiento temprano favorece una mejor calidad y esperanza de vida. Estos enfermos suelen recibir una atención integral, ya que se trata de una patología compleja que afecta a distintos aparatos y órganos.

GASTRITIS EROSIVO-HEMORRÁGICAS

Son muy severas, y podrían incluir las úlceras. Pueden estar producidas por fármacos (antiinflamatorios no esteroideos, o AINES, corticoides, hierro, teofilina) y otras causas como las infecciones respiratorias virales agudas y las toxiinfecciones alimentarias.

Síntomas

Náuseas, vómitos (a veces con presencia de sangre), dolor abdominal, falta de apetito.

Diagnóstico

Se realiza con endoscopia.

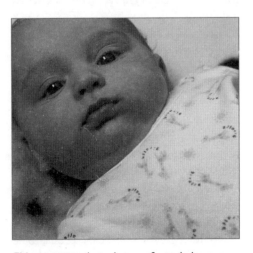

El lactante puede padecer enfermedades que desaparecen luego en la infancia.

Tratamiento

Debe ir encaminado a las causas como, por ejemplo, evitar los fármacos que la producen. Si la hemorragia es notable, se deben hacer lavados gástricos con suero salino; corregir los trastornos de la coagulación y reponer sangre si es necesario, según la intensidad de la anemia. También hay que reponer líquidos con sueros.

GASTRITIS/ÚLCERA GASTRODUODENAL

Es una inflamación de la cavidad del estómago en muy diferentes grados.

Puede tratarse de gastritis no erosivas, dentro de las que se encuentran la inespecífica, la atrófica y la causada por la bacteria *Helicobacter pylori* (HP).

Síntomas

Puede estar producida por muchos agentes infecciosos. Los síntomas más frecuentes en principio son falta de apetito, dolor en la región gástrica, gases y, a veces, fiebre, además de vómitos.

La gastritis atrófica es más severa y puede estar producida por el consumo de fármacos como la aspirina, y también puede tener una causa inmunológica.

La gastritis producida por HP es la más frecuente, y es más típica en poblaciones con malas condiciones higiénico-dietéticas. La bacteria segrega una toxina que causa ulceraciones en la mucosa superficial del estómago. Los síntomas son dolor abdominal de repetición, de intensidad moderada, con fases de reagudización sobre todo después de las comidas. Raras veces se presenta un cuadro de hemorragias con el vómito, que indicaría que se ha producido una úlcera.

Diagnóstico

El más adecuado es a través de la endoscopia, una prueba que permite la observación directa así como tomar muestras para el estudio y/o cultivo.

Tratamiento

Consiste en un fármaco, el omeprazol, al que se añaden dos de estos tres antibióticos: claritromicina, amoxicilina o metronidazol durante dos semanas; con ellos se suele conseguir erradicar la bacteria, lo que a su vez supone la curación y remisión de la sintomatología.

HEPATITIS CRÓNICAS

Son aquellas en las que la infección persiste al menos durante seis meses. Las más frecuentes en los niños son las causadas por los virus B y C, si bien es raro que durante la infancia y la adolescencia causen una enfermedad clínicamente severa y de urgencia inmediata.

HEPATITIS B CRÓNICA

La hepatitis B crónica causa un daño en el hígado por la presencia del virus y la respuesta del sistema inmune del niño contra las células del hígado, pero que no consigue combatir la infección.

Síntomas

En la mayoría de los casos se producen pocos síntomas, tales como anorexia y dolor abdominal transitorios. Se presentan tres fases consecutivas: la replicativa (donde el virus B se multiplica), la de eliminación y la no replicativa.

Diagnóstico

Se diagnostica mediante análisis sanguíneos específicos, ya que las transaminasas oscilan entre cifras normales y elevadas. El seguimiento de un niño que padece hepatitis B crónica incluye el examen clínico y la analítica específica cada tres meses en las dos primeras fases de la enfermedad, además de una biopsia hepática que suele aportar datos antes de iniciarse el tratamiento. En la fase no replicativa los controles son cada seis meses y se suelen incluir un análisis específico y ecografía.

Tratamiento

Se aplica en las fases iniciales y va encaminado a acelerar el paso a la fase no replicativa. Los fármacos que se emplean son el interferón y la lamivudina. El primero por vía subcutánea y el segundo por vía oral.

Hepatitis C crónica

En los niños, la vía de transmisión del virus C es a través de transfusiones o cirugías o también de madre a hijo. En el 85-90 por ciento de los casos el virus se transmite durante el parto, por lo que parece ser que la cesárea reduce los riesgos de contagio.

En este tipo, la cronicidad es muy superior a la hepatitis B: se da en el 70-80 por ciento de los casos.

Síntomas

Únicamente el 10-15 por ciento de los casos presentan sintomatología, y ésta es siempre poco específica.

Diagnóstico

En el análisis de sangre se detecta que tanto las transaminasas como la cantidad de virus van fluctuando a lo largo del tiempo, siendo normales durante muchos períodos. En el 75 por ciento de los casos, la biopsia de hígado muestra una leve inflamación.

Tratamiento

Hoy en día se puede curar y dependiendo del tipo de virus hay una mejor o peor respuesta al tratamiento, que combina interferón alfa subcutáneo y ribavirina oral durante 6 o 12 meses, según el virus.

Las hepatitis crónicas autoinmunes precisan tratamiento con corticoides y azatioprina. Es recomendable que el niño lleve una vida lo más normal posible en cuanto a juegos y alimentación, evitando el consumo de cualquier medicación innecesaria que pueda acentuar el daño en el hígado.

HEPATITIS VÍRICAS AGUDAS

Hepatitis A aguda

Este tipo de hepatitis está causado por un enterovirus. El período de incubación antes de provocar síntomas es de unos diez días y luego persiste de 3-6 meses. La edad pediátrica de más frecuente incidencia se sitúa entre los 5 y los 15 años y su transmisión es por vía fecal-oral por el enfermo o sus heces, por la ropa y utensilios de comida o por bebidas o alimentos contaminados por las heces.

Es, por tanto, muy frecuente la aparición de casos múltiples en colegios, guarderías y campamentos, donde el contacto con los niños es estrecho y se producen pequeños brotes epidémicos.

Síntomas

El más característico es la ictericia o coloración amarillenta de la piel y mucosas, apreciable sobre todo en las conjuntivas de los ojos. Cuatro o cinco días antes de que pueden presentarse cansancio, fiebre, cambios de carácter, postración, faringitis y dolores musculares y articulares, exantema leve cutáneo y fugaz en ocasiones, así como ganglios palpables transitorios. Además, suelen coexistir náuseas y vómitos, dolores de estómago, estreñimiento o diarrea, aumento del tamaño del hígado y tinción oscura de la orina.

Una segunda fase coincide con la aparición de la ictericia, acompañada de falta de apetito. La ictericia suele durar unas dos semanas, pero puede acortarse o alargarse hasta varios meses. Su remisión va paralela a la curación. Aún persisten las orinas oscuras y pueden aparecer heces claras o blancas. Hay un agrandamiento del hígado y también puede aumentar el bazo y haber ganglios. En el último período o fase de convalecencia, que suele ser a las 3-4 semanas, van desapareciendo la ictericia, las orinas oscuras y el agrandamiento del hígado. Esta fase suele durar de 2-4 semanas.

Diagnóstico

Se realiza un análisis de sangre, en el que se aprecia un aumento de la bilirrubina y las transaminasas (superan diez veces las cifras normales), alteraciones de la coagulación, hipoglucemia, alfa-fetoproteína. También se aprecian ciertos marcadores virales. En cuanto al pronóstico, en el 90-95 por ciento de los casos son benignas; nunca evolucionan a la cronicidad ni a la malignidad y sólo un 0,1-0,2 por ciento presentan hepatitis fulminante.

Tratamiento

En las formas graves, reposo absoluto. La actividad se irá recuperando según la evolución clínica y las ganas del niño. El ejercicio físico se prohibirá durante una o dos semanas. En cuanto a la dieta, hay que disminuir los alimentos proteicos y grasos, aportando sobre todo carbohidratos. Según va apareciendo el apetito y disminuyen los vómitos, se va lentamente hacia la dieta habitual del niño, pasando a alimentos ricos en proteínas y vitaminas. En las hepatitis fulminantes suele ser precisa la alimentación parenteral.

Respecto a los fármacos, en las formas graves se emplean antibióticos para la flora intestinal. Para los vómitos se suelen prescribir antieméticos.

El dolor suele remitir con calor local abdominal.

La hepatitis fulminante precisa ingreso hospitalario urgente. Existe una vacuna frente al virus de la hepatitis A bastante efectiva.

Hepatitis B aguda

Está producida por un ADN virus llamado *Hepadnavirus*. La principal fuente de contagio son los enfermos de hepatitis agudas y los llamados portadores sanos, que pueden transmitir la infección pero que no la padecen. El contagio suele ocurrir por transfusiones, intervenciones quirúrgicas u odontológicas, y a través de instrumental médico no desechable deficientemente esterilizado, además de por contacto sexual y de madre a hijo a través de la placenta en el embarazo, aunque también se ha descrito contagio en el canal del parto al nacer y por lactancia materna.

Este tipo de hapatitis es muy contagiosa desde los primeros momentos de la incubación, y deja de serlo cuando aparecen los síntomas típicos de la enfermedad, salvo que se cronifique, en cuyo caso pasaría a ser contagiosa de forma indefinida. El período de incubación es más largo que en la hepatitis A y va desde los 50 a los 180 días, con una media de 90.

El recién nacido infectado por su madre en la mayoría de los casos no desarrolla la infección aguda, y se convierte en un portador crónico, constituyendo un riesgo de contagio para todas las personas que convivan con él estrechamente.

Síntomas

Son similares a los de la hepatitis A aguda, al igual que sus formas clínicas.

Diagnóstico

El diagnóstico es el mismo que el de la hepatitis A aguda, aunque existen unos marcadores específicos del virus B en la sangre, tanto antígenos como anticuerpos, que ofrecen una información más detallada que en el caso de la hepatitis A.

Tratamiento

Es similar al de la hepatitis A, si bien existe una vacuna específica muy eficaz que se pone en tres dosis que cada vez se hace más extensiva a los diferentes calendarios vacunales desde recién nacido.

HERNIA DE HIATO

El estómago, que normalmente se sitúa en el abdomen, por debajo del músculo diafragma, cuando se produce esta úlcera se adentra por el paso diafragmático, desplazándose hacia la cavidad torácica. Existen varios grados según la intensidad y porción de estómago herniado.

Síntomas

La sintomatología es similar a la del reflujo gastroesofágico, con náuseas, vómitos, pirosis, dificultad para tragar, plenitud gástrica. A veces se produce broncoespasmo y neumonía recurrente y laringitis. Todo ello se acompaña, obviamente, de llanto frecuente.

Diagnóstico

Es a base de pruebas similares a las que se hacen en el reflujo gastroesofágico.

Tratamiento

Depende del grado: en principio es conservador y puede ser quirúrgico en los grados severos, donde se estrecha el paso transdiafragmático para evitar que el estómago se hernie hacia la cavidad torácica.

HERNIA INGUINAL

Es la salida de estructuras abdominales a la región de la ingle, el escroto o los labios mayores de la vagina. Suelen ser partes de intestino pero en el caso de las niñas también puede tratarse de trompas, ovarios e incluso el útero.

Se producen porque el interior del abdomen se encuentra recubierto por una fina capa de células llamada peritoneo el cual, durante la formación del feto, desciende hasta el escroto en los varones y hasta los labios mayores en las hembras. Cuando la adherencia a las paredes no se completa y se sella, entonces quedan espacios por los que se posibilita la herniación.

Síntomas

Las hernias inguinales son unas nueve veces más frecuentes en los niños y pueden ser de un solo lado o de los dos. Por lo general, son de fácil reducción, es decir, se reintroducen en el abdomen si se presiona suavemente sobre ellas, aunque lo más normal en la mayoría de los casos es que rápidamente se vuelvan a salir. Cuando no se pueden introducir tras la presión sobre ellas, se dice que la hernia está incarcelada (en los bebés es muy rara, siendo más frecuente en niños mayores). Si esta situación causa dolor (llanto en el niño muy pequeño) y se pone tensa y caliente se dice que está estrangulada; debido a ello, al comprimir las arterias de la zona herniada se puede causar gangrena, lo que se convierte en una urgencia quirúrgica.

El 50 por ciento de las hernias se descubren en el primer año de vida.

Diagnóstico

El diagnóstico de esta enfermedad se basa principalmente en la inspección de un bulto que surge en la ingle, en principio intermitente, pero que aparece al aumentar la presión abdominal debido al llanto, al esfuerzo o a la defecación.

Tratamiento

Es siempre quirúrgico. Los tratamientos conservadores están contraindicados, porque pueden favorecer la incarcelación e incluso la estrangulación.

Se debe operar, pero imediatamente después del diagnóstico, sin esperar a una edad determinada y sólo teniendo en cuenta si el niño es prematuro o tiene una enfermedad grave asociada que hagan posponer en el tiempo la intervención.

Pueden tratarse de reducir las incarceladas normalmente con sedación del niño, pero si no se consigue debe intervenirse en 24-48

En algunas ocasiones un niño es ingresado en el hospital para estar en observación.

horas. La intervención es sencilla y rápida y si no se complica suele darse el alta a las 24 horas. Se realiza mediante diversas técnicas, todas ellas muy similares.

HIPO

Es una contracción del músculo diafragmático que sucede de forma brusca y de manera intermitente e involuntaria. A menudo, únicamente se trata de un problema transitorio, pero los episodios prolongados pueden ocasionar malestar, fatiga e incluso un problema de malnutrición.

Las causas del hipo pueden ser muchas, aunque los episodios breves, que son los más frecuentes, son de causa desconocida hasta el momento.

Entre las causas importantes cabe destacar enfermedades del sistema nervioso central, como la meningitis o la encefalitis. También hay un tipo de causa tóxica, por el aumento de urea en sangre, dilatación gástrica por infecciones gástricas, alimentos o fármacos, peritonitis, pancreatitis, hepatitis, obstrucción intestinal, tumor torácico o abdominal, etc.

Tratamiento

Generalmente, para los casos esporádicos y banales se recomienda aumentar el tono vagal, induciendo vómitos, presionando el globo ocular, espiración forzada con la boca cerrada (maniobra de Valsalba) o tracción de la lengua. También se puede intentar mantener la respiración el máximo posible o, por el contrario, hiperventilar respirando muy rápido. Además, también funciona beber rápidamente líquido caliente o frío. Otra pauta útil es estimular la nariz haciendo cosquillas o inhalar una sustancia amoniacal.

Para los casos más severos y graves se emplean diversos fármacos como fenobarbitol, diacepam, fenotiacinas e incluso relajantes musculares.

INVAGINACIÓN INTESTINAL

Es causa frecuente de obstrucción del intestino en los lactantes, sobre todo entre los 6 y los 12 meses de edad. Se trata de la introducción de un segmento de intestino en otro a modo de dedo de guante introducido en sí mismo, que está causado por los movimientos intestinales. Provoca compresión de los pequeños vasos, sobre todo venosos intestinales, e inflamación de la pared de esta víscera. Si esta situación se mantiene, termina afectando a las arterias, pudiendo comprometer la llegada de sangre y, por tanto, causando la muerte celular de determinadas zonas (infarto intestinal). En contadas ocasiones se observa patología de base (como una malformación o linfomas intestinales) que explique esta patología.

Síntomas

Agitación con llanto inconsolable y palidez con vómitos de contenido alimenticio o biliar. Además, las deposiciones suelen estar manchadas de sangre. El abdomen no está duro y se puede palpar una masa alargada, no dolorosa y móvil. En el tacto rectal se aprecia el guante manchado de sangre. Al poco tiempo aparecen también vómitos y distensión del abdomen.

Diagnóstico

Se realiza una radiografía simple de abdomen. Más específica es la ecografía abdominal, donde se aprecia la típica imagen similar a una rosquilla. En el análisis de sangre los leucocitos suelen aparecer más elevados de lo normal.

Tratamiento

Se aplica un enema con presión hidrostática para intentar desinvaginar el intestino. Se hacen tres intentos como máximo, y está contraindicado en cuadros con duración superior a 24 horas, si se dan invaginaciones repetidas y si existe una causa orgánica que lo explique, lo que llevaría a someter al niño a una intervención quirúrgica urgente para solucionar esta patología.

LENGUA SABURAL

Es una lengua seca y de color blanquecino, causada por la acumulación de restos alimenticios entre las papilas, las cuales suelen estar agrandadas.

Sus causas más comunes son las infecciones de garganta, procesos febriles, niños con la nariz taponada habitualmente y que respiran por la boca; deshidrataciones e incluso, en ocasiones, se debe a inflamaciones del estómago o gastritis.

Diagnóstico

Aspecto visual de la lengua.

Tratamiento

Es un signo banal que remite con una buena hidratación, forzando al niño a beber abundantes líquidos. En caso de que haya subido la fiebre, bajar con antitérmicos y tratar las infecciones faríngeas en su caso o abordar los problemas de estómago si fuera esta su causa.

MALFORMACIONES DIGESTIVAS EN EL RECIÉN NACIDO

LABIO LEPORINO Y PALADAR HENDIDO

Con respecto al primero, el labio leporino, decir que éste suele ir desde una pequeña muesca labial hasta una separación completa, que se extiende hasta la parte inferior de la nariz y que lo mismo puede ser unilateral que bilateral.

El paladar hendido por su parte, puede afectar únicamente a la campanilla o bien extenderse a lo largo de todo el paladar blando y duro.

El problema que se presenta en los niños que padecen alguna de estas malformaciones es su nutrición, que debe ser muy cuidadosa por el riesgo de aspiración.

Tratamiento

En ambos casos es quirúrgico, solucionando dichos defectos. Hoy día la cirugía ofrece muy buenos resultados, tanto funcionales como estéticos.

SÍNDROME DE PIERRE ROBIN

Consiste este síndrome conocido como de Pierre Robin en una malformación que se compone de una mandíbula pequeña, una lengua que tiende a caer hacia atrás y un paladar hendido. La mandíbula pequeña y muy poco desarrollada impide el anclaje normal de la lengua, que tiende a caer hacia atrás, obstruyendo la vía aérea.

También la nutrición es el primer problema y hay que administrarla de forma muy cuidadosa, colocando la lengua adecuadamente.

Tratamiento

Es muy importante tender al niño boca abajo para que la lengua caiga hacia delante y no se produzca esta obstrucción.

ATRESIA Y FÍSTULA TRAQUEOESOFÁGICA

Esta patología se produce en las primeras semanas de gestación. En su forma más corriente, la parte próxima a la boca del esófago es un saco ciego, mientras que la parte esofágica más alejada de la boca comunica con la tráquea por un trayecto de escaso calibre.

Prenatalmente, puede haber un aumento del líquido amniótico, y los síntomas postnatales se deben a la imposibilidad de pasar una sonda nasogástrica hasta el estómago o a la presencia de neumonías por aspiración de repetición en casos de fístula sin atresia. Cuando hay atresia (ausencia de la formación del órgano) sin fístula, destaca la ausencia de aire intestinal con abdomen hundido.

Debe intentar diagnosticarse en el recién nacido antes de alimentarlo por primera vez pasando una sonda nasogástrica.

Tratamiento

Debe realizarse una corrección quirúrgica con la que generalmente se obtienen muy buenos resultados.

DIVERTÍCULO DE MECKEL

Es la persistencia del conducto del cordón umbilical interior que tiene una arteria que lo vasculariza.

Consiste en fístulas umbilicales o hemorragias digestivas, pero también pueden presentarse como cuadros de obstrucción intestinal mecónica (primeras heces del recién nacido), una invaginación intestinal aguda o úlcera, así como hernias o bultos del divertículo de Meckel.

Tratamiento

En muchas ocasiones es asintomático y no produce ningún problema, y en otras sí ocasiona sintomatología y hay que intervenir quirúrgicamente.

PATOLOGÍA DEL CONDUCTO ONFALOMESENTÉRICO

En la modalidad de persistencia total se producen fístulas que, antes de la caída del cordón, pueden sospecharse por el aspecto dilatado del mismo. Después de la caída del cordón, el aspecto es el de un grueso pólipo en el ombligo, del que pueden salir gases y líquido intestinal.

En caso de que la persistencia sea parcial, puede adoptar la forma de un ombligo exudativo o la de un bulto en el ombligo.

Tratamiento

Si causa problemas ha de corregirse con una sencilla intervención quirúrgica

ONFALOCELE Y HERNIA UMBILICAL

Asas intestinales (segmentos de intestino) herniadas a través del cordón umbilical en el caso del onfalocele y la herniación de asas alrededor del ombligo por ausencia de capas musculares y piel en las hernias umbilicales.

El reflujo gastroesofágico es normal en los lactantes, pero conviene observar los síntomas o reacciones del bebé.

Tratamiento

Consiste en la reducción quirúrgica de estos cuadros a través de una sencilla intervención quirúrgica.

MUGUET

Consiste en una infección de la boca causada por un hongo denominado *Cándida* y que suele afectar a las regiones del paladar, la zona de debajo de la lengua y las paredes laterales de la boca. Incluso a veces puede afectar a la garganta.

Se manifiesta con unas manchas de color blanco amarillento, de diferente tamaño y que se asientan sobre un fondo enrojecido. Al intentar despegar las lesiones sangran, y suelen acompañarse de inflamación de las encías y también de la lengua.

Son dolorosas y molestas, lo que produce con frecuencia irritación en el niño.

Son típicas del recién nacido, ya que la infección puede proceder de la vagina materna y también de las manos y de los biberones contaminados, así como del contacto con otros niños infectados.

Es también frecuente y de mayor gravedad en los niños que han sido tratados con antibióticos.

Diagnóstico

El muguet es relativamente fácil de diagnosticar debido a su aspecto visual, simplemente explorando la cavidad oral.

Tratamiento

Se realiza con antifúngicos como la nistatina en primera instancia con enjuagues bucales que en la mayor parte de los casos responde y remite en una semana. En casos con mayor extensión puede ser precisa la administración oral del antifúngico, y en casos graves en los que la infección se haya diseminado al esófago podría ser necesaria la medicación por vía intravenosa.

REFLUJO GASTROESOFÁGICO (RGE)

Consiste en el paso del contenido del estómago al esófago, que es el tubo que conecta la boca con el estómago, es decir, el alimento iría en dirección opuesta desde el estómago hacia arriba, al esófago.

Se trata de una patología casi normal en los lactantes, que lo padecen muy frecuentemente y en cerca del 50 por ciento de los niños de esta edad, si bien cuando cumplen el año se estima que solamente lo presenta el 1 por ciento.

En aquellos niños en los que esto no se resuelve de forma espontánea, que son una minoría, el RGE puede considerarse patológico y en un pequeño número de casos aparecen complicaciones como inflamación del esófago e incluso estrechamiento de éste.

Síntomas

Los más usuales son náuseas, regurgitaciones y vómitos, que suelen aparecer después de las comidas y se acentúan con los cambios de posición. Otros síntomas relacionados serían dolor en la parte más alta y central del abdomen, sensación de quemazón (ardor), estómago distendido o lleno; a veces, hay vómitos teñidos de sangre y también es posible que se presente apnea en recién nacidos y lactantes.

Los RGE sin complicaciones suelen darse en los menores de un año y no repercuten en gran medida ni en su estado general ni en la curva de peso. Por lo general, no aparecen síntomas durante el sueño.

Diagnóstico

En los RGE con posibles complicaciones, la primera prueba a realizar sería la pHmetría esofágica, es decir, medir el pH en el esófago inferior. Esta prueba diferenciaría el RGE fisiológico del patológico con bastante acierto para luego pasar a realizar otros estudios, como el tránsito esófagogástrico que pondría de manifiesto mediante la radiología las anomalías anatómicas existentes.

La ecografía y endoscopia también pueden ser diagnósticas, sobre todo la segunda, para evidenciar si se ha provocado una esofagitis.

Tratamiento

En primer lugar se recomienda el tratamiento postural, que consiste en crear un pequeño plano inclinado de unos 30 grados, en la cama o cuna, de cabeza a pies, para de esta manera dificultar el reflujo. Esto soluciona la mayor parte de los RGE de lactantes sin patología asociada.

Además, hay que complementarlo con unas pautas dietéticas, como hacer comidas con más frecuencia a la vez que menos copiosas, evitando alimentos grasos en los niños más mayores, así como los zumos de frutas que sean ácidos, por su poder antioxidante.

El tratamiento farmacológico es a base de antiácidos que neutralizan la acidez del reflujo. Además, se emplean fármacos que aumentan la presión del esfínter esofágico inferior así como los movimientos contráctiles del esófago, con lo que se vacía más rápidamente el estómago; son los pertenecientes al grupo de los procinéticos como la cisaprida y la domperidona. Otro grupo es el denominado anti H2; deben ser prescritos cuando hay esofagitis. El más típico es la ranitidina.

Además, están los inhibidores de la bomba de protones como el omeprazol, que es más potente que la ranitidina y que es una alternativa a la cirugía, otra opción cuando la respuesta a los fármacos se ha demostrado que resulta escasa.

— Enfermedades del aparato respiratorio —

ASMA BRONQUIAL

Es la enfermedad inflamatoria crónica de las vías aéreas caracterizada por episodios recurrentes obstructivos.

El impacto de esta enfermedad sobre la calidad de vida del niño es importante por el número de crisis, visitas a urgencias, en ocasiones, ingresos hospitalarios, faltas a la escuela y limitación de cualquier tipo de actividad física, que repercuten en gran medida tanto en el niño como en su familia y amigos.

Hay factores que precipitan las crisis, como las infecciones víricas, el humo del tabaco, los irritantes en general, el ejercicio y las emociones que, en la medida de lo posible, debemos evitar.

Cerca del 85 por ciento de asmáticos correctamente tratados dejan de tener síntomas al cabo de un período variable de años. Las formas más graves son las que se inician antes del tercer año, persistiendo a los 6, o el que comienza después de los 3 años. En muchos casos, mejoran en la pubertad, pero no es correcto dejar al niño sin tratamiento a su libre evolución.

Los factores que más inciden en el pronóstico son los antecedentes familiares próximos de asma o alergias graves y la precocidad en el establecimiento de un tratamiento específico.

Síntomas

Los más frecuentes son tos, pitos, dificultad respiratoria y opresión torácica. Su frecuencia e intensidad varían según el tipo de asma de que se trate. Se puede hablar de cuatro tipos de asma infantil:

- *Episódica ocasional.* Episodios de pocas horas o incluso días, con un máximo de cuatro o cinco crisis por año y períodos largos asintomáticos entre las crisis. Estos niños tienen buena tolerancia al ejercicio físico. Estos episodios pueden desaparecer en cualquier momento y no revestir más complicaciones en el día de mañana.

- *Episódica frecuente.* Suele aparecer una crisis de este tipo de asma cada dos meses aproximadamente, con un máximo de seis u ocho crisis al año y sibilancias con esfuerzos bastante intensos. Conviene tener todo a mano para cuando se inician las crisis. Se dan períodos intercrisis asintomáticos.

- *Persistente moderada.* Suele haber un episodio mensual aproximadamente. En los períodos intercrisis, hay sibilancias con esfuerzos moderados y con síntomas nocturnos unas dos veces por semana, en líneas generales, porque cada caso presenta sus peculiaridades.

- *Persistente grave.* Se manifiesta con episodios frecuentes, síntomas en los períodos intercrisis, síntomas nocturnos más de dos veces por semana y sibilancias con esfuerzos pequeños.

Diagnóstico

El diagnóstico del asma se basa principalmente en los síntomas. Suele haber antecedentes familiares de asma y también de alergias severas que pueden agudizar los casos de asma bronquial. Hay que indagar en la historia de las crisis y los factores que las precipitan para evitarlas en la medida de lo posible.

Se realizan análisis de sangre, que pueden presentar la elevación de un tipo de glóbulos blancos, los eosinófilos, y también se eleva la inmunoglobulina E.

En niños mayores de 5 años es muy importante el estudio de la función pulmonar con la espirometría, donde se estudian diversos parámetros.

Tratamiento

Se basa en tres partes fundamentales. La primera sería la educación del niño así como de su la familia. La segunda pasaría por controlar los factores que inducen las crisis asmáticas y la tercera, por el empleo de los fármacos adecuados. El objetivo es disminuir o eliminar los síntomas, conseguir la mejor función pulmonar posible, evitar las limitaciones de la vida escolar, social y de ocio, además de evitar el empeoramiento y, por tanto, las visitas a urgencias e ingresos hospitalarios.

Hay dos tipos de fármacos empleados: los aliviadores o de rescate, que se dirigen a los síntomas agudos, como la broncoconstricción, y los síntomas acompañantes, y los fármacos controladores o de mantenimiento, que se prescriben a diario y a largo plazo para alcanzar y mantener el control del asma; entre los fármacos de mantenimiento, destacan los corticoides inhalados o por vía general, antileucotrienos, cromomas y broncodilatadores de acción prolongada como principales grupos.

BRONQUIOLITIS

Es una infección de los bronquíolos, es decir, de las vías respiratorias más pequeñas que se encuentran en los pulmones. Esta infección es típica en niños menores de 2 años y el cuadro predominante es dificultad respiratoria, tos y, al inicio, suele haber también infecciones de garganta o nariz. De hecho, muchas veces se confunde con una crisis asmática, debido a las dificultades a la hora de respirar.

La mayor parte de las veces se debe a la acción de un virus, el respiratorio sinticial (VRS), que produce brotes de pequeñas epidemias de octubre a abril. Se transmite a través de toses, estornudos o de las manos que contactan con secreciones. Se contagia de forma muy rápida entre los niños más pequeños.

Parece ser que la lactancia materna ofrece cierta protección frente a la infección por el VRS.

Síntomas

Comienza con rinitis, tos o estornudos para luego ir dando paso a una dificultad respiratoria creciente que en unos dos o tres días se agrava de forma manifiesta, observándose un aumento de la frecuencia respiratoria por encima de 60 respiraciones por minuto. Surge agitación en el niño a causa de la mala oxigenación que tiene. Depués de estos episodios, se queda agotaco también por la falta de oxigenación.

También aparecen sibilancias, que son ruidos respiratorios comúnmente conocidos como «pitos», que a veces se oyen sin necesidad de auscultar.

Aparece fiebre generalmente inferior a los 38 °C.

Las complicaciones más graves, aunque no son demasiado frecuentes, son el fallo respiratorio así como la apnea (pausa de la respiración). Un mismo niños puede padecer varias bronquiolitis en el transcurso de unos meses; eso no implica que la siguiente ocasión sea más grave o que cuando sea mayor tenga más o menos tendencia a sufrir afecciones en los bronquios.

Diagnóstico

En la radiografía del tórax se aprecian alteraciones típica de la inflamación pulmonar, que persiste durante unos diez días. Además, está disminuida la concentración de oxígeno en la sangre arterial que se determina por una gasometría.

El pronóstico suele ser bueno, aunque evoluciona peor en niños con malformaciones congénitas e inmunodeficiencias. La mortalidad se produce en menos del 1 por ciento de los casos.

Tratamiento

Se basa en la oxigenoterapia y el aporte de humedad con nebulizadores principalmente,

La bronquitis es una enfermedad típica del otoño y el invierno.

suero salino por vía intravenosa y fisioterapia respiratoria con cambios posturales y maniobras suaves de percusión torácica.

También se aplican broncodilatadores, generalmente inhalados o nebulizados; corticoides por vía respiratoria u oral, según los casos y la gravedad. También se prescriben antivirales, como la ribavirina en aerosol. Por supuesto, en estos últimos casos, será con prescripción facultativa.

En ocasiones el niño precisa ingreso hospitalario y se realizará un tratamiento a base de los fármacos mencionados antes, pero de forma un poco más intensa y, sobre todo, con vigilancia continuada, especialmente en las primeras 48-72 horas, que es donde este cuadro suele alcanzar su forma más grave; a partir de las 72 horas, si el tratamiento surte efecto, la situación del niño debería mejorar considerablemente.

BRONQUITIS

Se trata de un cuadro bastante frecuente, sobre todo en los niños pequeños, con máxima incidencia entre 2 y 4 años.

Dentro de la bronquitis podemos encontrar que puede ser un proceso agudo o recurrente y crónico.

Bronquitis aguda

Proceso inflamatorio de la tráquea y bronquios principales, que cursa con congestión y aumento de las secreciones. Está causada en la mayoría de los casos por virus y con menos frecuencia por bacterias, inhalación de productos tóxicos y aspiraciones del contenido del estómago.

Es típica en los meses más fríos del año y, en muchas ocasiones, está precedida de una infección vírica de garganta o nariz (vías aéreas superiores).

Los principales agentes responsables son el VRS, parainfluenza, adenovirus y virus gripales.

Síntomas

Se suele iniciar la bronquitis con una obstrucción y una secreción nasal, seguidas de tos a los 3-4 días, que inicialmente es bastante seca, irritativa y dolorosa, y que pasa a ser más productiva y húmeda. En ocasiones se acompaña de vómitos mucosos o alimentarios, y no afecta demasiado al estado general. Hay dolor en el tórax y fiebre, apareciendo en las formas graves palidez en el rostro, agitación, insomnio y postración.

Suele resolverse en 5-10 días, pero en algunos casos persiste hasta un par de semanas. Si aparece fiebre tardía y se agravan los síntomas, puede haberse producido una sobreinfección bacteriana.

Diagnóstico

Se hace a través de unas radiografías simples de tórax. Los análisis de sangre suelen mostrarnos un aumento de los leucocitos de varios tipos, según la causa, así como un aumento de la velocidad de sedimentación globular (VSG). Además, se pueden cultivar las secreciones para conocer el germen responsable.

Tratamiento

Aporte de líquidos abundantes y, en principio, por vía oral; si no fuera suficiente, se recurre a la sonda o a sueros intravenosos, bajo vigilancia constante. También se recurre a la fisioterapia, con cambios de posición frecuentes y vibraciones torácicas para mover las secreciones del organismo.

Los aerosoles pueden fluidificar las secreciones mediante el empleo de nebulizadores, además de lavados nasales con suero salino.

En los casos más graves, será preciso aportar oxígeno.

Los fármacos empleados son los mucolíticos, los broncodilatadores y los corticoides para bajar la inflamación si ésta es muy notable. Se emplean también antitérmicos como es el paracetamol que, además, es analgésico; y antitusígenos (estos últimos no suelen emplearse en lactantes). Por regla general, si hay evidencias de que la bronquitis es bacteriana, se emplean los antibióticos que el médico indique.

BRONQUITIS CRÓNICA O RECURRENTE

Si dura más de tres meses o se producen más de cuatro episodios al año de tos productiva asociada o no a pitos o estertores a la auscultación, la bronquitis podrá clasificarse de crónica.

La causa puede estar en infecciones repetidas, disminución de las propias defensas del niño, factores irritativos del microclima familiar o ambiental como humo del tabaco, estufas, polvos, etc.

A veces se debe a malformaciones del aparato respiratorio, asma, fibrosis quística, tuberculosis, cardiopatía o hipertensión pulmonar.

Síntomas

Tos persistente con abundantes secreciones, episodios constantes de fiebre alta, roncus (ruidos anormales respiratorios) y sibilancias.

Diagnóstico

Trata de identificar la causa así como los factores externos que contribuyen a que aparezcan estos episodios. Además de la radiografía del tórax, se puede practicar una broncoscopia.

Tratamiento

Sigue pautas similares a las señaladas para la bronquitis aguda.

CRUP

Es una infección vírica de las vías aéreas superiores, en concreto la laringe y la tráquea, que se desarrolla rápidamente en los niños, sobre todo en menores de 5 años, y que, por lo general, se resuelve espontáneamente en 24-48 horas.

En raras ocasiones el crup puede ser signo o síntoma de infecciones más serias, como la difteria, que implican otro tipo de tratamientos a seguir.

El virus responsable se transmite por las gotitas que flotan en el aire como consecuencia de las toses o estornudos así como también por el contacto estrecho interpersonal a través de las manos desde la boca o nariz, principalmente.

Los virus responsables más comunes son parainfluenza, el VRS, el rinovirus, el adenovirus, el coxackie y el común virus de la gripe.

Síntomas

Tos de tipo perruna, intensa, áspera y violenta, bastante característica; ronquera y dificultad para respirar, que suelen aparecer por la noche, cuando el niño lleva un par de horas acostado, aproximadamente. También aparece fiebre, en ocasiones bastante alta (hasta los 39 °C) y estridor, un ruido vibratorio al inspirar, que se debe a la inflamación de las cuerdas vocales y es típico de la laringitis.

Los principales signos de alerta o gravedad son cansancio intenso del niño, dificultad respiratoria y cianosis (es decir, piel azulada o morada en labios, boca, nariz o uñas de las manos). Todo ello justificaría el llevar al niño a urgencias. A algunos padres se les explica cómo practicar una traquotomía de urgencia.

De todas formas, si ya saben que su hijo lo padece y están, por tanto, prevenidos, siempre llegarán a urgencias con tiempo suficiente.

Diagnóstico

Es principalmente clínico, a través de los síntomas, aunque se puede tomar una muestra de células y secreciones de la garganta para cultivo y conocer así al microorganismo concreto responsable de algunos de los casos más graves.

Es importante diferenciarlo de las laringo-traqueitis bacterianas, que suelen cursar con síntomas más graves y fiebre más alta (40-41 °C) y, sobre todo, del «falso crup», es decir, la laringitis espasmódica que no es de causa infecciosa, sino que se debe a un espasmo laringeo, que se achaca a cuadros alérgicos psicosomáticos, además de tener un claro componente hereditario familiar.

Tratamiento

Ante la aparición de síntomas, por lo general, suele ser suficiente con calmar al niño, mantenerlo erguido para que respire mejor;

inhalar vapor bien del baño o de un humidificador de agua caliente.

Asimismo, habría que forzar al pequeño a beber abundantes líquidos y, si tiene fiebre, mantenerlo fresco y evitar que esté excesivamente abrigado.

En cuanto al tratamiento farmacológico, por lo general es ambulatorio, con antitérmicos (paracetamol).

Los casos graves a veces necesitan ingreso hospitalario y precisan que se le suministre oxígeno, corticoides e incluso adrenalina, si se complica con obstrucción de la vía respiratoria superior.

Los aerosoles con diversa medicación facilitan mucho el tratamiento y curación de esta enfermedad. Sólo se aplicarán si lo prescribe el médico.

NEUMONÍAS

Las neumonías son infecciones del pulmón y se trata de una patología bastante frecuente y grave en los niños, debido a su facilidad en el contagio y la falta de higiene que suele imperar entre los pequeños cuando juegan juntos, en clase o en el parque. Las causas son infecciosas, siendo los virus los responsables del 75-90 por ciento de los casos y, figurando en segundo lugar, las bacterias.

Los virus más frecuentes que porvocan una neumonía son el VRS y los de la gripe, parainfluenza y adenovirus. Entre las bacterias, destacan el neumococo y el micoplasma.

Estos gérmenes llegan al pulmón fundamentalmente por vía aérea pero ocasionalmente pueden hacerlo por vía sanguínea. Entre los factores predisponentes destacan la obstrucción nasal y, por tanto, respiratoria, algunos irritantes, como pueden ser el tabaco y algunos gases atmosféricos, la fibrosis quística, determinados medicamentos, la infección viral de las vías aéreas superiores y las inmunodeficiencias, entre otros.

La lesión que se produce es de carácter inflamatorio en la región alveolar, que puede ser más o menos extensa, según los casos e impidiendo, por tanto, el aporte de oxígeno al organismo.

Síntomas

Suelen ser de comienzo bastante brusco con escalofríos, fiebre alta y, a veces, vómitos y convulsiones. Hay una gran afectación del estado general, con escasos síntomas respiratorios en estas primeras fases.

En otras ocasiones, se inicia con un cuadro catarral que se agrava de manera considerable a los 2-3 días, aumentando la fiebre y el cansancio, así como la falta de apetito, a la vez que va en aumento la tos y los ruidos respiratorios.

Una vez establecido el cuadro, los síntomas respiratorios dominan la sintomatología con un fuerte aumento de la tos y las secreciones, sensación de dificultad respiratoria así como un aumento de la frecuencia respiratoria, que en ocasiones es jadeante. Aparece el llamado quejido respiratorio, en el que parece que el niño escupe al aire espirado.

En algunos casos de neumonía extensa aparece coloración violácea con leves alteraciones de consciencia y agitación por la falta de oxígeno en todo el organismo. Es típico también el dolor abdominal alto o en punta de costado, que es un dolor reflejo pulmonar. En la auscultación del tórax se escuchan ruidos anormales y a veces se acompañan de algunos pequeños derrames pleurales.

Diagnóstico

Se hace una radiografía del tórax, donde se suelen ver condensaciones pulmonares de mayor o menor extensión. La gasometría determina la cantidad de oxígeno en la sangre, lo que indica la afectación pulmonar. También es importante en muchas ocasiones saber cuál es el agente infeccioso responsable, pues en este caso el tratamiento es algo diferente. Se suele hacer con un cultivo de sangre o de líquido pleural (derrame).

También se realiza un análisis de sangre, ya que el hemograma orienta sobre si se trata de bacteriana o de virus. A partir de ese momento, se pueden empezar a tomar decisiones sobre el tratamiento más apropiado a seguir.

Tratamiento

En la mayoría de los casos es ambulatorio. Se indica hospitalización si se sospecha una causa general, alteraciones generales importantes, etc.

Las medidas generales son reposo en las fases iniciales y buena hidratación constante. En algunos casos que presentan más gravedad, el niño precisa aporte extra de oxígeno.

El tratamiento sintomático se realiza con antitérmicos, analgésicos y antitusígenos. En cuanto a los antibióticos, por la dificultad existente muchas veces en saber si una neumonía es vírica o bacteriana, debe hacerse una minuciosa valoración médica para plantearse la administración de estos fármacos.

En caso de que sea bacteriana la causante de esta patología, se emplean por vía oral, si el niño no precisa ingreso, o intravenosa, si es que tiene que ser hospitalizado. El tratamiento antibiótico ambulatorio debe durar una semana y el hospitalario de 10-14 días, dependiendo de la causa y las complicaciones.

Enfermedades cardiovasculares

> ENFERMEDADES CARDIOVASCULARES
>
> Arritmias
> Cardiopatías congenitas
> Cardiopatías por
>   cortocircuito
> Cardiopatías por
>   estrechamientos
>   valvulares
>
> Cardiopatías congénitas
>   del recién nacido
> Hipertensión infantil
> Insuficiencia
>   cardiaca en los niños

ARRITMIAS

Se conocen como arritmias a las alteraciones del ritmo cardiaco. Se estima que un 5 por ciento de los niños menores de 7 años han padecido alguna, cifra que se eleva hasta el 90 por ciento en los niños prematuros o de bajo peso. También son más frecuentes en aquellos que sufren alguna cardiopatía congénita y después de someterse a cirugía correctora de la misma.

Síntomas

■ Se puede hablar de tres grupos de arritmias bien diferenciados:

● El primero es el denominado como variantes de la normalidad, como sería el caso de las arritmias respiratorias, que consisten en una variación de la frecuencia cardiaca con la respiración, aumentando en la inspiración y disminuyendo con la espiración. Es muy frecuente y benigna y no precisa terapia alguna.

● El segundo grupo lo constituyen las arritmias sin ninguna repercusión clínica, que pueden ser fundamentalmente de dos tipos:

— Los extrasístoles aislados.

Las cardiopatías se pueden presentar con una insuficiencia cardiaca precoz.

— El bloqueo a-V de segundo grado.

• El tercer grupo está constituido por las arritmias con repercusión clínica, destaca la taquicardia paroxística supraventricular (TSPV), que hace que en recién nacidos y lactantes se alcance una frecuencia cardiaca de 200 latidos por minuto, lo que ocasiona insuficiencia cardiaca. En los niños más mayores aparece ansiedad, palidez, vómitos, mareos, palpitaciones, síncopes y también cefaleas. Además está el Flutter auricular y la fibrilación auricular.

Diagnóstico

Se fundamenta sobre todo en la práctica de un electrocardiograma (ECG), concretamente el Holter, que consiste en un registro continuo del ECG durante 24-48 horas, mientras el niño puede seguir haciendo su vida normal.

Además, se puede realizar un electrocardiograma de esfuerzo que pone de manifiesto algunas arritmias que no aparecen durante el reposo, así como alguna otra que desaparece durante el ejercicio.

Otra técnica empleada es la electrofisiología intracavitaria (se realiza desde dentro de las cavidades cardiacas), la cual permite estudiar los mecanismos de la arritmia así como hacer pruebas de provocación de estímulo con registro de sus efectos. También se pude, gracias a esta técnica, localizar focos y vías anómalas de conducción cardiaca, así como valorar los efectos de determinados fármacos.

Tratamiento

Se basa en interrumpir la arritmia con determinadas maniobras, como estimulación faríngea o infusión de agua helada intraesofágica. Si esto no fuera efectivo en absoluto, se emplean fármacos como el ATP intravenoso o el verapamilo.

Además, existen otros muchos fármacos antiarrítmicos con indicaciones específicas para cada tipo de arritmia.

CARDIOPATÍAS CONGÉNITAS

Más de la mitad de los casos de la patología cardiaca corresponden a las cardiopatías congénitas, y son las malformaciones congénitas más frecuentes.

Hoy en día, el tratamiento ha mejorado enormemente e incluso se realizan abordajes quirúrgicos precoces de anomalías congénitas. Aunque son muchas estas patologías, se pueden clasificar en tres grandes grupos.

CARDIOPATÍAS POR CORTOCIRCUITO

Comunicación de sangre arterial y venosa en las diferentes cámaras cardiacas o grandes vasos que entran y salen del corazón. Las más representativas son:

- *Comunicación interauricular (CIA).* Hay un orificio entre las dos aurículas que permite el paso de sangre. Suponen un 8 por ciento de las cardiopatías congénitas. Se diagnostica con ecocardiografía o con Doppler-color. El tratamiento es quirúrgico y en los casos de insuficiencia cardiaca o hipertensión pulmonar debe ser, además, urgente. En caso contrario, puede hacerse dicha operación a partir de los 3 años y la intervención básicamente consiste en poner un parche que obstruya la comunicación.

- *Comunicación interventricular (CIV).* El orificio comunica los ventrículos. Es la cardiopatía congénita más frecuente (aparece en un 20 por ciento de los casos) y puede ser aislada o formar parte de otras malformaciones cardiacas. Se diagnostica bien por exploración clínica y auscultación de un soplo. El tratamiento siempre es quirúrgico, cerrando la comunicación. Se puede operar a cualquier edad, dependiendo de los síntomas, su repercusión y gravedad en general. Hay hasta un 50 por ciento de oclusiones espontáneas.

- *Persistencia del conducto arterioso.* Es la comunicación entre aorta y arteria pulmonar, que es normal durante la vida embriológica, pero se cierra normalmente antes de que el niño nazca. Si persiste a los dos meses del nacimiento es improbable que se cierre sola. A veces se asocia a otras malformaciones en las que puede resultar beneficiosa (evita daños añadidos). Se diagnostica con ecocardiografía y Doppler-color. El tratamiento en muchos casos se hace por cateterismo intervencionista, mientras que otros se operan a partir de los dos años.

- *Canal atrioventricular (A-V).* Es un defecto complejo y grave que asocia la CIV alta y la CIA baja con válvula aurículo-ventricular común. Es frecuente en los niños que padecen Síndrome de Down. Se diagnostica con una prueba qué se llama ecocardiografía. La cirugía correctora se indica antes de los 6 meses, cuando la presión y resistencias pulmonares son altas. En caso de no llevarse a cabo con esa edad, puede retrasarse hasta los 3-4 años.

- *Tetralogía de Fallot.* El aumento de presión en las cavidades derechas (venosas) es superior a las izquierdas (arteriales), con lo que la sangre venosa pasa al sistema arterial, dando a los niños una coloración azulada. Además, hay una escasez de ganancia de peso en el niño y dificultad respiratoria. Es muy frecuente la posición en cuclillas espontánea del lactante, lo que mejora la circulación pulmonar de la sangre.

En general, en casos graves puede haber agitación, convulsiones e incluso se puede llegar al fallecimiento.

Se diagnostica con radiografía, ecografía, ecocardiografía y cateterismo. En los casos más graves se precisan con frecuencia intervenciones paliativas o correctoras precoces.

CARDIOPATÍAS CONGÉNITAS POR
ESTRECHAMIENTOS VALVULARES
O DE GRANDES VASOS

■ Los casos más frecuentes en niños son los siguientes:

• *Estenosis pulmonar.* La estrechez puede estar en la propia válvula pulmonar o más arriba, en la arteria pulmonar. Suele ser asintomática y aparece dificultad respiratoria con el esfuerzo, dolor en el tórax y, raras veces, síncopes. Se diagnostica con ecocardiografía, radiografía de tórax, electrocardiograma y cateterismo. El tratamiento es quirúrgico, y a veces puede abordarse con un catéter balón dilatando la estrechez, con lo que se evita la cirugía abierta.

• *Estenosis aórtica.* Lo más típico es la estrechez valvular, aunque puede situarse por debajo o por encima de la misma. Suele ser asintomática, donde se ausculta un soplo por casualidad. Cuando es grave o progresa, aparecen mareos, dificultad respiratoria ante esfuerzos, dolor en el tórax, cefaleas y, ocasionalmente, muerte súbita.

El diagnóstico se realiza a través de las mismas pruebas que se emplean para las cardiopatías por cortocircuito. El tratamiento corrector es también a través de la cirugía.

CARDIOPATÍAS CONGÉNITAS DEL
RECIÉN NACIDO

■ Se presentan con insuficiencia cardiaca precoz o cianosis. A este grupo pertenecen estos casos:

• *Atresia aórtica o hipoplasia del corazón izquierdo.* Hay estrechez de la válvula aórtica con escaso desarrollo de la arteria aorta y del ventrículo izquierdo. Es la causa más frecuente de muerte por cardiopatía en la primera semana de vida, por presentación de una grave insuficiencia cardiaca a los dos o tres días de nacer. Los síntomas son una palidez cutánea patente, sin soplos o poco característicos a la auscultación y ausencias de pulsos en las cuatro extremidades. El diagnóstico de la misma se realiza por la exploración clínica y la ecocardiografía, donde aparece una gran dilatación de la aurícula y ventrículo derechos. El tratamiento es quirúrgico precoz, y se trata de una intervención importante y de bastante envergadura.

• *Cortocircuitos arteriovenosos.* Cuando son importantes, causan una insuficiencia cardiaca. Los que se consideran más destacados serían el ductus arterioso persistente y la CIV.

Además de la corrección definitiva por vía quirúrgica, hay una serie de recomendaciones terapéuticas generales comunes a todas ellas:

– Los lactantes deben alimentarse en tomas repetidas y de escasa cantidad para no causar fatiga.
– En casos graves, puede indicarse alimentación parenteral.
– Vigilar estrechamente los focos infecciosos, para de esta manera prevenir el riesgo incrementado de endocarditis, lo que se consigue con antibioterapia preventiva.
– Seguir estrictamente el calendario vacunal establecido.

– Corregir las alteraciones bioquímicas y la falta de hierro, si fuera necesario.

– Actividad física según la tolerancia del niño, pero sin excesos, aunque no hay que prohibirla en ningún caso.

HIPERTENSIÓN INFANTIL

Se debe considerar un desequilibrio de los mecanismos que mantienen la tensión arterial normal más que una simple elevación de la tensión arterial. En la infancia se considera presión sanguínea normal alta a las tasas de presión sistólica y diastólica entre los percentiles 90-95 para edad y sexo, y se habla de hipertensión cuando están por encima del percentil 95 para edad y sexo con al menos tres mediciones. Puede ser de tipo esencial (cifras tensionales elevadas no achacables a ninguna causa identificable) y secundaria (sus causas son la obesidad, diabetes, hipertiroidismo, ansiedad, apnea del sueño...).

Es muy importante tener en cuenta que los antecedentes familiares de hipertensión predisponen al niño a padecerla.

Síntomas

Por lo general, el aumento de la presión arterial causa escasos síntomas y signos en los niños, y cerca del 50 por ciento son asintomáticos, mostrando únicamente alteraciones electrocardiográficas o ecocardiográficas del aumento del tamaño del ventrículo izquierdo. La hipertensión secundaria se acompaña de los síntomas de la enfermedad que la causa, además de irritabilidad, cefaleas, mareos, alteraciones del sueño y trastornos de la visión. En los recién nacidos

puede haber síntomas respiratorios, neurológicos y renales.

También puede aparecer encefalopatía hipertensiva: vómitos, ataxia, convulsiones, estupor y coma, y signos neurológicos focales si se produce hemorragia cerebral.

Diagnóstico

Básicamente consiste en la medición de la tensión arterial en condiciones adecuadas. A partir de los 3 años, esta prueba debe formar parte de la práctica habitual en los exámenes pediátricos de salud. Unos registros repetidos (al menos 3) que superen el percentil 95 consolidan el diagnóstico.

La monitorización ambulatoria (MAPA) permite realizar múltiples tomas en las condiciones de vida normales y se emplea para confirmar la sospecha de hipertensión, eva-

Un niño puede padecer hipertensión, si tiene antecedentes familiares.

luar las variaciones a lo largo del día y determinar el tratamiento más adecuado.

Se debe sospechar de hipertensión en niños pequeños sin historia familiar de hipertensión, que son sintomáticos y presentan valores elevados. Por el contrario, la mayoría de los niños de 5 años o más asintomáticos, obesos y con antecedentes familiares son candidatos a ser diagnosticados de hipertensión esencial.

En muchos casos se precisan análisis de sangre, radiografía, ECG, ecografía renal, ecocardiografía y otros estudios para descartar o confirmar que haya una hipertensión secundaria.

Tratamiento

En cuanto a las medidas no farmacológicas, se procede a la restricción de la sal o alimentos muy salados.

Si hay sobrepeso hay que controlarlo con cierta restricción calórica, en el que las grasas no sean superiores al 30 por ciento del aporte dietético y, sobre todo, que éstas sean mono o poliinsaturadas.

En niños mayores o adolescentes, hay que evitar el tabaco, el alcohol y el estrés, además del consumo de anticonceptivos orales en las chicas.

Aumentar la práctica de ejercicio físico de una manera constante contribuye a regular las cifras tensionales. En nungún caso se practicarán deportes brucos.

Únicamente se recurre al tratamiento farmacológico cuando exista hipertensión grave y si de ser moderada, ésta no responde a las medidas higiénico-dietéticas; y en las hipertensiones secundarias, si se ve que se deben a causas no reversibles.

En principio, esta patología pretende controlarse empleando un solo fármaco, aunque a veces no es posible y hay que aña-

dir otro. Con ello se busca el control de los síntomas y prevenir complicaciones a largo plazo. Los más empleados pertenecen al grupo de los IECA (captopril y enalapril), pero también se utilizan betabloqueantes como propranolol y atenolol.

Hay una situación especial de urgencia conocida como crisis hipertensiva en la que se asocia la subida de tensión con encefalopatía hipertensiva o fallo ventricular izquierdo, y requiere ingreso hospitalario a ser posible en unidad de cuidados intensivos. En la UCI se llevará a cabo una reducción de tensional gradual y bien controlada con fármacos adecuados a esta situación grave.

INSUFICIENCIA CARDIACA EN LOS NIÑOS

Refleja la incapacidad del músculo cardiaco para aportar la nutrición y el oxígeno a las diferentes células del cuerpo necesarios para el normal crecimiento y desarrollo de los niños. Es, por tanto, un fallo de la bomba cardiaca para impulsar la sangre a todos los tejidos del organismo. Se puede clasificar en sobrecarga de presión, de volumen, una combinación de estos dos, afectación del músculo cardiaco en sí mismo o alteraciones del ritmo cardiaco.

La insuficiencia cardiaca en el recién nacido y el lactante puede aparentar una insuficiencia respiratoria con aumento de la frecuecia respiratoria, quejido o intolerancia al esfuerzo con aumento de secreciones bronquiales e incluso infecciones respiratorias. Este cuadro es un síndrome, es decir, que puede ser causado por muchas enfermedades que afecten a alguno de los cinco mecanismos citados anteriormente y desencadenan por tanto ese fallo del funcionamiento del corazón.

Como ejemplos de enfermedades responsables se pueden citar entre las más frecuentes: cardiopatías congénitas (estenosis aórtica, estenosis pulmonar, CIV); miocardiopatías, que son afectaciones del músculo cardiaco y pueden ser de origen inflamatorio degenerativo, metabólico o tumoral; y las arritmias prolongadas (taquicardia paroxística supraventricular, o bloqueo aurículo-ventricular completo).

Síntomas

El distrés respiratorio en recién nacidos y lactantes puede ser causa de insuficiencia cardiaca. Además, suele haber acúmulo de líquidos (edemas), en tobillos o abdomen, y también hay hipersudoración. También hay un retraso del peso y de la talla del niño respecto a lo que sería adecuado para su franja de edad.

Se presenta un aumento de la frecuencia cardiaca en reposo mayor a 150 latidos por minuto en lactantes y de 110 latidos por minuto en niños mayores. Puede haber un aumento del tamaño del corazón y del hígado. A la auscultación cardiaca aparece el llamado ritmo de galope. Los pulsos arteriales son pequeños y rápidos y a veces ausentes, según la causa.

Diagnóstico

Se realiza mediante una radiografía del tórax, donde se ve un aumento de la silueta cardiaca, principalmente.

La ECG, el ecocardiograma o el Doppler-color son importantes también para el diagnóstico de este síndrome y para apuntar en ocasiones hacia la enfermedad concreta responsable. También se suele realizar analítica de sangre, de glucosa, de iones y de gases arteriales.

Tratamiento

En cuanto a las medidas generales a tratar, se deben seguir los siguientes consejos prácticos:

– Elevar la cabecera de la cuna o cama, si es bebé o niño respectivamente, unos 30 grados para facilitar la respiración.
– Administrar oxígeno en un ambiente húmedo, indicado y controlado siempre por el pediatra ya que, según la causa que lo haya provocado, podría ser contraproducente y además agravar el cuadro.
– También se recomienda fisioterapia respiratoria así como eliminación de secreciones.
– Hay que procurar que el niño esté en un ambiente lo más relajado posible, por lo que se suele aconsejar la hospitalización. No es bueno que se ponga nervioso.
– Se aconseja el aporte calórico adecuado sin exceso de líquidos a través de alimentos hipercalóricos.
– A veces, es preciso cierto grado de sedación, realizada en el centro hospitalario.
– Se pueden prescribir antibióticos de forma preventiva contra la endocarditis bacteriana o para tratar sobreinfecciones respiratorias.

El tratamiento específico pasa por el aumento de la contractilidad del corazón; básicamente se hace con un medicamento llamado digital y que debe ser exhaustivamente controlado por el médico con una primera dosis de inicio y una más baja de mantenimiento, vigilando la posible toxicidad de este fármaco.

Otro objetivo es la disminución del volumen, que se consigue usando diuréticos. Un tercer objetivo terapéutico sería el de disminuir las resistencias vasculares, para lo que se emplean los vasodilatadores, que mejoran también la función ventricular. Hay casos que precisan de tratamiento quirúrgico, como es el de las cadiopatías congénitas. Se suelen detectar desde que nace y a vaces antes del nacimiento.

Enfermedades del sistema nervioso central

CEFALEAS

Son una causa muy frecuente de consulta y tienen un origen muy diverso.

El origen del dolor de cabeza puede estar en varios mecanismos como la vasodilatación de las arterias cerebrales, por movilización o desplazamiento de estructuras intracraneales, por inflamación y tensión muscular continua del cuello o de los músculos craneales.

Síntomas

Dependen del tipo de cefaleas de que se trate, pero en general, en todas ellas, se produce un dolor de cabeza que puede aparecer de forma abrupta o coincidiendo con un proceso febril, y que puede ir asociado o no a otras alteraciones neurológicas e incluso, por lo general, puede interferir en las actividades cotidianas del niño.

Diagnóstico

Es importantísimo que el especialista haga una buena historia clínica y exploración del niño, lo que puede ofrecer directamente el diagnóstico en muchísimas ocasiones y en otras, dirigir a exploraciones complementarias más específicas, tales como la resonancia magnética.

Tratamiento

En cada caso el tratamiento debe ser específico, dirigido a la causa de la cefalea, seguido de medidas fisioterapéuticas y psicoterápicas, si se precisan.

Además, se recurre a analgésicos y antitérmicos por vía rectal en caso de repetición. Para el dolor neurálgico (tiene su origen en el SNC), con frecuencia se suelen emplear fármacos antiepiléticos.

CONVULSIONES FEBRILES

Las convulsiones febriles afectan al 2-5 por ciento de los niños entre 3 meses y 5 años y están producidas por una elevación de la temperatura superior a 38,5 °C.

La existencia de antecentes similares en los padres aumenta la posibilidad de padecerlas en un 10-20 por ciento, habiéndose identificado hasta el momento tres genes responsables.

Síntomas

Pueden ser simples (el 80 por ciento de los casos), las cuales se presentan en un único episodio febril de 15 minutos de duración; o complejas (el 20 por ciento), que se repiten en el mismo proceso febril y se prolongan más de 15 minutos. El riesgo de que se repitan oscila entre el 20 y el 40 por ciento si no se aplica tratamiento frente al 5-15 por ciento cuando sí se hace. El riesgo de epilepsia posterior es del 2-9 por ciento, mientras que no aumenta el riesgo de lesión cerebral.

Diagnóstico

La analítica se dirige hacia el proceso infeccioso responsable de la fiebre. Suele hacerse sobre todo si se tienen sospechas de meningoencefalitis.

Tratamiento

Se administran medidas para combatir la fiebre y la causa de la infección, así como diacepam rectal en forma de microenema para evitar una convulsión prolongada.

DISLEXIA

La dilexia consiste en una dificultad de aprendizaje en la que la capacidad del niño para leer o escribir está por debajo de su nivel de inteligencia.

Esta dificultad lectora está causada por un impedimento cerebral relacionado con la capacidad de visualización de las palabras, lo que se conoce como ceguera congénita de las palabras (impedimento para leer).

Es característico el invertir las letras cuando se trata de escribir una palabra, aunque se sepa deletrear bien. También es típico escribir algunas letras al revés o invertidas. La lectura es difícil porque no pueden distinguir determinadas letras o las invierten mentalmente. La mayoría de estos niños pueden aprender y sus problemas no están relacionados con la inteligencia; de hecho, muchos de ellos son muy inteligentes y algunos alcanzan grandes éxitos profesionales.

Se cree que su origen es una alteración del SNC en su habilidad para organizar los símbolos gráficos, pero no hay ninguna certeza sobre causa concreta alguna.

Síntomas

Los principales síntomas que se aprecian son dificultad para leer oraciones o palabras sencillas. Es característico el problema con palabras cortas, como «por» o «del».

También la inversión de palabras de forma total o parcial (por ejemplo, «casa» por «saca»); escritura de una misma palabra de distintas maneras, inversión de algunas letras, dificultad para apreciar que una palabra está mal escrita, errores de ortografía raros o atípicos, copiar mal las palabras, aunque estén mirando cómo se escriben, y dificultades para distinguir la derecha de la izquierda.

Diagnóstico

Lo primero sería descartar toda una serie de cuadros que po lo general pueden ocasionar dificultades en la lectura, como defectos de visión o de audición, un cociente intelectual por debajo de lo normal, alteración emocional, retraso grave del desarrollo o problema de salud grabe que mediatice las dificultades del aprendizaje.

Una vez descartado todo loa nterior por el pediatra, habrá que tener en cuenta la existencia de problemas de dislexia en la familia; asimismo, las dificultades fonológicas y de pronunciación y la lateralidad cruzada o no definida pueden ser indicativos de esta patología.

Tratamiento

Una vez diagnosticada, hay que asignar al niño un tutor en fonética para que pueda elevar su nivel de lectura hasta el apropiado a su inteligencia. Hay que informar al profesor del niño sobre esta circunstancia.

Estas dificultades se pueden superar con un correcto tratamiento basado en la paciencia y la fuerza de voluntad. Hay que buscar las áreas en las que el niño destaca y enfatizarlas.

Los ordenadores son herramientas de aprendizaje especialmente útiles para los disléxicos, ya que permiten desarrollar habilidades para escribir que, de otra manera, no se podrían lograr. Además, existen programas de reciente desarrollo orientados como terapia para estos niños.

Asimismo, hay que prestar atención a las dificultades emocionales, que les lleva a sentirse incapaces.

Lo más importante, además del tratamiento psicológico dirigido, es el apoyo de los padres, que deben ser pacientes con el niño, ayudándole a entender que no es que sea torpe y que no tiene ninguna culpa en ser disléxico.

EPILEPSIA

Es una afección cerebral que cursa con contracciones musculares cíclicas presentándose en forma de convulsiones parciales o generales. Abarca todas las formas que no tienen otro origen conocido.

Hay un tipo de epilepsias cuya causa no es conocida (idiopáticas), que suelen comenzar antes de los 20 años y tienen un marcado carácter hereditario familiar.

Otras causas son secundarias a problemas de desarrollo o genéticas producidas en el mismo nacimiento, y en este caso suelen aparecer durante la infancia. Asimismo, pueden estar producidas por alteraciones metabólicas, lesiones cerebrales, tumores e infecciones.

Se pueden distinguir dos grandes tipos de epilepsias:

- *Generalizadas*. Éstas afectan a todo o a la mayor parte del cerebro y pueden, a su vez, presentarse de dos formas claramente diferenciadas:

– Convulsiones generalizadas tónico-clónicas (gran mal).
– Crisis de pequeño mal (se trata de ausencias).

• *Parciales.* Afectan sólo a una porción cerebral, y a su vez pueden ser:

– Focales (el pequeño está despierto, con movimientos y sensaciones anormales).
– Parciales complejas (hay movimientos y sensaciones anormales, pero con alteraciones de consciencia).

Síntomas

Además de los movimientos anormales de las crisis, pueden acompañarse de cefalea, cambios de humor o del nivel de actividad, desmayos, mareos, confusión y pérdida de memoria. Cada tipo presenta además sus síntomas específicos:

• *Gran-mal o tónico-clónicas.* Hay contracciones musculares violentas de todo el cuerpo. El niño está rígido y duro, hay afectación de una parte importante del cuerpo, y hay pérdida del conocimiento, detención momentánea de la respiración seguida de suspiro profundo, incontinencia urinaria, mordeduras de la lengua, confusión tras la crisis y una profunda debilidad.

• *Pequeño mal.* Hay una inmovilidad total, excepto el parpadeo, aspecto rígido y mirada «en blanco». Se produce una pérdida repentina y breve del conocimiento que suele durar sólo unos segundos. Se repiten muchas veces y son típicas de la infancia. Puede haber una alteración del aprendizaje.

• *Convulsiones parciales-focales.* Cursan con contracciones musculares de una parte concreta del cuerpo. Aparece una sensibilidad anormal y suele acompañarse de náuseas, sudoración, dilatación pupilar y enrojecimiento de la piel.

• *Convulsiones parciales complejas.* Se produce automatismo de conductas complejas, sensibilidad anormal, náuseas, sudoración, dilatación pupilar y enrojecimiento de la piel. Además, hay cambios de personalidad o de la agudeza mental. Puede haber o no pérdida del conocimiento y se asocia con alucinaciones olfativas o gustativas.

Diagnóstico

Hay que someter al niño a una exploración neurológica detallada. Mediante electroencefalograma (EEG) se hace un registro de la actividad eléctrica del cerebro, y es básico para el diagnóstico, ya que puede diferenciar varios tipos de epilepsia, además de localizar la región donde está la lesión que causa las convulsiones. Sin embargo, un registro EEG normal no descarta un trastorno convulsivo. También se realiza una analítica de sangre y bioquímica, pruebas de función hepática y renal, test de enfermedades infecciosas concretas, punción lumbar y examen del líquido cefalorraquídeo y pruebas de radiodiagnóstico como TAC y resonancia magnética cerebrales.

Tratamiento

Para el manejo y control de la crisis epiléptica, lo primero es proteger al niño para que no pueda hacerse daño. Debe ponerse un objeto blando entre los dientes para evitar las lesiones por las contracciones de la mandíbula. También hay que apartar el mobiliario y los objetos peligrosos de alrededor del niño. No hay que tratar de impedir los movimientos durante la convulsión.

Se debe proteger de la posible aspiración de vómitos; en caso de que vomite, hay que girarle la cabeza hacia un lado y mantenerla así mientras duerme una vez finalizada la convulsión. Si el niño se pone morado o deja de respirar hay que girarlo lateralmente para mantener las vías respiratorias abiertas y evitar que la lengua caiga hacia atrás y tapone la vía aérea.

La respiración suele reanudarse espontáneamente una vez finalizada la convulsión. La reanimación cardiopulmonar básica es necesaria sólo ocasionalmente y nunca debe hacerse durante la crisis.

La convulsión tónico-clónica necesita asistencia médica inmediata, ya que suele necesitar intubación respiratoria, así como la administración de determinados fármacos normalmente por vía intravenosa en un primer momento. Cuando el estado epiléptico está controlado se pasa a emplear antiepilépticos por vía oral.

En cuanto al tratamiento estabilizador o a largo plazo, a veces no es necesario más que tratar las causas para detener las convulsiones, es decir, tratar las patologías causantes detectadas.

Los antiepilépticos prevendrán la aparición de nuevas crisis. Se emplean de forma individualizada y ajustando mucho las dosis en controles llevados a cabo periódicamente, ya que el umbral terapéutico está muy próximo a las dosis que producen efectos adversos indeseables graves.

ESPINA BÍFIDA

Es una malformación congénita que se produce con una frecuencia de 1 por cada 2.500 nacimientos, y que aparece cuando el tubo neural del feto, que es el órgano embrionario que genera el SNC y la médula espinal, no se cierra bien, dejando parte de la médula al descubierto, sin la protección de la columna.

Dependiendo de la extensión de la lesión y de la localización de la misma, pueden aparecer diferentes alteraciones neurológicas, del movimiento y del funcionamiento de algunos órganos.

Se desconocen las causas concretas, aunque se sabe que intervienen factores genéticos, exógenos, como la edad de la madre (hay más incidencia en los hijos de madres adolescentes), el orden de nacimiento (mayor incidencia en primogénitos), antecedentes de aborto y una alimentación inadecuada.

Síntomas

Son muy variables según la localización de la afectación medular. En general, cuanto más alta sea la localización, mayores problemas se pueden presentar. Si se localizan en la región lumbar-sacra, que es la más frecuente, pueden aparecer trastornos de movilidad corregibles con medidas ortopédicas, pero si se produce a nivel cervical o torácico es probable que el niño no pueda caminar por sí solo. A veces, esta patología se acompaña de hidrocefalia, que causa daños motores y en el aparato digestivo. En la mayoría de los casos, la inteligencia se conserva intacta, pero los déficits en otros sistemas merman el proceso de aprendizaje.

Hay que apuntar que estos niños tienen una especial propensión a desarrollar una alergia al látex.

Diagnóstico

Durante las primeras 20 semanas de embarazo se puede detectar la espina bífida me-

El tratamiento para la hidrocefalia puede ser quirúrgico o farmacológico.

diante un análisis materno en el que el aumento de una determinada proteína, la alfafetoproteína, indica la posibilidad de malformación. Otros métodos diagnósticos son la ecografía y la amniocentesis.

Tratamiento

No existe curación, pero sí determinadas intervenciones que contribuyen a minimizar los efectos de la enfermedad y a mejorar la calidad de vida. Hay intervenciones dirigidas a reparar y cerrar la lesión, corregir los problemas ortopédicos, de intestino y vejiga, así como a tratar la hidrocefalia. Además, es habitual la rehabilitación, sondas urológicas y bolsas colectoras y compresas urológicas.

Asimismo, se prescribe diversa medicación específica dirigida a todos los problemas derivados. No hay que olvidar que la ingesta de ácido fólico en el embarazo parece prevenir esta patología.

HIDROCEFALIA

Es un aumento excesivo del LCR (líquido céfalo raquídeo) en el interior de la cavidad craneal, en relación con el volumen cerebral, lo que suele llevar a causar hipertensión endocraneal e incremento del tamaño del cráneo. Está causada por una hipersecreción (aumento de producción) del LCR, un defecto de reabsorción y, sobre todo, por obstrucción de la circulación de este líquido, que se considera lo más frecuente.

Síntomas

Durante el período neonatal y la lactancia el cráneo crece de forma anormal, con un aumento por encima de la edad del niño, lo cual es apreciable por mediciones periódicas del perímetro craneal y comparándolo en las tablas con los valores, según la edad del niño. Se produce desproporción craneofacial, circulación venosa craneal bastante marcada, desplazamiento hacia abajo y hacia atrás de los pabellones auriculares, el orificio del oído parece una hendidura vertical. También se produce desplazamiento de los globos oculares hacia abajo, y un agrandamiento y abombamiento de las fontanelas craneales.

A partir del primer año se presentan vómitos, cefaleas, vértigos y edema de papila en el fondo del ojo, así como parálisis de determinados nervios craneales.

Diagnóstico

A través de la medición periódica de la presión craneal, ecografía a través de la fontanela, mientras permanece abierta permite tanto el diagnóstico como el control de la evolución de la misma. La monitorización de la presión intracraneal es posible cuando el tamaño de la fontanela anterior es superior a 1 cm por 1 cm.

La radiografía del cráneo evidencia en los recién nacidos la desproporción craneofacial y el adelgazamiento del cráneo en niños con fontanela abierta, mientras que en los que la tienen cerrada se aprecian signos radiológicos de hipertensión endocraneal.

La TC y la resonancia magnética son los métodos de elección para el diagnóstico de la hidrocefalia y en ocasiones apuntan su causa. El eco-Doppler valora la repercusión de la hipertensión endocraneal sobre la circulación cerebral.

Tratamiento

Puede ser quirúrgico, farmacológico o de control evolutivo. El quirúrgico es el más efectivo para controlar la hidrocefalia no tumoral descompensada y consiste en practicar una derivación valvular del LCR, pero no está exenta de complicaciones, algunas bastante graves.

El tratamiento farmacológico se basa en disminuir la producción de LCR con determinados medicamentos, que se emplean sobre todo en los casos que está contraindicada la implantación de una válvula (cirugía).

En ocasiones se recomienda una conducta expectante, ya que en algunas hidrocefalias se produce una compensación espontánea, si bien hay algunos criterios clínicos, bioquímicos y hemodinámicos de autocompensación que harían optar al médico por esta opción.

MIGRAÑAS

Son dolores de cabeza que tienen una causa vascular y neurohormonal. Suelen aparecer en torno a los 10 años, con mayor prevalencia en las niñas. Las migrañas pueden estar desencadenadas por esfuerzos, alimentos, trastornos del sueño y emociones, principalmente.

Síntomas

Dependen de la forma de migraña que se presente. La común es la más frecuente (el 80 por ciento de los casos) y se trata de un intenso dolor de cabeza en un lado del cráneo o generalizado que se alivia con el sueño y suele acompañarse de náuseas, vómitos y dolor abdominal, palidez y somnolencia, que viene a durar de 6-72 horas.

Otra forma es la migraña clásica, que se localiza en la zona frontal, alrededor de los ojos y va precedida de un aura visual (visión borrosa, centelleos, percepción deformada de objetos); puede acompañarse también de alteración de las palabras así como de parálisis musculares. Dura de 2-6 horas y puede repetirse una o dos veces al mes o de forma más espaciada. Una tercera forma son las migrañas complicadas o acompañadas de trastornos neurológicos, motores, sensoriales o de consciencia, que suelen ser transitorios. A veces el dolor de cabeza va precedido de otra sintomatología 24 o 48 horas antes como palidez, somnolencia, cambio de carácter, irritabilidad, insomnio, contracturas, etc.

Diagnóstico

Se realiza en función de los síntomas y a veces el electroencefalograma puede mostrar alguna ligera alteración. Según las estadísticas, aproximadamente la mitad de las migrañas desaparecen con la edad.

Tratamiento

Se recetan los analgésicos habituales que pueden asociarse a codeína, como el paracetamol o el ibuprofeno. El reposo a oscuras en la habitación contribuye a la remisión de las crisis. A veces hay que añadir fármacos contra las náuseas y los vómitos.

También se emplea un fármaco, la ergotamina, como tratamiento para aplacar las crisis, excepto en aquellas acompañadas, en las que está contraindicada. Otro fármaco, el sumatriptán, también tiene una gran eficacia en las migrañas infantiles.

Cuando hay crisis intensas y frecuentes, además se emplean tratamientos preventivos muy útiles, con los cuales parecen disminuir el número de crisis, en los que se utilizan por lo general los antagonistas del calcio así como los betabloqueantes.

NEUROFIBROMATOSIS

Se trata de una enfermedad genética que provoca la predisposición a desarrollar tumores en casi todo el organismo y, además, de forma irregular.

Es una patología que puede manifestarse de forma muy variable y aparece en 1 de cada 200 niños con retraso mental.

Síntomas

La forma periférica se caracteriza fundamentalmente por las típicas manchas «café con leche» en la piel y afectación del sistema nervioso periférico.

Pero además, presenta otra forma, la central, en la que predominan los tumores que afectan a los nervios craneales como el auditivo, los gliomas y las meninges.

Diagnóstico

Se emplean los criterios del Instituto Nacional de la Salud de Estados Unidos según los cuales se puede diagnosticar la neurofibromatosis periférica (NF-1) o la central (NF-2), entre los que destacan los factores hereditarios, la presencia de distintos tipos de tumores, etc.

Además, pueden darse una serie de complicaciones sobre el sistema nervioso central y periférico, aparición de hipertensión arterial, sangrado u obstrucción intestinal, talla baja, pubertad anormal, escoliosis, alteraciones de la visión, etc.

Tratamiento

El tratamiento de esta enfermedad precisa diagnóstico temprano de las complicaciones y una serie de revisiones periódicas, como son la exploración cutánea minuciosa para detectar lesiones nuevas y crecimientos cutáneos en profundidad.

Se precisan también numerosos controles de la tensión arterial, valoración del desarrollo psicomotor, así como de las alteraciones esqueléticas.

Hay calendarios sobre estas revisiones que van pautando los controles, muy frecuentes sobre todo durante el primer año, cada dos meses aproximadamente, para con posterioridad, durante el crecimiento, ir espaciando el tiempo. En la NF-2 el problema más frecuente es el auditivo, por lo que en estos casos, obviamente, se precisan controles otorrinolaringológicos. Los pronósticos son bastante optimistas, ya que con los avances actuales sobre el genoma humano puede llegarse en los próximos años a terapias genéticas que resuelvan la enfermedad.

PARÁLISIS CEREBRAL

Es un término empleado para describir un grupo de incapacidades motoras producidas por un daño en el cerebro del niño, que puede ocurrir antes de nacer, en el período perinatal o en el posnatal.

Se puede definir como un trastorno del tono postural y del movimiento de carácter persistente, secundaria a una agresión no progresiva en un cerebro inmaduro. Bajo este término se engloban diferentes tipos de patologías con causa diferente y pronóstico variable, dependiendo el grado de afectación y extensión de la lesión cerebral.

No es progresiva, pero sí de carácter persistente, causando un deterioro de la coordinación de movimientos con incapacidad de mantener posturas normales y movimientos adecuados.

Al suceder en una etapa en la que el cerebro está en desarrollo, va a interferir en su correcta maduración, sin que el niño tenga experiencia previa del movimiento voluntario, pero gracias a la neuroplasticidad del cerebro va a permitir que áreas cerebrales no dañadas suplan la función de las lesionadas y se establezcan unas vías suplementarias de transmisión de los impulsos nerviosos.

Esta enfermedad es la primera causa de invalidez en la infancia.

Puede estar producida tanto por causas prenatales (prematuridad, placenta previa o desprendida, falta de oxígeno durante el parto) como por otras circunstancias después del nacimiento: traumatismos craneales, infecciones (meningitis, encefalitis), intoxicaciones, accidentes vasculares, epilepsia, fiebre alta con convulsiones, encefalopatías...

Síntomas

Imposibilidad de controlar algunos o todos los movimientos; algunos no pueden hablar, caminar o parar de mover las manos; otros son incapaces de sentarse sin apoyo y, en general, necesitan ayuda para la mayor parte de las tareas diarias de la vida.

Pueden aparecer en muy diversos grados algunos de estos síntomas: movimientos lentos y torpes, rigidez, debilidad, espasmos musculares, movimientos involuntarios, el inicio de un movimiento suele desembocar en otro involuntario, por lo que algunos niños desarrollan patrones de movimiento. Pueden aparecer también problemas articulares, que suelen derivar de ciertas posturas al sentarse o al acostarse.

Existen también problemas visuales, siendo los más frecuentes el estrabismo, y auditivos, así como dificultades en el habla, bien por su desarrollo intelectual bien por la discapacidad en controlar los músculos de la boca, lengua y paladar.

Otros problemas comunes son las dificultades para ganar peso, alteraciones de la conducta y el comportamiento y problemas de sueño.

Todo esto hace que en muchas ocasiones se produzcan dificultades de aprendizaje, aunque muchas veces pueden tener un coeficiente intelectual normal.

Diagnóstico

El diagnóstico es clínico, apoyado con técnica radiodiagnóstica.

Tratamiento

Esta dolencia no se puede curar, pero el niño puede recibir una actuación adecuada que le ayude a mejorar sus movimientos y que estimule su desarrollo intelectual para conseguir un nivel de comunicación aceptable para poder estimular su relación social. Esto fundamentalmente se basa en cuatro puntos:

- La fisioterapia.
- La terapia ocupacional.
- La educación compensatoria.
- La logopedia.

El tratamiento precoz en estos niños es fundamental para mejorar su respuesta. En general, se recomiendan actualmente tratamientos de neurorrehabilitación y fisioterapia de, como mucho, una hora al día. Actualmente se ha avanzado muchísimo en el campo de las ayudas técnicas, lo que posibilita, siempre con el pertinente entrenamiento, la incorporación progresiva de estos niños a su vida diaria, haciéndola, en cualquier caso, más cómoda. Hay dispositivos ortopédicos que facilitan funciones y previenen deformidades.

En el campo de la informática, también hay sintetizadores de voz que han mejorado enormemente la calidad de vida de estos enfermos.

Además, existen distintos abordajes para ir solucionando los problemas que van surgiendo con el paso del tiempo a base de medicamentos o intervenciones. Entre ellos se puede destacar la toxina botulínica, que actúa sobre los músculos aspásticos donde se aplica en forma de inyecciones y con lo que se mejora mucho la función sin grandes efectos adversos.

SÍNDROME HIPERTENSIVO ENDOCRANEAL

Es un cuadro relativamente común en los niños que exige un diagnóstico precoz, dada la posibilidad de ocasionar graves secuelas neurológicas e incluso la muerte.

Se trata de un incremento mantenido de la presión intracraneal que puede estar causado por múltiples factores que afectan al sistema nervioso central, entre las que destacan la hidrocefalia, tumores intracraneales, hemorragias intracraneales del recién nacido, traumatismos craneoencefálicos, infecciones del SNC, alteraciones vasculares cerebrales agudas, etc.

Síntomas

En el recién nacido y el lactante hay un abombamiento de la fontanela y un aumento progresivo del tamaño del cráneo. A edades posteriores suele aparecer cefalea, vómitos violentos, cambios de conducta, visión doble, alteraciones de la marcha y movilidad activo-pasiva y, sobre todo, un deterioro progresivo del nivel de conciencia. También suelen aparecer convulsiones.

Diagnóstico

En el fondo del ojo se ve lo que se llama edema de papila. También se hace una ecografía, TC, resonancia magnética, electroencefalograma y una prueba llamada potenciales evocados en busca de la causa que origina este síndrome. Es básica la medición seriada de la presión intracraneal tanto en el diagnóstico como para el seguimiento y pronóstico.

Tratamiento

Está fundamentalmente dirigido a la causa que lo origina siempre que sea posible, como en el caso de una infección, causa metabólica, intervención quirúrgica como evacuar un hematoma, etc.

Además, debe tratarse el edema (inflamación) cerebral acompañante a base de restricción de líquidos, control de la tensión arterial, hipotermia, hiperventilación, medidas posturales, fármacos analgésicos, sedantes y diuréticos. A veces es necesaria alguna intervención quirúrgica.

TRAUMATISMOS CRANEOENCEFÁLICOS (TCE)

Se producen por lesiones directas sobre el cerebro que pueden ocasionar un daño cerebral difuso con vasodilatación, hemorragia y edema con falta de oxigenación, ocasionando una hipertensión endocraneal y un daño en el sistema nervioso central que puede llegar a ser irreversible.

Se pueden clasificar anatómicamente como: contusión o laceración del cuero cabelludo, fractura de cráneo, conmoción cerebral, contusión y laceración cerebral, y hemorragias intracraneales.

Síntomas

Trastornos de consciencia, cefaleas, vómitos, variaciones de las funciones neurológicas, respiratorias y circulatorias.

También pueden presentarse signos oculares, tales como la dilatación de las pupilas o la desviación de la mirada hacia un lado. En cuanto a las afectaciones motoras, si son difusas indican una lesión en ambos hemisferios cerebrales.

Las alteraciones pueden aparecer inmediatamente tras un traumatismo o aparecen con posterioridad por causa del edema o la hemorragia, generalmente en el lado opuesto al afectado.

Según el tipo de traumatismo la sintomatología es distinta:

- *Traumatismo sin pérdida de consciencia.* Éste únicamente causa cierto grado de somnolencia y una importante tendencia al vómito.

- *Conmoción cerebral.* Hay pérdida de conciencia transitoria sin que exista daño cerebral permanente. A veces existen también déficit de tono postural, palidez,

Las cefaleas, los vómitos, los trastornos de consciencia y las dificultades al respirar son síntomas de haber recibido un traumatismo craneoencefálico.

falta de reflejos y alteraciones del ritmo respiratoria y circulatorio.

- *Contusión y laceración cerebral.* Se trata de un TCE grave con edema, isquemia o falta de riego, hemorragia, signos de hipertensión endocraneal, pérdida prolongada de conciencia o coma de intensidad variable. Los signos de mayor gravedad en estos casos son la parálisis de las pupilas (las cuales no reaccionan a la luz), sobre todo si éstas se encuentran dilatadas, las alteraciones del ritmo circulatorio y respiratorio, y fiebre. Además, hay parálisis y trastornos motores y sensitivos, así como convulsiones según las áreas afectadas.

Diagnóstico

Por lo general, lo primero que se hace es una radiografía de cráneo y cervical, en la que se hace posible apreciar, únicamente, las fracturas existentes.

La exploración imprescindible es la TC que ofrece una visión clara de las estructuras cerebrales. Es importante repetirla para analizar la tendencia de las lesiones.

También se emplea con relativa frecuencia la resonancia magnética, que ofrece información más precoz.

Tratamiento

Como medidas generales hay que colocar el cuello y la cabeza rectos. Mantener la ventilación y la oxigenación adecuadas. Además, hay que intentar mantener la tensión arterial normal o alta y administración de fármacos para prevenir las convulsiones, la hipertensión endocraneal y antitérmicos para controlar la fiebre.

Asimismo, se realiza cirugía urgente únicamente si se producen desplazamientos o compresiones que pongan en peligro la vida del niño.

Afortunadamente, la inmensa mayoría de los TC tienen un buen pronóstico.

Enfermedades de la sangre

ALTERACIONES HEMORRÁGICAS

Son aquellas en las que se produce un sangrado por alteraciones en la coagulación que pueden ser a nivel de los vasos sanguíneos de las plaquetas o de los factores de la coagulación, que son proteínas que se producen en el hígado para llevar a cabo la función de coagulación.

HEMORRAGIAS POR ALTERACIONES DE LOS VASOS SANGUÍNEOS

Se trata de un amplio grupo de patologías que pueden ser congénitas o adquiridas. Dentro de las primeras podemos destacar la telagiectasa múltiple familiar (Rendu-Osler), el Síndrome de Ehlers-Danlos, la enfermedad Hippel-Lindaw y la hemofilia vascular.

Entre las enfermedades adquiridas se encuentran el Síndrome de Schölein-Henoch (púrpura anafilactoide), motivada por una alteración inmunológica que afecta a la capa interior de las arterias.

Síntomas

Hemorragias cutáneas de localización, sobre todo en las piernas, nalgas y brazos con menor frecuencia, y suelen ser simétricas. Se producen también dolores articulares en grandes articulaciones e inflamación articular. También, dolor abdominal tipo cólico por hemorragias en el tubo digestivo. Presencia de microhematuria o glomerulonefritis (daño a nivel de los riñones).

Diagnóstico

Clínico y a través de la analítica de sangre con plaquetas normales y aumento de la inmunoglobulina A y crioglutininas en la fase aguda.

Tratamiento

Eliminar la causa si es posible; reposo en la cama y antiinflamatorios. Los corticoides se emplean si hay daño renal o del sistema nervioso central.

HEMORRAGIAS POR ALTERACIÓN DE PLAQUETAS

TROMBOCITOPENIAS

Se producen por una disminución en el número de plaquetas, que son las células de la sangre implicadas en la coagulación.

Puede ser un hallazgo casual, un síntoma acompañante de un cuadro purpúrico o bien como signo propio de alguna enfermedad congénita.

Síntomas

Pequeños puntitos hemorrágicos en piel y mucosas de distribución o intensidad variables. La causa puede ser dificultad de producción de plaquetas (infecciones, fármacos...), trastornos de las células más inmaduras que luego generan las plaquetas por invasión de la médula ósea (leucemias y tumores), por destruc-

ción de las plaquetas (inmunológicas, tóxicas, síndrome hemolítico urémico) y por distribución anormal de estas células (esplenomegalia y angiomas gigantes).

PÚRPURA TROMBOCITOPÉNICA IDIOPÁTICA

También llamada enfermedad de Werlhoff. Es la patología más frecuente de este tipo, de causa no definida, aunque parece que es inmunológica. En el 60 por ciento de los casos hay antecedente de infección viral. Puede ser aguda si se resuelve en menos de 6 meses o crónica si no es así.

Síntomas

Aparecen hemorragias cutáneo-mucosas de forma brusca, que pueden ser pequeñas o llegar a ser generalizadas en la piel y las mucosas. Son asimétricas y con predominio en las piernas.

Diagnóstico

Disminución plaquetaria con normalidad en las pruebas de coagulación. En algunos casos se hace punción medular, observando precursores plaquetarios normales.

Tratamiento

Los corticoides y la gammaglobulina a dosis altas es lo más empleado, aunque tienen severos efectos secundarios.

En casos crónicos y con mala respuesta terapéutica se plantea extirpar el bazo, a ser posible después de los 5 años de edad, y poniendo ùna serie de vacunas de enfermedades infecciosas, que serán más prevalentes en un niño sin bazo.

HEMORRAGIAS POR ALTERACIÓN DE LOS FACTORES DE COAGULACIÓN

Están representadas casi en su totalidad por las hemofilias A y B, y la enfermedad de Von Willebrand.

HEMOFILIA A

Es hereditaria y va ligada al sexo con el gen en el cromosoma X (la padecen los hombres y las mujeres pueden ser portadoras). Se debe a una actividad reducida o ausencia del factor VIII de coagulación. La hemofilia B es idéntica, pero el factor deficiente o ausente en su caso es el IX.

La incidencia es de 1 de cada 5.000 o 10.000 varones; el 85 por ciento son del tipo A y el 15 son hemofílicos B, y otras más infrecuentes se suelen clasificar según la gravedad en:

– Grave (con hemorragias espontáneas).
– Moderada (con hemorragias tras traumatismos moderados-mínimos).
– Leves (con sangrados tras traumatismos graves o bien intervenciones quirúrgicas).

Síntomas

Las hemorragias pueden ser en piel y mucosas o internas. Son frecuentes las hemorragias articulares.

Las formas leves pueden pasar desapercibidas mucho tiempo.

Diagnóstico

Por la clínica y por una prueba llamada tiempo de coagulación, que está prolongado, y luego se confirmaría determinando la actividad del factor VIII, que está disminuido o ausente.

Tratamiento

Se emplea factor VIII humano, generalmente combinante, aportado de forma intravenosa. En algunos casos se estimula la liberación de este factor con un análogo de la vasopresina (DDAVP).

Se propone actualmente tratamiento profiláctico con factor VIII o IX, tres y dos veces por semana, respectivamente, para poder prevenir así la afectación articular. El tratamiento de la hemofilia B se hace con factor IX purificado.

ENFERMEDAD DE VON WILLEBRAND

Se trata de un grupo de trastornos debidos a la deficiencia de la porción VWF del complejo VIII. Ese factor facilita la unión de la plaqueta al vaso sangrante y actúa como transportador del factor VIII, evitando su destrucción.

Síntomas

Sobre todo produce hemorragias mucosas nasales y de encías, principalmente, o bien púrpuras en la piel por microtraumatismos. En mujeres causa menstruaciones abundantes y hemorragias cutáneas.

Diagnóstico

Por la clínica.

Tratamiento

Dependiendo de la gravedad, se puede administrar desmopresina, factor VIII o concentrados específicos del VWF. Como coadyuvante en las hemorragias mucosas y serosas se emplea ácido tramexamico.

En estas enfermedades deben evitarse las inyecciones intramusculares y el consumo de aspirina por su efecto antiagregante, que predispone al sangrado.

ANEMIAS

Son las alteraciones hematológicas más frecuentes en la infancia, y se caracterizan por una disminución de la cifra de hemoglobina que se encuentra dentro de los glóbulos rojos y es la encargada de transportar oxígeno a los tejidos. Además, suele coincidir con una disminución del número de estas células rojas en la sangre.

Pueden ser debidas a diversos mecanismos como las pérdidas sanguíneas (hemorragias), destrucción de los glóbulos rojos (hemolisis), o déficit de producción de los glóbulos rojos (aplásicos y nutricionales).

Anemia ferropénica

Se produce por un fracaso de la médula ósea en la formación de la hemoglobina por no disponer de hierro suficiente. Es el tipo de anemia más frecuente en los niños. Las causas de la disminución del hierro son: aumento de las necesidades de este mineral en el caso de prematuros, recién nacidos de bajo peso y lactantes; déficits de hierro a causa de malabsorción intestinal o por alimentación exclusivamente láctea; por pérdidas de hierro a causa de gastritis, esofagitis, alergia a las proteínas de la leche de vaca, síndrome de Schoelin-Henoch, hemorragias nasales repetidas, hematurias (sangre en la orina), etc. También por malabsorción de hierro: fibrosis gástrica, enfermedades hepáticas, enferme-

dad celiaca, alergias gastrointestinales...; y por trannsporte y metabolismo del hierro alterados.

Síntomas

Comienza de forma lenta, con disminución del hierro y sin anemia en un primer momento; hay pérdida de apetito, cansancio e irritabilidad, que se van acentuando, apreciándose entonces anemia con palidez de piel y mucosas, taquicardia, palpitaciones, soplo funcional, aumento de la frecuencia respiratoria y cansancio ante pequeños esfuerzos.

Diagnóstico

A través de análisis de sangre con hemograma completo, en el que se aprecia un descenso de los niveles de sideremia, ferritina e índice de saturación de transferrina, además de micocitosis e hipocromía.

Tratamiento

Se intentará eliminar la causa específica y, además, se tomarán alimentos ricos en hierro. En cuanto a los fármacos, en primer lugar, se emplean preparados de hierro por vía oral, quedando reservada la vía parenteral para casos determinados. Los tratamientos suelen ser prolongados y se mantienen de 6 a 8 semanas, tras haber normalizado la cifra de hemoglobia.

Anemia megaloblástica

Se caracteriza por la presencia de megaloblastos, que son células rojas inmaduras y de tamaño grande en la médula ósea y en la sangre, causada principalmente por un déficit de vitamina B12 o de ácido fólico.

El déficit de ácido fólico causa una anemia sin síntomas neurológicos, al contrario de lo que ocurre con el déficit de vitamina B12; la primera es frecuente en el lactante por una alimentación carencial en ácido fólico, déficit al que son muy sensibles los niños prematuros.

Síntomas

En el déficit de vitamina B12 aparecen, además de la anemia, síntomas digestivos: diarrea, anorexia, atrofia de la lengua y, en los casos graves, hay signos neurológicos, como pérdida de sensibilidad al tacto, hormigueos y torpeza manual y en la marcha.

Diagnóstico

Mediante analítica de sangre.

Tratamiento

En el primer caso se administra ácido fólico unido a vitamina C y se mantiene el tratamiento a pesar de la respuesta precoz en unas 3-4 semanas. En el segundo caso se aporta vitamina B12 por vía parenteral durante uno o dos meses.

Anemia hemolítica

Comprende un gran número de causas que ocasionan destrucción de los glóbulos rojos. Las causas congénitas pueden ser por alteración de la membrana de la célula roja (esferocitosis hereditaria, eliptocitosis, estomatocitosis...), también por alteraciones en la síntesis de hemoglobina (talasemias, drepanocitosis) o bien por alteraciones enzimáticas (déficit de glucosa 6-fosfato deshidrogenosa). Además, puede deberse a causas adquiridas

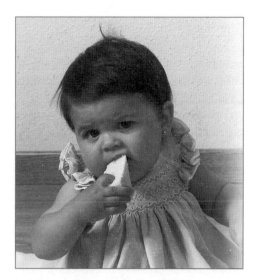

Los niños tienen que adquirir correctos hábitos alimenticios desde pequeños.

por mecanismo autoinmune, por fragmentación (CID), infecciones, enfermedad de Wilson o aumento del tamaño del bazo.

Síntomas

El síndrome hemolítico destaca por la palidez, la ictericia (coloración amarillenta de piel y mucosas) y el aumento del tamaño del bazo de presentación bien aguda o crónica.

Un comentario aparte merecen las talasemias, que son trastornos en la formación de la hemoglobina sin presencia de hemoglobina anormal y causan típicamente una anemia hemolítica y con tamaño pequeño de los glóbulos rojos. Se han identificado centenares de mutaciones que conducen a estas enfermedades, de las que destacan la talasemia mayor (anemia de Cooley), la menor, la talasemia mínima, la de células falciformes y las altatalasemias.

Diagnóstico

Por la analítica.

Tratamiento

Las talasemias se tratan mediante transfusiones intensivas en los casos graves para mantener la cifra de hemoglobina por encima de 10 g/dl. Existe entonces peligro de exceso de hierro con cálculos biliares y acúmulo de hierro en hígado y músculo cardiaco, por lo que se utilizan antagonistas del hierro al mismo tiempo.

La estenosis hereditaria se resuelve extirpando el bazo.

La drepanocitosis se corrige con analgésicos y sedantes para mitigar el dolor, antibióticos si hay infección o para prevenirla y corticoides en las crisis. En casos excepcionales se indica el trasplante de médula ósea.

Las anemias hemolíticas con déficits enzimáticas se corrigen aportando éstas, y en las anemias hemolíticas adquiridas, la base principal del tratamiento son los corticoides.

Anemia aplásica

Causadas por una insuficiencia medular para la fabricación de células sanguíneas.

Síntomas

Predominio de una palidez progresiva a la que se añaden los síntomas típicos de la anemia y también hemorrágicos, cutáneos y mucosos por déficit concomitante de plaquetas. También, ulceraciones en la piel que son punto de inicio de infecciones graves y que vienen originadas por el déficit de glóbulos blancos.

Diagnóstico

Por el hemograma, con descenso de las tres líneas celulares sanguíneas.

Tratamiento

El más indicado es el trasplante de médula ósea.

LEUCEMIAS

Se caracterizan por proliferaciones malignas de células precursoras de la sangre en diferentes grados de maduración, y que infiltran la médula ósea y secundariamente el hígado, el bazo y otros órganos. Son los tumores más frecuentes en pediatría, destacando las leucemias agudas linfoblásticas (LAL), con un 80 por ciento, y las leucemias mieloides agudas (LAM), que suponen el 20 por ciento restante. También pueden presentarse leucemias mieloides crónicas (LMC), que suponen entre el 2 y el 5 por ciento.

La edad más típica de aparición son los 3-5 años y la proporción de LAM es más frecuente en el primer año y en la pubertad.

Aunque se ha establecido la relación entre varios defectos genéticos y un mayor riesgo de leucemia, la mayoría de los niños no tienen predisposición conocida. De entre los factores externos destacan las radiaciones ionizantes y algunos agentes quimioterápicos.

Síntomas

Palidez de la piel y mucosas, que se debe a la anemia que suelen presentar; infecciones repetidas de difícil tratamiento a causa del déficit de glóbulos blancos normales, ya que los alterados están muy aumentados, pero no combaten las infecciones. También se presentan hematomas y predisposición para el sangrado por ausencia de plaquetas; dolores articulares u óseos por acúmulo de células leucémicas; hinchazón abdominal por aumento del tamaño del hígado y del bazo. A veces se acompaña de falta de apetito, inflamación de ganglios linfáticos, generalmente en cuello, axilas, ingles y supraclaviculares; aumento del tamaño del timo, que puede comprimir la tráquea, causando tos y dificultad para respirar, así como compresión de la vena cava superior, lo que precisa corrección urgente.

Otros síntomas típicos son dolor de cabeza, convulsiones y vómitos por afectación del SNC lo que, además, puede causar alteraciones del equilibrio, visión borrosa y debilidad en las extremidades. El cansancio extremo y la debilidad son manifestaciones graves de la LAM, incluso con dificultad para hablar, que está causada por un aumento de la viscosidad sanguínea por el exceso de células, lo que obstruiría los pequeños vasos cerebrales, apareciendo estos síntomas.

Diagnóstico

Lo primero es hacer un análisis de sangre con recuento de células sanguíneas y su observación al microscopio para apreciar las características de las células; la biopsia y aspiración de médula ósea confirmará el diagnóstico. También se realiza una punción lumbar, para saber si la leucemia se ha extendido al SNC. Además, se emplean una serie de técnicas de laboratorio para clasificar la leucemia y el estudio por imágenes.

Tratamiento

• *Tratamiento de las LAL.* Se realiza un tratamiento de inducción a base de 4 fármacos citostáticos para obtener una remisión clínica a las 4-5 semanas. Además, se administra metotrexato intracraneal (en el LCR a través del cráneo). Luego se pasa a la terapia con cistostáticos para terminar con una terapia de continuación.

• *Tratamiento de las LAM.* Es un tratamiento de inducción en el que suelen emplearse dos citostáticos, terapia de consolidación y terapia del tratamiento del SNC.

LINFOMAS

Son tumores que se originan a partir de las estructuras linfáticas. Se dividen en linfoma de Hodgkin, cuya proliferación celular es de origen puramente de ganglios linfáticos y, por otro lado, los linfomas no Hodgkin. Sería el tercer tumor más frecuente en la infancia.

LINFOMA DE HODGKIN

Es ligeramente más frecuente en los varones que en las hembras, sobre todo en edades inferiores a los 4 años, y hay mayor riesgo de presentarlo en hermanos y familiares de afectados, lo cual sugiere la existencia de factores genéticos y ambientales.

Síntomas

El primero en el 80 por ciento de los casos es el ganglio linfático aumentado de tamaño y aislado, o bien un grupo de ganglios, generalmente indoloros, sobre todo en el cuello y por encima de las clavículas, aunque también pueden aparecer en axilas, ingles, pulmones y la parte posterior del peritoneo.

Hay fiebre intermitente, sudores nocturnos y pérdida de peso que aparecen en menos de la mitad de los casos, pero que auguran un peor pronóstico.

En ocasiones, hay tos y dificultad respiratoria por la presencia de ganglios en el mediatino. Más tardíamente pueden aparecer síntomas neurológicos tales como hipertensión intracraneal o, con más frecuencia, compresión de la médula espinal. Por otra parte, la afectación en huesos e hígado es más bien poco frecuente.

Diagnóstico

Se hace un estudio microscópico tras biopsiar un ganglio linfático afectado. Suele haber anemia detectable con un simple análisis de sangre, y en la mitad de los casos están elevados los neutrófilos, que son un tipo de glóbulos blancos.

Es importante evaluar el grado de extensión de la enfermedad con estudios hematológicos, bioquímicos, inmunológicos, radiológicos, isotópicos, así como de médula ósea, lo que clasifica la enfermedad en cuatro estadios, siendo el más leve el I y el más grave, por consiguiente, el IV. Además, cada estadio puede ser A, si no hay síntomas generales, o B, si los hay.

Tratamiento

Se emplea la radioterapia a dosis bajas tras la quimioterapia, que está hecha a base de varios fármacos.

LINFOMA NO HODGKIN

Constituye un grupo heterogéneo de tumores primitivos de los ganglios linfáticos o de otras estructuras linfoides, que se caracteriza por la gran proliferación de linfocitos en diversos grados de maduración.

Estos linfomas son más frecuentes en varones que en hembras y parecen asociarse a diversos síndromes inmunitarios congénitos, así como a situaciones de inmudeficiencia adquiridas, como son el sida o el trasplante de órganos.

Síntomas

Pueden surgir en cualquier lugar en el que haya tejido linfoide. La localización más frecuente es la intrabdominal, en el tramo final del intestino delgado, en el ciego y en el apéndice son los sitios más frecuentes de asentamiento, causan aumento de ácido úrico, de fósforo, potasio y descenso del calcio, lo que puede originar insuficiencia renal.

También pueden situarse a nivel del mediastino (corazón y grandes vasos). Otras localizaciones pueden ser la cabeza y en el cuello, laringe, senos paranasales, glándulas salivales.

Diagnóstico

Por el estudio con el microscopio del material biopsiados. Si hay derrame pleural o pericárdico se pueden estudiar las células en este líquido extraído. Es importante estudiar y tipificar el grado de extensión de la enfermedad.

Tratamiento

Se basa fundamentalmente en la quimioterapia para todos los estadios y tipos histológicos de estos linfomas, que variarán en intensidad y ciclos, según su gravedad. La cirugía y radioterapia no se consideran de primera línea, pero pueden ser necesarias según evolucione la enfermedad.

Cáncer infantil

> ### CÁNCER INFANTIL
>
> Cáncer hepático   Tumor de Wilms
> Neuroblastoma   Retinoblastoma
> Tumores cerebrales
>   Neuroblastoma cerebral

CÁNCER HEPÁTICO

Puede ser hepatoblastoma, que en general no se disemina fuera del hígado y afecta principalmente a los niños menores de 3 años, o un carninoma hepatocelular, que suele diseminar y afecta a niños de cualquier edad. También se encuadran aquí las metástasis de otros tumores que afectan al hígado. En general, son tumores poco frecuentes en niños.

Síntomas

Los síntomas más típicos son una protuberancia, al inicio asintomática. en el abdomen superior, en el lado derecho, dolor e inflamación abdominal, pérdida de peso y de apetito, pubertad precoz en los niños, náuseas y vómitos.

Diagnóstico

Algunos marcadores hormonales en sangre pueden indicar la presencia de este tumor. También hay que evaluar en los análisis sanguíneos otros parámetros de función hepática. La radiografía abdominal, el TC y la resonancia magnética también permiten el diagnóstico y en ocasiones se recurre a la biopsia.

Tratamiento

La opción principal consiste en la cirugía, intentando resecar (realizar la extracción quirúrgica) el tumor por completo. La quimioterapia disminuye con frecuencia el tamaño y la extensión del hepatoblastoma, permitiendo luego una cirugía más completa y con éxito.

El trasplante hepático ofrecería una opción de tratamiento adicional para los pacientes cuyos tumores no sean resecables tras la quimioterapia.

El carcinoma hepatocelular es más agresivo y suele tener múltiples focos hepáticos, con lo que es más difícil la cirugía y el tratamiento en general.

El pronóstico depende del estadio del tumor: tamaño, localización y extensión a otros órganos, así como del hecho de que se pueda extirpar completamente mediante cirugía, en cuyo caso tendrá mejor pronóstico. Por lo general, el hepatoblastoma tiene mejor pronóstico que el hepatocelular.

NEUROBLASTOMA

Es el tumor sólido más frecuente en la infancia. La mayor incidencia se encuentra en los primeros 5 años de vida (un 75 por ciento antes de los 4 años). Es un tumor con gran facilidad de crecimiento por vía linfática (ganglios), aunque también pueden diseminarse por la sangre al hígado, la médula ósea, la piel o el hueso, principalmente. Su agresividad es variable y va desde casos de remisión espontánea hasta formas más diseminadas por el organismo.

Síntomas

Dependen principalmente de la localización y el tamaño del tumor.

Hay síntomas generales como fiebre, dolor abdominal, cansancio, palidez e incluso se presenta con diarrea interna. La localización abdominal es la más frecuente: en un 75 por ciento de los casos se detectan ganglios abdominales o en las glándulas suprarrenales, y se manifiesta como masa abdominal palpable dura.

La localización torácica se produce en el mediastino (región anatómica entre ambos pulmones que incluye corazón y grandes vasos), por lo que puede ocasionar insuficiencia respiratoria.

Puede aparecer también como una masa tumoral en el cuello, aunque es menos frecuente.

El tumor paraespinal puede comprimir la médula espinal.

En cuanto a las metástasis, ésta puede presentarse en los ganglios, médula ósea, hueso, hígado y piel (tejido subcutáneo).

Diagnóstico

Se realiza una radiografía de abdomen, con la cual se pueden evidenciar calcificaciones tenues en el interior del tumor. La ecografía revela también la presencia del tumor y sus características. También se suelen realizar TC, resonancia magnética, gammagrafía y estudios citogenéticos.

Tratamiento

Es importante extraer una muestra del tumor para confirmar el diagnóstico y obtener un pronóstico que permita enfocar la terapia a emplear. Según esto, los tumores pueden clasificarse en tres categorías:

- Los de bajo riesgo se dan en lactantes y se tratan con cirugía solamente o con cirugía y quimioterapia.

- En los de riesgo intermedio se aplica cirugía y luego tres meses de quimioterapia combinada con varios fármacos.

- Los de alto riesgo se tratan con poliquioterapia y trasplante de células sanguíneas de los progenitores.

Recientes tratamientos emplean con buenos resultados el yodo 131 y técnicas de inmunoterapia.

TUMORES CEREBRALES

Son la segunda causa de cáncer en la infancia después de las leucemias y suponen aproximadamente un 20 por ciento de los tumores pediátricos. La mayor incidencia ocurre entre los 5 y los 10 años, siendo ligeramente más frecuente en los varones.

En la mayoría de los casos se desconoce la causa, aunque se conoce una incidencia de los factores genéticos. La exposición a radiaciones ionizantes ya desde el estado fetal y después del nacimiento, así como a la radioterapia craneal pueden desencadenar tumores en el sistema nervioso central.

La OMS los ha clasificado en nueve tipos: tumores astrocíticos, oligodendrogliales, ependimarios, gliomas mixtos, de plexos coroideos, tumores neuroepiteliales de origen incierto, tumores neuronales y neurogliales (mixtos), tumores de pineal y tumores embrionarios.

Síntomas

Dependerán sobre todo de la localización y de la edad del paciente más que del tipo de células que contengan, ya que la sintomatología se debe a la compresión o infiltración de estructuras normales del cerebro o bien a la obstrucción de la circulación del líquido cefalorraquídeo, causando hipertensión endocraneal. Se pueden agrupar los signos y síntomas en inespecíficos y específicos de la localización del tumor.

Como inespecíficos estaría la hipertensión endocraneal; somnolencia; en lactantes, aumento del tamaño de la cabeza, falta de aumento de peso y talla; en niños más mayores se puede observar fatiga, menor rendimiento escolar, cambios de personalidad y dolores inespecíficos.

Los síntomas específicos dependen de la localización, y entre los más significativos destacan: parálisis de medio cuerpo, aumento de reflejos, pérdidas de sensibilidad en extremidades, disminución del tono, alteraciones del campo visual, ceguera de algún cuadrante, fallo del crecimiento, aumento del apetito, pubertad precoz o pérdida auditiva. Todos estos tumores pueden producir herniaciones del tejido cerebral en varias localizaciones. Algunos tumores pueden extenderse a la médula espinal, produciendo dolor de espalda, alteración de esfínteres, así como convulsiones.

Diagnóstico

El electroencefalograma puede ser normal o presentar alteraciones poco específicas. El examen del líquido cefalorraquídeo puede ser peligroso si hay hipertensión endocraneal, si bien permite descartar infección, hemorragia y enfermedad degenerativa del SNC, y también puede mostrar células tumorales o marcadores. La radiografía del cráneo puede mostrar la separación de suturas, erosiones de «silla turca» (región del hueso esfenoides donde asienta la hipófisis, que produce muchas hormonas), calcificaciones y zonas de erosión, que orientan hacia algunos tipos de tumores. Otras técnicas de diagnóstico empleadas son la ecografía transfontanelar, el TAC y la resonancia magnética, la PET, el SPECT y la resonancia magnética espectroscópica.

Tratamiento

La cirugía es la primera opción de terapia, extirpando el tumor y permitiendo su análisis al microscopio. Si está en una región profunda, se puede biopsiar a través de TC o resonancia magnética. En algunos casos es imposible el acceso quirúrgico, de manera que se tratan de forma paliativa.

La radioterapia tiene un papel fundamental en estos tumores y hay que tener en cuenta el volumen a irradiar y la dosis a emplear. La radioterapia estereotáxica es poco invasiva y proporciona una dosis focal y homogénea con menos radionecrosis (destrucción de tejidos sanos que rodean el tumor). Siempre que sea posible, debe evitarse este tratamiento en niños menores de 2 o 3 años, por el daño que causa sobre el SNC en desarrrollo y las secuelas neurológicas que produce. La quimioterapia presenta limitaciones al tener que atravesar la barrera hematoencefálica.

Neuroblastoma cerebral

Es un subtipo de tumor cerebral. Uno de cada cinco tumores del SNC en el niño pertenecen a este tipo. Generalmente están localizados en el cerebelo, que se sitúa en la parte posterior e inferior del cerebro y cuyas funciones son el control del movimiento, el equilibrio y la postura. Es un tumor muy maligno que invade el tronco cerebral y suele causar casi siempre hidrocefalia, diseminándose a través del líquido cefalorraquídeo.

Síntomas

Pérdida de equilibrio, dificultad para caminar, deterioro de la escritura o trastornos en el habla, cefaleas matutinas y que desaparecen tras vomitar, somnolencia inusual o cambio en el nivel de energía, modificaciones de la conducta o de la personalidad, ganancia o pérdida de peso sin causa aparente.

Factores de buen pronóstico serían: niños mayores de 3 años, sin tumor fuera de la fosa craneal posterior.

Diagnóstico

La TC o la resonancia magnética son imprescindibles para el diagnóstico.

Tratamiento

La cirugía reduce o elimina el tumor, además de permitir la confirmación de su naturaleza y descomprimir el ventrículo cerebral para facilitar la circulación del líquido cefalorraquídeo. La radioterapia (excepto en menores de 3 años) forma parte del tratamiento estándar, y en cuanto a la quimioterapia, se ha comprobado su eficacia en este tipo de tumores.

TUMOR DE WILMS

También conocido como nefroblastoma, es la tumoración renal más frecuente en la infancia, siendo la cuarta en frecuencia de todos los tumores pediátricos. Puede afectar a uno o a los dos riñones y parece que tienen lesiones precursoras que son restos embriológicos de la formación del riñón. Se extiende a tejidos locales en su crecimiento y se pueden diseminar a distancia por vía linfática o por la sangre.

Tiene su origen en determinadas alteraciones genéticas de las células y por ello existen formas hereditarias por un lado y formas asociadas a distintos síndromes genéticos generalmente por otro. Las formas hereditarias suelen afectar a ambos riñones y presentarse en edades más tempranas (2-3 años), pero también tienen formas más favorables.

Síntomas

Son poco llamativos en general y sin paralelismo entre la gravedad de los síntomas iniciales y la gravedad del cuadro. Se estima que constituyen un 7 por ciento de los tumores infantiles y la mayor incidencia de la presentación entre 3 y 4 años para las formas esporádicas y 2 y 3 años para los familiares. La presentación más frecuente es como una masa, generalmente indolora y lisa, en el abdomen en sus regiones laterales, que a veces se extiende hasta el centro del abdomen. Muchas veces es la propia familia del niño la que descubre esta masa abdominal. Además, puede haber distensión del abdomen, fiebre, anemia y palidez. También puede haber sangre en la orina, a veces difícil de apreciar y otras veces más patente. En determinadas ocasiones puede debutar con los siguientes síntomas: un varicocele (presencia de varices en los testículos), una hipertensión arterial de origen renal y síntomas de aumento de calcio, principalmente.

Diagnóstico

Fundamentalmente a través de una ecografía abdominal y la TC, pero a veces se precisa una resonancia magnética. La gammagrafía ósea y la punción medular descarta o confirma la existencia de metástasis óseas de la médula espinal.

Tratamiento

La cirugía es la base fundamental, que se combina con quimioterapia y algunos precisan ser complementados con radioterapia. La intensidad del tratamiento dependerá del estadio y del tipo de las células, que marcarán un pronóstico más o menos favorable. La quimioterapia, asociada a la cirugía, consigue buenos resultados, excepto en estadios muy incipientes. Va siempre antes de la cirugía y se aplica durante 18 a 21 semanas.

Si las metástasis no son extirpables se combina radio y quimioterapia. En cuanto al pronóstico, según los estadios, la supervivencia oscila entre el 95 y el 75 por ciento.

RETINOBLASTOMA

Es un tumor maligno de la retina, que puede presentarse en cualquier edad, aunque es más frecuente en los menores de 5 años. Puede afectar a uno o ambos ojos, y es raro que se extienda a otros tejidos. Está producido por una mutación en el gen llamado retinoblastoma-1 (RB1), que puede ser hereditaria o de nueva aparición espontánea. La mayoría de los que se presentan en un solo ojo no son hereditarios y aparecen en niños más mayores, mientras que cuando afectan a ambos ojos, casi siempre son hereditarios. Representan aproximadamente un 3 por ciento de los tumores pediátricos. Los niños con formas hereditarias tienen mayor riesgo de presentar un tumor cerebral durante el tratamiento, por eso exige una vigilancia estricta durante y después del tratamiento del retinoblastoma.

Síntomas

El signo más típico es la leucocoria o pupila blanca, que se aprecia a la exploración con una simple linterna y que puede ser debida a otras causas y no sólo a estos tumores.

Otra forma de presentación es como un estrabismo. También puede cursar con dolor y alteraciones de la visión.

Diagnóstico

En primer lugar se emplea la exploración ocular con el oftalmoscopio y luego se pasa al TC o a la resonancia magnética que detectan calcificaciones y extensión del tumor al nervio óptico respectivamente. Una vez diagnosticado el tumor hay que valorar la extensión del mismo para planificar el tratamiento más adecuado.

Generalmente se divide en intraocular si se encuentra localizado en uno o ambos ojos y no se ha extendido a los tejidos adyacentes ni a otras partes del cuerpo, y extraocular cuando se ha diseminado fuera de los ojos. También se habla de retinoblastoma recurrente si vuelve a aparecer el tumor o continúa creciendo después de haber sido tratado.

Tratamiento

Depende de la extensión de la enfermedad. Hay que tener en cuenta no sólo la cura sino también la posibilidad de preservar la visión. La cirugía consiste en la extracción del ojo. La radioterapia puede ser externa o interna, colocando materiales radioactivos en el tumor y en las proximidades del mismo (braquiterapia). Con la crioterapia se elimina el tumor por congelación; en la fotocoagulación se emplea rayo láser para eliminar los vasos que nutren el tumor; en la termoterapia se usa una fuente de calor para destruir las células malignas; y la quimioterapia suele complementarlos.

— Enfermedades del aparato urogenital —

CRIPTORQUIDIAS

Significa testículo oculto o no descendido, que es aquel que se encuentra espontánea y permanentemente fuera de la bolsa escrotal, pero localizado en un punto de su trayecto normal de descenso, pudiendo palparse o no y ser uni o bilateral. Es el trastorno de la diferenciación sexual más frecuente, y su prevalencia depende de la edad gestacional, pero al nacer y en la edad postnatal es de un 4 por ciento en los recién nacidos y pasa al 1 por ciento a los 12 meses de edad.

Síntomas

La mayoría de estos testículos descienden en los primeros tres meses tras el nacimiento, y el testículo que no ha descendido a los 12 me-ses ya no suele descender espontáneamente. En el 15 y el 20 por ciento de los casos hay antecedentes familiares, y la criptorquidia unilateral es de 10-15 veces más frecuente que la bilateral, así como la del lado derecho es de 2-3 veces más frecuente que la del lado izquierdo.

Cerca del 90 por ciento de los casos se presentan de forma aislada y en el resto pueden aparecer otras malformaciones acompañantes como genitourinarias o digestivas, principalmente.

Diagnóstico

Historia clínica detallada personal y familiar, palpación y exploración del pediatra. Si es palpable, hay que valorar el volumen y consistencia del testículo, nivel de descenso que consigue y diferenciar entre criptorquidia oscilante o ectópico y explorar también en el otro testículo y anillo inguinal. Se pueden hacer pruebas complementarias de tipo hormonal, pruebas radiológicas y laparoscopia.

Tratamiento

El objetivo es mejorar la fertilidad y disminuir el riesgo de degeneración maligna, así como aliviar el efecto psicológico negativo, con lo que es recomendable hacerlo antes de los 2 años de edad. Puede ser un tratamiento hormonal, ya que los andrógenos estimulan el descenso testicular y también maduran las células germinales.

Se emplea sobre todo la hCG (gonadotropina coriónica humana), pero también, y más recientemente, el factor liberador de gonadotropinas (GmRH). La edad idónea para este abordaje es entre los 6 y los 12 meses y, según los casos, puede optarse por una pauta de administración corta o larga.

El tratamiento quirúrgico es la orquidopexia, es decir, la fijación testicular. Se realiza cuando esté contraindicado el tratamiento hormonal o haya fracasado. La edad óptima para intervenir es entre 1 y 2 años. Puede ser al realizar una laparoscopia o mediante la intervención conocida como orquidopexia de Koop, que es la más segura y eficaz.

La orquidectomía (extirpación testicular) se realiza cuando los testículos no son fértiles o hay riesgo de malignización o torsión de los mismos.

ENURESIS NOCTURNA

Se define como la emisión repetida de orina en la cama, con una frecuencia de dos episodios semanales durante por lo menos 3 meses consecutivos, en niños de al menos 5 años y no debida a efecto directo de una sustancia ni a una enfermedad médica. El límite de edad puede ser elevado (hasta los 6 años en varones), pues la maduración de la vejiga ocurre de forma más tardía. Según los últimos estudios, la enuresis es consecuencia de una o varias de estas tres causas: ausencia de la elevación fisiológica de la hormona antidiurética durante el sueño; incapacidad para despertar como respuesta a las sensaciones vesicales y presencia de inestabilidad vesical durante el sueño.

Síntomas

Sencillamente, emisión involuntaria de la orina durante las horas de sueño, nocturno y diurno, del pequeño.

Diagnóstico

Es importante una entrevista detallada con el niño para determinar la presencia de una patología orgánica de base; las características de la enuresis, factores favorecedores y actitud de los padres respecto a la enuresis. Se hace una examen físico meticuloso que puede aportar datos sobre determinas patologías que pueden ser su causa. Las pruebas suelen limitarse a un análisis de orina, sedimento y urocultivo.

Tratamiento

Se emplean alarmas de enuresis que consisten en detectores de humedad conectados a una alarma sonora, y pretende despertar al niño en el momento de la enuresis para que aprenda a reconocer el vaciado inminente de la vejiga y se levante al baño. Es eficaz en el 60-70 por ciento de los casos. Hay otras técnicas de condicionamiento como el entrenamiento de cama seca, que consiste en levantar regularmente al niño varias veces durante la noche, y los ejercicios de distensión vesical (el retraso progresivo de la micción ayuda a aumentar la capacidad funcional de la vejiga). Otras técnicas como la acupuntura, la hipnosis y las dietas hipoalergénicas parecen ser útiles en determinadas ocasiones. En cuanto al tratamiento farmacológico, se emplean fundamentalmente tres medicamentos, que se explican a continuación. La desmopresina reduce el volumen de orina durante la noche, con una eficacia del 40-80 por ciento, pero con alta tasa de recaídas; el tratamiento es de tres a seis meses inicialmente, con una dosis nocturna y sin efectos secundarios graves. La oxibutina es un relajante muscular que aumenta la capacidad de la vejiga. Es eficaz en el 50 por ciento de los niños resistentes a las alarmas y a la desmopresina. Y, por último, la imipramina es otro relajante muscular con un probable efecto antidiurético. Es eficaz en el 50 por ciento de los niños que padecen este problema, pero tiene una tasa muy alta de recurrencias en el mismo.

INFECCIONES URINARIAS

Son la causa más habitual de fiebre sin foco en el niño menor de 3 años, y la patología nefrológica que motiva más consultas en pediatría. Su incidencia en menores de 12 meses es mayor en niños que en niñas, y a partir del año la situación se invierte, siendo más frecuente en las niñas.

Síntomas

En niños menores de 2 años, antecedentes familiares, ecografía prenatal con malformación, fiebre elevada sin foco, afectación del estado general, alteraciones en el hábito o en el chorro de micción y llanto al orinar. En los pequeños mayores de 2 años: fiebre elevada, anomalías de hábito miccional, molestias urinarias, urgencia para orinar, orina maloliente o turbia y dolor lumbar.

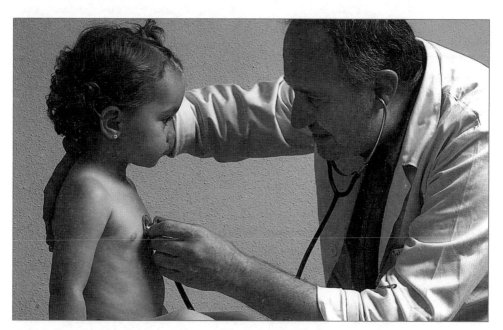

Cuando hay infección, se debe auscultar al niño para descartar que se trate de una patología de las vías respiratorias.

Diagnóstico

El primer paso es analizar la orina del niño con tiras reactivas, observándose que aumentan dos indicadores: los nitritos y la esterasa leucocitaria. Después se confirmaría el diagnóstico con un cultivo de orina. Los análisis determinan si la infección está en las vías altas o bajas.

Tratamiento

Hay algunos casos en los que es necesario el ingreso hospitalario: recién nacidos, lactantes, menores de 3 meses y, a cualquier edad, si hay presencia de fiebre, y siempre que la infección esté acompañada de afectación del estado general, sospecha de uropatía y ámbito familiar desfavorable. El tratamiento es con antibióticos, y en principio se trata con un antibiótico para el germen sospechoso para más adelante, y según los síntomas y la analítica, adecuarlo a un antibiótico más selectivo y específico.

INSUFICIENCIA RENAL

La insuficiencia renal es un síndrome de muy variada causa que ocasiona una disminución importante de la capacidad depuradora renal y que puede aparecer de manera rápida (aguda) o de forma lenta y progresiva (crónica).

INSUFICIENCIA RENAL AGUDA

Se produce una reducción brusca de la depuración renal de la sangre asociada a una disminución o ausencia de la emisión de orina y, excepcionalmente, puede conservarse la emisión de orina. La evolución suele ser favorable, a pesar de ser un cuadro grave, debido a las causas que lo ocasionan y que puede llevar a la muerte en no pocas ocasiones.

Puede estar producida por causas prerrenales (llega poca sangre al riñón debido a deshidratación, hemorragia severa, asfixia...); renales (daño directo en los riñones debido a malformaciones congénitas, síndrome nefrótico, ácido úrico...); y póstrenal (uropatías obstructivas, coágulos o tumores en las vías urinarias).

Síntomas

Los síntomas en este caso dependen de la enfermedad causal, de la lesión del riñón y de los trastornos de líquidos y electrolitos resultantes.

En un primer momento se produce oliguria (descenso de la micción) inferior a 0,5 ml/kg/hora es lo habitual, pero a veces se mantiene normal e incluso está aumentada. Puede haber además aumento de la frecuencia respiratoria y trastornos neurológicos como convulsiones o incluso estado de coma. Esta fase oligúrica puede oscilar desde pocos días a un mes; lo normal es que la diuresis vuelva a aparecer a los 10-14 días. Seguidamente surge un período de poliuria, es decir, incremento sucesivo de la emisión de orina, que puede llegar incluso a los 5 litros por cada día.

A continuación, viene la fase de resolución que puede durar varios meses hasta alcanzar la normalidad de la función renal, y dependerá del tipo y gravedad de la patología causante.

Diagnóstico

En la analítica de sangre que se realiza para el diagnóstico se ve un aumento de urea, creatinina, ácido úrico, descenso de sodio, aumento de potasio, descenso de calcio, aumento de fósforo y también suele haber anemia por hemorragias diversas.

En la orina puede haber sangre, proteínas y se valoran también electrolitos, creatinina, sedimento y urocultivo, lo que sugiere muchas veces la causa específica que lo desencadena.

La ecografía renal por su parte permite ver el tamaño renal y si hay presencia de obstrucciones al flujo urinario.

También se realizan Doppler y estudios isotópicos.

Tratamiento

En primer lugar hay que restaurar la pérdida de líquidos o sangre a base de sueros salinos o bicarbonato en las primeras 1-2 horas.

En la fase oligúrica se emplea un diurético. Se hace un control de los electrolitos y vigilancia exhaustiva de los líquidos ingeridos así como de los eliminados, y del peso del niño. En cuanto a la nutrición, hay que aportar suficientes calorías, sobre todo a través de hidratos de carbono y lípidos. En aquellos casos en que el niño enfermo no tolere la alimentación oral, habrá que pasar a la parenteral.

Insuficiencia renal crónica

Se produce cuando la función renal va disminuyendo de forma progresiva debido a distintas patologías renales.

Síntomas

Puede presentarse de forma oculta, donde únicamente hay manifestaciones analíticas bioquímicas. Otra forma puede ser una poliuria con una gran emisión de orina y disminución en la capacidad de concentración de ésta por el riñón. Una tercera forma sería el síndrome urémico, con todas sus características clínicas y biológicas.

Diagnóstico

En primer lugar, se hace una historia clínica y familiar detallada, un examen clínico minucioso y valoración del tamaño de los riñones (los pequeños y contraídos indican cronicidad, pero los que presentan un tamaño normal no excluyen esta condición). Se hacen también estudios de imagen isotópicos e incluso biopsia renal.

Tratamiento

El objetivo es determinar si la enfermedad causal es reversible o no.

Hay que aplicar las medidas conservadoras según cada estadio e investigar y tratar las complicaciones y decidir cuándo el niño precisa diálisis o trasplante renal. Por ello se intentará que el régimen de vida sea lo más parecido a la normalidad; una dieta con un aporte normal de calorías según la edad y con un 7-8 por ciento de proteínas, complejos vitamínicos con minerales y hierro, resinas de intercambio iónico si sube el potasio y restricción del sodio, sobre todo si hay edemas o hipertensión.

Asimismo, hay que aplicar tratamientos específicos según las condiciones asociadas; acidosis, anemia, hipertensión en infecciones asociadas.

El trasplante renal es de elección hoy en día en niños con insuficiencia renal crónica terminal, dados los buenos resultados que se obtienen.

REFLUJO VESICOURETERAL Y NEFROPATÍA POR REFLUJO

El reflujo vesicoureteral (RVU) consiste en un paso retrógado de orina desde la vejiga hacia el uréter y el riñón, lo que obviamente puede producir un daño en determinadas ocasiones.

La nefropatía por reflujo por su parte, se define como la existencia de cicatrices renales derivadas precisamente del reflujo vesicoureteral, las cuales pueden detectarse hasta en el 50 por ciento de los casos, y que en un 10 por ciento aproximadamente presentan al llegar la adolescencia o después hipertensión arterial, mientras que en otros casos en los que aparecen con afectación severa de ambos riñones, pueden desarrollar insuficiencia renal.

Síntomas

El RVU por sí mismo es asintomático, presentándose en forma de una infección del tracto urinario, cuyos síntomas varían según la edad y localización (baja o alta).

Se suele descubrir el RVU en niños sanos, los cuales son estudiados por presentar antecedentes familiares (hermanos o padres) o bien en recién nacidos a quienes ya antes de nacer se les detectó algún tipo de dilatación renal.

Diagnóstico

Para detectar la RVU se realizan dos pruebas específicas: la cistoureterografía miccional seriada y la cistografía isotópica . Ambas precisan sondaje.

La detección de la nefropatía por reflujo precisa una gammagrafía renal con isótopos.

Tratamiento

Existen dos opciones igual de efectivas: la conservadora y la quirúrgica, y ambas son igual de efectivas en la prevención de un nuevo daño renal, que es el principal objetivo del tratamiento.

El tratamiento conservador se basa en que con el paso del tiempo el RVU se resuelve espontáneamente en una elevada proporción de niños y, además, varios estudios han demostrado que no existen diferencias en cuanto a crecimiento renal, función renal y aparición de nuevas cicatrices entre los tratados de forma conservadora y los de la opción quirúrgica.

Para tratar a los niños lo primero es identificar precozmente a aquellos con riesgo elevado de pielonefritis, como los recién nacidos, con ecografías renales con presencia de dilataciones que precisan inmediatamente terapia profiláctica al nacer con dosis bajas de antibióticos.

Todos los niños con RVU, independientemente de su grado, deben ser tratados con antibióticos.

El tratamiento se suspende una vez que ha desparecido la dolencia, pero si persiste durante años no hay acuerdo sobre cuánto tiempo hay que mantenerlo, si bien la mayoría considera que debe hacerse mientras exista el riesgo de cicatriz renal, es decir, hasta los 6-7 años.

El tratamiento quirúrgico está basado en la reimplantación quirúrgica del ureter en la vejiga, reconstituyendo el mecanismo antirreflujo al alargar el trayecto de la pared de la vejiga del ureter.

Hay muchas técnicas con resultados muy satisfactorios en más del 95 por ciento de los casos y con una muy pequeña tasa de complicaciones.

También existe la posibilidad de tratamiento endoscópico.

SÍNDROME NEFRÓTICO

Es un cuadro clínico que se caracteriza por la existencia de cierta cantidad de proteínas en la orina, sobre todo albúmina; descenso de proteínas y albúmina en la sangre, que suele acompañarse de edemas (inflamaciones) y alteraciones de los lípidos (aumento del colesterol y los triglicéridos). Existen unos valores específicos de estas alteraciones que permiten considerarlo síndrome nefrótico.

Puede ser primario, sin causa conocida que lo ocasione, o bien secundario, que se haya ocasionado a partir de una enfermedad general con afectación del riñón.

En el caso de los primarios, los niños que padecen este síndrome presentan en el 90 por ciento de los casos riñones normales o lesiones difícilmente objetivables al estudio microscópico.

Aparece con más frecuencia en niños de entre 1 y 5 años, y es más frecuente en el sexo masculino. No existe ninguna explicación contrastada a este hecho, que se ha comprobado a través de los datos y estadísticas de muchos años.

Suele comenzar como una pequeña infección generalmente de vías respiratorias altas o bien un episodio de alergia estacional o alimentaria. También parece que existe una causa genética, auqneu no se cumple en todos los casos.

Síntomas

El síndrome viene marcado por edema (inflamación), que va apareciendo poco a poco en días o semanas. Se localiza sobre todo en párpados, tobillos, escroto, labios mayores y dorso de la espalda.

El edema es blando y si se oprime deja la marca del dedo durante unos segundos.

En ocasiones, hay derrame pleural y ascitis (líquido en el abdomen). Además, al acumularse el líquido en los tejidos, hay ganancia de peso y disminución de la micción.

En el 10 por ciento de los casos hay hipertensión debida al daño renal, la cual suele ser generalmente transitoria. A veces hay microhematurias, es decir, pequeñas pérdidas de sangre en la orina; son muy alarmantes, pero gracias a ellas se puede diagnósticar el síndrome nefrótico.

Diagnóstico

Se realiza a través de tiras reactivas en la orina que marcan el exceso de proteínas, en su mayor parte albúmina y pequeñas cantidades de otras proteínas. El sodio en orina es muy bajo o ausente.

En el análisis de sangre se aprecia una disminución de las proteínas totales, sobre todo la albúmina y la gammaglobulina. Además, hay elevación del colesterol y los triglicéridos.

Tratamiento

En primer lugar, sintomático, encaminado a mejorar el estado general para evitar las complicaciones; está basado en el reposo en cama únicamente en la fase considerada como inicial, alimentación variada y normal, restringiendo el agua y la sal durante ese primer período.

El edema se trata con diuréticos. También se emplea tratamiento para las infecciones, pues son a menudo la principal causa de las recaídas. Además, se aconsejan algunas vacunas para evitarlas, como la del neumococo y la varicela, aunque hay que evitar también las vacunas a base de virus vivos, como la triple vírica y la polio.

El tratamiento específico se basa en los corticoides administrados precozmente tras el diagnóstico de certeza.

Algunos niños no responden a los corticoides (corticorresistentes), y en éstos se emplean fármacos inmunosupresores aunque, dados los riesgos que tienen, deben ser sometidos a estrictos controles y vigilancia médica continuada. Cuando no hay respuesta a los anteriores, se emplean otros fármacos, como el levamisol, que es un antiparasitario, también con efectos adversos y resultados más bien desiguales.

Enfermedades endocrinas

DIABETES MELLITUS

La diabetes es una enfermedad metabólica caracterizada por una eliminación excesiva de orina, adelgazamiento, sed intensa y otros trastornos generales. Y la diabetes mellitus es un déficit absoluto o relativo de insulina. Como consecuencie de este déficit se produce un trastorno del metabolismo de los hidratos de carbono, que provocan que haya glucosa elevada en la sangre y en la orina. Dicho exceso de glucosa ocasiona sed y ganas de orinar frecuentes. Tiene muchas complicaciones agudas y crónicas y el tratamiento es complejo y también suele ser crónico.

Fundamentalmente se puede hablar de dos tipos de diabetes:

- La diabetes tipo I es debida a la destrucción de las células del páncreas que producen la insulina. Afecta aproximadamente al 95 por ciento de los menores de 25 años.

- La tipo II comienza habitualmente a partir de los 30 años y en ella están implicados factores relacionados con el estilo de vida y unos hábitos alimenticios desordenados, entre los que destaca el sobrepeso.

La más frecuente en los niños, por tanto, es la tipo I.

Síntomas

Poliuria (es decir, orinar muchas veces), polidipsia (sed constante) y rápida pérdida de peso. Debido a estos síntomas, también pueden presentarse dolor abdominal, cansancio, disminución del rendimiento escolar y alteraciones del comportamiento. Ocasionalmente pueden aparecer trastornos transitorios de la visión. En un 10-30 por ciento de los casos se presenta un coma cetoacidótico más o menos profundo (subida intensa de glucosa en sangre). Las bajadas bruscas de glucosa son igualmente peligrosas para los diabéticos.

Tras el diagnóstico y tratamiento con insulina se consigue la reducción de la hiperglucemia. La remisión se considera completa cuando sin tratamiento insulínico, no existen síntomas. Y se habla de remisión parcial cuando los requerimientos de insulina son bajos, siendo ésta la más habitual, ya que, tras un período de mantenimiento inferior a dos años, la enfermedad reaparece inevitablemente. En la evolución de la enfermedad puede llegar un momento en que hay que aumentar la dosis de insulina para mantener un buen control; cuando se alcanza este momento, se llama fase de diabetes total.

Diagnóstico

Fundamentalmente mediante la determinación de glucosa en sangre (glucemia) en ayunas. El valor máximo en niños es de 110 mg/dl. También se aprecia glucosa en orina y cetonuria (acetona en la orina). En los casos en los que la glucosa está entre 110 y 126 mg/dl se indica la prueba SOG (sobrecarga oral de glucosa), que es específica en estos supuestos. También se pueden detectar ciertos marcadores inmunológicos y metabólicos.

Tratamiento

Hay que conseguir que las cifras de glucosa en sangre se encuentren las 24 horas del día entre valores de 80 y 180 mg/dl, de forma que estarían asintomáticos. Esto no influye negativamente sobre el crecimiento y desarrollo del niño y previene de ciertas complicaciones. Para conseguirlo es imprescindible la insulinoterapia. Existen tres tipos de insulina según el tiempo de acción que tienen: regular o soluble, que es de acción rápida; la de acción intermedia y las lentas. También existen mezclas preestablecidas de varios tipos de estas insulinas, que se administran por vía subcutánea. En el momento del diagnóstico, se precisan dosis de 1 a 15 UI/kg/día.

A los 8 años debe ser el propio niño quien se administre las inyecciones. A esta edad, el niño debe conocer todos los aspectos de la aplicación de la insulina y convivir sin traumas con la diabetes: hablar de ella, ser muy consciente de las pautas a seguir y no saltárselas nunca; por ejemplo, conviene que sepa que debe ir cambiando el sitio del pinchazo y no realizarlo siempre en el mismo punto. En la pubertad, la necesidad de insulina aumenta ligeramente para luego volver a disminuir. La pauta habitual es inyectarse es de dos o tres veces al día antes de las principales comidas.

También son fundamentales un régimen dietético, ejercicio físico, apoyo psicológico y educación diabetológica. El autocontrol consiste en ajustar la dosis de insulina, dieta y ejercicio a los resultados de las dosis de glucemia medidas por un pinchazo en el dedo por el propio paciente varias veces al día.

El coma cetoacidótico (causado por un exceso de glucemia) requiere ingreso hospitalario urgente para la rehidratación, la corrección de la acidosis y las alteraciones de electrolitos, la nutrición y la administración de insulina endovenosa. En el caso de coma hipoglucémico (descenso de los niveles de glucemia), si el niño está semiinconsciente hay que administrar zumos azucarados, galletas dulces o fruta.

HIPERTIROIDISMO

Es el aumento de la síntesis y secreción de hormonas por parte de la glándula tiroides. En niños y adolescentes el 95 por ciento de los casos están relacionados con una patología, la enfermedad de Graves-Basedow, en la que el hipertiroidismo se asocia a ciertas manifestaciones oculares y cutáneas. Su origen es autoinmune, y la predisposición genética es patente, ya que en el 60 por ciento de los casos hay historia familiar positiva de patología autoinmune. En general, se trata de una patología poco frecuente en la infancia, pero su incidencia aumenta progresivamente con la edad, con un pico entre los 11 y los 15 años.

Síntomas

Existe una larga lista de síntomas: nerviosismo excesivo, aumento de la frecuencia cardiaca, palpitaciones, cansancio, intolerancia al calor, tendencia a la diarrea, pérdida de peso pese al aumento del apetito, sudoración excesiva, bajo rendimiento escolar. También se produce bocio (aumento del tamaño del tiroides) difuso o nodular. Aunque son síntomas menos frecuentes, también pueden darse manifestaciones oculares graves, arritmias o insuficiencia cardiaca.

Diagnóstico

A través de un análisis de sangre encargado por el médico, se valoran conjuntamente los valores de las hormonas tiroideas (TH4 y TSH). En el 95 por ciento de los casos se produce un aumento de la primera y un descenso de la segunda. También se detecta en un análisis que algunos anticuerpos tiroideos han aumentado respecto a su cantidad habitual.

Tratamiento

Se emplean fármacos específicos antitiroideos. La duración de la terapia oscila de 2 a 4 años hasta que se consiga la remisión completa. El yodo radioactivo (que destruye parte del tiroides) no está recomendado en niños menores de 10 años. Si existe oftalmopatía grave, se necesita un tratamiento previo a base de corticoides. La cirugía se reserva para recaídas tras la finalización del tratamiento médico o en casos de bocios de gran tamaño.

Hay que tener en cuenta que los fármacos antitiroideos pueden presentar efectos secundarios que pueden llegar a ser graves, y provocar llevar a suspender la medicación.

HIPOTIROIDISMO

Es un estado del organismo en el que el funcionamiento de la glándula tiroides está disminuido por diferentes causas, produciendo una síntesis insuficiente de las hormonas tiroideas, que afectan a muchos aspectos del desarrollo, en el caso de niños y adolescentes, y del metabolismo en general, en el caso de los adultos que padecen hipotiroidismo.

Síntomas

Los síntomas varían dependiendo de la edad. En la forma neonatal hay ictericia fisiológica persistente, llanto ronco, estreñimiento, somnolencia y problemas de alimentación. En los casos más severos que no son tratados se habla de cretinismo, y cursa con talla baja, rasgos toscos, lengua prominente, nariz chata, escasez de vello, sequedad de piel, hernia umbilical y altera-

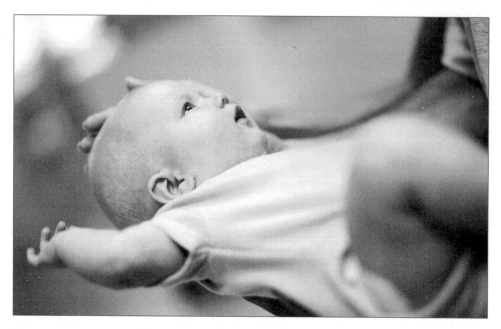

El hipotiroidismo y el hipertiroidismo son un mal funcionamiento de la glándula tiroides.

ción del desarrollo mental. En la forma infantil hay un retraso del crecimiento lineal y de la maduración sexual con pubertad tardía. Suele aparecer bocio. La maduración ósea se detiene. Hay anorexia, estreñimiento y baja frecuencia cardiaca.

Diagnóstico

En el análisis de sangre, las hormonas tiroideas están alteradas: la hormona THS está elevada, mientras que los niveles de otra hormona, la tiroxina (T4), están descendidos.

Tratamiento

La mayoría de los hipotiroidismos necesitan tratamiento de por vida, con el objetivo de restaurar el funcionamiento normal de la glándula tiroidea. Este tratamiento no se debe interrumpir, salvo que lo indique el especialista endocrino. Si no se trata, tiene una alta tasa de enfermedad e incluso de mortalidad.

El fármaco empleado es la levotiroxina por vía oral. Con una sola dosis diaria se mantienen las hormonas tiroideas de la sangre constantes. La dosis debe ajustarse para que la hormona tiroidea se mantenga en los límites normales, intentando evitar la sobredosificación, que podría tener consecuencias sobre el corazón y los huesos.

Se precisan hasta 6 semanas para que una dosis determinada alcance su pleno efecto, por lo que debe pasar ese tiempo al menos para reevaluar el tratamiento y modificar la dosis si fuera necesario. Hay que tener en cuenta que si se administran otros fármacos al niño, éstos pueden interaccionar con la absorción.

En este sentido, las consultas con el médico son bastante esenciales y hay que evitar la automedicación, incluso en el caso de fármacos que podríamos definir como cotidianos.

TALLA BAJA

Se refiere a los niños que se encuentran por debajo de las variaciones estructurales admitidas como normales, es decir, por debajo del percentil 3 de los estándares de altura y sexo, sin que de ningún modo implique anomalía. El objetivo inicial y más importante es determinar si se trata de una talla baja patológica o si, por el contrario, es una variante de la normalidad, también llamada talla baja idiopática (TBI). Aproximadamente el 80 por ciento son variantes de la normalidad y el 20 por ciento restante se debe a causa patológica.

Síntomas

- *Variantes de la normalidad.* La talla está por debajo de 2 puntos de la desviación estándar con las siguientes características: talla normal de crecimiento, proporciones corporales normales, ausencia de enfermedad crónica, una nutrición adecuada y crecimiento y/o maduración lentos.

- *Talla baja patológica.* En los niños que existe una anomalía, identificable o no, causante del bajo crecimiento. Pueden ser casos de dismórficos o armónicos, según mantengan o no las proporciones de crecimiento entre los segmentos corporales.

Diagnóstico

Además de la historia clínica, hay que realizar una exploración médica meticulosa buscando posibles trastornos cromosómicos, genéticos, alteraciones óseas, enfermedades sistémicas crónicas, etc. Averiguarlo es cuestión de tiempo porque se trata de realizar muchas pruebas y cada una cons sus peculiaridades y varemos determinados. Es fundamental el empleo de una serie de parámetros llamados indicadores de crecimiento, cuyo análisis permite hacer una estimación de la forma en que se producen los cambios somáticos. Los más importantes son el índice nutricional, que compara peso y talla con la relación peso/talla medios para cada edad y sexo. Además de la talla, otro indicador importante es la velocidad de crecimiento, que se considera normal entre los percentiles 25 y 75. Una talla extremadamente baja (por debajo de 3 en la desviación estimada), una detención o casi detención del crecimiento o una deceleración prolongada de la velocidad de crecimiento (más de 2-3 años) deben ser consideradas siempre como potencialmente patológicas.

También es útil la medición de las proporciones corporales, centrada en el estudio de los diferentes segmentos que determinan los cambios que va experimentando la forma del cuerpo.

Otro dato muy importante es la valoración de la madurez sexual de cada uno, considerando en este punto la aparición de los caracteres sexuales secundarios en el adolescente.

Es indispensable conocer el estadio puberal antes de valorar la velocidad de crecimiento. Tanto la aceleración puberal como el retraso de la pubertad modifican bastante el patrón de crecimiento, por lo tanto, el médico tendrá estos aspectos muy en cuenta a la hora de dictaminar el inicio, la variación o la finalización del tratamiento a seguir.

La edad ósea (determinada mediante una radiografía) indica el ritmo de maduración biológica del niño y es destacable su fuerte carácter familiar. También se emplean pruebas de laboratorio para determinar causas comunes o silentes que conlleven un déficit de crecimiento: analíticas varias, radiología y cribaje del déficit de la hormona de crecimiento, así como otros estudios específicos.

Tratamiento

Es específico de la causa, una vez hecho todo el estudio para etiquetarlo adecuadamente.

Enfermedades infecciosas

ENFERMEDADES INFECCIOSAS

Difteria
Escarlatina
Fiebre reumática
Gripe
Meningitis
   Bacterianas
   Asépticas
Mononucleosis infecciosa
Parotiditis
Pediculosis (piojos)

Poliomielitis
Rubéola
Sarampión
Sida pediátrico
Tétanos
Tos ferina
Tuberculosis
   Pulmonar
   Extrapulmonar
Varicela

DIFTERIA

La difteria es una enfermedad infecciosa aguda producida por una bacteria que se multiplica en la zona de faringe y la laringe, donde produce inflamación y una especie de membranas que se adhieren a la mucosa y que son muy características de esta enfermedad.

En ocasiones dificulta la respiración causando incluso cuadros de asfixia. Se transmite principalmente por vía respiratoria y el hombre es la única fuente conocida de transmisión.

Síntomas

La presentación clásica ocurre entre los niños de 2 a 6 años. Lo más característico son las gruesas membranas firmemente adheridas a la mucosa faríngea que sangran si se tratan de arrancar, situadas en la garganta, las amígdalas, el paladar y la campanilla, pero también pueden extenderse a la nariz y a la laringe. Todo ello ocasiona dolor de garganta, molestias al tragar, tos, ronquera y ruidos con dificultad para respirar. Ocasionalmente aparecen ganglios en el cuello. Es característico el malestar general y la aparición de fiebre. Si la toxina llega a afectar al corazón se producen palpitaciones y fatiga, y si afecta al sistema nervioso pueden aparecer parálisis musculares con dificultades para caminar, mover los ojos o hablar.

Diagnóstico

La clínica es clave, con la identificación de las membranas. Pero el diagnóstico se confirma con la individualización de la bacteria a través del cultivo de secreciones en el laboratorio para propiciar el crecimiento de la bacteria responsable.

Tratamiento

Ante la sospecha de la enfermedad debe iniciarse el tratamiento lo antes posible, incluso antes de confirmar el diagnóstico. Suele precisar ingreso hospitalario. Se administra antitoxina diftérica y antibióticos. Es importante un estricto aislamiento de los niños infectados para prevenir el contagio a otros. Existe una vacuna muy eficaz para la prevención de esta enfermedad. (Ver Vacunas.)

ESCARLATINA

Es una enfermedad infecciosa de la piel causada por la bacteria estreptococo. La edad de máxima incidencia en niños es de 5 a 10 años. Suele cursar como brotes epidémicos.

Síntomas

El período de incubación es entre dos y cautro días, luego aparece una amigdalitis aguda, con la campanilla de color rojo violáceo, hemorragias en el velo del paladar en forma de «llamaradas». Suele aparecer un ganglio in-flamado en la región inframandibular, duro y ligeramente doloroso. A las 12-24 horas aparece la erupción típica, compuesta de pequeñas pápulas, que comienza en la parte inferior del cuello y del tronco y luego se extiende hacia las extremidades. La lengua se vuelva aframbuesada, típica de la enfermedad, y un dato importante para el diagnóstico. La erupción permanece tres y cuatro días y luego aparece la descamación y comienza a mejorar el estado general.

Diagnóstico

Lo más importante en casos de escarlatina es el aislamiento de la bacteria presente en la faringe y determinados parámetros en el análisis de sangre.

Tratamiento

El objetivo es erradicar la bacteria causante, acortar el curso de la enfermedad y disminuir la transmisión así como la incidencia de complicaciones. Se emplean antibióticos y se recomienda reposo en cama durante el período febril, hasta el inicio de la respuesta al antibiótico. También se emplean en el tratamiento analgésicos y antitérmicos para el dolor de garganta y la fiebre.

FIEBRE REUMÁTICA

Es una enfermedad sistémica que afecta principalmente al corazón, las articulaciones, la piel, el tejido subcutáneo y sistema nervioso. Su mayor incidencia se da entre los 6 y los 15 años. En los países industrializados y desarrollados es hoy escasa y ha disminuido mucho en los últimos años. Por el contrario, persiste o se incrementa en los subdesarrollados.

Síntomas

El cuadro inicial es una faringoamigdalitis aguda, una escarlatina u otra infección por la bacteria estreptococo de las vías aéreas; dos o tres semanas después se inicia la fiebre reumática, que cursa con fiebre alta de inicio (39-40 °C), que decrece pronto, aunque pueden persistir algunas décimas varias semanas; cansancio, anorexia y pérdida de peso desde el inicio. También hay afectación cardiaca (es la más grave), articular, del sistema nervioso, síntomas cutáneos (nódulos subcutáneos), eritema anular (manchas rojas en forma de anillo muy tenues que aparecen en tronco y extremidades).

Diagnóstico

Se hace a través de los «Criterios de Jones».

Tratamiento

Requiere reposo en cama, dependiendo de la afectación del corazón; si éste no está afectado, sólo estará en reposo dos o tres días, mientras que si hay insuficiencia cardiaca, éste será más estricto. El uso de antibióticos es obligado para eliminar las bacterias que pudieran persistir en la faringe (el de elección es la penicilina a altas dosis), a la vez que previenen las posibles reinfecciones. También se prescriben antiinflamatorios, para suprimir la inflamación y el dolor y profilaxis con penicilina, para prevenir nuevas infecciones por estreptococo de las vías aéreas superiores.

GRIPE

Es una infección viral aguda de gravedad variable, en la que suelen predominar los síntomas generales frente a los respiratorios. Los niños mayores de 5 años y adultos jóvenes son las poblaciones más susceptibles de padecer la infección. En la mayor parte de los casos es un proceso benigno, pero puede ser devastadora en personas con patología cardiorrespiratoria crónica.

El virus causal es un mixovirus que puede ser de tres tipos: A, B o C. Los A (son los más importantes) cursan con brotes o pequeñas epidemias, especialmente en escolares; cuando varían, aparecen grandes pandemias (epidemias mundiales). Se transmite por contagio directo a través de las gotitas de saliva y por manejo de artículos contaminados con secreciones nasales o faríngeas de personas infectadas. La contagiosidad permanece cuatro o cinco días tras el inicio clínico de la enfermedad. El virus causa daño en las células del epitelio respiratorio, nariz, tráquea y bronquios, y hay inflamación e infiltración de leucocitos, que causan faringitis, traqueitis y bronquitis.

Síntomas

El período de incubación es corto (uno a tres días) con subida repentina de la fiebre, dolor de cabeza, escalofríos y dolores musculares en extremidades y espalda. Además, hay falta de apetito, cansancio y malestar general. En los niños suelen darse náuseas y vómitos pronunciados. El dolor abdominal es más característico en los virus del grupo B. Más tarde se presenta tos seca y dolorosa, ronquera y dolor al tragar. La fiebre puede llegar a ser alta, de 39 a 40 °C.

Por lo general, la enfermedad tiene una corta evolución y se sigue de una rápida mejoría. Raras veces se observan complicaciones graves, excepto en el caso de que el contagio se haya producido por causa de una epidemias.

Diagnóstico

En época de epidemias no es difícil diagnosticarla correctamente. Ante casos aislados se
puede confundir con muchas otras infecciones víricas respiratorias, y el diagnóstico definitivo se basa en pruebas de laboratorio bien
por estudios serológicos o demostrando la
presencia del propio virus a partir del frotis
(raspado) de células nasales o faríngeas y luego ser cultivado para que el virus crezca.

Tratamiento

En la mayoría de los casos es sólo sintomático: se aconseja reposo en cama y analgésicos.
Si hay tos molesta también se emplean antitusígenos. Las complicaciones bacterianas suelen precisar tratamiento antibiótico. Existe
una vacuna eficaz. (Ver Vacunas.)

MENINGITIS

Es la inflamación de las meninges, que son
membranas que envuelven el sistema nervioso central (cerebro y médula espinal). Se distinguen dos grandes grupos: meningitis bacterianas y asépticas.

MENINGITIS BACTERIANAS

Están producidas por muchas bacterias como
el meningococo, neumococo, *Haemophilus
influenzae*. Estos gérmenes invaden las meninges y la mayor parte de las veces llegan
por diseminación por la sangre.

Meningitis meningocócica

Es la bacteria responsable de la meningitis
con más frecuencia en pediatría. Los brotes

suelen aparecer al final del invierno y principio de la primavera. La edad de máxima incidencia en los niños es en los primeros cuatro años, donde aparecen más del 50 por
ciento de los casos. La puerta de entrada típica es la rinofaringe, donde causa una leve
sintomatología de tipo catarral, y desde allí la
bacteria pasa a la sangre, donde se multiplica. Si el niño tiene una buena inmunidad sólo
se presentan leves síntomas como catarros de
vías superiores, pero en caso contrario evoluciona como sepsis (infección sanguínea generalizada) lenta o con cuadros hiperagudos
donde el niño puede fallecer en horas.

- Síntomas: hay cuadros con predominio
  séptico, es decir, signos cutáneos, inestabilidad hemodinámica, *shock* y otros cuadros
  con predominio meníngeo, que es más lento y benigno y, por tanto, de mejor pronóstico. El meníngeo suele iniciarse con fiebre
  elevada, sensación de enfermedad grave y
  síntomas de afectación meníngea, básicamente cefalea y vómitos violentos. En la
  exploración se encuentra rigidez de nuca.

- Diagnóstico: en el análisis de sangre hay
  un aumento importante del número de
  glóbulos blancos. El líquido cefaloraquídeo tras la punción lumbar tiene un aspecto turbio.

- Tratamiento: antibiótico intravenoso urgente.

Meningitis por *Haemophilus influenzae*

Afecta sobre todo a lactantes y a los niños de
6 a 12 meses. Es rara en el primer trimestre de
vida y después de los 5 años.

- Síntomas: un cuadro meníngeo típico excepto en los lactantes, en los que éstos no

suelen aparecer. A veces se indica TC en casos de prolongación febril, vómitos y retraso en la normalización del líquido cefaloraquídeo, signos neurológicos focales o hipertensión endocraneal. A veces se presentan como sepsis fulminantes y las secuelas que dejan son más frecuentes que en las que quedan de las meningocócicas.

- Diagnóstico: cultivo de líquido cefalorraquídeo (LCR).

- Tratamiento: antibiótico intravenoso.

<u>Meningitis neumocócica</u>

La bacteria responsable es el neumococo, y en los últimos años va en aumento.

- Síntomas: es mucho más frecuente en niños sin bazo y suele ir precedida de infecciones respiratorias, neumonías u otitis medias. Hay con frecuencia manifestaciones encefálicas tales como parálisis de pares craneales, trastornos vegetativos e incluso coma e hidrocefalia. La evolución es bastante rápida y es la de peor pronóstico y mayor mortalidad por inflamación cerebral. Deja secuelas frecuentes como parálisis, sordera, deficiencia mental e hidrocefalia.

- Diagnóstico: estudio del LCR tras punción lumbar.

- Tratamiento: se inicia éste con antibióticos y después, dependiendo de los cultivos de sangre o líquido cefalorraquídeo y conociendo el germen causal, se puede variar el antibiótico buscando una mayor eficacia. Además, hay que hacer un tratamiento sintomático como antitérmicos

Si los niños no tienen un buen sistema inmunológico, es más fácil que se contagien la meningitis.

contra la fiebre. Si hay signos de hipertensión endocraneal, entonces se emplean fármacos específicos, como los corticoides.

Existen vacunas eficaces contra el *Haemophilus influenzae* y el meningococo. (Ver Vacunas.)

Meningitis aséptica

En su mayor parte corresponden a las meningitis víricas. Hay que decir que se trata de un síndrome meníngeo el cual presenta líquido cefalorraquídeo claro con aumento de células linfocitarias y de proteínas, así como cultivo bacteriano negativo. Su evolución generalmente viene a ser benigna y no deja secuelas. Está producida por un virus en la mayoría de los casos.

Síntomas

Puede ser de inicio brusco o gradual, a veces precedida de un episodio febril que puede ir acompañado de faringitis, diarrea o erupción. En otras ocasiones, el síndrome meníngeo constituye la primera manifestación de la enfermedad, y entonces aparece con cefaleas, vómitos, fotofobia, rigidez espinal y nucal, aumento de los reflejos tendinosos y signos meníngeos.

Diagnóstico

El análisis de sangre suele presentar valores normales o descendidos de leucocitos, con predominio de linfocitos. Dado que la evolución es bastante buena, lo importante es diferenciarlas de las meningitis bacterianas así como de la tuberculosis. El pronóstico es bueno y en unos días desaparecen los signos meníngeos.

Tratamiento

Es sintomático, a base de antitérmicos y analgésicos para la fiebre y el dolor de cabeza. La terapia de la agitación y de los vómitos se lleva a cabo con fármacos específicos. Además, debe corregirse la deshidratación, así como el desequilibrio ácido-base.

MONONUCLEOSIS INFECCIOSA

La mononucleosis es una enfermedad infecciosa causada principalmente por el virus de Epstein-Barr, que puede ocasionar desde una infección asintomática a una enfermedad linfoproliferativa (es decir, un linfoma) en niños inmunocomprometidos. También se ha asociado este virus con el linfoma de Hodgkin.

El período de incubación es de dos a siete semanas. La transmisión ocurre a través de la saliva de forma principal, aunque también se han descrito casos de transmisión a través de productos sanguíneos.

Síntomas

En los niños muy pequeños suele ser asintomática con signos de discreta infección respiratoria superior, amígdalo-faringitis o prolongada afección febril, con o sin ganglios. Las manifestaciones típicas se dan en adolescentes y adultos jóvenes con un período de 2- 5 días caracterizado por malestar, fatiga con o sin fiebre, dolor de garganta con faringoamigdalitis y adenopatías (ganglios).

La fiebre suele ser la primera manifestación y en general es alta (39-40 °C), con carácter intermitente y duración entre 1-2 semanas, pudiéndose prolongar hasta un mes en casos graves. En el 90 por ciento de los casos hay adenopatías, sobre todo en los ganglios del cuello. En la mitad de los enfermos se produce un aumento del tamaño del bazo. También se puede presentar faringoamigdalitis, amígdalas rojas y aumentadas de tamaño, recubiertas de exudado pseudomembranoso blanquecino o grisáceo, y pequeños puntos hemorrágicos en el paladar blando.

En ocasiones, cursa con conjuntivitis y edema de los párpados. En el 10-15 por ciento de los casos hay una erupción parecida a la de la rubéola o escarlatina o más hemorrágica. También es frecuente la hepatitis, mostrando elevación de las transaminasas en el 90 por ciento de las analíticas, pero de curso benigno.

Diagnóstico

En análisis de sangre, detectando la presencia de linfocitos atípicos, en una proporción superior al 10 por ciento de las células mononucleadas.

Hay un análisis de anticuerpos bastante específico.

Tratamiento

En la infección no complicada únicamente se precisa tratamiento sintomático y reposo. Los corticoides se reservan para los casos más graves cuando hay una rápida progresión del aumento de las amígdalas y ganglios linfáticos. Si existe evidencia de sobreinfección bacteriana, se usan antibióticos (pero no ampicilina).

El antiviral aciclovir puede tener alguna eficacia en la fase más aguda de la enfermedad, pero no se recomienda su empleo de forma rutinaria.

Suele tener a la remisión desde varios días hasta la tercera-cuarta semana. El malestar y la fatiga pueden tardar más tiempo en desaparecer.

Hoy por hoy no hay ninguna vacuna eficaz, aunque existen varios proyectos de investigación.

PAROTIDITIS

También conocida como paperas, es una infección de las glándulas salivares causada por un virus cuya transmisión se produce por la diseminación de gotitas de las vías respiratorias y contacto directo con la saliva de un niño infectado. La mayor incidencia se sitúa entre los 5 y los 14 años.

Síntomas

■ Sólo el 30-40 por ciento de los casos aparece el cuadro típico; el resto cursan con síntomas inespecíficos, sobre todo respiratorios, y en un 15 por ciento no dan síntomas. Se manifiesta de varias formas:

• *Forma parotidea.* Fiebre discreta y aumento de las glándulas parótidas que se encuentran a ambos lados del cuello y debajo de la mandíbula. Suelen afectarse ambas, pero a veces sólo afecta a una. Se precede de cefalea, malestar general, febrícula, anorexia y dolores musculares. Es posible que afecten a otras glándulas salivares, submaxilares y sublinguales.

• *Afectación extrasalival.* Hasta en un 30 por ciento de los casos detectados en varones psotpuberales se prouduce una orquitis (inflamación testicular) que suele ser unilateral, y atrofia el testículo, pero la esterilidad por esta causa es excepcional, porque el daño es segmentario. En un 5 por ciento de las niñas postpuberales puede inflamarse el ovario.

• *Afectación del sistema nervioso central.* Es la manifestación extraglandular más frecuente. La meningitis ocurre entre el 1 y el 10 por ciento de los casos, observándose cefalea, rigidez de nuca, vómitos violentos y desorientación.

Diagnóstico

Se realiza la determinación en sangre de anticuerpos IgM contra el virus. En el análisis de sangre, los leucocitos y los tipos de éstos son normales o se aprecia una discreta disminución de los leucocitos. Si hay meningitis, orquitis o pancreatitis aparece leucocitosis.

Tratamiento

Se emplean medidas sintomáticas durante la fase aguda con analgésicos, como el paracetamol o el ibuprofeno. Conviene evitar bebidas y alimentos ácidos.

La vacuna antiparotiditis es muy efectiva y forma parte de la triple vírica, que suele ponerse a los 15 meses. (Ver Vacunas.) Suele tener una efectividad del 70-96 por ciento en prevención de la enfermedad.

PEDICULOSIS (PIOJOS)

Es una infección parasitaria por *Pediculus humanus capitis*, que se produce en la cabeza y pelo de las personas. Se contagia fácilmente al entrar en contacto con prendas de personas que están infectadas. Es más frecuente en los niños menores de 8 años y se da más en niñas que en niños. El piojo pasa por diferentes fases de crecimiento, por lo que se pueden observar en tres formas distintas: liendre, que son los huevos del piojo, difíciles de apreciar, ya a que veces se confunden con la caspa, pero están adheridos firmemente a la raíz del pelo, tardando una semana en convertirse en piojos; la ninfa, que es cuando la liendre sale del huevo, es más pequeña que el piojo y tarda una semana en convertirse en adulto; y el piojo adulto, que mide de 2-4 mm y tiene 6 patas; es de color marrón grisáceo. Las hembras son las que depositan las liendres, que son un poco más grandes que los machos. Éstos pueden vivir hasta 30 días en la cabeza de una persona y se alimentan de sangre, por lo que si cae de la cabeza y no se alimenta muere en 48 horas.

Síntomas

Picor intenso en la cabeza y sensación de cosquilleo capilar. Ocasionan con frecuencia autolesiones de rascado en el cuero cabelludo. Se pueden además observar liendres. Una región típica de localización es detrás de las orejas y cerca de la línea del cuello en la región posterior de la nuca.

Diagnóstico

Se determina a partir de la sintomatología y visualización del parásito.

Tratamiento

Como medidas generales se debe lavar la cabeza diariamente con cualquier champú. Se puede emplear vinagre en el aclarado del pelo, lo que facilita el desprendimiento de liendres, así como de los piojos con un peine fino. El peine debe pasarse primero a contrapelo, para despegar los huevos, y luego a pelo, para eliminarlos. Estos peines deben sumergirse en agua hirviendo durante 10 minutos o en alcohol de 70°. En cuanto al empleo de plaguicidas, se recomienda la aplicación de un lavado con loción de champú medicado a base de lindane o permetrina, además del cepillado con peine fino, que se recomienda empapar con agua caliente y con el champú durante un período de 15 minutos. En general, los niños pueden acudir a la guardería o escuela al día siguiente del tratamiento, aunque se aconseja repetir el tratamiento en los días siguientes.

POLIOMIELITIS

Es una enfermedad infecciosa causada por enterovirus que suele provocar parálisis. Los lactantes y niños pequeños presentan las tasas más altas de infección, propiciada por déficit de higiene y mayor propensión a la contaminación fecal. Y es que la vía fecaloral es la forma considerada predominante de transmisión. El período de incubación viral oscila entre 2-20 días.

Síntomas

Un 90 por ciento de las infecciones por los enterovirus cursan de forma asintomática. La más grave es la poliomielitis paralítica que gracias a la masiva introducción de las vacunas ha disminuido mucho su incidencia en los países desarrollados.

Las manifestaciones clínicas varían desde la enfermedad inaparente hasta una parálisis grave e incluso la muerte. Se estima en un 0,1 por ciento los casos de poliomielitis paralítica espinal, que se inicia con parálisis y flacidez de algunos grupos musculares y se va extendiendo a otros en el curso de varios días. Cuando se afecta la musculatura respiratoria, esta forma espinal se convierte en la forma respiratoria grave.

Diagnóstico

Suele ser clínico, sin identificar ni aislar al virus concreto responsable de la mayor parte de los casos. El aislamiento del virus en cultivos celulares sigue siendo la principal forma de diagnóstico.

Tratamiento

Por el momento, no se dispone de ningún fármaco eficaz antiviral o inmunomodulador. La inmunoglobulina se emplea de forma preventiva en los recién nacidos y niños inmunocomprometidos. Lo mejor es la inmunización activa a través de la vacunación antipoliomielítica que se administra universalmente. (Ver Vacunas.)

RUBÉOLA

Enfermedad que cursa con erupción causada por un ARNvirus. El virus llega a la rinofaringe a través de las gotitas expectoradas, se multiplica y pasa a la sangre para localizarse en el tejido linfático.

Síntomas

El período de incubación es asintomático y dura 15 días, al que sigue un período con fiebre y catarro de vías respiratorias ligero. Más característicos son los ganglios aumentados de tamaño. Le sigue un proceso febril y erupción que comienza detrás de las orejas o en la cara, extendiéndose rápidamente a todo el cuerpo con predominio en el tronco, que son de color más pálido que en el sarampión y menos prominente, desapareciendo en unos dos o tres días. Suele cursar de forma escalonada, es decir, aparece en un sitio y desaparece en otro. El período de descamación es tenue e incluso no sucede.

Diagnóstico

En la analítica de sangre es donde se aprecia un descenso de los leucocitos de forma inicial, con aumento de células plasmáticas y linfocitos anormales parecidos a los de la mononucleosis.

Tratamiento

El aislamiento será riguroso en las embarazadas en el primer trimestre. La gammaglobulina es menos eficaz que en el sarampión. Existe una vacuna efectiva que se administra junto con otros virus, generalmente a los 15 meses. (Ver Vacunas.)

SARAMPIÓN

Enfermedad que cursa con erupción de origen infeccioso causada por un virus que penetra por la mucosa conjuntival o de la boca y la faringe, llegando al tejido linfoide local y las vías respiratorias altas. La inmunidad que genera es duradera, por lo que sólo puede padecerse una vez esta enfermedad.

Síntomas

La incubación dura unos diez días, seguido de un período en el que aparece fiebre alta mantenida con leves fluctuaciones que cae y luego aparece cuando brota la erupción. Son frecuentes la falta de apetito, la diarrea y el dolor abdominal. El catarro óculo-nasal es muy característico, conjuntivitis, lagrimeo, fotofobia, enrojecimiento de la conjuntiva, rinitis, tos seca irritativa. La manifestación más típica es el signo de Koplik, que es un número variable de manchas blanquecinas como salpicaduras de azúcar que resaltan sobre la mucosa de boca enrojecida a su alrededor. Después la fiebre sube de nuevo y es cuando se inicia la erupción en la cara, detrás de las orejas, en las alas de la nariz y alrededor de la boca, extendiéndose después al tronco y extremidades. La erupción desaparece con una descamación.

Diagnóstico

En el análisis de sangre se aprecia un descenso de leucocitos y otras alteraciones. En una radiografía de tórax se puede ver el típico patrón de pulmón sarampionoso.

Tratamiento

Cuidadosa higiene de la piel y de los orificios (ojos, nariz y boca); colirio antibiótico para las conjuntivitis importantes y si la fiebre es elevada se da paracetamol. La tos intensa se trata con antitusígenos y en menores de dos años se emplea antibioterapia profiláctica.

SIDA PEDIÁTRICO

Es un síndrome causado por un virus, el VIH, que ataca a los glóbulos blancos, especialmente los linfocitos, que son las células inmunes encargadas de la defensa contra las infecciones, dejando al niño sin defensa contra las mismas. La forma más común (el 95 por ciento) de sida pediátrico es producido por la transmisión de la madre infectada al feto, lo que se llama infección vertical, que puede ser prenatal, intraparto o postnatal. Antes del nacimiento dependerá del estado de la infección en la madre, es decir, una alta tasa de virus y muy pocos linfocitos. Además, puede suceder la infección durante el parto mediante la sangre materna, que contamina al recién nacido a través de pequeñas heridas en la piel o mucosas. La transmisión postnatal es poco frecuente, pero puede suceder a través de la lactancia materna.

Otro tema es el sida del adolescente, el cual, al igual que en el adulto, puede adquirirse por vía sexual o endovenosa (adicción a las drogas).

Se diferencian dos formas clínicas de sida pediátrico: una primera grave y progresiva, por infección prenatal o intraparto, con aparición de infecciones bacterianas, virales o por hongos, graves y repetidas, o bien infecciones oportunistas con alteraciones inmunológicas intensas, que representan aproximadamente el 40 por ciento de los casos.

La otra forma, menos graves, se da en el 60 por ciento de los casos, es compatible con una mayor supervivencia y tardan en detectarse alteraciones inmunológicas. Se dan infecciones comunes con ganglios generalizados, aumento del tamaño de hígado y bazo, aumento de las parótidas y neumonía intersticial linfoide.

Síntomas

Hay toda una serie de síntomas que son poco específicos tales como fiebre, infecciones repetidas, ganglios generalizados, aumento del tamaño del hígado y del bazo, detención del crecimiento y de la ganancia de peso, así como diarreas de repetición o crónicas que causan un síndrome de malabsorción. También es muy frecuente la candidiasis de la boca así como el aumento del tamaño de las glándulas salivales parótidas.

En cuanto a las manifestaciones más específicas podemos señalar las infecciones bacterianas recurrentes, sepsis, meningitis, osteomielitis, neumonía artritis sépticas y abscesos en distintas vísceras, todas ellas causadas por bacterias.

Otras infecciones son la varicela intensa y grave, virus respiratorios, sarampión con frecuentes complicaciones pulmonares y elevada mortalidad.

También se pueden presentar infecciones por hongos cutáneos extensas, las cuales además pueden afectar al cuero cabelludo y suelen cronificarse.

Muy ligadas al sida están las llamadas infecciones oportunistas (aquellas que se producen como consecuencia de un descenso en las defensas del organismo):

- La más frecuente es la neumonía por el parásito *Pneumocystis carimii*, que cursa con fiebre, tos y un aumento de la frecuencia respiratoria que conduce a la insuficiencia respiratoria. Se trata con antibióticos.

- *Esofagitis por candida*; este hongo es también muy típico en los niños que padecen sida y además de la boca se extiende al esófago. Se trata con antifúngicos orales.

- Infección por *Mycobacterium avium intracelular*, cuyos principales síntomas son fiebre alta, anorexia, tos, diarrea y pérdida de peso. Su tratamiento es difícil y está basado en la diferente combinación de distintos antibióticos.

- *Criptosporidiasis*. Causa una grave diarrea caracterizada por múltiples deposiciones acuosas, con dolor abdominal, vómitos y notable pérdida de peso, lo que lleva a una desnutrición rápida. El tratamiento es sintomático de la diarrea y de la desnutrición, con suplementos nutritivos e incluso alimentación parenteral.

- *Citomegalovirus*. Está presente en el 20 por ciento de los niños con sida. Son infecciones generalizadas que cursan con neumonitis (inflamación del pulmón), retinitis, hepatitis, encefalitis y afectación intestinal. Se trata con antivirales.

- Otras infecciones oportunistas son el virus del herpes simple oral o mucocutáneo; toxoplasmosis que afecta al sistema nervioso central; infecciones por hongos y tuberculosis pulmonar y extrapulmonar.

- Otro síntoma son las manifestaciones neurológicas. Pueden aparecer por la bajada de defensas. También pueden aparecer tumores linfoides del SNC con síntomas neurológicos variados. También hay encefalopatía específica causada por el virus VIH, que surge de forma progresiva causando retraso psicomotor, pérdida de adquisiciones, trastornos del comportamiento, parálisis de extremidades, alteraciones del tono muscular y temblor.

- Otras manifestaciones son la nefropatía (daño renal), alteraciones de la sangre y tumores como el linfoma no Hodgkin y el sarcoma de Kaposi.

Diagnóstico

Se realizan análisis inmunológicos seguidos por la clínica.

El recién nacido puede tener anticuerpos maternos contra el VIH que den pruebas positivas y se negativizan entre los 4 y los 15 meses de vida, pudiéndose detectar virus una vez negativizados.

Además, existe una prueba rápida y específica llamada PCR.

Tratamiento

Fundamentalmente se realiza con antirretrovirales, de los que actualmente se dispone de muchos para uso pediátrico como zidovudina (AZT), didanosina (ddI) o zalcitabina (ddC), entre otros.

Se emplean de forma combinada con pautas que incluyen tres fármacos. Se utilizan de forma precoz una vez confirmado el diagnóstico en los menores de 12 meses y en mayores de un año ante cualquier sintomatología o estado inmunológico.

También se recurre al tratamiento sintomático de las infecciones habituales y de las oportunistas.

Además, es posible emplear gammaglobulina endovenosa en determinadas situaciones especiales.

El tratamiento general consiste en el calendario vacunal especial en estos niños. La vacuna de la varicela está contraindicada y, por el contrario, se recomienda la antineumocócica. También debe evitarse la vacuna contra el sarampión.

TÉTANOS

Es un fenómeno neurológico caracterizado por espasmos y aumento del tono muscular, que se deben a una potente toxina (la tetanospasmina) elaborada por una bacteria que se encuentra en el suelo, en el medio inorgánico y en las heces de los animales y a veces en las del hombre.

La forma más frecuente de tétanos es la neonatal, y es responsable de 500.000 muertes de recién nacidos en todo el mundo hijos de madres no vacunadas. Suele darse por contaminación de la herida postparto, postaborto y postcirugía.

También se transmite por traumatismos causados por astillas, vidrios o inyecciones no estériles; mordeduras de animales, quemaduras, úlceras cutáneas y fracturas abiertas.

Una vez contaminada la herida, la producción de la toxina causante del daño sólo ocurre en heridas «sucias», con tejidos desvitalizados, cuerpos extraños o infección activa. La toxina se desplaza a través de las terminaciones nerviosas y de ahí hacia el sistema nervioso central. El tétanos puede

La higiene es una cuestión de hábitos que el niño irá aprendiendo y realizando.

afectar a unos pocos músculos locales o bien generalizarse cuando la toxina penetra en la sangre y se extiende a otras terminaciones nerviosas, siendo esta la forma más frecuente.

Síntomas

Aumento del tono muscular y espasmos generalizados que comienzan aproximadamente a los 7 días. Los primeros músculos que aumentan de tono son los mandibulares (maseteros), y que se conoce como trismo, y después hay dificultad para tragar, rigidez de cuello, hombros y espalda y, posteriormente, del abdomen y los músculos próximos a las extremidades.

La contracción de los músculos de la cara produce la llamada risa sardónica y la de los músculos dorsales de la espalda un arqueamiento en hiperextensión de la misma conocida como opistotonos. El espasmo de los músculos faríngeos puede causar obstrucción respiratoria y asfixia. Es frecuente fiebre alta, de hasta 40 °C. El tétanos neonatal es la forma infantil del tétanos generalizado y se presenta de 3-12 días de nacimiento como dificultad progresiva para comer, llanto y parálisis o disminución de los movimientos, espasmos con o sin opistotonos, y el muñón umbilical puede presentar restos de sangre, suciedad o suero coagulado.

Diagnóstico

Además de la clínica, es muy posible que aparezca un aumento de leucocitos en el análisis de sangre.

Tratamiento

El objetivo es eliminar el foco de origen de la toxina, neutralizar la que no está fijada e impedir los espasmos musculares. Hay que vigilar sobre todo la respiración y estos enfermos han de ser tratados en las unidades de cuidados intensivos debido a la gravedad de la infección. Se precriben antibióticos y una antitoxina para neutralizar la toxina tetánica circulante. Se debe iniciar la vacunación ya que la toxina no provoca inmunidad debido a su baja cantidad. (Ver Vacunas.)

TOS FERINA

Es una enfermedad infecto-contagiosa aguda causada por una bateria que afecta al aparato respiratorio y cuyo síntoma más típico es la tos a accesos esporádicos. El contagio se produce directamente desde la persona enferma a la sana por el aire al toser y hablar, en las microgotitas de las secreciones que quedan suspendidas en el aire. Hay una situación de portadores sanos que no padecen la enfermedad ni son capaces de transmitirla.

Síntomas

El período de incubación dura una o dos semanas y es asintomático; el período catarral o de inicio, que dura dos semanas con síntomas catarrales, rinitis, estornudos, febrícula (décimas), lagrimeo, tos leve seca e irritativa que se hace progresivamente más intensa y de predominio nocturno, en forma de accesos causados por mínimos estímulos. El período de estado dura de cuatro a seis semanas; la tos se vuelve violenta o convulsiva en accesos «a golpes», e ininterrumpidas, llamadas «quintas», que dificulta la respiración del niño, el cual estira la cara y el pecho hacia delante, saca la lengua y se va poniendo colorado, con los ojos llorosos y tiene una gran angustia. Al final de la crisis aparece una inspiración ruidosa que es lo que se llama «gallo». La convalecencia o remisión dura de una a tres semanas; las quintas se van haciendo menos frecuentes hasta desaparecer. Pueden aparecer nuevas crisis de tos convulsiva después de varios meses de superada la infección, ante la presencia de un catarro simple.

Diagnóstico

Se hace por la clínica y se busca la bacteria responsable de las secreciones faríngeas.

Tratamiento

Necesita hospitalización, sobre todo en los lactantes y niños pequeños o con complicaciones. Las tomas alimenticias deben ser pequeñas y frecuentes, sobre todo si hay muchos vómitos. La sedación es precisa en algunas ocasiones, antitusígenos (menos los que contienen codeína) y antibióticos. Se recomienda la vacuna, que se administra junto a la de difteria y tétanos. (Ver Vacunas.)

TUBERCULOSIS

Es una infección generalizada producida por una bacteria que cursa con manifestaciones diversas, pero sobre todo afecta al aparato respiratorio. Es una enfermedad de distribución mundial y causa unos 3 millones de muertes anuales, por lo que ha sido declarada por la OMS como «enfermedad de emergencia global».

Los niños afectados, a diferencia de lo que ocurre con los adultos, raramente actúan como fuente de infección debido a los escasos bacilos presentes en sus infecciones respiratorias. Se transmite por vía aérea interpersonal y también a través del aparato digestivo, por ingestión de leche de vaca tuberculosa. La mayor susceptibilidad para ser infectado es entre 2 y 4 años, siendo la resistencia mayor durante el resto de la infancia y la adolescencia.

Como factores de predisposición destacan el bajo nivel social, hacinamiento, desnutrición, estrés y algunas patologías como las inmunodeficiencias.

En la primera fase se produce una reacción local inflamatoria inespecífica; seguidamente, dependiendo de la agresividad del germen y de la inmunidad del niño, se origina un granuloma (tubérculo), que es la lesión celular típica y, pasados unos días, la infección se extiende por vía linfática a los ganglios, donde el bacilo se multiplica y disemina a otros órganos como pulmón, médula ósea, hígado, bazo y riñón principalmente. En la mayoría de los casos se produce infección sin enfermedad (tuberculosis latente).

TUBERCULOSIS PULMONAR

Síntomas

Pueden predominar los síntomas generales: delgadez, eritema nodoso, ganglios y síntomas respiratorios dependientes de las lesiones pulmonares, aunque lo más común es una especie de síndrome gripal o catarro prolongado bronquial, neumocócico o pleural acompañado de fiebre. Es importante identificar el foco de contagio que suele ser intrafamiliar en niños pequeños. Más difícil es hallarlo en niños mayores.

Diagnóstico

El análisis de sangre es normal hasta en el 60 por ciento de los casos, aunque otras veces puede haber un aumento de leucocitos. Además, suele haber anemia ferropénica. La radiografía de tórax suele poner de manifiesto infiltraciones pulmonares y ganglios en ocasiones calcificados. La prueba de tuberculina se realiza mediante una inyección intradérmica que se debe hacer ante la sospecha clínica de infección tuberculosa. Cultivo de las secreciones para hallar el germen causante.

Tratamiento

En general, debe ser un tratamiento precoz y prolongado, con asociaciones de dos o más fármacos para evitar resistencias, y la finalidad, además de curar al niño, es evitar que sea fuente de infección para otras personas.

Se emplean fármacos antituberculosos, quimioterápicos y antibióticos. También se emplean corticoides en determinadas situaciones. Es necesario hacer revisiones periódicas clínicas, analíticas y radiológicas, para comprobar de cerca la eficacia terapéutica, dado que estos fármacos tienen algunas reacciones adversas, sobre todo daño hepático. Hay que realizar análisis mensualmente en los 3-4 primeros meses de terapia.

Tuberculosis extrapulmonar

Raras veces es la forma inicial de la infección con puerta de entrada del bacilo por piel y mucosas, aunque lo más típico es la diseminación sanguínea desde un foco pulmonar, siendo la manifestación más grave la meningitis. Otras localizaciones posibles son la digestiva, cutánea u osteoarticular.

VARICELA

Tanto la varicela como el herpes zóster (patología menos frecuente en niños) son expresiones clínicas de la infección por un mismo virus, el de la varicela zóster (VZV). La varicela corresponde a la primera vez que surge la infección, y el herpes zóster se corresponde con las recurrencias. Es un virus muy contagioso y con aumento del número de infecciones en la época primaveral. La principal fuente de infección son las lesiones varicelósicas. La contagiosidad se inicia unos días antes de la erupción y llega hasta que las lesiones se secan y forman costras.

Síntomas

Tras un período de incubación de dos semanas comienza otro febril moderado de dos a tres días, seguido de la aparición de la erupción, que consta de lesiones que van pasando por varias fases. Se inician con mácula, luego pasan a papula, vesícula y pústula para acabar en costra. Suele iniciarse en el tórax, extendiéndose al resto del cuerpo, incluyendo el cuero cabelludo. Es tremendamente pruriginosa (pica mucho), lo que se asocia con lesiones por rascado y sobreinfección bacteriana. La gravedad está en relación inversa a la edad, por lo que en el adulto es más grave que en los niños.

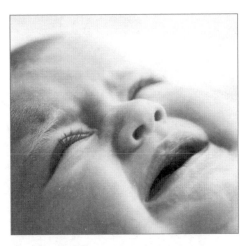

La primavera es la estación en la que más casos de varicela se contagian.

El desarrollo suele ser benigno y la curación espontánea, excepto en las formas graves: varicela prenatal (puede producir malformaciones en el niño), la varicela perinatal (una de las formas más graves, que se da en madres gestantes con varicela en los días previos al parto) y varicela de los inmunodeprimidos (suele dar fallo multiorgánico y es muy grave).

Diagnóstico

Los síntomas suelen ser suficientes, pero otras veces se pueden demostrar los anticuerpos contra el virus en sangre.

Tratamiento

En niños sanos, se emplean sólo antitérmicos, antirpuriginosos y antisépticos tópicos, si se sobreinfectan las lesiones. El antiviral aciclovir no se recomienda en estos casos, pero sí en niños con déficits inmunes o que conviven con casos de varicela graves. En los que conviven con infectados se recomienda la gammaglobulina hiperinmune, que es más eficaz cuanto antes se emplee, y siempre antes de los 3-4 días desde la exposición. Existe una vacuna de virus vivos con la que se obtienen buenos resultados preventivos. (Ver vacunas.)

Enfermedades de la piel

ENFERMEDADES DE LA PIEL

Acné
Angiomas
   Hemangiomatosis neonatal
   difusa
Dermatitis atópica
Dermatitis del pañal
Infecciones cutáneas por hongos
   Candidiasis
   Dermatofitosis

Piodermitis
   Celulitis infecciosa
   Impétigo
   Forúnculo
   Periporitis
Psoriasis
Verrugas

ACNÉ

Es una enfermedad inflamatoria que afecta a casi el 80 por ciento de los adolescentes entre los 13 y los 18 años. Puede persistir varios años sin dejar cicatrices y provocar efectos adeversos importantes en el desarrollo psicológico del adolescente que la sufre. Su causa está determinada por varios factores: el aumento de la secreción sebácea, la obstrucción del folículo pilosebáceo, la colonización bacteriana y la inflamación secundaria. Hay una cierta predisposición genética en la aparición de acné. La impresión popular de que algunos alimentos pueden provocar estas lesiones aún no ha sido demostrada científicamente.

Síntomas

La lesión inicial es el microcomedón, como resultado de la obstrucción de los folículos sebáceos por exceso de sebo junto con células epiteliales descamadas procedentes de la pared del folículo. Estos dos factores causan lesiones no inflamatorias como los comedones abiertos (puntos negros) y los microquistes o comedones cerrados. Una bacteria, el *P. acnes*, prolifera con facilidad en este ambiente y provoca la aparición de mediadores de la inflamación.

Hay una cierta predisposición genética en la aparición del acné, y factores fisiológicos como el ciclo menstrual también pueden influir. La impresión popular de que algunos alimentos pueden provocar las lesiones del acné no ha sido demostrada nunca científicamente.

El estrés juega también un papel importante, y el uso de cosméticos no elaborados como «libres de grasa» puede hacer persistir al acné en preadolescentes.

Diagnóstico

Es fundamentalmente clínico. Las decisiones terapéuticas se basan en diversos aspectos como tipo de lesión de predominio inflamatorio o no, la gravedad del cuadro y la extensión; si está afectada la cara, pecho o la espalda y otros factores asociados. Casi todos los acneicos presentan lesiones en la cara y la mitad las tienen en la espalda o en el pecho.

Tratamiento

Se basa en el tipo de lesión, su localización, gravedad y extensión. Primero se aplican tratamientos tópicos dirigidos a reducir la descamación de las células epiteliales y el número de comedones. Otros tratamientos se dirigen a evitar la proliferación de la bacteria implicada, como el peróxido de benzoilo que, a varias concentraciones, es muy eficaz para las lesiones inflamatorias, sobre todo si se asocia a un antibiótico tópico. Otras opciones se dirigen a reducir la producción de sebo. El más importante es la isotretinoina oral, que es un metabolito de la vitamina A, y el tratamiento debe mantenerse 4-5 meses. Suele ser el tratamiento de elección cuando hay riesgo de cicatrices.

En general, el tratamiento debe iniciarse en el momento en el que el familiar o el joven consulten, sin necesidad de esperar la aparición de lesiones graves. Todos los tratamientos tópicos se aplican sobre la zona afectada. Al empezar a usarlos suele aparecer irritación y descamación de la piel, que puede llegar a ser molesta.

ANGIOMAS

Más conocido como hemangioma, es un tumor benigno de los vasos sanguíneos que afecta sobre todo a la piel. Se observan unas manchas rojas de diferente intensidad.

Es importante distinguir entre hemangiomas y malformaciones vasculares (manchas del nacimiento).

Los primeros son pequeños o están ausentes al nacer, crecen rápido durante la lactancia e involucionan durante la infancia, mientras que las malformaciones vasculares, que se forman por la alteración de vasos sanguíneos, están presentes al nacer, crecen proporcionalmente con el niño y no desaparecen de forma espontánea.

Recientemente se han descubierto hallazgos inmunohistoquímicos, que permiten la distinción entre unos y otros.

Los hemangiomas son los tumores benignos más frecuentes en la infancia. Crecen a partir de las células que tapizan los vasos sanguíneos en su cara interior. Tienen una fase inicial en la que proliferan seguida de otra en la que involucionan. Su incidencia se estima en el 1-3 por ciento de todos los neonatos, mientras que asciende al 10 por ciento si se consideran los menores de 12 meses, siendo más frecuentes en los niños prematuros de bajo peso. Existe además un claro predominio femenino.

Síntomas

Lo más típico es que aparezcan en las primeras semanas de vida y suelen iniciarse con una mancha rosada que aumenta de tamaño y coloración, convirtiéndose en una pápula (lesión cutánea con ligera elevación sobre la piel) roja. Se localizan con más frecuencia en la cabeza y el cuello y también en las extremidades y el tronco. Habitualmente son lesiones únicas, aunque en el 15-20 por ciento son múltiples. La fase proliferativa inicial dura entre 3-9 meses y prácticamente la totalidad de estas lesiones desaparecen espontáneamente en los primeros años de vida. La piel subyacente adquiere un aspecto normal, aunque puede quedar algún residuo, como recuerdo de lo que ha habido.

Las complicaciones surgen en el 20 por ciento de los casos y sobre todo en la fase de crecimiento. Generalmente son locales, por compresión u obstrucción de estructuras importantes, como los ojos, la nariz o la boca.

Diagnóstico

La inmensa mayoría de ellos se diagnostica con inspección y control de su evolución. En caso de ser congénitos, se ha de hacer un diagnóstico diferencial con las malformaciones vasculares.

En la fase proliferativa puede ser muy útil emplear TC o resonancia magnética. La ultrasonografía Doppler es la técnica menos invasiva para el cribaje y seguimiento de hemangiomas viscerales en niños con lesiones cutáneas múltiples.

En algunos casos, puede precisar biopsia de las lesiones en caso de que sean sospechosas de otros tumores.

Las complicaciones surgen aproximadamente en el 20 por ciento de los casos y en su fase de crecimiento son generalmente locales por compresión u obstrucción de estructuras importantes como los ojos, la nariz, la boca o

---

HEMANGIOMATOSIS NEONATAL DIFUSA

QUÉ ES

Hematomas múltiples limitados a la piel que tienen buen pronóstico y raras veces afectan a otros órganos viscerales. Hay un claro predominio femenino. El tamaño de las lesiones oscilan entre 0,5 y 1,5 cm, y el número de lesiones va desde 50 a 500. Los órganos que se afectan con más frecuencia serían el hígado, el SNC, el intestino y los pulmones. En estos casos, un 60 por ciento fallece en los primeros meses de vida por insuficiencia cardiaca, hemorragia interna o complicaciones neurológicas. El tratamiento sistémico con corticoides está claramente indicado en estos casos.

SITUACIONES ESPECIALES

Ante un hemangioma facial de gran tamaño debe descartarse la existencia de malformaciones asociadas, principalmente cerebrales; la hidrocefalia, por ejemplo, es común en estos casos.

OTROS DATOS

Hay mayor predominio de las niñas. Cerca del 33 por ciento presentan alteraciones oftalmológicas y otros malformaciones congénitas cardiacas. La resonancia magnética es la técnica que se emplea para buscar estas alteraciones.

la vía aérea. Se estima que un 1 por ciento pueden suponer peligro para la vida del afectado, ya que en caso de localización hepática es posible que provoque una insuficiencia cardiaca severa.

Tratamiento

Lo mejor que se puede hacer es esperar a ver cómo evolucionan, ya que prácticamente en el cirn por cien de los casos se sabe que desaparecen espontáneamente.

En caso de lesiones desfigurantes o que supongan un riesgo vital, se suministran corticoides sistémicos.

En ocasiones, para lesiones pequeñas en labios, nariz, orejas o mejillas, pueden emplearse corticoides intralesionales, los cuales están contraindicados en lesiones alrededor de los ojos.

El tratamiento a base de láser decolorante pulsado si bien es cierto que facilita la curación de hemangiomas superficiales ulcerados, no actúa sin embargo sobre el componente profundo.

La criocirugía (a base de congelación) es otra posibilidad, aunque se obtienen peores resultados estéticos.

DERMATITIS ATÓPICA

Es una lesión eccematosa crónica que aparece en determinados niños con una piel sensible. Es una enfermedad frecuente que puede aparecer en cualquier región del mundo y afecta a un 5 por ciento de la población, siendo más frecuente en el medio urbano y en los países industrializados. Puede ocurrir a cualquier edad, desde la infancia hasta la edad adulta. Las lesiones cutáneas causan mucho picor y en la mayoría de los casos mejoran con la edad, desapareciendo las lesiones en el

período prepuberal; en ocasiones se convierten en lesiones difíciles de tratar.

Síntomas

Suele afectar con más frecuencia a los pliegues de brazos, rodillas y cuello; también a las manos y a los pies y ocasionalmente se extiende a toda la piel.

Se produce mucho picor, exudación de líquido y formación de costras que suelen aparecer en cara y cuero cabelludo, si bien no se descarta ninguna localización.

Suelen ser niños muy llorones, sobre todo por las noches, y en su mayoría mejoran mucho a partir de los 2 años de edad. Con el paso de los años, las lesiones se hacen más secas y generalmente descamativas, afectando a las regiones con pliegues.

Diagnóstico

Es fundamentalmente clínico, gracias a la observación de las lesiones y su distribución. En raras ocasiones está justificado realizar otras pruebas diagnósticas para valorar a los niños.

Tratamiento

Es sintomático y no curativo, ofreciendo mejor calidad de vida hasta su desaparición. Se emplean emolientes, aplicados sobre todo después del baño para mantener la piel suave, hidratada y reducir el picor. Existen multitud de emolientes en el mercado, así que debe escogerse el más adecuado para cada niño, y se debe aplicar varias veces al día. Hay que evitar las lociones que contengan perfumes. Los baños de aceite de lanolina o parafina son bien tolerados, al igual que las cremas a base de urea, pero ocasionalmente acentúan el picor.

También se prescriben antiinflamatorios. Los corticoides son la medicación más empleada para controlar las lesiones de las dermatitis atópicas a base de pomadas o ungüentos grasos para las zonas de piel muy seca o mediante cremas líquidas, cuando las lesiones son muy exudativas, así como en lociones para las zonas pilosas. El corticoide más suave es la hidrocortisona, que puede usarse con seguridad en casi todas las regiones y en tratamientos prolongados, a excepción de la cara, en la que debe emplearse de forma intermitente. Los corticoides más potentes deben emplearse en períodos cortos de tiempo y evitar aplicarlos en la cara, axilas e ingles. En general, se aplican dos veces al día en los brotes, espaciándose cuando se controlan las lesiones. En casos de eccemas severos pueden ser precisos por vía oral o intramuscular durante algunos períodos cortos de tiempo.

Los inhibidores tópicos de la calcineurina modifican la respuesta de los linfocitos involucrados en las lesiones que han demostrado ser muy útiles en el control de formas moderadas y severas de la enfermedad.

Teniendo en cuenta que con frecuencia las lesiones se sobreinfectan por bacterias, sobre todo por estafilococo, es útil el empleo de antisépticos. También se recurre a antibióticos. Los antihistamínicos por vía oral se recomiendan para controlar los brotes de urticaria y reducir el picor en los pacientes con especial predisposición a las alergias.

DERMATITIS DEL PAÑAL

En sentido amplio se entiende por esta cualquier enfermedad cutánea que se manifiesta única y primordialmente en la zona cubierta por el pañal. Sin embargo, es más adecuado definirla como dermatitis irritativa del área del pañal.

Se trata de un proceso cutáneo irritativo e inflamatorio debido a las especiales condiciones de humedad, maceración, fricción y contacto con orina, heces y otras sustancias (detergentes, plásticos, perfumes...) que se producen en la zona cubierta por el pañal durante un período muy concreto de la edad del niño.

Se desconoce la causa específica, pero se considera que no es un agente único sino una mezcla de factores que irritan la piel, como la fricción, la oclusión, la humedad excesiva, la capacidad irritante de la orina y las heces y el aumento del pH de la piel en esta área. Todo ello tiene como resultado un daño en la capa más externa de la piel con la consiguiente pérdida de su función de barrera y una mayor susceptibilidad a la irritación cutánea.

El papel de las bacterias no está claro, aunque parece que elevan el pH y tampoco está definido cuál es el papel del hongo *Candida albicans*.

Se estima que entre un 7 y un 35 por ciento de los niños padece esta dermatitis en cualquier momento de la lactancia. Se presenta con la misma frecuencia en niños y niñas y la edad de mayor incidencia es de los 6 a los 12 meses, así como se sabe por las diferentes estadísticas que es entre 3 y 4 veces más frecuente en los niños que padecen diarrea. El empleo de pañales extra-absorbentes reduce la frecuencia y severidad del cuadro dermatológico que presenta.

Síntomas

Puede presentarse de varios modos: dermatitis irritativas de las zonas convexas, que son las áreas de contacto más directo con el pañal como genitales externos, nalgas y zonas próximas.

- Puede ser un eritema en W, que afecta a glúteos, genitales y superficies convexas de los muslos, respetando el fondo de los pliegues.

- Otra forma es el eritema confluente, masivo e intenso, que afecta a los pliegues, además de presentar signos de exudación.

- Dermatitis irritativa lateral, que es una afectación de la región lateral de las nalgas en áreas del pañal que no tienen material absorbernte y hay contacto directo y prolongado de la piel con el plástico.

- Dermatitis irritativa por químicos, que se produce por la aplicación de antisépticos, detergentes cáusticos o perfumes en la zona del pañal.

- Dermatitis irritativa perianal, que consiste en la irritación de esta zona por el contacto prolongado con las heces y/o la fricción excesiva con productos de limpieza (toallitas, jabones...).

Las complicaciones más típicas son las infecciosas, especialmente por el hongo *Candida albicans*, que se manifiesta por eritema intenso de color rojo violáceo con formación de pápulas y pústulas de extensión periférica. El granuloma glúteo infantil es otra complicación asociada al empleo de corticoides tópicos de gran potencia y aparecen nódulos violáceos y purpúricos de hasta 2-3 cm de diámetro. Otras complicaciones que pueden surgir son la hipopigmentación y la cicatrización moderada o severa de la zona.

Diagnóstico

Es fundamentalmente clínico y no hay ninguna prueba de laboratorio que lo confirme. En los casos de sobreinfección bacteriana o por hongos hay que hacer un cultivo de las lesiones sospechosas para confirmarlo.

El diagnóstico diferencial se debe hacer principalmente con las siguientes patologías con las que puede confundirse: dermatitis seborreica, psoriasis del pañal, miliaria rubra, dermatitis atópica, impétigo, candidiasis del pañal, herpes simple primario genital y sífilis congénita.

Tratamiento

Está orientado al abordaje sintomático de las lesiones de la piel y a la prevención. Es aconsejable realizar una buena higiene de la zona que debe permanecer siempre seca y limpia; se realizará con agua tibia y con jabón ácido o neutro, desaconsejándose los perfumes. Hay que hacer cambios frecuentes de pañales e incluso, si es posible, se

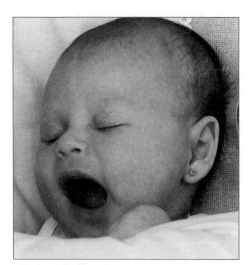

Todos los expertos coinciden en afirmar que la piel tiene memoria y que los cuidados que se hagan en la infancia beneficiarán al adulto.

aconseja mantener al niño varios días sin pañal. El factor clave en la prevención es el número de cambio de pañales al día.

La maceración puede evitarse con polvos de talco u óxido de zinc, que se desaconsejan si hay erosiones de la piel, pues se podrían producir granulomas por cuerpo extraño.

En la prevención de la dermatitis no se deben emplear corticoides, antifúngicos ni antibióticos, por el riesgo de sensibilización (desarrollo de alergias). Lo más adecuado es la pasta con óxido de zinc en los cambios de pañal que aísla la piel del contacto con el pañal y que, además, suele inhibir las enzimas fecales.

En caso de dermatitis moderadas o severas se emplean corticoides suaves o moderados para reducir la inflamación.

La sobreinfección por *Candida* es frecuente, y se trata mediante la aplicación de una pomada antifúngica tópica.

Los antibióticos tópicos únicamente se emplean en caso de sobreinfección bacteriana demostrada, ya que si no es así podrían incluso empeorar el cuadro.

Los preparados en polvo pueden actuar como astringentes, además de antibacterianos. Se suele emplear la mupirocina en la dermatitis del pañal, que va bastante bien.

INFECCIONES CUTÁNEAS POR HONGOS

CANDIDIASIS

Es una infección por hongos levaduriformes del género *Candida* que incluyen varias especies, siendo la más conocida de todas ellas la *Candida albicans,* la cual presenta una amplia variedad de formas clínicas, como la afectación de piel y uñas, tracto gastrointestinal y mucosas.

Es un germen que habita normalmente en la mucosa de la boca, digestiva y genital del hombre y suele aprovechar la bajada de defensas para causar daño en todo el organismo.

Con frecuencia aparece en inmunodeprimidos, diabéticos, personas tratadas con antibióticos o seropositivas.

Síntomas

Lo más frecuente es que se presenten en la boca, pero también aparecen en forma de vulvovaginitis en niñas y balanitis en los niños. La forma más típica es la oral, conocida como muguet. (Ver Enfermedades del aparato digestvo.) Hay otra forma alrededor de la boca caracterizada por placas con ulceraciones superficiales y fisuración que afecta a las comisuras labiales.

La vulvovaginitis candidiásica cursa con flujo vaginal blanquecino intenso y se observan lesiones blanquecinas adheridas a la pared vaginal. La balanitis afecta al glande y se observan lesiones rojas cubiertas con una membrana blanquecina con lesiones satélites. Otra forma es el intertrigo candidiásico que afecta a los pliegues y que es típico de los niños muy gorditos.

La dermatitis del pañal a menudo se sobreinfecta por este hongo, observándose entonces áreas rojas con ulceraciones superficiales. Además, pueden verse afectadas las uñas de los dedos con la llamada perionixis candidiásica, bastante dolorosas, con enrojecimiento y supuración blanquecina que afecta a varios dedos.

Otra forma algo diferente es la candidiasis muco cutánea crónica, una infección resistente a tratamientos de la piel, uñas y orofaringe. Es como un muguet pero más prolongado debido a un defecto de la inmunidad del niño. Existen formas de este tipo asociadas a alteraciones endocrinas y otras por presencia de autoanticuerpos. Las uñas también suelen estar afectadas de forma casi constante, con gran componente inflamatorio.

Diagnóstico

Examen directo con hidróxido de potasio. A veces es preciso realizar un cultivo.

Tratamiento

Antifúngicos tópicos o por vía oral.

DERMATOFITOSIS

Son infecciones por hongos del tipo dermatofito, de la cara más superficial de la piel. Son muy frecuentes. En muchas ocasiones se cronifican especialmente en los pies y en las ingles; se transmiten por contacto directo o a través de materiales de contacto como toallas y elementos de aseo personal. Tras el contacto de estos hongos con la piel es necesaria la existencia de un pequeño traumatismo y la presencia de un aumento de la hidratación y maceración cutánea. El período de incubación durante el cual el hongo crece en la capa más superficial de la piel sin signos de infección y la velocidad de crecimiento de recambio de la piel van a determinar el tamaño y la duración de las lesiones.

Síntomas

Las formas clínicas se conocen según la siguiente clasificación:

- *Tiña capitis.* Afecta al cuero cabelludo y al pelo asociado. Es frecuente en el medio rural y en los niños de 4 a 14 años. Existen 4 formas clínicas de presentación: no inflamatorias, inflamatorias, comedónicas y fávica. Las no inflamatorias consisten en pequeñas pápulas eritematosas rodeando a las vainas pilosas. Crecen de forma centrífuga, afectando a otros pelos. Es una lesión eminentemente descamativa. La forma inflamatoria consta de foliculitis pustulosa y se acompaña de picor, fiebre y dolor en las lesiones con bastante asiduidad. Puede haber algún ganglio afectado en la proximidad y deja una alopecia cicatricial. En la forma comedónica el pelo es muy frágil y se rompe a nivel de la piel dando aspecto de comedón. En la forma fávica se forman costras amarillentas dentro de los folículos pilosos.

- *Tiña corporis.* Afecta a cualquier región de la piel excepto en las ingles, las palmas de las manos y las plantas de los pies. También se le suele llamar herpes circinado. Aparecen lesiones en forma de anillos con borde enrojecido y activo y en ocasiones con vesículas mientras que el centro de la lesión presenta piel sana.

- *Tiña cruris.* Afecta a la región inguinal, incluyendo genitales, región púbica y perianal. Se da sobre todo en niños, en los meses de verano y en ambientes cálidos, en los que aumenta la sudoración. Presentan picor y una placa bien delimitada con bordes elevados con múltiples papulas y vesiculitis en las regiones de los bordes.

- *Tiña pedis y manum.* Afecta a los pies y a la región palmar e interdigital, respectivamente. La del pie es conocida como pie de atleta y de todas las formas que presenta la más frecuente es la interdigital, apreciándose fisuras y lesiones descamativas y con frecuencia maceradas entre los dedos, sobre todo el cuarto y el quinto. A veces se desarrollan lesiones inflamatorias a distancia, tipo eccema o vesiculosas que afectan al dorso de los dedos y la región palmar.

- *Tiña ungueal u onicomicosis.* La infección por hongos se localiza en la placa de la uña, presentándose una coloración blanquecina amarillenta del borde libre de la uña y a medida que progresa se produce hiperqueratosis, pudiendo ocasionar desprendimiento de la piel y la uña. El tratamiento es mucho más largo que en las otras tiñas y no está exento de efectos secundarios.

Diagnóstico

Se hace una prueba específica, el examen con la luz de Wood, que confiere a las zonas afectadas una coloración fluorescente verdosa o rojo.

Otra prueba que se hace es el examen directo con KOH (hidróxido potásico) y cultivos en medios apropiados para el crecimiento de hongos.

Tratamiento

Se hace tópico de entrada, con cremas y pomadas antifúngicas, y sólo en los casos graves o complicados se emplean por vía oral.

PIODERMITIS

Son enfermedades cutáneas producidas por microorganismos que generan pus, principalmente el estreptococo y el estafilococo. En general, las infecciones estafilocócicas

cutáneas son muy frecuentes en la infancia. Hasta el 50 por ciento de los procesos cutáneos son de este tipo. Aunque suelen ser banales, a veces pueden ser el punto de partida de infecciones generalizadas o de diseminaciones infecciosas en otras localizaciones.

Celulitis infecciosa

Se da sobre todo en lactantes y niños pequeños. Es una infección del tejido subcutáneo causada por bacterias, que suele localizarse en las mejillas.

El tratamiento por regla general es tópico, basado en pomadas antibióticas de mupirocina o ácido fusidico o gentamicina. En casos avanzados puede precisar la administración de antibióticos por vía sistémica.

Impétigo

Se localiza en partes descubiertas y en áreas como tronco, brazos, manos y cara. Suelen aparecer en pequeños brotes en grupos familiares y escolares y, sobre todo, en época estival. Comienza con una mácula enrojecida, vesícula o ampolla, cuyo contenido se enturbia y va evolucionando hacia pústulas y costras de color miel.

Las lesiones se extienden en «mancha de aceite» o aparecen varias y confluyen. Si predominan las lesiones ampollosas se debe a la bacteria estafilococo.

Hay una forma, la del recién nacido, que aparece en la primera semana de vida y tiene vesículas grandes.

Otra forma es la llamada eritrodermia exfoliante de Ritter, que está producida por una toxina liberada por el estafilococo, llamada exfoliatina, y que es un cuadro grave que debe ser tratado con premura con antibióticos contra dicha bacteria.

Forúnculo

Afecta a todo el aparato pilosebáceo. Son lesiones únicas o múltiples, localizadas preferentemente en zonas de roce como nuca y hombros.

Se aprecia un halo rojo y endurecido alrededor del folículo, que es prominente y doloroso y puede cursar con fiebre. En pocos días se produce una supuración que arrastra el folículo destruido (clavo).

Cuando hay una placa extensa localizada formada por varios forúnculos, se denomina ántrax. Deben ser tratados precozmente para así poder evitar posibles complicaciones a base de antibióticos contra las bacterias responsables.

Periporitis

Son pústulas en el orificio de las glándulas sudoríparas que en ocasiones profundizan formando unos nódulos del tamaño de un guisante que al abrirse expulsa un pus verdoso-amarillento.

PSORIASIS

Es una enfermedad cutánea hereditaria que cursa con lesiones eritematosas y descamativas, que se presentan en forma de escamas típicas blanco-nacaradas. La causa es compleja y hoy todavía no es bien conocida. Los factores genéticos influyen en el patrón de psoriasis, severidad y edad de inicio. Hay una serie de factores que pueden desencadenar o empeorar un brote: infecciones, el frío, el estrés, traumatismos cutáneos repetidos y ciertos fármacos, como los corticoides.

Síntomas

Su máxima frecuencia es en la edad postpuberal y es muy rara en niños menores de 2 años. Las lesiones de la piel son placas rojas y descamativas muy bien definidas. El rascado de las escamas da lugar a pequeños puntos sangrantes y muchas veces causan picor. Cualquier traumatismo o irritación de la piel da lugar a la aparición de las lesiones.

• En niños y jóvenes la más frecuente es la psoriasis en gotas, que tiene un inicio brusco, a menudo tras una infección faríngea. Son pequeñas pápulas de 2-10 mm que distribuidas por el tronco y raíz de las extremidades puede extenderse a cara y cuero cabelludo, respetando las palmas y las plantas de las manos. Suele durar 4 meses y remite espontáneamente.

• La psoriasis flexural es exclusiva de regiones de flexión, pero es poco típica en niños excepto la del área del pañal, que se conoce como psoriasis del área del pañal.

• La psoriasis del cuero cabelludo es muy frecuente también, aislada o asociada a otras lesiones, y suele ser muy pruriginosa. Consta de placas descamativas con enrojecimiento alrededor.

• En la psoriasis de las uñas es característico el punteado de la uña, como si hubiese sido perforada por un alfiler. También hay estrías longitudinales en las uñas, zonas de destrucción y áreas blanquecinas.

Diagnóstico

Es fundamentalmente clínico y en pocas ocasiones se precisa una biopsia de la piel lesionada para confirmar el diagnóstico médico.

Tratamiento

Lo más importante es que sea muy localizado. Entre los tratamientos tópicos, se incluyen los corticoides, sobre todo para la psoriasis que tiene forma de placas. La elección del corticoide depende de la intensidad, la localización y la cronicidad de las lesiones. Se emplean corticoides de mediana o baja potencia, ya que pueden ocasionar efectos secundarios considerables tanto en la piel como en todo el cuerpo en general.

Las cremas de antralina actúan como agente reductor, disminuyendo la descamación. Se emplea en la forma en placas y en gotas. Se mantiene la crema de 30 a 60 minutos, pero por los efectos irritativos no es muy usada. Otros dos fármacos, el calcipotriol y el tocalcitol, son los más recomendados. Los tratamientos sistémicos suelen ser fototerapia a base de luz ultravioleta. En caso de psoriasis en gotas asociada a infección se emplean antibióticos. Otros fármacos, como los retinoides, están muy restringidos en niños.

VERRUGAS

Las verrugas son lesiones en la piel de superficie elevada y rugosa muy frecuentes en los niños, causadas por virus provenientes de la familia de los papilomavirus. Existen diferentes tipos de estos virus que causan a su vez distintos tipos de verrugas, con variedad de tratamientos.

Síntomas

La localización más frecuente de las verrugas es en las palmas y el dorso de las manos y los pies y las superficies de extensión de las extremidades. El tamaño varía desde varios milímetros hasta incluso un centímetro de diámetro.

Adoptan muy variadas formas como agrupadas en grandes extensiones o pueden localizarse debajo de las uñas, lo cual complica el tratamiento y puede alterar el crecimiento de la propia uña. Otras tienen formas de bastoncillos estrechos, como las que aparecen en los párpados y la región del cuello. También pueden darse verrugas palmares y plantares que crecen más en profundidad que hacia afuera. Además están las conocidas como verrugas planas juveniles, que aparecen en la cara y el dorso de las manos, como zonas más típicas, aunque pueden crecer en otras zonas.

Diagnóstico

Básicamente se realiza mediante la observación directa por parte del médico.

Tratamiento

Son lesiones benignas que la mayor parte de las veces remiten de forma espontánea, sobre todo en los niños, cuyo sistema inmune acaba con ellas, eliminando el virus responsable. Los tratamientos son muy diversos y dependen del tamaño y localización de las verrugas. Lo normal es comenzar con tratamientos poco agresivos y se va aumentando en agresividad si la respuesta no es buena.

Se emplean tratamientos tópicos a base de ácido láctico, ácido salicílico o podofilina. Algunos se comercializan ya preparados en parches adhesivos, listos para colocar justo encima de la verruga y llevarlos puestos durante el día. Con la crioterapia se cauterizan, aplicando frío a base de nitrógeno líquido. La electrocoagulación consiste en, mediante un bisturí eléctrico, destruirlas (en este caso, con dolor). La extirpación quirúrgica y la radioterapia superficial son otras posibilidades.

Enfermedades oftalmológicas

ESTRABISMO

El estrabismo es una desviación de los ojos: ambos se juntan apuntando a diferentes direcciones. Suele afectar al 4 por ciento de la población infantil y puede aparecer desde el nacimiento o en épocas posteriores. La desviación ocular puede ser constante o aparecer y desaparecer.

Existen seis músculos oculares por ojo que controlan los movimientos; dos de ellos mueven el ojo a derecha e izquierda y los otros cuatro lo hacen arriba y abajo, controlando la inclinación o giro de los ojos. Al enfocar un objeto con la mirada, todos estos músculos deben estar coordinados y equilibrados, trabajando juntos en paralelo. Cuando esto no sucede, se produce una desalineación que es lo que genera el estrabismo.

La alineación normal de los dos ojos en la infancia permite el desarrollo de una buena visión en cada ojo, pero un estrabismo puede reducir el nivel de visión o causar una ambliopía (ojo vago) que sucede en el 50 por ciento de los niños estrábicos. En este caso, el cerebro reconoce el ojo de mejor visión y anula la del otro. Esta situación se trata ocluyendo (o tapando) el ojo dominante (es decir, el que tiene una mayor visión), para forzar el otro. Si esta situación se detecta en los primeros años se resuelve satisfactoriamente. Si esto no se hace a tiempo y de forma adecuada, puede haber reducciones de visión permanentes o de difícil resolución.

Síntomas

Lo primero que se aprecia es que el ojo no está recto, el niño a veces cierra los ojos ante la luz solar. Otros niños buscan giros o inclinaciones de cabeza para compensar el estrabismo y buscar una posición en la que los ojos funcionen juntos y alineados. La fatiga, el cansancio y el estrés pueden empeorar de forma transitoria el estrabismo. Ocasionalmente, este problema puede ser la causa de una catarata (opacidad del cristalino) o de un tumor dentro del ojo, por eso es importante una buena exploración oftalmológica en dichos casos.

Diagnóstico

A veces es difícil diferenciar entre dos ojos que parecen desalineados y el estrabismo verdadero. Especialmente complicado es el caso de los niños pequeños con la nariz ancha que deja un pliegue cutáneo superficial simulando que el ojo se oculta y dando la falsa apariencia de estrabismo. Ante cualquier duda de desviación, sobre todo si hay antecedentes de la familia, se debe acudir al oftalmólogo para valorarlo adecuadamente. En otros casos, se recomienda una primera revisión oftalmológica sobre los 3 años. Si el examen se retrasa hasta la edad escolar, puede ser demasiado tarde para el tratamiento adecuado de un estrabismo o de una ambliopía.

Tratamiento

El objetivo es mantener la agudeza visual, alinear los ojos y reestablecer la visión binocular. Depende principalmente que la causa que lo origine: puede ir hacia la corrección de un desequilibrio muscular, extracción de una catarata u otra causa. El tratamiento puede ser óptico, médico o quirúrgico. Los dos tipos de estrabismo más frecuentes son la endotropia o desvío del ojo hacia la nariz, y la exotropia, cuando se desvía hacia fuera. La primera es la más frecuente en los niños que no aprenden a leer usando los dos ojos al unísono y pueden perder la visión del ojo más débil, por eso es precisa a veces una cirugía precoz, cuyo objetivo es ajustar la tensión muscular de uno o ambos ojos.

La exotropia es a menudo intermitente, y se produce cuando el niño está cansado, fatigado o enfermo. Las gafas o la terapia prismática puede ser suficiente, pero a veces se precisa cirugía, la cual es muy segura y eficaz. Se pueden intervenir uno o los dos ojos al mismo tiempo y en el niño se practica la intervención con anestesia general. El tiempo de recuperación es normalmente breve.

La cirugía temprana es recomendable en estrabismos importantes, mientras que si se realiza más tarde, las posibilidades de conseguir una visión normal disminuyen.

Últimamente se emplean inyecciones de toxina botulínica para con ello poder relajar el músculo y permitir así una mejor movilidad. Por regla general, lo normal es que se se precisen varias inyecciones a lo largo de varios meses.

INFECCIONES OCULARES

BLEFARITIS

Es la inflamación del borde libre de los párpados. Se pueden distinguir dos grupos: la eritemaescamosa y la folicular. La primera consiste en un enrojecimiento lineal del borde del párpado con descamación en forma de pequeñas partículas que se depositan en la base de las pestañas.

Se engrosa el borde del párpado deformándolo y perdiendo contacto con el globo ocular, lo que causa lagrimeo y eccema de la piel del párpado y, en raras ocasiones, pequeñas úlceras en la córnea. Los factores predisponentes son la miopía, la hipermetropía, la diabetes o la alergia.

La blefaritis folicular es una infección del folículo piloso de las pestañas producida generalmente por la bacteria estafilococo, que lleva a formar pequeñas colecciones de pus en el folículo piloso. Las consecuencias son la caída de las pestañas y un hinchazón del borde palpebral. Es frecuente en niños que padecen diabetes y dermatitis seborreica y, en ocasiones, acompaña a enfermedades generales como el herpes, la tuberculosis, la escarlatina o la sífilis.

Tratamiento

Consiste en la aplicación de corticoides locales en la forma eritematoescamosa y antibióticos en la folicular, en forma de pomada untuosa.

Conjuntivitis

■ Son múltiples y de causa muy variada:

- *Gonocócica.* Tras el nacimiento, y pasado un período de al menos uno o cuatro días, aparece una gran inflamación ocular que afecta a la conjuntiva y a los párpados de ambos ojos, junto a una abundante secreción amarillenta y densa rica en la bacteria gonococo, que es la causante de graves lesiones en la córnea, llegando a la perforación y ceguera.

- *Bacteriana no gonococica.* Suele aparecer en recién nacidos en torno al quinto día, y por lo general está causada por estafilococo, estreptococo, haemophilus o

clamideas. A veces es difícil distinguirla de la gonococica, por lo que se aconseja cultivar la secreción para identificar la bacteria responsable y aplicar el antibiótico más adecuado.

- *Primaveral.* Afecta a niños con predisposición alérgica y en épocas calurosas del año, sobre todo en primavera. Una vez que aparece, suele repetirse anualmente, cronificándose, aunque suele ir remitiendo con el crecimiento y en muchas ocasiones desaparece en la adolescencia. Los signos principales son el escozor y la gran molestia a la luz.

Tratamiento

Con colirios, corticosteroides y antihistamínicos, además de tener que usar gafas de sol.

- *Conjuntivitis víricas.* Sobre todo, predomina el enrojecimiento de la conjuntiva, de los folículos del párpado inferior. Suele coincidir con otros síntomas de infección viral de la vía respiratoria.

Tratamiento

Colirio vasoconstrictor y lavados con suero fisiológico.

- *Diftérica.* Causada por el bacilo de la difteria, produce un intenso edema inflamatorio de los párpados con secreción mucosa al inicio que luego pasa a ser mucopurulenta.

Tratamiento

Es a base de antitoxina diftérica y penicilina por vía general y la aplicación de algún tipo de colirio.

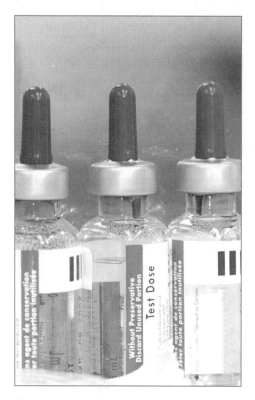

Existen muchos tipos de infecciones oculares, y otros tantos tratamientos.

- *Eritema exudativo multiforme.* Suele afectar a las mucosas e incluye las conjuntivas con inflamación de tipo catarral, purulenta y pseudomembranosa, recubriendo toda la conjuntiva y, posteriormente, deja cicatrices. Se suele asociar a uveitis.

Tratamiento

Se precisan instilaciones de un fármaco, la atropina.

- *Flictenular.* Se considera como una reacción alérgica. Aparece un pequeño nódulo inflamatorio en la conjuntiva, en muchas ocasiones asociada a una úlcera corneal conectada con el nódulo por un fino penacho de vasitos. A veces se relaciona con la toxina tuberculosa.

Tratamiento

Se realiza a base de una pomada de hidrocortisona asociada a un antibiótico. Se aplica cuatro o cinco veces al día.

- *Foliculosis conjuntival.* Se acompaña de hipertrofia de amígdalas y de los ganglios del cuello y maxilares. La conjuntiva se llena de folículos por aumento del tejido linfoide subconjuntival.

Tratamiento

Es a base de un colirio de sulfato de cinc.

Orzuelo y chalación

Es la inflamación aguda de las glándulas seborreicas de los párpados, generalmente originada por la bacteria estafilococo. El chalación se considera una inflamación crónica granulomatosa que rodea a las glándulas de los párpados por reacción del tejido que rodea a las glándulas de salida de secreción sebácea.

Tratamiento

El del orzuelo consiste en calor y antibióticos locales. Y el tratamiento del chalación es antibiótico y antiinflamatorio local. En ambos casos, si las lesiones son acusadas o importantes, pueden precisar limpieza quirúrgica.

- *Queratoconjuntivitis epidérmicas.* Producida por adenovirus, en el niño causa fiebre, malestar general, alteraciones gastro-intestinales o de las vías respiratorias altas y conjuntivitis folicular, que en el 40 por ciento de los casos se acompaña de afectación corneal.

Tratamiento

Es local, con instilaciones de aciclovir cada cuatro horas.

- *Tracoma.* Es una queratoconjuntivitis crónica contagiosa y causa todavía hoy día muchas cegueras. Está provocada por la clamidia trachomatis asociada con una higiene personal deficiente. Se inicia como una conjuntivitis folicular, afectando a las capas corneales, que suele dejar cicatrices.

Tratamiento

Se asocian sulfamidas por vía oral con colirios de tetraciclina.

OTRAS INFECCIONES OCULARES

CELULITIS ORBITARIA

Es la infección del tejido subcutáneo ocular que suele ser causada por bacterias de focos contiguos como senos paranasales, nasofaringe, huesos y vasos. Se manifiesta con síntomas muy evidentes, como una gran hinchazón de los párpados, enrojecimiento y secreción, y, en algunos casos más agravados, puede aparecer disminución de la visión.

DACRIOADENITIS AGUDA

La dacrioadenitis es la inflamación de la glándula lagrimal principal. Su tratamiento se lleva a cabo con corticoides y antibióticos

para prevenir la sobreinfección y una supuración.

DACRIOCISTITIS INFANTIL

Inflamación del saco y conducto nasolacrimal que causa intenso y constante lagrimeo, así como acumulación de secreciones purulentas en la conjuntiva. En los niños es típica en la época neonatal por obstrucción del conducto lacrimal.

QUERATITIS POR HERPES SIMPLE

Produce lesiones corneales en forma de ramas de árbol que se aprecian al poner una gota de colirio de fluoresceína que tiñe las erosiones corneales de un verde brillante. Causa una fotofobia intensa y lagrimeo abundante. El tratamiento es a base del antiviral aciclovir cada cuatro horas aplicado en gotas, complementado con quimioterapia antiviral.

QUERATITIS MICÓTICAS

Son una ulceración corneal precedida de un traumatismo ocular o bien queratitis herpética de larga evolución tratada con corticoides. Hay poca reacción inflamatoria en relación a lo que cabría esperar por la úlcera. Se diagnostica por el examen del material tomado de la úlcera y cultivado en un medio para hongos. El tratamiento puede comprender crioterapia, laserterapia y fármacos específicos.

ÚLCERAS CORNEALES

Las infecciones por bacterias, virus u hongos de la córnea pueden llegar a ocasionar úlceras, si no se tratan adecuadamente y no se reacciona a tiempo. El principal peligro es que la córnea se opacifique al curar. Si se trata de una afección central, disminuye considerablemente la visión del niño. El tratamiento precisa antibióticos locales de forma precoz y cosntante para evitar males mayores.

Uveitis

Causa lagrimeo, fotofobia, dolor y enrojecimiento de la conjuntiva; puede desencadenar alteración corneal, glaucoma y cataratas. Se suele asocias con artritis crónica idiopática y con el síndrome de Bechet o infecciones por herpes.

— Enfermedades otorrinolaringológicas —

ENFERMEDADES OTORRINOLARINGOLÓGICAS

Faringoamigdalitis
Hipoacusias
Otitis
    Externas

Medias
Vegetaciones
   o adenoides

FARINGOAMIGDALITIS

La faringoamigdalitis es una infección de la faringe y de las amígdalas, es decir, de la garganta y las anginas. Es una de las infecciones más frecuentes en la infancia, sobre todo en la edad escolar. Hay que distinguir entre la infección verdadera de la faringe del enrojecimiento que se produce en el curso de un catarro de vías respiratorias altas, ya que el tratamiento es distinto.

Se adquiere por contagio al toser o al estornudar a través del aire o por contacto directo. En la mayoría de los casos, los gérmenes responsables son los virus en un 90-95 por ciento de las ocasiones, en los niños menores de 3 años, y un 50-70 por ciento en los mayores de 5 años. El resto de ocasiones se producen por bacterias, siendo las de contagio más frecuente las del estreptococo.

Síntomas

El período de incubación varía desde las 12 horas hasta los 5 días después del contagio. La de tipo vírico es de comienzo gradual, con fiebre moderada (menos de 39°C), dolor de garganta, pequeños ganglios en el cuello y ligera afectación del estado general. Además, suele haber mucosidad nasal, tos y enrojecimiento ocular. Al explorar la garganta se ve un enrojecimiento difuso y a veces secreciones purulentas (placas).

La bacteriana suele comenzar bruscamente, con fiebre alta y superior a 39 °C, un aumento de los ganglios del cuello y peor estado general que en los casos producidos por un virus.

Además, suele aparecer dolor de cabeza, náuseas, vómitos y dolor abdominal. Al explorar la garganta, ésta se encuentra muy enrojecida, a veces con puntitos hemorrágicos, y es frecuente que las amígdalas estén cubiertas de placas blanquecinas.

Diagnóstico

En principio, por los síntomas y la exploración de la garganta, pero es importante distinguir si es vírica o bacteriana, ya que la evolución, el tratamiento y las complicaciones son diferentes. El diagnóstico definitivo se hace por cultivo de un raspado de la garganta, pero el resultado no es inmediato, por lo que se suele indicar un tratamiento antes de conocer el resultado.

Tratamiento

En las víricas es sintomático, con antitérmicos y analgésicos para la fiebre y el dolor. Es frecuente que los niños estén inapetentes y no quieran comer por el dolor. Es bueno que beban líquidos frescos abundantes. La bacteriana se trata con antibióticos. Es importante seguir estrictamente la posodología indicada. La duración del tratamiento, aunque antes haya una plena mejoría, no debe suspenderse, porque se puede reactivar la infección o no eliminar la bacteria de la garganta con riesgo de complicaciones. Si hay dificultad progresiva para tragar o respirar, exceso de salivación continua y presencia de labios morados, hay que consultar urgentemente al médico.

HIPOACUSIAS (PÉRDIDA DE AUDICIÓN)

Cuando la audición está disminuida se habla de hipoacusia o sordera. Una obstrucción o daño en cualquiera de las tres partes del oído puede causar una pérdida parcial o total de la capacidad para oír. En la infancia, las más comunes son las pérdidas de audición transitorias, que ocurren tras alguna infección o catarro, o por acumulación de líquido detrás del tímpano (otitis medias). Las hipoacusias permanentes pueden estar causadas por daños en el oído externo, medio o interno o del nervio auditivo.

Algunos factores causantes de sordera pueden prevenirse con medidas como una dieta sana, aire limpio o no fumar cerca del niño, lo que puede prevenir las otitis medias. Las vacunaciones correctas y en especial las que previenen las meningitis.

Los niños con antecedentes familiares de sordera o síndromes genéticos que la causan deben ser estudiados al nacer mediante una prueba llamada otoemisiones, que detecta precozmente la sordera y habilita una terapia precoz muy importante para que no influya en el desarrollo del lenguaje del niño.

Síntomas

Los niños tienen una capacidad de menor respuesta o nula ante los sonidos y pueden presentar un retraso en el desarrollo normal del lenguaje. Además, el niño sordo se asusta ante la oscuridad y llora.

Diagnóstico

Normalmente, a los niños que pertenecen a un grupo de riesgo de padecer sordera se les hace una prueba nada más nacer a través de programas de detección precoz de la hipoacusia, cada vez más extendidos. Hay que hacer una minuciosa historia clínica del comportamiento auditivo y del desarrollo del lenguaje a través de los padres para luego hacer una exploración auditiva.

Tratamiento

Para la hipoacusia transitoria producida por catarros u otitis el tratamiento consiste en solucionar estas patologías, con lo que desaparecerá la pérdida de audición. En las permanentes se precisarán prótesis auditivas y en los pocos niños que no responden a éstas, puede ser preciso intervenir para colocar el llamado implante coclear en el oído interno, que consigue solucionar las sorderas. Además, estos niños precisan un seguimiento regular por parte del otorrino, los profesores y los logopedas.

OTITIS

Es simplemente una inflamación del oído que puede tener diversas formas de presentación. Se trata de una de las patologías más frecuentes en las consultas pediátricas de atención primaria. Según afecte al oído externo o medio pueden ser externas o medias.

OTITIS EXTERNAS

- *Difusas*. Inflamación difusa de la piel del conducto auditivo externo, producida en general por bacterias del grupo gramnegativas.

Síntomas

Produce dolores intensos en el oído con sensación de picor; el dolor aumenta al masticar así como con la movilización del conducto auditivo externo. Puede producir hipoacusia leve. No hay fiebre. Es frecuente en verano y también por los baños, el rascado o la limpieza de oídos.

Diagnóstico

Mediante la otoscopia se ve una gran inflamación de la zona, dolor al tirar de la oreja, leve secreción y tímpano normal o levemente enrojecido.

Tratamiento

Se emplean gotas de antibióticos y corticoides cada 4-6 horas durante 10 días. A veces, si el dolor es importante, se añade un analgésico oral.

- *Eccematosa*. Aparece eccema en la piel del conducto auditivo externo; no es infecciosa de por sí, pero el niño está más predispuesto a sufrir sobreinfecciones.

Síntomas

Se produce mucho picor y descamación de la piel, llegando incluso a formarse tapones de piel descamada.

Diagnóstico

Por visualización con el otoscopio.

Tratamiento

Evitar la humedad, aplicar aceite ocasional para evitar la sequedad y, en momentos agudos, recurrir al tratamiento tópico con corticoides típicos durante 5-6 días.

- *Circunscrita (forúnculo)*. Es una infección de un folículo piloso, generalmente a causa de la bacteria estafilococo.

Síntomas

Dolor intenso que se acentúa al movilizar el oído. La otoscopia es muy dolorosa y se aprecia una prominencia a tensión cubierta por piel enrojecida y un pequeño absceso blanquecino centrado en un pelo.

Diagnóstico

Con otoscopia.

Tratamiento

A base de antibióticos orales (amoxicilina-clavulánico) asociados a analgésicos. También puede drenarse el forúnculo si aumenta de tamaño y no drena espontáneamente en 48 horas.

- *Miringitis.* Inflamación de la capa externa del tímpano, a veces con vesículas hemorrágicas durante un catarro común y ocasionada por el virus responsable.

Síntomas

Dolor y otorragia (hemorragia por el oído) durante un proceso catarral.

Diagnóstico

Tímpano enrojecido a veces con ampollas hemorrágicas.

Tratamiento

Sólo sintomático, con analgésicos, porque remite de forma espontánea.

OTITIS MEDIAS

- *Aguda.* Inflamación aguda del oído medio con signos locales de derrame y síntomas agudos, locales y generales.

Síntomas

Lo más típico es el dolor de oído, junto con secreción por el canal auditivo externo e hi-

poacusia de aparición brusca. Suele haber fiebre debida a catarro acompañante, vómitos y diarrea.

Diagnóstico

Es imprescindible confirmar el exudado en el oído medio por otoscopia, en donde se observa el tímpano abombado, enrojecido o con pérdida de brillo o movilidad alterada.

Tratamiento

Se inicia con analgésicos (ibuprofeno o paracetamol), pues muchas veces remite espontáneamente y se puede evitar el tratamiento antibiótico. Si no mejora en 48 horas o hay factores de riesgo, sí hay que emplear antibióticos.

- *Aguda persistente.* Si se produce una recaída en los siete días siguientes a finalizar el tratamiento de la aguda se habla de otitis media aguda persistente, y el tratamiento se realiza con un antibiótico más potente.

- *Aguda recurrente.* Se trata de una otitis media que se repite unas tres veces en los últimos seis meses o cuatro veces en los últimos 12. Cada episodio se trata con antibióticos durante 12 días, asociado a ibuprofeno y limpieza nasal. Si no evoluciona bien en 2-3 días hay que cambiar de fármaco y si persisten los cuadros a pesar del tratamiento se plantea la cirugía de adenoides y drenajes transtimpánicos.

- *Secretora o serosa.* Se trata de un acúmulo de secreciones en el oído medio, sin clínica aguda acompañante, causada por una inflamación de la mucosa y por un mal funcionamiento de la trompa de Eustaquio.

Síntomas

Destaca la hipoacusia. No existe dolor.

Diagnóstico

Otoscópico, observando un tímpano sin brillo por ocupación del oído medio.

Tratamiento

Depende del tiempo de evolución y de la sordera que cause. Lo primero es mejorar la ventilación nasal y favorecer la permeabilidad de la trompa de Eustaquio con lavados nasales; enseñar al niño a sonarse bien; evitar el humo del tabaco; evitar los baños en la piscina; tratar el reflujo gastroesofágico si existe; masticar chicle o inflar globos y beber abundante líquido. Si esto no es efectivo se aplicará un corticoide tópico nasal durante dos meses y, si hay mejoría, prolongarlo un mes más. Si a los cuatro meses no hay mejoría y sigue con hipoacusia y obstrucción nasal, habrá que extirpar las adenoides y poner drenajes timpánicos.

- *Crónica simple*. Inflamación crónica del oído medio sin tendencia a la curación.

Diagnóstico

Por otoscopia, apreciando una perforación de tímpano, y haciendo un seguimiento del niño durante más de tres meses.

Tratamiento

El de elección es la cirugía según la edad y la función nasal. Se trataría de una reconstrucción timpánica. Durante la perforación hay que evitar que entre agua en el oído y mejorar la ventilación nasal.

Muchas curan de forma espontánea, de manera que en esos casos no se llega a la cirugía.

- *Crónica colesteatomatosa*. Saco de piel que penetra en el oído medio produciendo colesterina y ocasionando, por tanto, destrucción local e infecciones muy persistentes.

Síntomas

Infecciones repetidas o persistentes con secreción maloliente por el oído y que en general va asociada con hipoacusia de diferente grado.

Diagnóstico

Otoscópico, apreciándose una perforación o saco de retracción en el margen timpánico con contenido epidérmico.

Tratamiento

Es siempre quirúrgico.

VEGETACIONES O ADENOIDES

Son unas glándulas que forman parte del sistema de defensa contra las infecciones en la infancia, localizadas en la parte posterior de la garganta, en la parte posterior de la nariz por detrás del paladar y la campanilla. Van aumentando de tamaño desde el nacimiento hasta los 4 años para luego ir disminuyendo hasta desaparecer en la edad adulta. El problema es que, por la situación que tienen, cualquier inflamación de éstas, con su abundante mucosidad, obstruye la nariz, descarga moco en la garganta y obstruye la ventilación de los oídos.

Síntomas

Al aumentar el tamaño debido a las infecciones repetidas durante la infancia se produce una obstrucción nasal, con respiración bucal, voz gangosa y ronquera al dormir. A veces se acompaña de sinusitis. Hay muchas flemas (moco) en la garganta, que el niño puede tragar y luego expulsar como vómitos mucosos. Puede haber dolor de oídos con supuración en uno o los dos oídos.

En cuanto a las complicaciones, puede presentarse mal aliento, sobre todo matutino. El niño no puede respirar por la nariz y al hacerlo por la boca a la larga se deforma el desarrollo del paladar, dificultando en ocasiones la erupción de los dientes.

Si a la obstrucción nasal se le añade un aumento del tamaño de las amígdalas, se pueden presentar paradas respiratorias durante el sueño, lo que se conoce como apnea obstructiva del sueño.

La abundante mucosidad contribuye al desarrollo de bronquitis repetidas e incluso neumonías, dado que las vegetaciones actúan como un foco infeccioso persistente. También pueden surgir otitis de repetición, que pueden ocasionar perforaciones en el tímpano.

Diagnóstico

En niños menores de 2 años se puede comprobar por palpación de las vegetaciones y en los mayores con una radiografía.

Tratamiento

El médico está dirigido a eliminar la infección de las vegetaciones, haciendo desaparecer la abundante y espesa mucosidad, pero no puede reducir el tamaño glandular. La finalidad de la cirugía es eliminar las vegetaciones, lo que elimina la mucosidad y la obstrucción mecánica.

¿Cuándo hay que operarlas? Cuando existan complicaciones, como intensa obstrucción nasal, ronquidos, rinitis frecuentes o bronquitis de repetición, o bien dolores y supuración de oídos.

La intervención es llevada a cabo por el otorrino y precisa de anestesia general. Se eliminan las vegetaciones en su totalidad a través de la boca. La duración de la operación oscila entre 5 y 10 minutos, y se mantiene unas horas en observación al paciente, dando el alta el mismo día. Tras la intervención el niño debe estar sin comer ni beber durante 5 horas y a partir de éstas y durante 24 horas sólo tomará dieta líquida a base de zumos, leche, caldos, batidos y refrescos, para luego pasar a una dieta blanda, terminando con una dieta normal. Se recomienda una semana de reposo, sin ser preciso guardar cama. Suele ser necesario algún analgésico suave como paracetamol. Si tras la intervención el niño expele sangre roja de forma continuada sin hacer esfuerzo por nariz o boca, o bien hay vómitos oscuros más allá de las 6 horas tras la operación hay que acudir a un centro sanitario para su control.

Trastornos alérgicos

TRASTORNOS ALÉRGICOS	
Alergia a la picadura de insectos	Rinitis alérgica
Alergias alimentarias	Urticaria y angioedema

ALERGIA A LA PICADURA DE INSECTOS

Las más frecuentes son las producidas por himenópteros, que incluyen avispas, abejas y algunas hormigas. La prevalencia de sensibilización al veneno de estos insectos varía entre el 12 y el 25 por ciento de la población general. En aproximadamente el 40 por ciento de los individuos que han sufrido una picadura se detecta sensibilización que puede desaparecer de forma espontánea en la mitad de ellos en un período de 2 a 3 años. Hay una tasa de mortalidad no desdeñable achacable a esas picaduras, pues un tanto por ciento de casos de muerte súbita de causa no conocida parecen deberse a este motivo.

Síntomas

La prevalencia de reacciones generalizadas (en todo el cuerpo) entre la población general oscila entre un 0,8 y un 3,9, existiendo una correlación inversa entre número de picaduras y probabilidad de sufrir una reacción sistémica, de tal forma que a más picaduras, menos probabilidad de sufrir esta reacción, estableciéndose un 5-15 por ciento de reacciones generalizadas.

En cuanto a las reacciones locales, más leves, consisten en hinchazón, dolor, picor y enrojecimiento en el punto de la picadura. Se estima una frecuencia del 3 al 17 por ciento. Además, de un 20 a un 50 por ciento de este tipo de reacciones se debe a un mecanismo tóxico que no es alérgico.

Diagnóstico

En primer lugar es importante recoger una cuidadosa historia clínica que permita ante todo clarificar la reacción entre local y sistémica, y la identificación del insecto responsable. Hay que observar si persiste el aguijón o no en la zona de la picadura.

Luego, el diagnóstico se confirma con la realización de pruebas cutáneas y la determinación de la IgE específica en sangre, al igual que en el resto de procesos alérgicos.

Tratamiento

En las reacciones locales leves-moderadas, en primer lugar se elimina el aguijón de la piel y se aplican medidas locales como hielo o compresas frías. Con osterioridad, se administra algún tratamiento tópico a base de corticoides.

En las reacciones locales severas, además de las medidas anteriores, suele ser necesario administrar un antihistamínico oral y, en determinados casos, corticoides orales.

Las reacciones generalizadas se deben tratar como un proceso anafiláctico con la administración de adrenalina subcutánea. Además, conviene administrar un corticoide y un antihistamínico oral para prevenir la reacción tardía.

En cuanto a la terapia específica, existe una vacuna antialérgica específica con veneno de himenópteros que tiene un alto índice de protección estimado entre el 90 y el 95 por ciento de pacientes que han sufrido reacciones generalizadas y que no vuelven a padecerlas debido a esta vacuna. Se indica sobre todo en niños con reacciones generalizadas que no afectan a la piel de forma exclusiva, es decir, que implica también algún otro órgano como aparato respiratorio, circulatorio o digestivo.

El único método válido para comprobar la eficacia de esta vacuna antialérgica es la repicadura espontánea o provocada.

Se estima que este tratamiento debe aplicarse como mínimo entre 3 y 5 años, siendo aconsejable disponer de alguna constancia de la eficacia de esta inmunoterapia a través del test de repicadura, siendo bien tolerada. Recientemente, las nuevas vacunas consiguen la inmunidad en pocos días gracias a la alta pu-

rificación y a una fase de iniciación acelerada y a herramientas más específicas de monitorización y seguimiento del vacunado. En cualquier caso, se encuentran actualmente en proceso de investigación y tardarán algunos años en estar disponibles en el mercado.

ALERGIAS ALIMENTARIAS

Aunque todos los alimentos pueden ser potencialmente sensibilizantes, es decir, susceptibles de causar alergias, la mayor parte de los niños reaccionan sólo a unos cuantos.

El alérgeno alimenticio más frecuente es el huevo, seguido de la leche y el pescado. La leche de vaca es el primer alimento que recibe el niño en cantidades importantes, convirtiéndose por tanto en el primer antígeno alimentario con el que entra en contacto y el primero que puede causar reacciones adversas. En el niño mayor predominan las sensibilizaciones a frutos secos, frutas, leguminosas, pescados y mariscos.

Se considera reacción adversa a un alimento cualquier respuesta clínicamente anormal que se puede atribuir a la ingestión, contacto o inhalación de un alimento o de sus derivados, o de un aditivo contenido en el mismo, el cual es bien tolerado por la mayoría de las personas.

La Academia Europea de Alergología e Inmunología Clínica clasifica estas reacciones en dos grandes grupos: las reacciones tóxicas, que pueden afectar a cualquier individuo, y las no tóxicas, que sólo afectarían a algunos individuos predispuestos. Estas últimas pueden subdividirse a su vez en otros dos grupos: la alergia alimentaria, que está mediada por un mecanismo inmunológico, y la intolerancia alimentaria, que no está mediada por la respuesta inmune. Las reacciones tóxicas dependen de las dosis: serán mayores cuanto más alimento se consuma, cosa que no ocurre con las alérgicas. Además, las tóxicas se pueden producir en todo individuo que consuma el alimento en cuestión y en cantidad suficiente, hecho que no ocurre en las alergias e intolerancias alimentarias, que se producen sólo en individuos predispuestos.

Cada alimento contiene un gran número de sustancias con capacidad alergénica, si bien suele haber uno o varios mayores, es decir, más importantes y responsables con mayor frecuencia, y otros secundarios o menores. Unos son característicos de un alimento y otros pueden ser compartidos por especies de la misma o próxima familia o bien familias alimentarias muy distintas.

Síntomas

La sintomatología más frecuente es la cutánea, fundamentalmente urticaria y angioedema (inflamación vascular). Además, puede haber síntomas digestivos tales como rechazo al alimento, náuseas, vómitos, dolor abdominal y diarrea, que se presentan de forma aislada o combinados, y cuya aparición suele ser brusca.

También es frecuente el llamado «síndrome de alergia oral», que se caracteriza por enrojecimiento alrededor de la boca, picor oral o faríngeo, que surge tras la ingesta de ciertos alimentos como frutas frescas y otros vegetales crudos.

En ocasiones, en niños muy sensibilizados, puede aparecer asma, rinitis o rinoconjuntivitis no sólo por la ingestión, sino también por inhalación de pequeñas partículas de alimento.

Cuando se produce en niños muy sensibilizados la sintomatología típica es dolor abdominal, náuseas, vómitos, diarrea, dificultad respiratoria, cianosis (piel azulada o amoratada), dolor torácico, urticaria, angioedema,

El huevo, la leche y el pescado son los alimentos que más alergias producen en los niños.

arritmia, hipotensión y *shock*, y constituye una urgencia vital.

Diagnóstico

Se basa en dos principios: el primero es tratar de demostrar la existencia de una reacción adversa a un alimento con una historia clínica detallada y la posterior prueba de eliminación del alimento y provocación con el mismo. En segundo lugar, con la determinación de la cantidad de alérgeno en sangre y pruebas cutáneas, tanto de «prick test», consistente en poner en contacto el alérgeno con la piel y, con una aguja, hacer un pequeño rascado para que penetre en la capa más externa de la piel y se produzca una reacción si el niño está sensibilizado, o bien con parches con extractos alergénicos preparados, que permanecen en contacto con la piel 72 horas, y luego se observa y cuantifica la reacción.

En último lugar, se confirma la respuesta ante la eliminación del alimento sospechoso de causar la alergia y la prueba de provocación controlada posterior, que siempre debe realizarse en el hospital.

Tratamiento

El único eficaz es la dieta de eliminación, y es el primer tratamiento que se debe instaurar de la forma más estricta posible, aunque plantee problemas de cumplimiento, nutricionales o psicológicos.

El tratamiento farmacológico es sintomático, con antihistamínicos, beta adrenérgicos y costicosteroides.

En los casos graves hay que administrar adrenalina y otras medidas de reanimación.

Cuando se trata de lactantes con alergia a la leche de vaca se recurre a fórmulas alternativas a base de otras fuentes de proteínas como son la soja o los hidrolizados de leche de vaca e incluso, en ocasiones muy especiales, se pueden emplear fórmulas a base de aminoácidos.

TIPOS DE REACCIONES ALÉRGICAS A LOS ALIMENTOS

■ La cronología de las reacciones alérgicas a los alimentos no es siempre de la misma forma, sino que varía dependiendo del mecanismo implicado en la reacción inmune responsable del cuadro. De esta forma, se pueden tener reacciones de distinto tipo:

- *Inmediatas.* Suceden al cabo de pocos minutos de haber ingerido el alimento en cuestión (por lo general, menos de 30 minutos), por lo que suele ser fácil identificar el alimento responsable. Es el caso, por ejemplo, del síndrome de aler-

gia oral o el debido a la ingesta de melocotón, que suelen ser reacciones de este tipo mediadas por la inmunoglobulina E (IgE), y con frecuencia puede tratarse de reacciones graves. Los síntomas comunes de este tipo de reacción serían vómitos, urticaria o angioedema, asma y anafilaxia.

- *Diferidas.* Aparecen al menos dos horas después de haber consumido el alimento responsable y, en ocasiones, puede iniciarse al cabo de 24 hasta 48 horas después. Por lo general, estas reacciones incluyen solamente síntomas digestivos (diarrea, vómitos, dolor abdominal) y suelen no ser mediadas por la IgE.

- *Tardías.* Suceden varios días después de consumir el alimento desencadenante de la alergia. El síntoma más frecuente en este caso sería la dermatitis atópica.

Aunque por lo general es fácil asociar la relación causa-efecto entre el consumo del alimento y la aparición de los síntomas clínicos, es indispensable un diagnóstico alergológico adecuado porque, dependiendo de los alimentos implicados y del tipo de reacción, es posible:

- Predecir la posibilidad de reacciones cruzadas con otros alimentos.

- Establecer una previsión respecto a la posible severidad de futuras reacciones.

- Pronosticar la posibilidad de remisión del problema.

- Instaurar el tratamiento más adecuado puesto que, dependiendo del mecanismo, el tratamiento dietético puede diferir bastante y la posibilidad de una reacción aguda grave puede entonces hacer precisas recomendaciones terapéuticas muy específicas.

Es frecuente que lactantes que comienzan con alergia alimentaria terminen desarrollando otras enfermedades alérgicas como dermatitis atópica o asma. Es lo que se conoce como la marcha alérgica.

Las alergias alimentarias con frecuencia terminan curándose, aunque depende sobre todo del alimento implicado, la edad del niño y la severidad del cuadro. Por eso, es más frecuente que desaparezca una alergia a la leche de vaca que al pescado o a los frutos secos. Es más probable que termine curándose una alergia que sucede en el período de lactancia o en niños muy pequeños que la acontecida en niños mayores o adolescentes. Y, además, es más probable que desaparezcan aquellas que cursan con sintomatología leve que los casos graves.

ALERGIA A LAS PROTEÍNAS
DE LA LECHE DE LA VACA

En muchas ocasiones, y por diversos motivos, los recién nacidos no pueden ser alimentados mediante la lactancia materna, lo que les lleva a alimentarse con una fórmula procedente de la leche de vaca convenientemente modificada. Por lo general, estas fórmulas son bien aceptadas, pero un 2,5 a 5 por ciento de los niños en el primer año de vida sufren alergia a la proteína de la leche de vaca.

Además, es frecuente que estos niños sean también alérgicos al huevo y al cacahuete. Asimismo, se ha visto una fuerte asociación entre alergia a estos tres alimentos y la dermatitis atópica.

Síntomas

Las reacciones que aparecen un tiempo después a la ingesta de leche pueden ser de tipo alérgico o de tipo intolerancia:

- La alergia a las proteínas de leche de vaca aparece con reacciones inmediatas con vómitos y diarrea de inicio brusco, reacciones cutáneas, *shock* y tos entre otras, todo ello debido a la reacción alérgica mediada por inmunoglobulina E específica contra diversas proteínas de la leche como son la caseína, la alfa lactoalbúmina y la betalactoglobulina.

- La intolerancia o manifestación crónica de la alergia a la leche de vaca cursa con una sintomatología menos aguda o francamente crónica con un cuadro de malabsorción, falta de apetito, pérdida de peso, vómitos esporádicos e irritabilidad.

Diagnóstico

- *De la alergia.* Típica clínica, analítica de sangre con aumento de la IgE total y presencia de anticuerpos específicos anticaseína, antibetalactoglobulina y antialfa lactoglobulina. Prueba cutánea positiva con extracto de la proteína de la leche ensayada (prick test). Prueba del parche positiva, basada en un principio parecido al anterior.

- *De la intolerancia.* Una clínica más lenta y progresiva. Analítica de sangre con aumento de la IgA, aumento de grasas en heces y, en raras ocasiones, elevación de la IgE contra alguna de las proteínas de la leche.

Tratamiento

Debe instaurarse una dieta estricta exenta de proteínas de leche de vaca. Este es el único tratamiento realmente eficaz.

Si el niño recibe lactancia materna, ésta deberá continuarse el mayor tiempo posible, efectuando la madre una dieta sin proteínas de leche de vaca. La lactancia materna debe prolongarse si es posible hasta los 6 meses.

En los lactantes con alergia habrá que recurrir a una fórmula de sustitución carente de estas proteínas. Debe retratarse la introducción de la alimentación complementaria hasta los seis meses de edad y evitar alimentos con alto poder alergénico como el huevo, el pescado y los frutos secos como mínimo hasta los 12 meses.

Hay que tener especial cuidado de informar a todos los familiares y personas que estén a cargo del niño ya que pequeñas cantidades de estas proteínas se pueden encontrar en múltiples alimentos.

Existen varias fórmulas de sustitución, unas a base de proteínas de soja y otras a base de hidrolizados proteicos de caseina, seroproteínas o soja más colágeno de cerdo, así como fórmulas elementales a base de aminoácidos.

Las fórmulas de soja son adecuadas para niños y adultos pero no para recién nacidos que precisan suplementos de aminoácidos azufrados (metionina). Las fórmulas de soja para lactantes están enriquecidas con cinc y proporcionan altas cantidades de hierro. Además, suelen contener una cantidad elevada de aluminio, manganeso y fitoestrógenos, lo que contraindica su empleo en prematuros o niños con alteraciones renales.

En general, son fórmulas más baratas y con mejor sabor que las fórmulas de proteínas lácteas hidrolizadas que, por otra parte, son hipoalergénicas; sin embargo, los lactantes muy sensibilizados pueden presentar reacciones adversas a estos hidrolizados, por lo que antes de administrarlos se recomienda hacer

Aunque pasan todos los controles, un niño puede desarrollar una alergia al plástico, material muy usado en la fabricación de juguetes.

un prick test con la fórmula a emplear bajo la supervisión pediátrica.

En cualquier caso, hay que señalar que las fórmulas parcialmente hidrolizadas nunca deben emplearse en los lactantes alérgicos, ya que un porcentaje de sus proteínas se encuentra intacto y puede desencadenar reacción.

Las fórmulas elementales son una tercera opción terapéutica a base de aminoácidos sintéticos que contienen L-aminoácidos, polímeros de glucosa y aceites vegetales, con lo que no existe riesgo alguno de reacción adversa. Eso sí, su principal inconveniente es su elevado precio.

Hoy día estas fórmulas están indicadas cuando no se toleran las de soja y las hidrolizadas, o bien como primera opción en los casos de niños con alergia alimentaria múltiple.

Es conveniente poner en práctica una serie de recomendaciones para alimentar a estos lactantes alérgicos a las proteínas de la leche de vaca: eliminar la leche de vaca y los derivados lácteos como el yogur, el queso, el flan, las natillas, la cuajada, la nata, la mantequilla, la crema de leche, el arroz con leche y algunos caramelos.

Hay que leer atentamente las etiquetas de los alimentos ya que dentro de una misma categoría de productos, unos pueden contener proteínas de la leche de vaca y otros no. Los productos etiquetados como «no lácteos» pueden contener caseinatos.

Se debe informar de la alergia del lactante a todas las personas que pudieran estar al cuidado de su alimentación.

Para incluir alimentos nuevos se introducirá un único alimento en pequeñas cantidades, doblando su cantidad diariamente hasta conseguir la ingestión de la cantidad apropiada para su edad, debiendo suprimir el alimento si aparece alguna reacción. Se aconseja esperar 3 días para introducir otro alimento. Se debe empezar con alimentos de baja alergenicidad como manzana, pera, arroz, patata, calabaza, zanahoria, calabacín, pollo y cordero.

Se aconseja seguir el calendario habitual de introducción de alimentos, pero retrasando la incorporación de todos los alimentos y de modo especial el huevo, el pescado y las legumbres, por ser muy alergénicos. Se recomienda no introducir la yema de huevo hasta el año y la clara hasta los 18 meses. Los pescados y las legumbres deben retrasarse hasta que el niño haya cumplido 12 meses.

Asimismo, se aconseja no dar productos con colorantes hasta los 2 años ni frutos secos hasta los 3 años.

En cuanto a la pauta de reintroducción de la leche de vaca, ésta debe intentarse a partir del año de edad si no ha habido transgresiones dietéticas en el mes anterior que hayan causado reacción alérgica. Sólo si la primera manifestación clínica de la alergia hubiera sido una reacción de anafilaxia es aconsejable esperar hasta los 2 años.

La prueba de tolerancia debe hacerse siempre bajo la supervisión del médico, y si el niño no tolerase de nuevo la leche de vaca, se aconseja esperar 6 meses antes de realizar una nueva prueba de tolerancia.

La pauta de reintroducción más segura es aportar 2 ml, 5 ml, 10 ml, 25 ml, 50 ml, 100 ml y 150 ml de leche con intervalos de 60 minutos y supervisión tres horas después de la última toma. Esta introducción puede hacerse 1-3 días; si se tolera bien, se seguirán aportando proteínas lácteas al niño durante 15 días y, pasado este período sin presentarse reacción alérgica alguna, se considera que el niño ya es tolerante a las proteínas de la leche de vaca. Una vez alcanzada la tolerancia, ya no presentará más cuadros clínicos debidos a estas proteínas.

Respecto a la evolución y pronóstico, la tolerancia clínica a las proteínas de la leche de vaca se consigue a los 12 meses entre el 28 y el 56 por ciento, a los 2 años entre el 60 y el 77 por ciento de los niños y al tercer año entre el 71 y el 87 por ciento.

Son indicadores de mal pronóstico el llegar a los 5 años sin tolerancia, la presencia de alta sensibilización a la caseína (principal proteína de la leche) y la existencia de otras sensibilizaciones concomitantes.

En muchos casos, esta alergia es la evidencia de una predisposición genética que se va a expresar en el futuro con nuevas enfermedades alérgicas.

La mitad de estos niños desarrolla alergia a otros alimentos, y casi el 30 por ciento presenta alergia a inhalantes antes de los 3 años de edad.

ALERGIA AL HUEVO

Síntomas y diagnóstico

Una vez diagnosticada, el único tratamiento posible es la eliminación de este alimento y todos aquellos que lo contengan de la dieta. Se trata de un alimento que puede suplirse con facilidad sin llegar a plantear problemas nutricionales.

Los alimentos más comunes que contienen huevo y, por tanto, deben ser evitados son: dulces, merengues, helados, batidos, turrones, flanes, cremas, golosinas, productos de pastelería y bollería, hojaldres, empanadillas, salsas (mayonesa principalmente), gelatinas, algunos cereales de desayuno, rebozados, empanados, fiambres, embutidos, salchichas, patés, sopas y caldos clarificados con huevos, macarrones, tallarines y muchos platos congelados. Además, deben leerse todas las etiquetas de los productos alimenticios para ver si contienen huevos enteros, en polvo o deshidratados, así como la albúmina, sustitutos del huevo, globulina, lecitina que

no sea de soja, lisozima, ovoalbúmina como principales componentes a evitar.

Más difícil es evitar los alimentos envasados que contienen alguna proteína de huevo que a veces no figura en su etiquetado. En otras ocasiones puede haber contaminación de un alimento con proteínas del huevo en su proceso de elaboración.

No es necesario eliminar la carne de pollo en la dieta de los niños, ya que suele ser bien tolerada.

Es importante evitar el contacto cutáneo con el huevo, ya que puede producir síntomas en estos niños, así como ocasionar síntomas por inhalación, sobre todo en los muy sensibilizados, por lo que deben permanecer fuera de la cocina mientras se preparan alimentos con huevo.

En casos de niños alimentados con lactancia materna, debe prohibirse el huevo y derivados en la dieta de la madre mientras se le dé el pecho.

Hay que evitar emplear medicamentos que contengan lisozima a la que están sensibilizados el 33 por ciento de los alérgicos al huevo.

Es importante tener en cuenta que algunas vacunas pediátricas se incuban para su preparación en embriones de pollo y podrían contener alguna pequeña cantidad de proteínas del huevo. Estas vacunas son: la triple vírica (sarampión, rubéola y parotiditis), la vacuna antigripal y la de la fiebre amarilla. Existiendo la alternativa para la triple vírica, que está inoculada para su elaboración en células diploides humanas, que es la que se puede administrar sin problemas a estos niños. Las otras dos vacunas pueden obviarse.

Tratamiento

En caso de presentar urticaria, debe administrarse un antihistamínico oral como la dexclorfeniramina. Si hay reacción generalizada o edema de glotis se debe administrar urgentemente adrenalina por vía subcutánea, y el corticoide 6-metilprednisolona también intravenosa para evitar reacciones tardías.

En cuanto al pronóstico, a medida que pasan los años aumenta el número de niños que van tolerando el huevo, aunque hay algunos que no lo consiguen. Aproximadamente el 50-60 por ciento de los niños lo toleran a los 6-7 años de edad.

Parece que el tipo de manifestaciones presentadas en la reacción al huevo afectan sólo a un órgano en los que evolucionan a la tolerancia precoz frente a la afectación multisistémica de los que evolucionan peor. Además, el grado de sintomatología y el tamaño de la prueba del prick test y el nivel de IgE al diagnóstico también se correlacionan con la evolución a la tolerancia del huevo. Si el niño llega a los nueve años sin tolerar el huevo es un factor de mal pronóstico en la evolución.

Respecto al seguimiento, se suelen recomendar revisiones anuales para valorar el momento de tolerancia. En cada visita se repiten las pruebas cutáneas y, si son negativas, indican alta probabilidad de tolerancia. En caso de positividad se determina la IgE específica para clara de huevo. Si esta última prueba es baja, aunque no se haya negativizado la prueba cutánea, la decisión de probar la tolerancia se hace en relación a los síntomas que tuvo en la provocación anterior. Hay que esperar un año en reacciones con un solo órgano de choque y dos años en caso de dos o más órganos afectados.

ALERGIA AL PESCADO

Son las proteínas de este alimento las responsables de esta alergia. Además, es posible que el responsable sea el parásito anisakis que pasa al ser humano al ingerir el pescado crudo, en salazón, ahumado, en escabeche, marinado o poco cocinado.

Los pescados más implicados en la alergia son el bacalao, el abadejo, el salmón, la trucha, el atún, la anchoa y la caballa y, además, suele existir alergia cruzada entre ellos.

Síntomas y diagnóstico

Los más frecuentes, como en otras alergias alimentarias, son la erupción cutánea, picor y dificultad respiratoria. Muchos niños con dermatitis atópica y asma suelen empeorar significativamente cuando consumen pescado.

Tratamiento

El único tratamiento probado y eficaz consiste en llevar una dieta exenta de pescado y derivados, no olvidando que hay muchos productos que incluyen entre sus ingredientes diversos componentes de los pescados.

Evitar, además de los propios pescados, alimentos cocinados con sustancias o caldos de pescado, sopas, paella, etc. También se deben evitar los alimentos fritos en aceite en el que previamente se haya cocinado pescado. Asimismo, hay que tener precaución con los utensilios empleados en la elaboración de platos con pescado que no hayan sido previamente lavados y enjuagados de forma concienzuda.

Se aconseja mantener al niño alejado de la cocina cuando se prepara pescado, así como evitar comprar en la pescadería en compañía del niño. También hay que evitar que ingiera aceite de hígado de bacalao.

Hay que considerar la posibilidad de que los niños alérgicos al pescado puedan presentar reacciones tras la ingesta de otros alimentos como carnes de animales alimentados con harinas de pescado.

En principio, no es necesario evitar otros productos del mar como gambas, langostinos, calamares, pulpo, mejillones o almejas. Sin embargo, y dado que con frecuencia se cocinan platos en los que se mezclan ingredientes diversos, puede haber cierta confusión respecto a cuál de éstos ha sido el auténtico responsable de la reacción del niño. Los muslitos de cangrejo o barritas de marisco se deben evitar porque están elaboradas con harinas de pescado.

En cuanto al tratamiento de las crisis, como en otras alergias alimentarias, si el cuadro no es grave se emplean antihistamínicos, y si se produce una reacción grave hay que acudir al empleo de corticoides o incluso a la adrenalina.

Respecto al pronóstico, al igual que en otras alergias de este tipo, es común que a medida que el niño crece se vaya desarrollando tolerancia al consumo de pescado en la mayoría de los casos.

RINITIS ALÉRGICA

Es la enfermedad crónica más frecuente en la infancia. Se define como un trastorno sintomático de la nariz inducido por una inflamación mediada por el anticuerpo IgE de las membranas que la recubren después de la exposición a un determinado alérgeno o alergenos. Se estima que entre el 10 y el 40 por ciento de los niños tienen rinitis alérgica, y la prevalencia ha aumentado y lo sigue haciendo en los países industrializados. Aunque no es una patología grave, sí tiene gran impacto en la calidad de vida y rendimiento escolar de los niños, siendo a menudo infradiagnosticada e infratratada. Un alto porcentaje de niños que la padecen (un 20-40 por ciento) tienen asma, y entre un 30 y un 50 por ciento de asmáticos tienen rinitis. (Ver Asma.) La rinitis puede ser intermitente, si es menor de cuatro días a la semana o menor de 4 semanas, y persistente, si se mantiene durante períodos superiores. Además, puede clasificarse como leve, si no altera el sueño ni la actividad diaria (ocio, escuela) y si carece de síntomas molestos, o, por el contrario, de moderada-grave si afecta a la calidad de vida del niño.

Síntomas

Los más característicos son los estornudos o el picor nasal, la secreción nasal y la obstrucción de la nariz. En los niños es frecuente el llamado saludo alérgico, que consiste en que se frota la nariz con la mano por causa del picor y la secreción nasal. También se presentan ojeras y el ceño alérgico. Cuando persiste en el tiempo provoca respiración por la boca, ronquido, tos crónica, hemorragias nasales y disminución de la audición.

En algunos casos, la inflamación de la nariz no puede ser atribuida a alergenos y ésta es la denominada rinitis no alérgica, la cual puede ser causada por pólipos, infecciones, alteraciones estructurales, tumores y otras causas que a veces es difícil de distinguir de la alergia.

Algunos síntomas sugestivos serían la secreción unilateral (emisión de secreciones por uno de los orificios nasales), la secreción de moco y pus, el goteo por la nariz posterior, dolor, hemorragia nasal recurrente y disminución del olfato.

Diagnóstico

Se sospecha por los síntomas y se confirma con el «prick test» positivo, que manifiesta la sensibilización a los diferentes alergenos.

Tratamiento

En primer lugar, hay que tomar una serie de medidas preventivas encaminadas a reducir la hiperrespuesta nasal, evitando el humo del tabaco, los olores fuertes, el aire acondicionado, los cambios bruscos de temperatura y, por supuesto, y en la medida de lo posible, la exposición a los alergenos. Después se aplica un tratamiento sintomático a base de antihistamínicos que reducen el picor nasal, los estornudos y la secreción acuosa. También se administran anticolinérgicos, que reducen la secreción acuosa, y descongestivos orales y nasales, que reducen la obstrucción.

A esto se une el tratamiento antiinflamatorio a base de cromonas (un grupo de medicamentos) y los corticoides, tanto tópicos como sistémicos, que tienen un potente efecto antiinflamatorio. También se recurre a la vacuna antialérgica, que está indicada en pacientes con rinitis alérgica monosensibilizados, es decir, sólo sensibilizados a un alérgeno y que no responden a las medidas preventivas y farmacológicas estándar.

Una nueva opción en desarrollo serían los anticuerpos monoclonales anti-IgE que se ensayan para rinitis y asma.

URTICARIA Y ANGIOEDEMA

Síntomas

La urticaria es un proceso inflamatorio de la región superficial de la piel cuya manifestación típica es el habón o roncha, que es una lesión rojiza, levemente sobreelevada de la piel y que suele causar picor, apareciendo bruscamente y extendiéndose rápido. El angioedema es un proceso inflamatorio de la zona profunda de la piel. Ambas son patologías médicas muy frecuentes, llegándose a estimar que en la edad adulta hasta un 25 por ciento de la población general ha padecido al menos un episodio a lo largo de su vida. Es típico de jóvenes y algo menos frecuente en los niños, a los que afecta en un 2-7 por ciento aproximadamente, sobre todo en las formas agudas. Las principales causas de la urticaria y el angioedema en la infancia son, por orden de frecuencia: las infecciones, los alimentos, las idiopáticas (de causa no conocida) y los medicamentos.

Diagnóstico

Es principalmente clínico, observando el cuadro cutáneo. Sólo si se precisa descartar algún agente causal específico se pueden realizar determinaciones analíticas que se estimen oportunas y que generalmente suelen incluir hemograma completo, parámetros bioquímicos que ofrezcan información sobre la función del hígado, análisis de orina y otros.

Tratamiento

En el tratamiento etiológico, es decir, de la causa específica para eliminarla, existe una alta casuística de urticarias y angioedemas de causa desconocida en los que sólo puede hacerse un tratamiento sintomático, dirigido a tratar la inflamación de la piel y el picor. Dentro de este grupo se pueden distinguir una serie de medidas generales y el tratamiento farmacológico.

Medidas generales

Evitar el empleo de ropa ajustada y tejidos ásperos o con poca transpiración. Evitar ambientes calurosos o muy húmedos. Evitar el consumo de antiinflamatorios no esteroideos, opiáceos y alimentos con capacidad de liberar histamina como pueden ser: conservas, mariscos, tomate, piña, fresas, plátano, frutos secos, huevos y quesos curados.

Terapia farmacológica

Los antihistamínicos son considerados el tratamiento base, y entre ellos se encuentran los de primera generación, como hidroxicina o clorfeniramina, que han sido desplazados por otros de segunda generación como foratadina, cetirizina, mizolastina o ebastina. Deben mantenerse hasta 3-4 días después de que hayan desaparecido los síntomas, para evitar el efecto rebote. Otro fármaco es el ketotifeno, hoy desplazado por los antihistamínicos, debido a sus efectos secundarios. La adrenalina se emplea en los casos graves en los que exista compromiso vital exclusivamente. Los corticoides están reservados para una urgencia junto a la adrenalina; para el angioedema moderado o severo y para la urticaria y/o angioedema que no respondan al tratamiento antihistamínico.

Hay que tener en cuenta que tanto la urticaria como el angioedema son enfermedades ondulantes, con mejorías y empeoramientos a lo largo de los días; por la noche se suelen exacerbar, por lo que habrá que tratar adecuadamente esta fase del día y tener en cuenta también que, al deberse a mediadores inflamatorios con un curso natural de varios días o semanas, suelen aparecer frecuentes recaídas, a veces de mayor severidad que el cuadro inicial. Esta circunstancia es normal y suele coincidir con la disminución del tratamiento farmacológico, por eso no debe aumentarse la dosis, pues puede empeorar el proceso de base y retrasar su resolución final. Sólo en los casos de empeoramientos francos, lo que sucede raras veces, se puede considerar un replanteamiento terapéutico, teniendo en cuenta lo señalado.

Enfermedades del aparato locomotor

ENFERMEDADES DEL APARATO LOCOMOTOR

Artritis idiopática juvenil
Escoliosis idiopática
Luxación congénita
de cadera

Males osteoarticulares
Artritis séptica aguda
Osteomielitis aguda
Pie zambo

ARTRITIS IDIOPÁTICA JUVENIL

Es un proceso inflamatorio de una o varias articulaciones que ocurre en niños menores de 16 años. Incluye toda artritis que persiste durante más de seis semanas y no tiene causa conocida. Las causas son desconocidas pero multifactoriales: factores ambientales como virus y otros desencadenantes como traumatismos. Además, existen una serie de déficits del sistema inmune relacionados con la enfermedad y también factores genéticos.

Síntomas

Suele evolucionar a brotes con períodos asintomáticos. Las formas clínicas de la enfermedad se basan en el número de articulaciones y los síntomas presentes:

- *De inicio sistémico.* Presenta fiebre durante más de dos semanas y es más frecuente en menores de 5 años. La fiebre se acompaña de escalofríos, suele ser vespertina y no responde a antitérmicos. Puede aparecer una erupción al frotar o rascar, sobre todo en zonas del tronco y las extremidades. También se detectan ganglios simétricos e indoloros y aumento del hígado y bazo, con derrames en pulmón y corazón.

- *De comienzo pauciarticular.* Involucra un máximo de cuatro articulaciones, siendo a veces monoarticular, y sólo suele afectar a grandes articulaciones.

- *Oligoarticular de comienzo tardío.* Predomina en varones y afecta con más frecuencia a cadera, rodilla y tobillo.

- *Oligoarticular de comienzo precoz.* Aparece entre 1-3 años, más frecuentemente en niñas, y tiene alto riesgo de afectación ocular, ocasionando pérdida de visión. En la analítica son bastante frecuentes los anticuerpos antinucleares.

- *De inicio poliarticular.* Con más de cinco articulaciones afectadas en los primeros 6 meses, y se divide en factor reumatoide negativo y positivo.

Diagnóstico

La TC y la resonancia magnética son el método ideal. El análisis del líquido sinovial, el cual aumenta de volumen y tiene unas características celulares y bioquímicas particulares.

Tratamientos

Se basan en cuidados generales, como disminuir el dolor y la inflamación para evitar la destrucción articular y las complicaciones.

La fisioterapia evita deformidades e incapacidades funcionales.

Los antiinflamadores no esteroideos son los más empleados inicialmente.

Los corticoides se emplean por vía oral, intravenosa, articular o periocular cuando la respuesta con los otros fármacos no sea adecuada. También se usan otros fármacos, como los inmunosupresores.

ESCOLIOSIS IDIOPÁTICA

Es una deformidad de la columna vertebral en un niño sano sin que pueda establecerse una causa que la produzca. Aunque la deformidad en principio más acusada es lateral, realmente es tridimensional y existe una rotación importante de las vértebras de la columna. Se clasifica en tres grupos según la edad de aparición: infantil (antes de los 3 años, especialmente con anterioridad a los 6 meses), la juvenil (entre 3 y 10 años) y la del adolescente (por encima de los 10 años). La causa es desconocida, aunque se sabe que influyen la predisposición genética así como el crecimiento, especialmente el que se produce durante la etapa prepuberal, coincidiendo con los años en que progresa rápidamente la deformidad en las curvas de la espalda. Mientras exista crecimiento, es posible que empeore la deformidad.

Síntomas

La desviación lateral puede afectar a cualquier región de la columna vertebral, aunque lo más frecuente es que afecte sólo a la región torácica.

En ocasiones existen dos curvas que se compensan entre sí, es decir, una hacia un lado y la otra más abajo, hacia el otro lado, la curva compensatoria que siempre aparece en mayor o menor grado con objeto de mantener el equilibrio de la cabeza sobre la pelvis.

Se habla de actitud escoliótica, esto es, la curvatura que se produce para mantener el equilibrio corporal por ejemplo cuando existe una diferencia de longitud de las piernas o por una contractura muscular.

Diagnóstico

Generalmente es algo que se percibe a simple a vista, pero se pone de absoluto manifiesto con una radiografía completa de la columna, lo que se conoce como telecolumna, la cual permite medir ángulos de la deformidad así como controlar la evolución objetiva con el tiempo.

Tratamiento

La finalidad es conseguir acabar el crecimiento óseo con un rango de deformidad que no limite las actividades de la vida diaria y que no sea progresivo, lo que significa llegar a la maduración ósea con una curvatura que no supere los 45-50°.

El tratamiento dependerá del grado de deformidad, de la edad del niño y del grado de maduración ósea.

Por debajo de los 200 grados se deben hacer controles periódicos cada 3-6 meses hasta la maduración ósea, para observar si progresa y precisa otro tratamiento. Entre 25-30° en un niño con escasa maduración ósea hay que vigilar de cerca su evolución, porque tiene muchas posibilidades de agravarse y si esto ocurre hay que colocar un corsé para frenar en lo posible la evolución.

En curvas graves, por encima de 45-50°, está indicada la corrección quirúrgica de la deformidad de la columna.

Si el niño necesita llevar corsé debe utilizarlo 23 horas al día (16 horas si tiene una avanzada maduración ósea). Hay dos tipos de corsés: los de contacto y los funcionales.

Los primeros contactan íntimamente con la piel, por lo que no se aprecian debajo de la ropa y hacen su función moldeando la columna desde fuera. No son adecuados para menores de 10 años, porque interfieren en el correcto desarrollo de la caja torácica y, por tanto, en el desarrollo de la capacidad pulmonar adecuada.

Los corsés funcionales, como el llamado Milwaukee, tienen una barras metálicas externas que se apoyan en la barbilla y en la nuca; hacen su función debido a que el niño intenta despegar la barbilla del tope anterior y, apoyándose en el tope posterior, realiza un estiramiento activo de la columna. La intervención quirúrgica trata de reducir la curva al máximo y fijar las vértebras en esa posición. Para ello se colocan unos sistemas metálicos de anclaje y se rellena con injerto de hueso toda la zona intervenida.

LUXACIÓN CONGÉNITA DE CADERA

Engloba un amplio espectro de condiciones patológicas, clínicas, radiológicas que incluyen desde la cadera inestable a la franca e irreductible luxación, pasando por la displasia acetabular con subluxación.

- *Cadera luxada.* La cabeza del fémur está completamente desplazada del acetabulo (cavidad ósea de la pelvis donde normalmente encaja la cabeza del fémur). Pueden ser reducibles o no.

- *Cadera luxable.* La cabeza está en el acetábulo, pero puede ser desplazada completamente con una maniobra que lo provoque, pudiéndose posteriormente volver a colocar en su sitio.

- *Cadera subluxable.* Cabeza femoral dentro del acetábulo, y con una maniobra se puede provocar un desplazamiento significativo, aunque no se saca del todo.

Es unilateral en el 80 por ciento de los casos. El lado izquierdo se afecta el 60 por ciento de las veces, un 20 por ciento el derecho y 20 por ciento ambos lados. Es seis veces más frecuente en las niñas que en los niños.

En cuanto a las causas, se trata de un proceso multifactorial en el que intervienen factores genéticos y ambientales. También estarían implicados factores hormonales y mecánicos, como aquellos que inciden en el tercer trimestre de embarazo y cuyo efecto se deriva en la restricción del espacio disponible uterino.

Síntomas

Se aprecia asimetría en los pliegues de los glúteos y del muslo, que aparece en el 12 por ciento de los niños y se mantiene hasta el tercer mes, pero solamente cerca del 50 por ciento con este signo tiene una cadera luxable. La limitación de la cadera luxada a la separación de 90 grados de flexión indica que la luxación es irreductible o está en vías de serlo. A partir del inicio de la marcha los signos se hacen más evidentes. El niño tiene una pierna más larga que la otra y debido a ello apoya el pie plano en el lado luxado mientras que en el otro realiza una flexión de rodilla. Por todo esto la marcha es anormal, presentando un balanceo excesivo de hombros; en los casos unilaterales, el niño se hundirá en el lado afectado, y en los casos bilaterales presentará la llamada «marcha de pato». Además, en las formas unilaterales suele producirse una desviación lateral de la columna vertebral lumbar.

Diagnóstico

Se realiza el test de luxación-reducción, que es la prueba exploratoria más importante, pero debe ser realizada con cuidado y por un pediatra avezado (se conoce como maniobra de Barlow y Ortolami). El mejor momento para realizarla es tras el nacimiento, recomendándose volver a realizarla a los 5-10 minutos y repitiéndose en los días siguientes, sobre todo si hubiese dudas.

La ecografía tiene la ventaja de ser una prueba no invasiva, permitiendo la visualización de estructuras y el diagnóstico desde el primer momento. También es útil para el seguimiento y control evolutivo del tratamiento. Únicamente se indica cuando la exploración clínica sea sospechosa y ante evidentes factores de riesgo, pero no a todos los recién nacidos.

El TAC puede emplearse para delinear mejor la anatomía de la luxación y está especialmente indicada para comprobar la reducción tras la colocación de un yeso en caderas donde falló la reducción inicial. La artrografía consiste en inyectar un contraste en la articulación para visualizarla mejor.

Tratamiento

- *Antes de los 6 meses*. El objetivo es obtener y conservar una reducción concéntrica y estable. El recién nacido tiene un potencial de remodelación muy grande así que solamente con el mantenimiento de una posición que favorezca la reducción (flexión y separación) se conseguirá en general un desarrollo óptimo de la articulación, así que cuanto antes se inicie el tratamiento, más fácil y corto será. A pesar de que el 50 por ciento de las caderas luxables se recuperan espontáneamente, en principio no se puede saber cuáles lo harán y cuáles no, por lo que parece adecuado tratar a todos los niños que demuestren tener una cadera luxada o luxable. El empleo de pañales especiales para mantener posiciones de separación ha resultado ineficaz, por lo que el tratamiento recomendado es el arnés de Pavlik bajo estricto control, que es un aparato de ortesis en flexión y separación dinámicas que obtiene excelentes resultados en los primeros 3-6 meses de vida. Si a las tres semanas del empleo de éste no se ha conseguido la reducción de la cadera vista por ecografía o radiología, se retira y se practica una intervención sobre los tendones de los músculos aproximadores, y luego se inmoviliza en la llamada posición de Salter o posición humana, que tiene unos determinados grados de flexión, rotación interna y separación. Con el arnés hay que hacer control radiológico y otro tipo de controles, ya que pueden surgir una serie de complicaciones graves.

- *De los 6 meses al año.* En primer lugar, se le coloca al niño una tracción para contrarrestar la retracción de partes blandas y se mantiene tres semanas. A veces se necesita también una intervención sobre los tendones de los músculos aproximadores de las piernas.

- *De 1 año a los 2 años y medio.* Se hace tracción-separación durante unas tres semanas, intervención sobre tendones o músculos aproximadores y a las 3 semanas se comprueba si la reductibilidad es adecuada. Se sigue con el tratamiento conservador y también se puede recurrir a una intervención.

- *De 2 años y medio a 4 años.* La tracción suele ser ineficaz aunque se hace y se comprueba a las dos semanas, y si ésta no es efectiva se realiza en dos tiempos un poco más compleja que la anterior franja de edad.

- *A partir de los 4 años.* Cirugía en un solo tiempo quirúrgico.

MALES OSTEOARTICULARES AGUDAS

Son poco frecuentes, pero muy importantes en la infancia, por la posible cronificación y secuelas funcionales si no se diagnostican y tratan a tiempo.

ARTRITIS SÉPTICA AGUDA

Más frecuente que la osteomielitis, se trata de la infección de una articulación, que afecta sobre todo a los niños menores de 3 años que representan más del 50 por ciento de los casos. Las articulaciones más afectadas son la cadera en el recién nacido y lactante y la rodilla en los niños mayores, seguidas de codo y tobillo. En cerca de la mitad de los casos hay antecedentes inmediatos de infección respiratoria superior, de traumatismos y con menos frecuencia de otras infecciones como la piel o partes blandas. Las bacterias más frecuentes son el estafilococo, estreptococo y *Haemophilus*.

Síntomas

Varían según la edad. En recién nacidos la localización típica es en la cadera, pudiendo ser bilateral o asociar alguna otra articulación. El diagnóstico es difícil por la escasez de síntomas, y hay que fijarse en que la infección puede manifestarse por detección en la ganancia de peso, aumento del tamaño del bazo, disminución de las plaquetas, diarrea o meningitis. También hay signos locales como edema de la raíz del miembro, tumefacción o calor local. En lactantes y niños en edad preescolar están afectadas sobre todo las grandes articulaciones y cerca del 10 por ciento tienen más de una localización. Los niños pueden no expresar el dolor y aparecer sólo fiebre, irritación que aumenta con los movimientos, rechazo a mover una extremidad o cojera si el niño ya camina. En el escolar y el adolescente aparece fiebre moderada o alta junto a los signos típicos de un proceso inflamatorio en una articulación: dolor acusado, hinchazón, calor y enrojecimiento y limitación dolorosa de la movilización articular.

Diagnóstico

Se realiza mediante el cultivo de líquido articular para determinar la bacteria responsable; análisis de sangre; radiografías; gammagrafía (solamente en recién nacidos), TC o resonancia magnética.

Tratamiento

Junto a la osteoartritis aguda constituyen una urgencia pediátrica y quirúrgica. Se emplean antibióticos, siendo muy importante instaurarlos precozmente según la edad y la sintomatología para reducir la gravedad y el riesgo de complicaciones y secuelas. Si a las 48-72 horas la antibioterapia no es efectiva, hay que evacuar las colecciones de pus (drenaje quirúrgico). Se recomienda la inmovilización para aliviar el dolor, combatir la inflamación y acelerar la curación. Se mantiene hasta que desaparece la fiebre.

La evolución psicomotriz del niño dará pistas a los padres sobre si padece algún tipo de enfermedad del aparato locomotor.

OSTEOMIELITIS AGUDA

Es la infección aguda de un hueso. Se da con más frecuencia en los niños que en las niñas, y las edades de más prevalencia son el primer año y en la preadolescencia, y los huesos más afectados son fémur y tibia (en la pierna), húmero (en el brazo), calcáreo (pie) y pelvis. En el 66 por ciento de los casos la infección originaria pasa desapercibida y el en 33 por ciento restante son por fracturas abiertas en la proximidad.

Síntomas

Varían según la edad del niño, siendo más inespecífica y con mayor repercusión general cuanto menor sea el niño. En el niño mayor presenta dolor agudo localizado con aumento de la temperatura local, hinchazón y dolor a la palpación. El dolor es intenso, constante y profundo, a veces muy localizado y otras veces irradiado, que hace tener el miembro inmóvil para evitar el dolor, el cual varía según las posturas, hora del día o toma de analgésicos, pero nunca llega a desaparecer. La palpación es muy sugestiva, ya que provoca un dolor muy intenso y circunscrito. Hay solamente febrícula (décimas).

La siguiente fase es la supuración y formación de colecciones de pus en las capas más superficiales del hueso, acentuándose los síntomas locales y generales como fiebre de 40 °C, malestar general y cefalea.

Localmente se acentúa el dolor como pinchazo y aparece enrojecimiento cutáneo, inflamación y calor. Finalmente, el pus alcanza los tejidos blandos desde la capa externa del hueso, que no lo puede contener y se exterioriza por la piel.

En el lactante puede pasar desapercibida como fiebre de origen desconocido. Es frecuente un intenso edema y pseudoparálisis del miembro afectado por el dolor y cualquier intento de movilización de la extremidad producirá dolor.

A veces se afectan varios huesos simultáneamente, aunque lo más frecuente es al fémur proximal, convirtiéndose fácilmente en artritis.

Diagnóstico

Anomalías de la sangre y cultivo de la misma, leucocitosis y anemia inespecífica. También se puede recurrir a la radiología, la gammagrafía, la ecografía, TC y resonancia magnética.

Tratamiento

Similar al de la artritis séptica.

PIE ZAMBO

También conocido como pie equinovaro, es una malformación congénita del pie en la cual éste aparece en punta y con ella girada hacia dentro.

La frecuencia se estima en 1 por cada 1.000 niños, y en la mitad de los casos afecta a ambos pies, siendo el doble de frecuente en niños que en niñas.

La causa para los médicos sigue siendo todavía desconocida, si bien hay numerosas teorías: unas apuntan al origen genético, otras lo refieren a la falta de espacio en el útero durante el embarazo y hay otras que lo explican por una detención del crecimiento del pie, que hace que los huesos no lleguen a ocupar su posición correcta y forma adecuada. Parece ser que es más común en los niños que padecen enfermedades neuromusculares.

Síntomas

Se ha demostrado que la disposición de los huesos en el pie zambo es anómala y la forma de los mismos tampoco es normal. Los ligamentos y músculos son demasiado rígidos para permitir la colocación concreta de estos huesos con una manipulación simple.

Diagnóstico

Es fácil. Tras nacer el niño, al ver la forma del pie y comprobar que al moverlo no se puede obtener una posición normal. A veces es difícil distinguirlo a simple vista de otras malformaciones del pie. Esta dolencia congénita se produce durante los tres primeros meses de gestación y suele apreciarse en la ecografía fetal a las 20 semanas; por lo que cada vez es más frecuente el diagnóstico prenatal.

Tratamiento

Cuanto antes se aplique, mayor será la probabilidad de obtener buenos resultados y de evitar la intervención quirúrgica. Si no se trata, la deformidad se instaura y se agrava con los años de forma que al niño no le queda más remedio que caminar apoyando la parte externa del pie y no la planta del mismo.

Lo más adecuado es empezar a tratarlo en los primeros años de vida, colocando unos yesos correctores, ya que los huesos, a esa edad, tienen mucha plasticidad y capacidad de remodelación, por lo que la colocación de varios yesos sucesivos y la aplicación de una corrección progresiva puede llegar a obtener un pie prácticamente normal.

El tratamiento más conservador se basa en realizar manipulaciones suaves hasta obtener la mejor alineación posible y mantener esta posición con el yeso, y esto se repite semanalmente hasta lograr la corrección completa. Cuando aproximadamente a los 2 meses no se ha logrado corregir la posición equina del pie, es aconsejable una pequeña intervención que consiste en el alargamiento del tendón de Aquiles.

En caso de que el niño sea muy mayor para tolerar los yesos o no se consiga suficiente corrección, se practicará una intervención quirúrgica más o menos complicada, según el grado de deformidad, que consiste en liberar las estructuras que mantienen la deformidad, y trata de conseguir una situación anatómica. Se coloca una aguja metálica a través de los huesos y un yeso para mantener la corrección durante 12 semanas. Los resultados obtenidos suelen ser bastante buenos, quedando como secuela más frecuente un pie de menor tamaño.

Si el niño tiene los dos pies afectados, no tiene importancia, pero si sólo es uno, se nota una discreta asimetría.

Enfermedades congénitas

SÍNDROME DE DOWN

Es una de las causas genéticas más comunes de retraso mental. Además de afectación de la capacidad intelectual, suelen aparecer otros defectos físicos, como malformaciones cardiacas. Se desconocen las causas de la enfermedad. Casi siempre se debe a un episodio fortuito que tuvo lugar durante la formación de las células reproductoras. Cuando el óvulo fecundado contiene material extra del cromosoma 21 se produce esta enfermedad. Se sabe que hay mayor riesgo de Síndrome de Down en los padres que ya han tenido un niño con esta enfermedad, en padres o madres con alguna alteración en el cromosoma 21 y en madres mayores de 35 años.

Síntomas

Los recién nacidos con este síndrome son bebés muy tranquilos; lloran muy poco, presentan cierta laxitud muscular y es frecuen-te que tengan más piel en la nuca (este hecho ya es detectable en ecografías fetales). Cuando el niño va creciendo, van desarrollando las siguientes características: cráneo más pequeño de lo normal, la unión del cráneo con las vértebras del cuello es plana, el puente nasal es ancho y plano, los ojos tienen una inclinación característica (a veces puede haber casos de estrabismo); la lengua es más grande de lo normal, lo que induce un desarrollo mandibular característico y un maxilar más pequeño; la piel suele ser muy seca.

El retardo intelectual es muy variable y dependerá del modo en que el niño se desarrolle, del entorno familiar y de la educación que reciba. Cuanto más cariño y atención se ofrezca a estos niños más brillantes serán los resultados. En general, estos niños pueden hacer las mismas cosas que cualquier otro niño pequeño, como caminar, hablar, vestirse, controlar esfínteres, etc., aunque suelen hacerlo a una edad más tardía.

Los defectos cardiacos se producen entre el 30 y el 50 por ciento de los casos; algunos no son graves y pueden ser tratados con fármacos, pero otros requieren intervención quirúrgica.

También se producen malformaciones intestinales, que suelen precisar cirugía para su corrección.

En más de la mitad de los casos se producen defectos de la capacidad auditiva y visual. En cuanto a los problemas visuales, suelen padecer miopía y cataratas. Además, la presencia de infecciones de oídos puede contribuir en muchos casos a la pérdida de audición si no se diagnostican y tratan adecuadamente. También hay un mayor riesgo de padecer leucemia, problemas tiroideos y lesiones espinales, por la inestabilidad a la altura de las cervicales. La expectativa normal de vida puede verse acortada por una enfermedad cardiaca congénita o por una leucemia.

Diagnóstico

El diagnóstico del Síndrome de Down puede hacerse de forma prenatal, mediante la prueba de la amniocentesis o el análisis de las vellosidades coriales, pero ambos procedimientos presentan riesgos de complicaciones. En la semana 16 del embarazo, se puede hacer un análisis de sangre de la alfa-fetoproteína, que puede indicar la presencia en el feto de este síndrome en el 35 por ciento de los casos.

Tratamiento

No existe un tratamiento específico para esta enfermedad. Sólo se emplea el tratamiento sintomático o quirúrgico de las complicaciones o infecciones que puedan ir surgiendo con el paso de los años.

La estimulación temprana es fundamental y también el apoyo del movimiento, la coordinación motora, así como el apoyo fonoaudiológico. También es importante la incentivación de actividades sociales, ya que les serán muy útiles para valerse por sí mismos y conseguir autonomía, además de mejorar su autoestima.

A su vez, es fundamental tratarlos como uno más, sin diferencias ostensibles con los

El retraso intelectual en un niño con Síndrome de Down depende de cada caso.

otros niños y buscando siempre un adecuado equilibrio.

SÍNDROME DE TURNER

Es una afección genética que les sucede únicamente a las mujeres, en cuyas células sólo existe un cromosoma X (normalmente las muejres tienen dos cromosoma X) o parte del mismo. Esto puede ocasionar muchos signos y síntomas de los que los más frecuentes son: baja estatura, falta de desarrollo de los ovarios y de madurez sexual y la infertilidad.

Síntomas

En cuanto a la estatura baja, se detecta al nacer, ya que dichos bebés tienden a ser un poco más pequeños de la media. La falta de crecimiento continúa después. Los que no siguen tratamiento no sufren el típico estirón de la pubertad, pero sí continúan creciendo lentamente hasta alcanzar los 20 años.

La deficiencia ovárica se presenta en el 90 por ciento de estas niñas; los ovarios no producen los óvulos ni las hormonas (estrógenos y progesterona) necesarias para el normal desarrollo de las características sexuales. La fertilidad suele ser prácticamente excepcional en las niñas que padecen el Síndrome de Turner.

En cuanto a los rasgos físicos, las personas que lo padecen presentan paladar angosto con un arco alto, el maxilar inferior está retraído hacia atrás; las orejas están más bajas de la altura normal, la línea de crecimiento del cabello es muy baja en la parte posterior de la cabeza, el cuello es muy ancho, al igual que le sucede al tórax; estrabismo, desviación lateral de la columna vertebral; pies planos, uñas pequeñas y arqueadas hacia arriba en manos y pies, inflamación de manos y pies, sobre todo al nacer.

La inteligencia suele ser normal, aunque presentan dificultades en el proceso espacio-temporal, en la memoria y en la atención no verbal. Otras de las posibles afecciones que produce el Síndrome de Turner son las alteraciones cardiacas, las renales, las de tiroides y otros problemas como las otitis medias.

Diagnóstico

Puede realizarse incluso antes del nacimiento, con la práctica de un cariotipo para observar los cromosomas del feto. La ecografía detecta la situación de los órganos reproductores femeninos. También se realizan análisis hormonales y ecocardiografía para observar posibles defectos o daños en el corazón.

Tratamiento

En primer lugar, hay que controlar las correctas cantidades de la hormona del crecimiento humano, para aumentar el promedio de crecimiento y obtener una estatura final mayor en estas niñas.

La terapia con estrógenos es necesaria en casi todos los casos. El tratamiento suele iniciarse a los 12-14 años y debe ser individualizado, para de esta forma obtener el crecimiento y desarrollo de la pubertad. Se dan estrógenos en dosis bajas, lo que inicia la pubertad y el desarrollo de los senos; después se aumenta la dosis y se añade progesterona para poder comenzar la menstruación normal.

Los estrógenos también son importantes para mantener la masa de hueso adecuada, por lo que se recomienda esta terapia de por vida, variando las dosis respecto a las ingeridas en la pubertad. Para la fertilidad es posible la donación de óvulos por un familiar o una donante anónima y la fertlización in vitro con el embrión transferido. Las afectadas pueden tener un período de vida y reproductivo normal, siempre y cuando se les realice un control médico riguroso y constante.

Alteraciones psicopatológicas

ANSIEDAD Y ESTRÉS INFANTIL

Todos los niños sienten ansiedad en ciertos momentos específicos de su desarrollo. Por ejemplo, suelen tener temores de corta duración como miedo a la oscuridad, a las tormentas, a los animales o a los desconocidos. Pero si estas ansiedades se vuelven severas y comienzan a interferir en las actividades diarias del niño, se puede considerar su evaluación y asesoramiento psiquiátrico.

Síntomas

Miedo por la propia seguridad y la de sus padres, negarse a asistir al colegio, quejas repetidas de malestares físicos, preocupación exagerada a dormir fuera de casa, estar demasiado apegado a sus padres, problemas de sueño y pesadillas. Otros datos de ansiedad severa pueden ser excesivas preocupaciones sobre las cosas antes de que éstas sucedan, preocupaciones constantes sobre su funcionamiento en el colegio, con los amigos o en los deportes, pensamientos y acciones repetitivos (obsesiones), temor de avergonzarse o cometer errores y baja autoestima.

Diagnóstico

Los padres deben estar atentos a los síntomas de ansiedad severa de los niños para prevenir complicaciones como la pérdida de amigos, el fracaso en lograr su potencial social, escolar y los sentimientos de baja autoestima.

Tratamiento

Puede incluir psicoterapia individual, terapia familiar, medicamentos y pautas de comportamiento.

AUTISMO

Es un trastorno generalizado del desarrollo, resultado de disfunciones multifuncionales del sistema nervioso central cuyas causas están aún por descubrir. Es más frecuente en los varones y se encuentra la misma incidencia en todas las clases sociales.

Síntomas

En primer lugar, hay alteraciones en el desarrollo de la interacción social recíproca, que se traduce en un aislamiento social significativo, con un escaso interés hacia los demás o, por el contrario, una actitud muy activa, que establece relaciones sociales pero de tipo unilateral, sin considerar las reacciones de los demás.

También hay alteraciones en la comunicación verbal y no verbal: algunos niños no desarrollan ningún tipo de lenguaje, mientras que otros muestran una fluidez engañosa y todos carecen de la habilidad de establecer un intercambio comunicativo. Suelen repetir palabras con frecuencia e inventar vocablos. También hay dificultad para identificar y compartir las emociones de los demás.

Por último, se produce un repertorio restringido de intereses y comportamientos.

La actividad imaginativa está afectada, fallan en el juego de simulación, ficción y fantasía. Otras veces, la capacidad imaginativa es excesiva. Les resulta muy difícil anticipar lo que va a suceder y afrontar los acontecimientos pasados. Los patrones de conducta son a menudo ritualistas y repetitivos, y pueden apegarse a objetos inusuales y extraños. Suelen manifestar gran resistencia al cambio y una perseverancia en la inmutabilidad. Pueden mostrar una sensibilidad inusual hacia los estímulos sensoriales, táctiles, auditivos o visuales. También pueden aparecer ansiedad, trastornos de sueño y alimentación, problemas gastrointestinales...

Diagnóstico

Además de la historia clínica detallada hay que observar al niño en diversas situaciones. El especialista lo somete a distintos cuestionarios y entrevistas, además de a una exploración completa visual, auditiva y neurológica. El diagnóstico se completa con pruebas psicológicas y lingüísticas.

Tratamiento

Aunque hoy por hoy no tiene cura, el enfoque educativo apropiado de por vida, el apoyo a la familia y a los profesionales implicados y la provisión de servicios adecuados mejoran la calidad de vida de estos niños. El objetivo es favorecer un desarrollo social y comunicativo adaptado a los entornos donde transcurre cada etapa de su vida. Es importante enseñarles competencias adaptadoras y entrenarles en funciones cognitivas y emocionales.

El plan de tratamiento debe ser multidisciplinar, incluyendo enfoques y objetivos de todas las personas implicadas: padres y familiares, profesores y otros servicios han de participar activamente.

En cuanto a los medios de tratamiento, se puede recurrir a escuelas especiales, centros de día, centros de educación especial, etc. Los métodos empleados deben ser: principios educativos, sistemas de aprendizaje del comportamiento, terapia del lenguaje y el habla, terapia ocupacional y fisioterapia.

La medicación puede incidir favorablemente en la epilepsia y otros problemas asociados como la agresividad, obsesiones, tics, ansiedad, etc.

DEPRESIÓN INFANTIL

Es un estado anímico bajo persistente, que interfiere en la habilidad del niño de desenvolverse en la vida diaria. Se estima que un 5 por ciento de niños y adolescentes padece depresión en algún momento. Tienen más riesgo de padecerla aquellos niños que viven con mucha tensión, que han experimentado una pérdida familiar, que tienen desórdenes de atención, aprendizaje o conducta y que padecen ansiedad. Además, hay un componente hereditario.

Síntomas

Tristeza frecuente, lloriqueo o llanto, pérdida de interés en sus actividades, desesperanza, aburrimiento persistente, falta de energía, aislamiento social, baja autoestima, extrema sensibilidad hacia el rechazo y el fracaso, aumento de irritabilidad u hostilidad, dificultad en sus relaciones, quejas frecuentes de enfermedades físicas (dolor de cabeza, estómago), ausencias frecuentes del colegio, caída en el rendimiento escolar, cambios de los patrones de comida y sueño, hablar o tratar de escaparse de casa, comportamiento autodestructivo o pensamientos suicidas.

Los adolescentes deprimidos pueden abusar del alcohol o de otras drogas para sentirse mejor. Además, corren mucho riesgo de cometer suicidio.

Los niños y adolescentes que se portan mal en casa o en la escuela pueden estar sufriendo depresión. Al preguntarles directamente, muchos niños deprimidos admiten que están tristes o son infelices.

Diagnóstico

Se basa en la observación directa. Tanto el diagnóstico como el tratamiento temprano son esenciales para los niños deprimidos; es una enfermedad que sin duda requiere ayuda profesional.

Los padres son importantes para llevar al niño a la consulta del psiquiatra infantil de forma que le sea diagnosticado el tratamiento y se decida cuál es el más adecuado para cada caso.

Tratamiento

Se basa principalmente en fármacos y psicoterapia, como terapia del comportamiento cognoscitivo y psicoterapia interpersonal. En cuanto a los medicamentos empleados para estos casos, son los más prescritos por los especialistas los antidepresivos, los cuales actúan a nivel cerebral, equilibrando de esta forma algunos neurotransmisores que parecen estar alterados en los afectados por esta patología.

FOBIAS

Se trata de temores muy persistentes e identificables que resultan excesivos e in-

*Los trastornos psicopatológicos van muy
unidos a un aislamiento social del niño.*

cluso irracionales, y que se desencadenan
por la presencia o la anticipación de un objeto o situación específica.

Los niños o adolescentes que presentan
una o más fobias experimentan una ansiedad consistente cuando están expuestos al
objeto o situación concreta que la haya desencadenado.

Las fobias más comunes consisten en
temor a los animales, la sangre, las alturas,
los espacios cerrados o el vuelo en avión.
Debe durar al menos 6 meses para ser identificado como fobia.

En las fobias específicas el objeto o situación se evita, se anticipa con temor o se
vive con ansiedad extrema. Parecen existir
factores genéticos y ambientales que contribuyen a su aparición. A menudo se inician en la infancia aunque pueden presentarse a todas las edades y a lo largo de toda
la vida.

Síntomas

Aumento de la frecuencia cardiaca, sudor,
temblor, falta de aire y sensación de ahogo;
dolor en el pecho, molestias gástricas, sensación de mareo o desmayo, temor a perder
el control o a enloquecer, temor a morir,
aturdimiento, escalofríos y sofocos.

Diagnóstico

Evaluación psiquiátrica por el pediatra o el
psiquiatra en la clínica. Los padres que observen signos de ansiedad severa en sus niños deben buscar evaluación y tratamiento
precoz.

Tratamiento

Depende de la edad del niño, su estado general, antecedentes médicos, intensidad de los
síntomas, tipo de fobia, tolerancia del niño a
determinados medicamentos y expectativas
para la evolución del trastorno. Puede precisar terapia individual o cognitiva conductual
para enseñarle nuevas formas de controlar la
ansiedad.

TRASTORNOS DEL SUEÑO

■ Pueden ser de distinto tipo y afectar al
niño de distinta manera:

INSOMNIO

Es con diferencia el trastorno más frecuente del sueño entre los niños. En realidad, es
un síntoma que puede aparecer debido a una
gran variedad de factores o problemas de
salud. Básicamente, existen tres tipos de insomnio:

- Mucha dificultad para conciliar el sueño todos los días.
- Dificultad para mantener dicho sueño, si consigue conciliarlo.
- Despertar excesivamente temprano por la mañana.

El niño necesita regularidad en los horarios y rutina, ya que esto facilita la estabilidad de sus ritmos biológicos. Salvo en casos extraordinarios, no se puede hablar de insomnio hasta los 6 meses de edad, tiempo a partir del cual se establecen los patrones normales del sueño.

Entre las causas más comunes están las patologías neurálgicas y psiquiátricas, enfermedades que causan fiebre, dolor, picor o intranquilidad; algunos medicamentos y exceso de estímulos sensoriales (luz, ruido, temperatura...).

Síntomas

Algunos niños presentan dificultades para irse a dormir (por ellos, no se irían a la cama nunca). Otros, sin embargo, se duermen con facilidad, pero se despiertan a media noche en períodos de menos de 10 minutos. Esto suele considerarse normal y obedece a necesidades fisiológicas como ganas de orinar, sed, exceso de ruido o calor. Estos períodos producen una interferencia en el sueño del niño, afectando al descanso nocturno con disminución de la cantidad total de sueño, que se traduce en irritabilidad, somnolencia, déficit de atención y llanto, junto con otros síntomas de la esfera psíquica como miedo y conductas caprichosas.

Los despertares precoces están producidos posiblemente por un trastorno del ritmo sueño-vigilia, pero si aparecen síntomas de privación del sueño tal vez sean indicativos de insomnio verdadero.

Diagnóstico

El pediatra realiza un examen físico general para descartar enfermedades orgánicas. Hay que registrar los hábitos de sueño del niño en las llamadas agendas diarias del sueño. Raras veces precisa evaluación psicológica.

Tratamiento

Inicialmente y en la mayoría de los casos es suficiente con aplicar medidas higiénicas que ayuden al niño a aprender a desarrollar unas pautas o patrones de sueño regulares y apropiados.

Por ejemplo, en los niños que ofrecen resistencia a acostarse hay que instaurar rituales que le den seguridad, pero sabiendo poner punto final. Evitar juegos y actividades que lo activen mucho en los momentos previos a acostarse.

HIPERSOMNIA

Es la tendencia a la somnolencia diurna continuada. Habrá que descartar principalmente que dicha somnolencia sea consecuencia del consumo de alguna medicación o que se corresponda con un síndrome de apnea obstructiva del sueño.

PESADILLAS

Son reacciones de miedo ante los sueños desagradables. A veces pueden llegar a ser aterradores. Suelen responder a sentimientos de inseguridad, preocupaciones y miedos. Lo mejor es despertar al niño y tranquilizarle. El niño recordará su sueño y durante el día se puede hablar de él con el fin de calmar sus miedos. Por lo común se da en niños inseguros y ansiosos que se preocupan mucho por las cosas.

SOMNILOQUIA

Consiste en hablar durante el sueño. A veces se escucha una conversación ininteligible y otras veces hay auténticos diálogos. Es una condición que no tiene mayor trascendencia y suele desaparecer con la edad.

SONAMBULISMO

El niño, sin despertarse, se levanta de la cama y deambula por la casa. Se trata de una alteración del sueño donde los mecanismos encargados de la relajación y la inmovilidad, que normalmente se producen durante el sueño, son inmaduros y no actúan. Esta situación

Los niños pasan por diversos trastornos del sueño.

suele mejorar de forma espontánea, aunque cabe la posibilidad de emplear tratamiento médico.

TERRORES NOCTURNOS

Son etapas de sueño en las que al niño le cuesta pasar del sueño profundo al superficial. No lo suele recordar y tampoco se puede hacer gran cosa para ayudarle durante ese período de terror; hay que esperar a que termine, abrazándolo y calmándolo hasta que el niño vuelva a la realidad. Sólo sería conveniente acudir al especialista si fueran frecuentes o repetitivos y se convirtieran en algo más molesto.

TRASTORNOS DE LA CONDUCTA ALIMENTARIA

Los casos de la anorexia y la bulimia han ido en aumento en las últimas dos décadas, y se estima que en los últimos 15 años el número de pacientes se vea multiplicado por 10.

ANOREXIA NERVIOSA

Es un síndrome psiquiátrico multifactorial que se manifiesta por pérdida de peso voluntaria que condiciona una serie de alteraciones orgánicas. La causa inmediata es el intenso miedo a ganar peso, a pesar de que éste es normal, lo que es resultado de una alteración de su imagen corporal. Es más frecuente en el sexo femenino, sobre todo en el período prepuberal o adolescente.

Entre sus causas destacan factores genéticos, psicológicos, sociales, culturales, nutricionales, neuroquímicos y hormonales.

Síntomas

El niño o joven sigue una dieta hipocalórica en ausencia de obesidad o sobrepeso; períodos de semiayuno alternados con la ingesta normal; miedo exagerado al sobrepeso; rechazo a la propia imagen corporal; valoración del peso o la figura como prioridad y valoración de los alimentos exclusivamente en relación con la ganancia de peso.

Durante el proceso anoréxico se van desarrollando unos hábitos alimentarios anómalos tales como el rechazo selectivo de algunos alimentos, manipulación de la comida antes de ingerirla (esconderlos, desmenuzarlos, lavarlos, retirar la grasa...), actitudes obsesivo-compulsivas respecto a la comida o bebida; permanecer de pie o en movimiento durante todas las comidas; prolongación exagerada del tiempo de comida; alteración de horarios de comida y sueño; excesivo interés por los temas culinarios.

Además, aparecen algunos síntomas digestivos dominados por la sensación de plenitud, gases, dolores abdominales y estreñimiento.

Asimismo, hay alteraciones endocrinológicas (disminución de determinadas hormonas), cardiacas (hipotensión) y hematológicas (anemia leve, disminución de los linfocitos).

Diagnóstico

Es muy importante un diagnóstico precoz para poder prevenir complicaciones propias de la evolución. Se debe valorar en todos aquellos pacientes prepuberales o adolescentes, especialmente si son mujeres que presentan algunos de los síntomas indicativos de esta patología.

Tratamiento

El nutricional está dirigido a corregir la malnutrición y sus posibles secuelas: reestablecer las pautas de alimentación normales, recuperar el peso perdido, adecuar el peso a la talla, etc. Hay toda una serie de signos que indican que la situación a la que hay que hacer frente es grave: rapidez extrema en la pérdida de peso, tendencia a la hipotensión, descenso de la frecuencia cardiaca, disminución de la temperatura de forma mantenida, disminución del potasio en sangre, cambios del estado de conciencia, apatía, gran prostración y presencia de vómitos.

En estos casos, la primera fase del tratamiento pasa por corregir la deshidratación y las alteraciones electrolíticas para posteriormente iniciar la realimentación por vía oral o mediante sonda. Una vez que se está en fase de recuperación se inicia la reeducación nutricional para estabilizar el trastorno y lograr los objetivos de peso marcados. En la última fase se da el alta hospitalaria con controles ambulatorios.

BULIMIA NERVIOSA

Tras la realización de ingestas masivas de alimentos el paciente pretende controlar su peso provocándose el vómito o utilizando laxantes y diuréticos. Suele iniciarse en la adolescencia y es más frecuente en las niñas. Es difícil de detectar ya que, al no haber malnutrición, e incluso a veces existir sobrepeso, no se pueden observar signos de gravedad nutricional.

Síntomas

Se distinguen dos tipos de bulimia: el purgativo y no purgativo, que emplea el ayuno o el ejercicio intenso. Presentan erosiones en el esmalte de los dientes debido a la acidez del jugo gástrico. También hay inflamación de las encías y la lengua y faringitis. En el esófago se presenta esofagitis y la capacidad del estómago está muy aumentada (a veces puede suceder perforación gástrica). El abuso de laxantes y enemas puede causar hemorragias rectales, y también hay casos de pancreatitis aguda. En ocasiones se presentan complicaciones cardiacas como el prolapso de la válvula mitral y arritmias.

El intento de suicidio es el riesgo más común (cercano al 3 por ciento) aunque menor que en la anorexia.

Diagnóstico

Hay unos criterios diagnósticos aceptados: presencia de atracones recurrentes, conductas compensatorias inapropiadas (laxantes, enemas), provocación del vómito y ejercicio desmesurado. Estos atracones y conductas ocurren al menos dos veces por semana durante un período de 3 meses. La autovaloración está influida en exceso por el peso y la silueta corporal.

Tratamiento

Dieta absoluta con aspiración nasogástrica si hay dilatación del estómago, suero fisiológico y reposición del ión potasio. Después se inicia la dieta oral, progresivamente o por fases en función de la tolerancia. Si no hay colaboración se puede emplear la vía parenteral.

El principal objetivo del tratamiento es evitar las crisis de bulimia mediante tratamiento psicopatológico y farmacológico, y adecuar el peso ideal a la talla por técnicas de educación alimentaria y una dieta ajustada a sus necesidades reales.

TRASTORNO POR DÉFICIT DE ATENCIÓN CON HIPERACTIVIDAD (TDAH)

Es una enfermedad típica de los niños y consiste en una gama de comportamientos problemáticos, caracterizados por una persistente pérdida de atención y/o hiperactividad, que puede incluir también una elevada impulsividad, agitación y falta de atención que con frecuencia impiden que el niño aprenda y se relacione adecuadamente.

Afecta aproximadamente al 1-5 por ciento de niños en edad escolar, siendo de 3 a 5 veces más frecuente en los varones.

Las causas no se conocen, pero se achaca a una combinación de factores como el temperamento del niño, la genética (un 80-90 por ciento de los gemelos idénticos padecen ambos el síndrome), lesiones cerebrales por trauma de nacimiento o prenatales y factores relacionados con el entorno.

Síntomas

Los principales son la hiperactividad y el déficit de atención, a los que se añaden los síntomas de la impulsividad. Éstos deben persistir al menos durante 6 meses y no ser explicables ni habituales para la edad o el nivel de inteligencia del niño. En ocasiones, estos síntomas se muestran en casa, pero pueden ser muy patentes en el colegio, y suele ocurrir así cuando los padres no se dan cuenta de que el comportamiento de su hijo se sale de la norma.

- *Hiperactividad*. Suele ser un niño muy ruidoso en el juego y con dificultades para integrarse en actividades de ocio tranquilas. Hay actividad motora excesiva y persistente que no es modificable por los requerimientos sociales.
- *Déficit de atención*. No prestan atención a los detalles y cometen errores por descuido durante sus actividades escolares. Son incapaces de mantener la atención en las tareas o en el juego. A menudo parecen no escuchar lo que se les dice. No consiguen

seguir las instrucciones ni terminar los deberes. Son incapaces de organizar tareas y actividades y son olvidadizos en las tareas diarias.

- *Impulsividad.* Hacen exclamaciones frecuentes o responden antes de que se les haga la pregunta. Suelen ser incapaces de guardar su turno en las colas y hablan demasiado, sin contenerse ante las consideraciones sociales.

Además, hay otras dificultades que suelen acompañar a este trastorno, a saber: las conductas de oposición deliberadas, las alteraciones de la conducta, los trastornos específicos del aprendizaje tales como la dislexia, las depresiones clínicas graves y los trastornos de ansiedad.Antes de diagnosticar este trastorno hay que descartar otros como ataques epilépticos, problemas auditivos, problemas de lectura, trastornos obsesivo-compulsivos, enfermedad de la Tourette, autismo, períodos prolongados de sueño insuficiente o episodios depresivos.

Diagnóstico

No existe una prueba única y específica, por lo que el diagnóstico debe basarse en la sintomatología, el historial médico detallado y la evaluación social.

Tratamiento

Hay que tener en cuenta las dificultades específicas y los puntos fuertes que pueden ayudar a mejorar. Los padres y los profesores son fundamentales en el tratamiento, y deben establecer unas estrategias para modificar la conducta: crear una rutina diaria para el niño, ser muy concreto en las instrucciones que se le dan, establecer reglas claras y

La hiperactividad y el déficit de atención son trastornos que afectan a todo el entorno familiar.

fáciles de entender, ser coherentes en el manejo del niño, retirar de su entorno elementos que puedan distraerle de su rutina diaria, planificar programas estructurados para aumentar poco a poco su grado de concentración, emplear premios o recompensas con coherencia para reforzar el comportamiento adecuado e ignorar al niño o emplear castigos cuando su comportamiento sea inaceptable o haya sobrepasado los límites.

La medicación es una ayuda más para que puedan funcionar y encajar mejor en el colegio con otros niños y adultos. Los más empleados son los estimulantes del SNC como algunos derivados de las anfetaminas. Son eficaces para reducir la hiperactividad y la impulsividad, ayudando a mejorar la atención y la concentración. No deben administrarse a menores de 6 años, ya que tienen efectos secundarios importantes. En cuanto a la terapia psicológica a seguir, las técnicas de modificación de conducta son fundamentales. Otras terapias pueden ir encaminadas a reducir la ansiedad, mejorar las habilidades sociales y ciertas terapias de grupo.

Parte V

Apéndices

✓ Hijos de padres separados: cómo les afecta

Peleas y malentendidos • Objetivo: que sea lo menos traumático posible • Qué consecuencias tiene para su desarrollo • Explicarle la separación: un tema delicado • Reacciones comunes • Cómo le influye según su edad • Su vida tras el divorcio • Segundas parejas: cómo actuar

✓ El hijo único: ¿hay que educarle diferente?

Rompiendo estereotipos • Las ventajas • Los inconvenientes • A vueltas con la inseguridad • ¿Menos sociables? • El hijo único adolescente • El complejo de culpabilidad paterno • El gran riesgo, la sobreprotección • Cómo deben actuar los padres

✓ El niño adoptado: cuándo, cómo y por qué decírselo

Decírselo o no: la gran duda • Cuándo debe saberlo • Quién debe decírselo • Cómo hay que comunicárselo • La adaptación del niño a la situación • Reacciones más frecuentes • Estrategias que lo hacen más fácil • La actitud de los padres • Problemas que pueden presentarse • Situaciones especiales • Pautas para educarle • Qué hacer según la edad del niño

✓ Celos entre hermanos: cómo manejar la situación

Qué significa este sentimiento • Factores que los desencadenan • ¿Se puede prevenir su aparición? • Cómo se manifiestan los celos • La actitud de los padres • Cómo prepararle para el nacimiento de un hermano • Cuándo preocuparse • Peleas entre hermanos: cómo resolverlas

✓ Homeopatía en niños: ¿una alternativa?

Cómo funciona la homeopatía • Remedios homeopáticos y salud infantil • Manual de uso • Homeopatía en la lactancia • Gripes, resfriados y otras dolencias • Problemas psicológicos • Remedios para otras enfermedades

✓ Guía de los fármacos más utilizados en la infancia

✓ Términos usuales

✓ Declaración de los Derechos del Niño

Hijos de padres separados: cómo les afecta

A unque está comprobado que los niños sufren más en situaciones en las que los padres son infelices juntos que cuando deciden vivir separados, lo cierto es que el hecho de tener que enfrentarse a que papá y mamá ya no van a vivir bajo el mismo techo, con todo lo que ello implica, les produce un impacto muy importante. Los adultos deben manejar la situación con el mayor cuidado posible, algo que no siempre tienen en cuenta los padres que se están separando, los cuales están totalmente centrados en sus propios problemas y no en el efecto que su decisión va a tener sobre sus hijos.

Tenga la edad que tenga, a cualquier niño le resulta difícil entender las implicaciones que conlleva un matrimonio desgraciado para la vida adulta y, además, cuando la separación se hace efectiva, la mayoría de ellos lo interpretan como un abandono o un rechazo personal. Sin embargo, no hay que magnificar las cosas ni perder la perspectiva: para bien o para mal, el hecho es que en la sociedad actual ser hijo de padres separados es algo habitual y aunque esto supone un golpe para el niño, se recuperará con facilidad, siempre y cuando los padres adopten la actitud adecuada. De todas formas, conviene tener en cuenta algunos aspectos de sentido común para evitar al niño el más mínimo trauma.

PELEAS Y MALENTENDIDOS

Siempre que una madre y un padre muestran hostilidad y desprecio mutuos, los hijos sufren. Y es que la salud emocional de los niños está determinada por la calidad de las relaciones íntimas que le rodean, de ahí que cualquier alteración en el equilibrio familiar incida directamente en su comportamiento dando lugar a distintos tipos de reacciones: llanto, inmovilidad, esconderse, taparse los oídos, tener todo el cuerpo en tensión... Incluso los más pequeños reaccionan ante las discusiones de los adultos con cambios fisiológicos tales como el aumento del ritmo cardiaco y la presión sanguínea. El estrés que esto le produce puede afectar al desarrollo del sistema nervioso autónomo, que es el que determina su capacidad para resolver problemas. A éstos hay que unir el hecho de que cuando una pareja se haya inmersa en plena trifulca conyugal no suele estar especialmente pendiente del niño, lo que aumenta la sensación de desamparo que éste padece.

Hay que tener muy claro que no es el conflicto en sí lo que resulta tan perjudicial para el niño, sino la forma en la que los padres manejan sus disputas.

OBJETIVO:
QUE SEA LO MENOS TRAUMÁTICO POSIBLE

- La única forma de estar seguros de que la separación no va a dañar psicológicamente al niño (o al menos hacerlo en menor medida) es mantener las conductas, modales o expresiones de respeto.

- Evitar pelear o discutir con el excónyuge en presencia del niño. Según los expertos, éste es el factor más importante relacionado con la manera en que los niños se adaptan a vivir separados de sus padres. La cantidad de peleas o conflictos entre ellos de los que los niños son testigos tras el divorcio, está directamente relacionada con el nivel de adaptación.

- Hay que transmitirle la idea de que papá y mamá seguirán siendo sus padres aun cuando el matrimonio termine y ya no vivan juntos. Seguro que le ayudará a paliar en cierta medida sus miedos e inseguridades.

- Es fundamental permitir que el niño exprese sus sentimientos, pero sin dejar que manipule la situación. Siempre hay que tener en cuenta lo que siente y compartir con él los sentimientos de tristeza, el temor a ser abandonado y la inseguridad que le puede producir la separación. Asimismo, es muy importante no consentirle en exceso ni dejar que haga su voluntad como forma de aliviar el sentimiento de culpa paterno o «compensarle» por la situación que le ha tocado vivir.

- Hay que dejarle muy claro que él no tiene ninguna culpa en nada de lo que ha sucedido, haciéndole comprender que hay problemas que sólo corresponden a la pareja, y ello no va a alterar el amor que sus padres sienten por él.

- Independientemente de las relaciones que mantengan entre ellos, la principal preocupación de los padres debe ser velar por el bienestar del niño. Si éste presenta indicios de estrés, los padres deben consultar con el médico o pediatra para que éste le remita a un psicólogo o psiquiatra especializado en niños y adolescentes.

- Es importante que el niño se mentalice de que nada de lo que haga o intente hacer podrá modificar la decisión tomada por los padres. Al igual que no es el responsable del divorcio, tampoco puede cambiar la decisión tomada por los padres.

- Facilitar al máximo la relación del niño con el progenitor, siendo flexible en los horarios, etc. Asimismo, es importante tratar con él, a ser posible sin intermediarios, todo lo relacionado con la educación, la salud y el desarrollo del niño.

QUÉ CONSECUENCIAS
TIENE PARA SU DESARROLLO

- Invariablemente, y ante la perspectiva de la inminente separación, los niños se sienten asustados y confundidos por la amenaza que ello supone para su seguridad personal.

- Las investigaciones realizadas al respecto demuestran que los hijos de padres divorciados pueden presentar una menor autoestima, directamente relacionada con la inseguridad que le produce la ruptura de la estructura familiar.

- Un sentimiento que acompaña al niño a lo largo de todo el proceso de divorcio es la carencia afectiva, que se deriva de la incapacidad de los padres, inmersos en una serie de tensiones, de dar a sus hijos todo lo que necesitan desde el punto de vista afectivo y emocional. Esta carencia de afecto se percibe tanto por parte del padre como de la madre. La primera provoca un desajuste entre la relación comunicativa y el sentimiento de seguridad, que viene a través de la relación adecuada con la figura paterna: si el padre está amenazado por sus conflictos, el sentimiento de seguridad del hijo también quedará afectado. En cuanto al afecto materno, su carencia debilita el sentimiento de confianza, fundamental para lograr la madurez de la personalidad.

- Los padres cuyos matrimonios son insatisfactorios ofrecen un mal ejemplo a sus hijos sobre la forma de relacionarse con los demás. Los niños son testigos de la agresividad, falta de respeto o desprecio de sus padres entre sí, y tienen más probabilidades de mostrar esta misma conducta en sus relaciones con los amigos. Estos niños crecen con la idea de que la hostilidad y la actitud defensiva son las respuestas adecuadas para resolver los conflictos y que la personas agresivas suelen conseguir lo que quieren.

- La mayoría de los hijos de divorciados se ven expuestos a elevados niveles de ansiedad desde muy pequeños, derivados tanto de las peleas que han terminado en la separación como de las nuevas tensiones que surgen por el reparto afectivo al que el niño se ve sometido debido a las decisiones judiciales de custodia y el régimen de visitas. La entrega del niño para la convivencia autorizada en determinadas horas hace que éste juegue un doble papel según con quien le toque estar en cada momento, y al regresar junto al padre que tiene la custodia es frecuente que se vea sometido a un interrogatorio sobre lo que ha hecho en casa del otro padre, y todo ello afecta a la seguridad personal del niño y le hace muy difícil confiar en otras personas.

- Muchos estudios han confirmado que la ausencia del progenitor del mismo sexo que el del niño repercute en su desarrollo afectivo y cognitivo, debido a la importancia de éste como modelo de identificación, de ahí que, teniendo en cuenta que la mayoría de las veces es la madre quien se queda a cargo de los hijos, las consecuencias del divorcio afectarán más a los niños que a las niñas. De hecho, está demostrado que los niños presentan unos niveles más alt sajustes después de la separac niñas.

- En cuanto a las consecuencias en la vida adulta, las investigaciones más recientes han demostrado que los adultos que sufrieron la separación de sus padres en la niñez presentan un riesgo ligeramente más elevado de padecer problemas psiquiátricos que los que vivieron en hogares estables. Sin embargo, a los niños que proceden de hogares separados les suele ir mejor que a aquellos que han vivido en familias aparentemente estables pero desgraciadas, en las que las peleas, los insultos y las actitudes de odio y falta de respeto eran constantes.

EXPLICARLE LA SEPARACIÓN: UN TEMA DELICADO

■ Lo ideal sería que la decisión de separarse fuera comunicada a los hijos de forma adecuada según la edad. Pero, sobre todo, es muy importante que esta información sea dada por los padres y no por terceras personas. Además, hay que tener especial cuidado con una serie de aspectos:

- Explicar al niño que papá y mamá ya no pueden ni desean vivir juntos y que, a partir de ahora, vivirán en distintas casas.

- Hablar con él de la realidad de la separación, teniendo cuidado de no culpabilizar a nadie.

- Asegurarle en todo momento que ambos padres le siguen queriendo igual o más que antes y que él será visitado por el padre o la madre que no tenga la custodia.

- Quitarle dramatismo a la situación y comentarle que no es el único niño que tiene que enfrentarse a este hecho y que seguramente muchos compañeros de clase está viviendo la misma circunstancia.

- Tratar de proteger y alentar las opiniones positivas que el niño tenga de sus dos padres.

- Comentar con los profesores y con el entorno inmediato la nueva situación para formar entre todos una red de apoyo que ayude al niño a hacer frente a la nueva situación.

REACCIONES COMUNES

- La mayoría de los niños interpreta la separación de sus padres como un abandono o rechazo personal. En parte, el niño se culpa a sí mismo de la ruptura de sus padres y en parte experimenta un sentimiento de desamparo o traición intencionado o buscado por uno de los progenitores e incluso por los dos.

- Hay niños que tratan de hacerse responsables y de reconciliar a sus padres, sacrificándose a sí mismos en el proceso y no logrando nada.

- Algunos niños tienden a guardarse sus sentimientos negativos para adoptar una posición de protectores de sus progenitores, ya que piensan que éstos se encuentran en una situación tan frágil que es mejor no molestarlos con sus problemas, asumiendo, por tanto, una madurez prematura que no les corresponde por edad. Estos sentimientos reprimidos tienen consecuencias que se manifiestan en problemas de conducta social y bajo rendimiento escolar.

- Las alteraciones de los hábitos derivadas del divorcio pueden traducirse en problemas de sueño, de control de esfínteres, perturbaciones en el lenguaje y modificaciones en la conducta.

- El bajo rendimiento escolar es otra reacción típica. El niño presenta problemas en el uso de sus propias capacidades intelectuales a lo que hay que unir el hecho de que, debido a las tensiones familiares, el niño no rinde todo lo que es capaz, produciéndose una especie de fatiga psíquica que será mayor cuanto más largo sea el proceso de divorcio.

verbales o físicos cuando el niño estaba presente. Si las discrepancias entre los padres se ha alternado con etapas de ternura y tranquilidad, no tiene que producirse ningún trauma o efecto duradero en la psique del niño. Lo fundamental durante este período es que esté rodeado en todo momento de ternura y afecto, que se sienta querido y que sus necesidades estén cubiertas en todo momento.

Es muy importante que los padres lleguen a un acuerdo para compartir el mayor tiempo posible con el bebé, esforzándose por crear un clima de estabilidad a su alrededor.

CÓMO LE INFLUYE SEGÚN SU EDAD

EN LOS PRIMEROS MESES

Si la separación se produce durante la gestación o en los primeros meses de vida del niño, es probable que el bebé se vea afectado por el estado de ánimo de la madre y, por lo tanto, puede nacer con poco peso o con un retraso en el desarrollo cognitivo y emotivo. Es fundamental mantener en lo posible un ambiente de calma y relajación ya que el estado de ánimo del progenitor que está más involucrado en el cuidado directo del niño, afecta significativamente al bienestar del pequeño, que es capaz de percibirlo.

ENTRE 1 Y 3 AÑOS

Aunque parece que no se enteran de nada, a esta edad el niño percibe perfectamente la ruptura de la estructura familiar, aunque la forma en la que esto le va a afectar depende de si en la etapa previa a la separación ha habido o no excesivos enfrentamientos

DE 3 A 5 AÑOS

Según los expertos, es a esta edad cuando los pequeños lo pasan peor. Hay investigaciones que demuestran que aquellos niños que pierden a uno de sus padres a causa de la separación suelen tener más problemas que cuando la ausencia se produce después de esa edad. El niño aún no entiende qué es una separación, pero al notar que uno de los miembros de la pareja no duerme en casa y que la rutina familiar se rompe, puede que piense que es por su culpa y reaccione de distinta forma: o bien se vuelve muy obediente (pensando que si es bueno, el padre o la madre volverá a casa) o se transforma en una personita agresiva y rebelde.

Independientemente de la actitud que adopten, en este período los miedos están presentes, ya que su dificultad para diferenciar la ficción de la realidad les hace especialmente vulnerables.

El carácter del niño tiende a cambiar mucho: se vuelve triste, mimoso y exigente. Es frecuente que empiece a padecer miedos y terrores nocturnos, así como alteraciones en sus patrones de sueño y alimentación.

Se desarrolla un intenso temor a perder a los seres queridos. Muchos de ellos se resisten a ir a la guardería y no quieren dejar su casa, por miedo a que al volver no encuentren allí a su familia. Esto está relacionado con otras actitudes como la de perseguir al padre o a la madre a todas partes y llorar cada vez que él o ella salgan de casa.

Una de las actitudes más típicas en los niños de esta edad es un incremento de sus necesidades emocionales: reclaman constantemente el regazo de su madre y piden besos, caricias y abrazos continuamente.

Otra reacción típica a estas edades es que el niño empieza a actuar como una prolongación o calco del progenitor con el que se ha quedado a vivir, comportándose como un hijo «modelo» que en todo momento se amolda a los deseos de su padre o su madre.

Algunos niños niegan la ruptura tanto a sí mismos como a los demás. Mienten a los parientes y amigos diciendo, por ejemplo, que sus padres siguen durmiendo juntos por la noche y siguen jugando con sus muñecos representando situaciones en las que simula que son su propia familia y haciendo que aquellos que representan a sus padres se besen, duerman juntos, etc. La razón que subyace a esta actitud de negación es que él ha visto a sus padres siempre juntos y no concibe que esta situación cambie. Protestará día a día por la ausencia del otro e insistirá una y otra vez en que vuelvan a estar juntos.

También es bastante frecuente que cambie su comportamiento y su rendimiento en el colegio. Se encuentra muy inquieto y es

Los hijos de padres separados tienden a sentirse abrumados con la nueva situación e incluso pueden sentir rechazo hacia los padres.

frecuente que niños hasta ese momento tranquilos y bien integrados, empiecen a manifestar episodios de indisciplina o se peleen con los compañeros.

Las rabietas se convierten en una forma de canalizar su descontento. Juegan con animales de juguete que se matan unos a otros y es frecuente que muchos de ellos tengan una «gran boca», como la del cocodrilo, con la que devoran a los demás. Asimismo, tanto en sus juegos como en sus dibujos suelen estar presentes casas derruidas o incendiadas, tempestades, etc.

DE 6 A 8 AÑOS

Aunque la tristeza y la pena por la separación siguen presentes, el niño empieza a revelarse contra sus padres con cierta dosis de rabia, y el progenitor que se ha quedado con la custodia suele ser el «blanco» de esta actitud.

El niño se encuentra inmerso en una especie de proceso de duelo en el que presenta un fuerte sentimiento de pérdida del ser querido.

Son frecuentes en esta etapa las fantasías acerca de que sus padres volverán a unirse y que todos volverán a formar una familia. Cree firmemente en la reconciliación y así se lo hace saber a todo el mundo. Esto es debido a que el niño tiene una representación mental de pareja inseparable, y esta imagen está plenamente asumida en su interior.

También en este momento empiezan a aparecer los llamados conflictos de lealtad, y aquí los padres tienen una buena dosis de culpa: un número elevado de hijos de separados se encuentran bajo una fuerte presión por parte del progenitor con el que viven para que pierdan su interés por el otro padre.

Sin embargo, la tendencia del niño es a mantenerse leal a ambos cónyuges a pesar de un coste emocional y un importante esfuerzo psicológico por no herir los sentimientos de ninguno de los «bandos».

Se desarrollan una serie de sentimientos respecto al progenitor ausente. Por un lado, es frecuente que aparezca un sentimiento de lástima-compasión por éste. Por otro, se produce una inhibición de la violencia hacia el padre que está fuera de casa: son muy pocos los niños que critican o expresan odio hacia el padre ausente, algo que en ocasiones va paralelo a una mayor violencia hacia el padre custodio, al que en cierta medida responsabilizan de la situación.

Asimismo, pueden presentarse síntomas equivalentes de reacciones depresivas: fantasías negativas sobre el futuro, alimentarse de forma compulsiva para combatir la ansiedad... Aproximadamente a los 7 años (coincidiendo con la llamada edad de la razón), el niño empieza a demostrar una mayor tolerancia a la situación de separación.

DE 9 A 12 AÑOS

Es frecuente que manifieste sentimientos de vergüenza por el comportamiento de sus padres, y cólera o rabia hacia el progenitor que tomó la decisión de separarse. En torno a los 9 años, aproximadamente la mitad de estos niños están enfadados con sus madres, la otra mitad con sus padres y un buen número con ambos.

Se produce una especie de sacudida de su identidad: siente que algo se tambalea en lo más profundo de su ser. Esto puede manifestarse mediante trastornos de tipo somático como dolor de cabeza, de espalda o de tripa, así como con una elevación de los niveles de ansiedad. También puede producirse en esta etapa un descontrol de los hábitos adquiridos y el desarrollo de una vigorosa actividad que le lleva a alcanzar elevadas cotas de madurez social y autonomía.

DE LOS 13 A LOS 18 AÑOS

El niño no manifiesta de forma tan clara como en otras etapas el daño interior y la pena que le ha producido la separación. Lo oculta de algún modo y trata de evadirse mediante el juego, los amigos, etc., pero no por ello su dolor deja de ser latente. El sentimiento de pérdida sigue presente e incluso puede intensificarse en este momento, dando lugar a una desagradable sensación de vacío, fatiga crónica, pesadillas, dificultad para concentrarse, etc.

Hay algunos casos en los que se produce una retirada estratégica o aplazamiento de la entrada en la adolescencia. Algunos jóvenes retrasan conscientemente el momento en el que se espera de ellos que se comporten como «personas maduras», acomodándose en una edad «neutral» en espera de que cambien sus circunstancias o incluso experimentando una regresión hacia actitudes y comportamientos infantiles.

Aunque la sensación de enfado hacia los progenitores persiste, es probable que en esta etapa cambie la relación con uno de los padres o con ambos. Tal vez por primera vez desde que se inicia el proceso de separación, el niño es capaz de ponerse en el lugar de sus padres y de reconocer la infelicidad que a éstos les produce la situación. Ello puede llevar a adquirir una mayor responsabilidad y autonomía. En algunos casos, esta actitud le puede llevar a asumir en casa el papel del progenitor ausente.

La ya de por sí predisposición a la depresión propia de la adolescencia puede agravarse en el caso de los hijos de padres separados. Hay que tener especial cuidado con aquellos jóvenes que tengan tendencia a los estados depresivos y los que en algún momento hayan manifestado ideas de suicidio.

Hay algunos estudios recientes que apuntan a que los hijos de padres separados, especialmente las chicas, muestran una mayor predisposición a la promiscuidad sexual que aquellos cuyos padres mantienen una relación estable.

Por otro lado, muchos adolescentes saben cómo manipular a sus padres separados en su propio beneficio. Cuando la separación se produce cuando el joven tiene más edad, éste puede reaccionar reuniendo e interpretando informaciones sobre sus padres, eludiendo preguntas, construyéndose imágenes de sí mismos y cortando los lazos con los padres para ejercer su propia autoridad y asegurarse su identidad individual. Es propio de los hijos de padres divorciados ocultar información a su padre o madre para evitar un castigo o reforzar una buena relación con el otro. Aprenden a obtener beneficios mediante el control del flujo de información, ya que una de las consecuencias más inmediatas de una separación es la disminución o ruptura de las vías de comunicación entre los cónyuges. También es frecuente que se muden a la casa de aquel padre que ejerce un menor control sobre ellos, como castigo al otro o para escapar de una situación que no le agrada o no se ajusta a sus deseos de independencia.

SU VIDA TRAS EL DIVORCIO

■ Muchos de los problemas a los que se enfrentan los niños no son causados solamente por la separación de sus padres, sino que estudios recientes indican que la adaptación de los niños después del divorcio depende en gran parte de las situaciones existentes una vez que los padres empiezan a hacer su vida por separado. Los expertos recomiendan seguir una serie de actitudes que pueden ayudar a reducir los efectos negativos del divorcio en los niños y que no son más que consejos basados en el sentido común, aunque muchas veces cueste llevarlos a cabo todos:

- *No someterlos a demasiados cambios como resultado del divorcio.* Por ejemplo, es importante que sigan asistiendo al mismo colegio, que continúen viviendo en la misma casa, que no cambien de amigos por una mudanza, que las visitas o comidas con los abuelos tengan la misma periodicidad que antes de la separación... Se debe tratar de introducir los menores cambios posibles en su estilo de vida.

- *Disciplinar en un mismo sentido.* Ambos padres deberían usar métodos para educar y poner límites a su hijo que sean similares y totalmente apropiados para la edad de éste. A pesar de haber decidido separarse, deben intentar mantener la sintonía respecto a lo que es o no es una conducta aceptable para él, y en ambos hogares deben regir «códigos de conducta» lo más parecidos posible. Si no, el niño tendrá un gran caos en su cabeza, además de que se aprovechará en su beneficio dichas disensiones.

- *No usar al niño como mensajero en la comunicación de los padres.* Nunca se le debe pedir que transmita mensajes relacionados con la manutención, las citas con los abogados, es decir, «asuntos de mayores». Los niños no deberían estar involucrados en estas cosas porque no pueden asumirlas de ninguna manera: no deben pensar en ellas ni resolverlas o tomasr decisiones sobre ellas.

- *No caer en la tentación de convertirlo en «espía».* Los padres no deberían preguntarle a su hijo cosas del estilo: «¿Mamá sale mucho?», «¿papá tiene novia?». El niño debe percibir que ambos padres mantienen una actitud respetuosa ante la nueva vida del otro cónyuge, que no se alteran positiva o negativamente cuando se menciona al otro, que no sientes celos de las nuevas relaciones que hayan podido iniciar, etc..

- *Tener cuidado de no abrumarle con temores o preocupaciones personales.* Muchos padres divorciados buscan apoyo en sus hijos, sobre todo cuando éstos ya van teniendo más edad. Esto casi siempre tiene un efecto negativo en niños y adolescentes porque no suelen ser capaces de enfrentarse a este estrés, sin padecer ningún tipo de efecto negativo. Los hijos ya tienen suficientes problemas tratando de adaptarse al divorcio de sus padres y no deben implicarse excesivamente en los problemas personales de los mismos. Si fuera así, podría ser contraproducente porque el niño sentiría un rechazo hacia los padres y que se siente desbordado por la nueva situación que está viviendo y que se escapa a su control.

- *Mantenerlo al margen de los desacuerdos con el excónyuge.* Hay que evitar involucrarle en las peleas que puedan surgir tras la separación. Hacer que el niño favorezca a alguna de las partes suele empeorar las relaciones entre ambos padres.

- *No hablar negativamente del exausente en presencia del niño.* No importa la tensión existente entre el antiguo matrimonio o lo mal que se llevan entre sí: él o ella es (y lo será siempre) el padre o la madre del niño. Lo más acertado es procurar que el niño mantenga en lo posible unas relaciones sanas y cariñosas con los dos cónyuges.

- *Mantener unas pautas constantes y fluidas respecto al régimen de visitas.* Es preferible para el niño que se establezca una rutina consistente y continua del progenitor que no vive habitualmente con él.

- *Cancelar visitas* frecuentemente, *romper el contacto* durante largos períodos de tiempo o convertir las visitas en esporádicas *tiene un efecto muy negativo en el niño*, pues le produce incertidumbre, inseguridad y probablemente una baja autoestima. Es normal que el niño se sienta culpable cuando no se realiza alguna de las visitas o cuando pasa demasiado tiempo entre ellas.

- *Es importante que el niño no se desvincule del núcleo familiar* al que estaba acostumbrado; hay que buscar que la convivencia con primos, tíos y abuelos (tanto maternos como paternos) no se altere de forma significativa. Como se ha aconsejado a la pareja separada, las familias no deben hablar mal del padre o la madre, ni involucrarse en sus discusiones, diferencias o peleas.

SEGUNDAS PAREJAS: CÓMO ACTUAR

Cuando se forma la segunda familia, sus miembros no poseen una historia pasada común y, hasta el momento, han tenido una forma distinta de hacer las cosas. Además, es posible que el nuevo matrimonio aporte hijos de relaciones anteriores, con lo que figuras como «madrastra» o «hermanastros» pasan a formar parte de la cotidianeidad del niño. Todo ello requiere un esfuerzo de adaptación añadido por parte del niño, para el que necesita la ayuda y el respaldo continuo de sus padres y de las nuevas parejas de éstos. Las nuevas parejas también se tienen que implicar en la educación de pequeño, siempre siguiendo las pautas establecidas por los padres y sin olvidar quiénes son los padres del niño.

Además, esta situación puede implicar a su vez la aparición de nuevos problemas en el pequeño: retraimiento en todos los aspectos de su vida; sentirse dividido entre los dos padres y las dos familias; sentimientos de culpabilidad, ira o enojo; perder el referente de lo que es correcto y lo que no lo es; sentirse incómodo con cualquier miembro de la familia original o de la nueva; sentirse un bicho raro en su entorno social; descenso del rendimiento escolar...

Las reacciones de los niños ante el hecho de que su padre, su madre o ambos tengan nueva pareja dependen de su edad, su personalidad y las circunstancias en las que se haya desarrollado la separación. Sin embargo, hay una serie de pautas generales que pueden hacer que el niño asuma de forma positiva el hecho de que sus padres rehagan su vida:

- Hacer partícipe al niño de sus sentimientos hacia su nueva pareja, siempre que éstos sean estables y con idea de continuidad. No es aconsejable hacer que se conozcan el niño y la pareja, si no se vislumbra futuro para la nueva relación.

• Si el niño rechaza a cualquier pretendiente, hay que tener claro que no es necesario elegir entre la vida de pareja y los hijos. Además, no hay que perder de vista el hecho de que la mayoría de los hijos guardan la secreta esperanza de que sus padres se vuelvan a unir, y la presencia de otra persona rompe estas ilusiones. Es importante asegurarle que, aunque no se hubiese iniciado una nueva relación, no se desea volver con su padre o su madre porque la decisión que han tomado ha sido muy meditada y es definitiva.

• Hay que hacer especial hincapié en el hecho de que la nueva situación no va a significar que las cosas vayan a ser distintas, sino que le seguirá queriendo y cuidando como lo ha hecho hasta este momento.

• No hay que presionarle un poco para que admita de buen grado a la nueva pareja. Es importante respetar su opinión y permitirle su derecho a demostrar su enemistad o su desacuerdo a los cambios que está viviendo.

• Hay que explicarle que encariñarse con la nueva persona no significa ser desleal hacia el padre o la madre, que cada uno ocupa un lugar distinto y, por lo tanto, han de ser considerados y tratados de forma diferente.

• No hay que caer en la tentación de forzar la situación probando a «comprarle»

Poco a poco el niño irá admitiendo a la nueva pareja.

con regalos. Siempre será mucho más práctico y efectivo mostrar interés por él mismo, por sus actividades y por sus amiguitos.

• También es importante que, aunque la nueva pareja ayude a ejercer una labor educativa en la vida cotidiana, las decisiones más importantes sean siempre tomadas por el padre y la madre.

• Si el niño pasa los fines de semana o vacaciones con la nueva pareja, procurar que tenga una habitación propia o, al menos, un rincón personal.

Las estadísticas que se han realizado sobre este aspecto demuestran que, dándole el tiempo suficiente para afianzarse, las segundas familias pueden suponer un núcleo de relaciones emocionales excelente. El secreto del éxito está en tener mucha paciencia y buena voluntad para que la nueva situación funcione, así como asegurar al niño que cuenta con todo el afecto paterno y materno.

El hijo único:
¿hay que educarle diferente?

Es un hecho constatado que el número de hijos por pareja está disminuyendo considerablemente. Las últimas estadísticas realizadas al respecto señalan que entre el 40 y el 45 por ciento de las parejas de los países desarrollados (Estados Unidos a la cabeza) tienen un solo hijo. Las causas de esta situación son diversas y entre ellas destacan la planificación familiar, la mayor presencia de la mujer en el mundo laboral, la precariedad económica, la alta tasa de divorcios y el hecho de que cada vez se formen parejas a edades más maduras, con lo que también se retrasa la toma de decisiones en cuanto a tener hijos, lo que en muchas ocasiones determina el número.

ROMPIENDO ESTEREOTIPOS

Caprichosos, consentidos, egoístas, pequeños «tiranos»... lo cierto es que a los hijos únicos siempre les ha acompañado una cierta «mala fama» que se sustenta en el hecho de que estos niños reciben una atención casi exclusiva y los cuidados continuos de sus padres y los adultos que tienen a su alrededor, lo que puede convertirles en seres inestables y necesitados de protección. Sin embargo, todos los estudios realizados sobre distintas vertientes del comportamiento de estos niños han llegado a la conclusión de que su carácter, sus habilidades sociales y su forma de afrontar las vicisitudes de la vida dependen en gran medida de la forma en la que sean educados por sus padres. Además, no hay que perder de vista el hecho de que, al igual que ocurre con los niños que tienen hermanos, las circunstancias familiares pueden ser las más determinantes a la hora de formar su carácter y su personalidad. Por tanto, algunos problemas que presentan los hijos únicos como la excesiva dependencia de los padres, ser complacidos en todos sus deseos, la excesiva sobreprotección o la introversión no solamente son característicos de los hijos únicos, sino que también se pueden presentar en familias de varios hijos, debido fundamentalmente a la forma en la que los padres educan e imparten disciplina.

LAS VENTAJAS

■ Por lo general, el hijo único recibe más atenciones de sus padres y éstos, a su vez, disponen de más tiempo para atender todas las necesidades de su hijo que aquellos que tienen más descendencia. De ello se derivan algunas ventajas:

- *Más capacidad de raciocinio.* Generalmente, los hijos únicos se desenvuelven en un mundo de adultos y de ahí que suelan ser más racionales, dominen el lenguaje más rápido (muchos de ellos presentan un desarrollo lingüístico superior al normal), aprenden a manejar distintos argumentos y están acostumbrados a que se les dé una explicación por todo.

- *Una mayor creatividad.* Los hijos únicos suelen ser muy creativos (muchos de ellos tienen hermanos o amigos «imaginarios» a los que llegan a integrar de pleno en sus rutinas). La razón es que la mayor soledad en la que crecen les lleva a dar rienda suelta a su imaginación con más facilidad.

- *Planifican y logran sus metas más fácilmente.* Además de ser por lo general más ordenados, algunos expertos afirman que los hijos únicos poseen más capacidad para ser triunfadores en la vida, ya que, según ellos, estos niños viven con una carga menor de ansiedad (no tienen que disputar el espacio ni la atención de los padres), por lo que se centran con más determinación en aquellas metas que persiguen. En la misma línea, otros estudios afirman que el hijo único crece con ideas de vencedor, lo cual, debidamente canalizado, puede llevarle a establecer las estrategias más adecuadas para alcanzar el éxito.

- *Maduran antes.* Los hijos únicos son criados únicamente por adultos, al no haber más niños en casa y, por tanto, crecen en un mundo protagonizado por conversaciones y actitudes «de mayores», lo que les hace alcanzar antes la madurez.

- *Mayor capacidad de concentración.* Algunos estudios señalan que los hijos únicos poseen una mayor capacidad intelectual que otros debido a la mayor atención y estimulación de la que han sido objeto.

- *Disfrutan de más dosis de afecto.* Un niño sin hermanos recibe unas dosis muy elevadas de afecto en «bruto», y el ser valorado le enseña a valorarse.

LOS INCONVENIENTES

■ Frente a los niños que tienen hermanos, los hijos únicos presentan una serie de «desventajas»:

- *La soledad.* Es, sin duda, su principal «caballo de batalla». Y es que, además de ser las personas con las que compartir juegos, secretos y, también, peleas, los hermanos son en ocasiones una válvula de escape para los niños, ya que en ellos pueden depositar sus temores y conflictos y les permite compartir un mundo de complicidad ajeno al de los mayores.

- *Un umbral de frustración muy bajo.* Al no tener que pelear con hermanos, el hijo único no aprende que su capacidad agresiva es relativa y dominable y, sobre todo, se le hace muy cuesta arriba interiorizar el concepto de que unas veces se gana y otras se pierde.

- *La dificultad para compartir.* El hijo único disfruta de todos los espacios y juegos en exclusividad. Y lo mismo ocurre con la toma de decisiones: juega cuando quiere y como quiere.

- *La ausencia de «competencia».* No tienen hermanos hacia los cuales desplazar sus conflictos, algo que a los niños les da seguridad y confianza, además de permitirles desarrollar el sentido de la competencia, aspecto fundamental para poder superarse a sí mismos y trazarse y alcanzar metas.

- *Mayores sentimientos de culpabilidad.* Cuando existen conflictos entre los padres, el hijo único tiene más sentimiento de culpa, ya que no tiene con quién desahogarse o compartir la situación.

- *Incapacidad para resolver conflictos.* Es normal que los hermanos peleen entre sí y tengan que enfrenarse a desavenencias, pero también aprenden a tener recursos y resolver los posibles conflictos que surgen día a día, circunstancia que no se presenta en el caso de los hijos únicos, algo que puede hacerse más patente cuando inician su vida escolar.

A VUELTAS CON LA INSEGURIDAD

Mientras que algunos expertos coinciden en afirmar que los hijos únicos poseen unos niveles de autoestima muy elevados y son muy seguros, debido a la estrecha relación que han establecido con sus padres y a la elevada opinión que se han forjado de sí mismos, hay otras teorías que aseguran que la excesiva sobreprotección que sobre ellos ejercen sus progenitores les hace mostrarse inseguros cuando tienen que enfrentarse por sí solos al «mundo real».

Lo cierto es que no se puede hablar de reglas absolutas: la mayor o menor autoestima del hijo único dependerá de los estímulos positivos que reciba por parte de sus padres, en el sentido de valerse por sí mismos, ser capaces de asumir y cumplir con sus obligaciones y responsabilidades y, sobre todo, tener una autovaloración sana y positiva. Es en este punto donde los padres del hijo único pueden pasarse por exceso más que por defecto: la abundancia de elogios, unida a la mayor permisividad por parte de sus padres, puede hacer que estos niños sean excesivamente vanidosos yególatras, ya que son plenamente conscientes de sus méritos y virtudes, pero no tienen a nadie que les haga reflexionar sobre sus errores o aquellos aspectos de su personalidad que pueden ser mejorables. Esto puede suponer un obstáculo cuando empiecen a relacionarse socialmente.

¿MENOS SOCIABLES?

Numerosas investigaciones han analizado la vertiente social de los hijos únicos y, al igual que ocurre con el tema de la seguridad, los resultados son controvertidos. Así, por ejemplo, según un análisis estadístico de 115 estudios en el que se comparaban hijos únicos de varias edades y variada formación con niños que tenían hermanos, en cuanto a la adaptación y la sociabilidad, los hijos únicos obtuvieron mejores puntuaciones que aquellos que tenían un solo hermano. Los autores de este análisis señalan que los hijos únicos, como los primogénitos y aquellos que únicamente tienen un hermano, tienen padres que pueden pasar mucho tiempo con ellos y dedicarles bastante atención, de ahí que tal vez se desenvuelvan mejor socialmente porque sus padres conversan más con ellos, realizan más actividades juntos y esperan mucho más de ellos.

Sin embargo, una investigación más reciente demostró que los niños que crecen con un hermano o más se llevan mejor con sus compañeros de guardería que los hijos únicos. Según los autores de esta investigación, realizada sobre más de 20.000 niños norteamericanos, respecto a aquellos niños que tienen al menos un hermano, los hijos únicos tienen más dificultades para formar y mantener amistades; llevarse bien con personas que son diferentes; reconfortar y ayudar a otros niños; expresar sentimientos de manera positiva; y mostrar sensibilidad hacia los sentimientos de los demás.

Frente a esta tendencia de los hijos únicos al aislamiento y la falta de habilidades sociales, los expertos coinciden en que si estos niños cuentan con distintas formas o personas que influyan en su socialización, a veces no es necesario tener hermanos, siempre y cuando los padres les enseñen a compartir y los hagan desde muy pequeños vincularse con otros niños, ya que esto les proporciona herramientas para que aprendan habilidades sociales y reemplaza la falta de un hermano.

EL HIJO ÚNICO ADOLESCENTE

Hay dos momentos clave en la vida del hijo único: por un lado, su escolarización, ya que se trata de la primera toma de contacto «oficial» con otros niños y, por tanto, el inicio de su faceta social. Aquí, las principales dificul-

tades con las que se puede encontrar es la frustración al no salirse siempre con la suya y la dificultad para resolver los conflictos que se derivan de la interacción con otros niños.

La segunda etapa es la adolescencia y aquí los problemas son de distinta índole: el estrecho vínculo que hasta este momento se mantenía con los padres se ve roto o deteriorado, ya que a estas edades los progenitores no suelen ser la primera opción de los jóvenes a la hora de confiar sus secretos e inquietudes. Es entonces cuando la ausencia de hermanos se hace más notoria, sobre todo para intercambiar experiencias en torno al tema de las relaciones con el sexo opuesto, una de las principales preocupaciones del adolescente. El retraimiento hacia los padres va acompañado de mayor apertura hacia los amigos. La actitud de los padres debe ser dialogante y tolerante y sólo controladora en su justa medida. También es muy importante que respeten la elección de las amistades de sus hijos, pero que procuren conocer a sus amigos (invitarlos a casa, ofrecerse a llevar a todos en coche cuando tengan alguna fiesta o acontecimiento) y, a ser posible, que también tengan algún tipo de relación con los padres de éstos.

EL COMPLEJO DE CULPABILIDAD PATERNO

Un sentimiento muy común entre los padres de los hijos únicos es el de culpabilidad: se sienten responsables de la soledad de su hijo y, en cierta medida, «culpables» de que éste no tenga ese hermanito o hermanita que en ocasiones suele echar de menos. Y es precisamente ese sentimiento el que empuja a los padres a interferir en todas y cada una de las facetas de la vida del niño. Además, está demostrado que si los padres sienten ansiedad porque el niño es hijo único, van a tratar de compensarlo con un exceso de estímulos y de cosas materiales, con el fin de suplir la ausencia de hermanos. Por otro lado, si el hijo único percibe la preocupación de sus padres por la falta de hermanos, puede ponerse exigente e incluso tiránico, con lo que podrá manejarlos.

Es recomendable, por tanto, que los padres superen este sentimiento: tanto si se trata de una decisión premeditada como si es fruto de las circunstancias, tener un hijo único no es ningún problema de gravedad sino que se trata de algo totalmente natural.

EL GRAN RIESGO, LA SOBREPROTECCIÓN

Querer preservar a sus hijos de todos los riesgos y peligros que se puede encontrar en el mundo es algo natural y comprensible por parte de los padres pero, sobre todo en el caso del hijo único, esto puede traerle consecuencias en un futuro. En primer lugar, se puede llegar a agobiar tanto al niño que éste sólo actúe por contentar a sus padres. Además, el hecho de recibir continuamente advertencias y recomendaciones sobre potenciales peligros puede llevar a agravar los temores del propio niño. Asimismo, la sobreprotección genera a los pequeños una serie de limitaciones en su comportamiento, de forma que tienden a ser tímidos y poco audaces. El padre sobreprotector decide, actúa y piensa por su hijo, que es quien lleva la peor parte de ser educado dentro de una burbuja, ya que le resulta muy difícil valerse y decidir por sí mismo.

Frente a esta tendencia, los expertos recomiendan a los padres fomentar en lo posible la autonomía de sus hijos, teniendo cuidado en no exagerar algunos comportamientos, para evitar así actitudes negativas. El riesgo más común es que esa atención exclusiva que los padres dedican a su hijo se transforme en una excesiva sobreprotección, lo que hace

que el niño se vuelva indefenso, ya que no ha tenido la oportunidad de enfrentarse por sí mismo con la realidad ni con los problemas. La mayoría de los niños sobreprotegidos se vuelven sujetos pasivos, acostumbrados a que sean otras personas las que resuelvan sus asuntos y necesidades: antes de hacer nada, necesitan el consentimiento paterno y si no dispone de éste, opta por huir en vez de enfrentarse a la situación.

CÓMO DEBEN ACTUAR LOS PADRES

Ante todo, no deben partir de premisas preconcebidas: deben afrontar la educación de su hijo con la misma responsabilidad que si se tuvieran más.

Al hijo único hay que educarlo con sentido común, teniendo en cuenta que se tiende a sobreprotegerlo o a ser más condescendiente con él al ser uno solo. Por tanto, hay que autodisciplinarse y no permitirle ningún extra sino que, al igual que se aconseja a los padres con más hijos, hay que educarle dentro de unos límites.

Asimismo, es importante que los padres de un hijo único afronten esta situación como algo natural, teniendo en cuenta los potenciales problemas que puedan presentarse a la hora de planificar su educación.

Estas son algunas de las medidas que los expertos recomiendan para facilitar la labor a estos padres:

- *Objetivo: evitar los caprichos.* Éste es uno de los principales «caballos de batalla». Los psicólogos recuerdan que es tarea de los padres enseñar a sus hijos que la vida está llena de renuncias, que además de recibir hay que saber dar y que no siempre se tiene la razón. Para ello, y desde el principio, hay que seguir un criterio claro y coherente, que evite que el niño se convierta en una persona caprichosa y consentida. Lo ideal es que ya a partir de los 12 meses haya que empezar a establecer unos límites: poco a poco, hay que irle enseñando lo que puede y no puede hacer y, sobre todo, dejarle claro que sus llantos no son un arma infalible para tener acceso a sus caprichos.

- *Fomentar la tolerancia.* Según los expertos, es tarea de los padres enseñar a los hijos que la vida está llena de renuncias y que, además de recibir, hay que saber dar y que no siempre se tiene la razón.

- *Socializarlo cuanto antes.* Uno de los primeros consejos que se dan a los padres de los hijos únicos es que lo pongan en contacto lo antes posible con otros niños, ya sean de la familia o del colegio. Así, es importante que el niño se integre en la guardería o en la escuela a edades tempranas y que se le anime a jugar con otros niños, incluso en casa, invitando a amiguitos de vez en cuando, con los que pueda aprender a compartir diversiones. La relación con otros niños es primordial.

- *Establecer horarios y rutinas.* Aunque sea el único niño de la casa, hay que ser estrictos en cuanto a los horarios y las comidas.

- *Respetar y aceptar sus fallos.* Por mucho que los padres se esfuercen en su educación, nunca hay olvidar que, único o rodeado de hermanos, los niños son niños y, por tanto, cometen fallos y son proclives a las travesuras. La rigidez excesiva no les beneficia. Hay que dejarle que viva plenamente su infancia y no caer en la tentación de tratarle como a un adulto.

- *Atención con las señales excesivas de control.* Hay que evitar decirle a todas horas frases del tipo: «No hagas», «no toques», «te vas a hacer daño»..., ya que ello puede incrementar la sensación de inseguridad.

- *Fomentar las relaciones familiares.* Otra forma efectiva de incentivar las relaciones humanas del hijo único es fomentarle el interés por los familiares y propiciar las relaciones con ellos: tíos, primos, abuelos, primos segundos... Es importante que, aunque no tenga hermanos, esté en contacto con otros miembros de la familia, para fomentar así el sentimiento de pertenencia a un grupo, de arraigo.

- *No caer en la tentación de la educación obsesiva.* Uno de los riesgos que corren los padres de los hijos únicos es fabricarles una agenda repleta de actividades extraescolares que no sólo le distraigan de la falta de hermanos, sino que contribuyan a la formación de un «pequeño» genio, lo que puede hacer que se deje en el camino actividades y diversiones propias de su edad.

- *Animarle a que siga sus propias inclinaciones.* Es importante que el niño manifieste con total libertad sus gustos y preferencias y que éstas no sean un mero eco de los gustos de sus padres y los otros adultos que le rodean.

- *Regañarle y castigarle cuando sea necesario y, sobre todo, no sentirse culpables por ello.* Todos los niños necesitan límites, sean únicos o pertenezcan a una familia numerosa.

- *Buscar actividades deportivas y lúdicas en las que el niño pueda competir y com-*

partir experiencias con otros niños de su misma edad. Este tipo de diversiones pueden suplir la ausencia de un mundo infantil en el hogar.

- *Estimular su creatividad.* Teniendo en cuenta que estos niños suelen desarrollar más su vertiente imaginativa, esto puede ser aprovechado para orientarle de forma adecuada para que desarrolle sus talentos, adquiera un *hobbie* y refuerce sus propios intereses.

- *Invitar con relativa frecuencia a sus amigos y compañeros de clase a merendar y jugar en la casa y, de igual forma, dejar que el niño vaya a casa de sus amigos cuando sean invitados.* Es un buen entrenamiento para que, poco a poco, se vaya «soltando».

- *No ser posesivos con él.* Hay que dejar que vuele por libre. Es importante que los padres sean generosos y dejen que el niño tenga su propio mundo y lo disfrute. Una opción muy recomendada por los expertos es permitir que el niño asista a campamentos o colonias escolares. Es muy importante que compruebe que puede desenvolverse por sí mismo cuando sus padres se encuentran a muchos kilómetros de distancia.

- *No bajar la guardia.* En cierta medida, el hijo único vive en una burbuja: no tiene que luchar prácticamente por nada y vive en un ambiente superprotegido. Por eso, los padres han de ser conscientes de que tienen que exigirle mucho y darle responsabilidades como una forma de compensar la sobreprotección o el ambiente seguro en el que éste crece. Si tiene todo demasiado fácil, no va a desarrollar las habilidades necesarias para luchar por aquello que le interesa.

- *Evitar la tendencia al consumismo.* Consciente o inconscientemente, hay padres de hijos únicos que intentan suplir la ausencia de hermanos con bienes materiales. Además, cuando se tiene mucho, es frecuente que se produzca una especie de tedio de las cosas. Por otro lado, los niños que tienen un exceso de materialismo en la infancia, mantendrán esta tendencia de adultos, algo que no les va a beneficiar. De ahí que sea importante no caer en la tentación de comprarles cosas «porque sí» y compensar el bienestar material con mayores exigencias en otros aspectos, como los hábitos cotidianos.

- *«Enseñarle» a luchar.* Fomentar desde muy pequeños aquellos juegos en los que el niño tenga que luchar por aquello que quiere es una buena manera de «entrenarle» de cara a su vida futura. El objetivo es enseñarle a compartir, a perder, a expresar su agresividad, a pelear y, también, a tener en cuenta los sentimientos de los demás.

- *Ponerle retos.* Es importante que los padres le ayuden a solucionar sus problemas y le orienten sobre la mejor forma de hacerlo, pero no todos: hay que dejarle que desarrolle la autonomía y la madurez suficiente para así no tener que depender continuamente de los criterios y la ayuda paterna.

- *Dejarle libertad.* Un error muy común en los padres de los hijos únicos es planificar su vida. Asimismo, también es frecuente que, aunque inconscientemente, lo traten como un «robot» que hace todo lo que sus padres le digan, de ahí la importancia de irle «soltando» en algunos aspectos como la elección de su vestuario, sus comidas, etc. Como dijo el filósofo hindú Khalil Gibran, «tus hijos no son tus hijos; son hijos e hijas de la vida...».

El niño adoptado:
— cuándo, cómo y por qué decírselo —

En Estados Unidos cada año se adoptan aproximadamente unos 120.000 niños y la tendencia hacia un aumento de esta opción es notoria en los países desarrollados. Entre las causas de por qué cada vez más personas deciden adoptar un niño destacan el retraso en las mujeres en la edad para convertirse en madres y el consiguiente aumento de la infertilidad; el aumento de las familias monoparentales; y las parejas que ya tienen hijos y que, pese a ello, desean incorporar un miembro más en su familia.

En la mayoría de las ocasiones, el proceso de adopción suele ser largo y, a veces, complicado (debido a los trámites legales y los requisitos de cada país), de ahí que la llegada de estos niños esté precedida de altas dosis de expectación e ilusión por parte de los adoptantes.

Lo que sí deben tener muy claro los padres de estos niños es que, adoptado o biológico, tener un hijo supone un cambio radical en la vida paterna e implica adoptar actitudes responsables e ir resolviendo numerosos problemas que se plantean día a día. Y, también, tanto si son biológicos como si son resultado de una adopción, todos los niños necesitan dosis elevadas de paciencia, comprensión y, sobre todo, mucho amor.

DECÍRSELO O NO: LA GRAN DUDA

Casi la totalidad de los padres de los niños adoptados se enfrentan al dilema de si deben decirle o no al niño que es adoptado y, sobre todo, cuándo y cómo hacerlo.

En este sentido, los expertos son unánimes: al niño adoptado hay que informarle de su adopción siempre que se haga de una manera que él pueda entender y que sean los padres los encargados de transmitirle esta información. El motivo principal por el que es necesario contar siempre la verdad a estos niños es el hecho de que cualquier relación afectiva no puede basarse en una mentira.

Además, y puesto que la adopción es un acto de amor, no hay por qué ocultarla, y dado que un niño adoptado es un niño deseado y querido, no hay que hacerle sentir que es algo de lo que deba avergonzarse.

CUÁNDO DEBE SABERLO

Aunque hay algunos especialistas en el tema que afirman que hacer esta revelación a edades excesivamente tempranas puede llegar a confundir al niño, pues aún no es capaz de comprender todo el significado de esta información, y por ello aconsejan esperar a que el niño sea un poco mayor, la mayoría de los expertos recomienda que el niño debe saber la verdad a la edad más temprana posible, ya que esto le da la oportunidad de poder aceptar la idea e integrar el concepto de haber sido adoptado. Pediatras y psicólogos coinciden en la importancia de que el niño adoptado sepa la verdad en el momento de tener uso de razón, antes de los 4 años de edad.

La tendencia que tienen muchos padres a esperar a que el niño sea mayor para que pueda entender en toda su magnitud lo que significa la adopción, tiene el riesgo de que a menudo esta espera dura meses o años, y nunca llega el momento oportuno. Hay mucho miedo de que la verdad hiera, lastime y, sobre todo, separe.

QUIÉN DEBE DECÍRSELO

El niño siempre debe enterarse de su adopción por boca de sus padres adoptivos. Ésta es la clave para que asuma la situación de forma positiva y permite que el niño confíe plenamente en sus padres. Si se entera de la adopción por boca de otra persona (de forma intencionada o accidental), el niño puede llegar a sentir ira y desconfianza hacia

sus padres y, además, es muy probable que considere la adopción como algo malo o vergonzoso, ya que sus padres la mantuvieron en secreto.

Asimismo, los expertos recomiendan la presencia de ambos padres en el momento de dar la información al niño, aunque habitualmente suele ser la madre (que generalmente pasa más tiempo con el hijo) quien encuentra la circunstancia y el momento oportuno para hacerlo.

CÓMO HAY QUE COMUNICÁRSELO

Está demostrado que el modo en que se revele la información y quién la revele tiene efectos sobre el bienestar presente y futuro del niño, de ahí que sea tan importante ajustar la información que se le transmite de acuerdo a su grado de madurez.

A medida que vaya creciendo y haga preguntas más específicas, se le pueden añadir y matizar estos datos.

- Lo más importante de todo es que al niño le queden claros dos conceptos: que él era un bebé como cualquier otro y que no tenía nada raro por lo que haya sido rechazado por sus padres biológicos.

- También es importante recordarle que su madre natural era alguien que no podía ocuparse no sólo de él, sino de cualquier bebé, y que por eso buscó a alguien que lo cuidara.

- Asimismo, es fundamental que desde el principio se le deje muy claro que cuando fue adoptado se hizo para toda la vida y que, por tanto, siempre será el hijo de sus padres adoptivos. De esta forma, se evitará el sentimiento común en estos niños de que si su madre verdadera lo dejó, otra también podría hacerlo.

● Se puede hacer referencia a la adopción de forma casual desde que el niño es muy pequeño, recalcando siempre la felicidad que produce el hecho de que forme parte de la familia.

● Lo más importante es manejar con naturalidad la palabra adopción y todo lo que ello significa. De hecho, y según los expertos, el mejor modo de contarle a un hijo que es adoptado es haciendo que la palabra adopción pase a formar parte del lenguaje cotidiano. Es muy importante emplear este término de forma natural y en un sentido positivo. Hay que procurar utilizarlo cuando los padres estén física y emocionalmente cercanos a su hijo (al tenerle en brazos, en el momento del baño, yendo de paseo...). Con ello se consiguen dos cosas: por un lado, se crea el sentimiento en el seno de la familia de que la adopción es un tema de conversación; el niño puede entender o no qué significa el hecho de ser adoptado, pero sí capta que los padres se encuentran cómodos hablando de esta situación; por otro lado, esto le brinda a los padres la oportunidad de hablar y dar rienda suelta a sus sentimientos sobre un asunto que no resulta fácil abordar.

LA ADAPTACIÓN DEL NIÑO A LA SITUACIÓN

El niño adoptado pasa por diferentes fases en su proceso de adaptación que serán más breves cuanto más pequeño sea. Asimismo, la facilidad de adaptación es inversamente proporcional a la edad del niño.

Durante la fase inicial, caracterizada por la angustia, suelen ser frecuentes el llanto, el nerviosismo y los problemas en los patrones de sueño y de apetito. En esta fase, en la que el niño muestra rabia y dolor por el abandono, es importante que los padres les ayuden a asimilar la situación mediante el contacto físico (abrazos, caricias, demostraciones de afecto), que le hagan sentirse querido y seguro en su hogar.

A este período le sigue una fase de adaptación, en la que los padres y el niño pasan a conocerse mutuamente y en la que el niño irá probando los límites sobre lo que puede hacer o no. Es frecuente también que en esta etapa aparezcan períodos de llanto y que ambas partes padezcan episodios de ansiedad. Los padres deben en todo momento afrontar todas estas actitudes con un talante neutral, esto es, no tomárselo como algo personal, sino derivado de las situaciones que el niño ha vivido con anterioridad.

Se debe mantener una actitud comprensiva y dialogante, pero sin dejar de marcarle al niño unos límites de conducta.

REACCIONES MÁS FRECUENTES

■ Hay una serie de sentimientos, actitudes y reacciones que suelen estar muy presentes en el niño adoptado y que varían según su edad y su nivel de madurez:

● *El miedo a ser abandonado* por su nueva familia, tal y como hicieron (o cree que hicieron) sus padres biológicos.

● *La negativa a aceptar que fue adoptado y la creación de fantasías acerca de la adopción.* Con frecuencia, los niños que han sido adoptados se aferran a la creencia de que sus padres naturales los dieron porque ellos eran malos o también pueden creer que fueron secuestrados. Si los padres hablan con franqueza acerca de la adopción y la presentan de forma positiva es menos probable que se desarrollen estas preocupaciones.

- *La ira y el sufrimiento pueden presentarse en varias ocasiones.* Saber que fue concebido por otra madre le lleva a preguntarse qué ha hecho él para que le abandonara.

- *La desconfianza hacia los adultos.* Una actitud cariñosa y paciente es la mejor fórmula para que el niño vuelva a ganar la confianza perdida en las personas de su entorno. Hay que estar preparado porque estos niños suelen someter a sus padres a «pruebas» para comprobar hasta qué punto les importa.

- *Las preguntas frecuentes*, muchas de las cuales no buscan una respuesta justa, sino que intentan confirmar que sus padres están dispuestos a contestar lo que pueden o lo que saben; en definitiva, que puede confiar en ellos y que van a escuchar y resolver todas las incertidumbres que puedan aparecer. Esto fortalece mucho los vínculos paterno-filiales.

- *La baja autoestima y el sentimiento de culpa.* Aunque los padres les muestren su afecto constante e incondicionalmente, estos niños seguirán cuestionándose si son dignos de ser queridos.

- *La incertidumbre.* Lo que afecta significativamente a estos niños no es el hecho de ser adoptados, sino los secretos y el modo de manejar la información acerca

de su origen por parte de los adultos. Ignorar lo que otros saben acerca de él no le ahorra sufrimiento, sino que lo provocará.

- *La sensación de que todo es efímero, de inseguridad* ante todo, ya que por regla general estos niños han vivido situaciones de inestabilidad en el pasado.

- *Las situaciones de separación, pérdida y abandono*, que se presentan de forma habitual en la vida de todo el mundo, son percibidas y vividas por el niño adoptado con mayor intensidad todavía, lo que le lleva a mostrarse especialmente sensible y reacio a iniciar relaciones basadas en la confianza.

- *Distinta actitud respecto a los datos relacionados con su pasado.* Muchos niños adoptados preguntan constantemente sobre detalles relacionados con su pasado; otros lo hacen de forma esporádica y algunos nunca se manifiestan al respecto.

ESTRATEGIAS QUE LO HACEN MÁS FÁCIL

- Sea cual sea la edad del niño adoptado, es conveniente permitirle que lleve consigo objetos personales de su pasado conocidos por él. Este nexo o punto de partida es muy necesario para que inicie su propio camino.

- En algún momento, hay que explicarle que todos los bebés crecen dentro de una madre y que en su caso también fue así, pero que su madre natural no pudo ocuparse de él y que habían encontrado una familia para que lo criara igual que las mamás «de verdad». Este argumento tan básico suele resultar bastante efectivo.

- Para estimular la explicación de la adopción al niño, es buena idea recurrir a libros de cuentos que ayuden a convertir todo el proceso en un relato comprensible para su mente. Cada vez se pueden encontrar más títulos que abordan este tema en las librerías y también muchas asociaciones y organizaciones de padres de hijos adoptados de distintos países editan manuales al respecto.

- Es conveniente comenzar a conversar gradualmente. Siempre hay formas de introducir el tema: el nacimiento de un bebé conocido, la adopción de un bebé por parte de algún personaje famoso, los juegos con muñecos, los animales que crían cachorros ajenos...

- Buscar casos como, por ejemplo, personajes de la televisión, o situaciones familiares o escolares sobre las que apoyarse para explicar el tema.

- Una de las preguntas más recurrentes de estos niños es: «¿Qué es ser adoptado?». La respuesta más adecuada es explicarle que significa ser un hijo igual a los demás, pero con una historia que empieza mucho antes de conocer a su mamá y a su papá.

- Al igual que ocurre con los hijos biológicos, es importante construirle una historia lo más documentada posible. En cierta medida, la espera que implica toda adopción puede equivaler a un embarazo. Una buena idea es elaborar una especie de diario en el que se expresen las sensaciones que se experimentaron durante la espera, un álbum con fotos de todos los preparativos (la habitación, la cuna, etc.), dibujos en los que quede reflejada la historia del niño... Todo ello será muy clarificador para que comprenda cuáles son sus orígenes. Es importante todo aquello que permita llenar las lagunas de memoria y alejar los fantasmas que el niño pueda tener.

- También es importante ofrecerle todos los datos referentes a su país de origen en caso de que el niño sea extranjero. Relatos del tipo: «Tú naciste en un país muy lejano y allí te fueron a buscar papá y mamá para que fueras su hijo» son muy comprensibles para él y le ayudan a integrar mejor sus circunstancias.

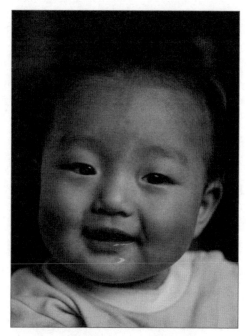

Hay que permitir que el niño adoptado conserve objetos personales de su pasado y su cultura.

LA ACTITUD DE LOS PADRES

- Ante todo, es muy importante que, independientemente de cuáles hayan sido las motivaciones que les han empujado a adoptar, a partir del momento en el que el niño llega al hogar, pasa a ser hijo suyo a todos los efectos y que, por tanto, las pautas educativas deben ser las mismas que para cualquier otro hijo.

- Cada vez se recurre más a la adopción de niños extranjeros, de culturas distintas. Una vez que se ha tomado la decisión, es imprescindible seguir las indicaciones de los organismos competentes, que se rigen por leyes nacionales e internacionales. Los padres entran en un proceso de selección y se les somete a una serie de entrevistas, a un estudio sociofamiliar, etc., y durante este período es muy importante que reflexionen sobre cuáles son sus motivaciones y, sobre todo, entender que adoptar a un niño es algo más que hacer una buena obra. En este caso, es imprescindible que se documenten adecuadamente y muestren un respeto absoluto por la cultura de origen del niño.

- Cuanto más cómodos se sientan los padres adoptivos con la situación, tanto más a gusto se sentirá también el niño y entonces habrá más posibilidades de que la adaptación sea positiva. Si los padres aceptan sus propias limitaciones y las de sus hijos, se sentirán verdaderos «padres» de ellos.

- Es importante que los padres adoptivos se preparen lo más adecuadamente posible antes de que el niño llegue a casa, eliminando sus dudas y miedos, así como posibles prejuicios respecto al tema de la adopción.

- El motivo que les ha llevado a la decisión de adoptar es importante de cara a la actitud con la que se afronte esta situación. Así, por ejemplo, las parejas que logran asumir la esterilidad experimentan el encuentro con el hijo como una situación de felicidad que desean compartir con la familia y los amigos. Sin embargo, aquellas parejas que a causa de dificultades internas no han logrado superar la frustración que les produce el no poder concebir, temen comunicar la adopción y se preocupan por la reacción y aprobación de los demás.

- Cuando el niño se muestre rebelde o someta a los padres a difíciles pruebas para comprobar hasta qué punto es importante para ellos, hay que seguir mostrándole un amor incondicional, lo que no significa adoptar una actitud permisiva o complaciente, sino ratificar el cariño que se tiene hacia él aún cuando no se comporte de forma correcta.

- Ante la curiosidad acerca de temas referentes al pasado, los padres deben responder en la medida de sus preguntas: se ahonda en los detalles si el niño así lo solicita y únicamente se saca el tema cuando éste quiera o cuando los padres observen que se encuentra especialmente receptivo.

- Aunque no es imprescindible que los padres acudan al psicólogo, estos profesionales son de gran ayuda cuando se presentan problemas importantes o los padres se sienten desorientados, algo más frecuente cuanto más edad tiene el niño adoptado. Acudir a asociaciones y grupos de apoyo de padres que se encuentren en la misma situación también puede servir de ayuda.

- A la mayoría de los padres les preocupa o se sienten culpables por preferir a veces a un hijo que a otro sin darse cuenta de que estos sentimientos son normales. En una familia adoptiva estos sentimientos adquieren dimensiones aún mayores. El hecho de que los padres compartan entre sí sus emociones o lo hagan con alguien ajeno al círculo familiar puede ser de gran ayuda.

- Algunos niños, especialmente al llegar la adolescencia, pueden desear conocer la identidad de sus padres naturales. Ante esta situación, los padres adoptivos pueden responderle dejándole saber que estas inquietudes son correctas y que es totalmente natural tener ese interés. No hay que ofenderse ni tampoco sucumbir ante el pensamiento de que pueden perder el cariño de su hijo, sino ofrecerle al niño, con tacto y muchísimo apoyo, toda la información que se posea sobre su familia natural.

PROBLEMAS QUE PUEDEN PRESENTARSE

- *Uno de los principales riesgos* que se pueden dar a la hora de educar a un niño adoptado, especialmente si, además, es hijo único, *es mimarlo y consentirlo* en exceso, tanto para compensarle por posibles experiencias traumáticas de su pasado como por el hecho de tratarse de un hijo largamente esperado. Para evitar esto hay que ir marcado límites de forma suave, pero firme, ya que éstos son muy

necesarios no solamente para disciplinar al niño, sino también para que éste adquiera el sentido de pertenencia a una estructura en la que imperan determinadas «reglas del juego».

- *El cambio de nombre* es otro motivo de controversia para los padres. Según los expertos, sólo en el caso de que se trate de un bebé de pocos meses se le podría cambiar, pero en niños de más edad, mayores de 18 meses, sería mejor conservarlo, ya que le ha dado tiempo a interiorizarlo y para él significa una seña muy importante de su identidad, así que cambiárselo puede producirle confusión y dificultar todavía más su proceso de adaptación.

- *Es frecuente que el niño adoptado desarrolle problemas emocionales y de comportamiento*, resultado de las inseguridades y asuntos relacionados con el hecho de haber sido adoptado. Si los padres ven que la situación les desborda o no saben cómo actuar, lo mejor es buscar ayuda profesional.

- Algunos estudios demuestran que *los niños adoptados pueden presentar déficit a nivel cognitivo*, baja autoestima, serias dificultades para establecer vínculos con otras personas, así como otras alteraciones o desajustes a nivel de comportamiento y afectivo una vez que han conocido su origen. De ahí la importancia que tiene que los padres elijan el momento y la forma adecuada para revelarle esta información.

- *La escolarización.* Muchos padres prefieren que el niño reciba clases en casa y retrasan la escolarización hasta considerar que está plenamente integrado y preparado para relacionarse con otros niños. Sin embargo, los expertos recomiendan que, teniendo en cuenta que hoy en día los colegios son multiculturales y cuentan con todos los recursos para favorecer la adaptación de estos niños, se les escolarice lo antes posible, siempre y cuando los padres estén en continuo contacto con los profesores para que entre todos se facilite su integración. Eso sí: hay que adaptar los niveles de exigencia a las circunstancias de este niño, y no perder de vista el hecho de que muchos de ellos nunca han sido escolarizados ni han recibido la estimulación adecuada.

- *La carga genética.* Cuando los niños manifiestan conductas inadecuadas los padres adoptivos pueden tender a achacarla de forma automática a los genes del niño, sin tener en cuenta que cuando se trata de hijos biológicos también hay aspectos que no gustan (y que en ocasiones también se achacan a la genética). En ambos casos, no hay que perder de vista que el ambiente y las pautas educativas pesan mucho más que la herencia, de ahí lo inapropiado de recurrir al justificante de que el niño «es así» porque sus padres biológicos también lo eran, y esto puede ser un grave obstáculo en la educación del niño adoptado.

SITUACIONES ESPECIALES

- *Adoptar un niño con necesidades especiales.* Cada vez son más las personas que optan por adoptar un niño con problemas físicos o psíquicos, como el retraso mental. En estos casos, y a todas las dificulta-

des que entraña de por sí la adopción, se hace especialmente necesaria la existencia de familias estables y estructuradas, que sean muy realistas con sus expectativas y capaces de aceptar las limitaciones de estos niños. Es muy importante que estos padres estén debidamente preparados, conociendo e informándose al máximo sobre el problema especial que sufre el niño. De esta forma se entenderán todos los aspectos de su dolencia o alteración para ayudarle más y mejor. En estos casos puede llegar a ser imprescindible la ayuda profesional.

- *Adoptar a un niño cuando ya se tienen hijos biológicos.* En este caso hay que emplear pautas de actuación tanto respecto al niño adoptado como para sus hermanos. Respecto a los primeros, el reto será conseguir que no se sienta menos querido que sus hermanos por el hecho de ser adoptado (y, en ocasiones, de pertenecer a otro país o raza). En cuanto a los segundos, se deben emplear pautas similares a las que se utilizan con el adoptivo para explicar su origen. Lo importante es que los mensajes que se transmitan a unos y a otros sean similares, para favorecer así la cohesión y el concepto de familia.

PAUTAS PARA EDUCARLE

- Lo más importante es que los padres asuman desde el principio la realidad de que son una familia adoptiva para ese niño con todo lo bueno y también con las dificultades que ello implica.

- La adopción es para estos niños parte de lo que son: pensarán en ella irremediablemente durante toda su vida. Es fundamental que los padres ayuden al niño a expresar lo que siente y piensa, a conversar de forma natural acerca de este tema.

- Los padres deben mantener siempre una actitud lo más abierta y dialogante posible: la comunicación y la ausencia de secretismo es fundamental para que así el vínculo entre padres e hijos se fortalezca.

- Se debe intentar mantener una actitud de escucha y comprensión para de esta forma conseguir que el niño les vaya confiando sus emociones sin temor. Los padres deben ser a su vez sinceros con él, de modo que el niño aprenda a serlo con ellos y los vínculos de afecto se vayan fortaleciendo.

- Hay que aceptar al niño tal como es, sin anteponer para él expectativas propias respecto a su realidad.

- Es importante tener en cuenta que la educación que reciba el niño y el entorno en el que crezca sólo podrán modificar aquello para lo que esté genéticamente predispuesto, aunque siempre supondrá un aporte fundamental para el desarrollo de su personalidad.

- El contarle las circunstancias exactas de su adopción le ayudará a disipar sus fantasías de culpabilidad (pensamientos del tipo «soy malo» o «debí tener algún problema importante para que mis padres me dieran»). Si intentan ocultárselo, algún día, cuando el niño lo descubra, se sentirá engañado y traicionado, lo que deteriorará la relación de cara al futuro. Además, suele ser más difícil reparar

este daño que las circunstancias que rodean la adopción.

- Es muy importante contestar a sus preguntas, aunque se tenga escasa información al respecto. Hay que evitar en todo momento que el niño tenga la sensación de que se le engaña o que se le está ocultando algo.

- Sin embargo, no siempre es bueno contar al niño todo lo que se sabe sobre las circunstancias de su vida antes de la adopción. Es fundamental cuidar el acceso a la información. Construir un relato no supone hacer uso de todo lo que se conoce sobre la familia biológica del niño.

- Por otro lado, hay otros niños que no manifiestan ningún interés acerca de datos referentes a su pasado; es más, algunos nunca realizan preguntas al respecto, y esto puede ser debido a que intuyen que a sus padres no les gusta hablar «de eso». En estos casos, es importante que los padres saquen el tema de la forma más natural y, en función de la reacción del niño, lo afronten de forma más o menos explícita. No hay que esperar siempre a que sea el niño quien interrogue sobre la situación.

- Las conversaciones con el niño siempre tienen que ser adecuadas a su etapa de desarrollo, a su temperamento y a las influencias externas que pueda recibir. Todos los niños adoptados deben ajustarse a las nuevas imágenes, nuevos sonidos, nuevos olores y nuevas experiencias, y los padres deben respetar el ritmo de este período de adaptación sin acelerarlo.

Aunque un niño haya sido adoptado cuando era un bebé, puede tener recuerdos en el subconsciente.

QUÉ HACER SEGÚN LA EDAD DEL NIÑO

Tanto la edad en la que ha sido adoptado como el momento en el que se le explica la realidad son determinantes para que el niño asuma la situación de forma positiva y sin ningún trauma para el resto de su vida. Por tanto, es importante adecuar los mensajes que se transmitan sobre la adopción y las pautas educativas a cada momento concreto de la vida. Para ello, exponemos unos consejos acordes con cada edad que conviene aplicar:

Bebés y niños menores de 3 años

Incluso cuando todavía no habla, los recuerdos anteriores al momento de la adopción han podido quedar grabados en su subconsciente a un nivel muy profundo. Según los expertos, durante la etapa preverbal y verbal temprana los padres tienen una perfecta oportunidad para comenzar a compartir con el niño el tema de la adopción de forma tranquila y cómoda. Hay que tener en cuenta que muchos de los niños adoptados durante la infancia temprana han experimentado el dolor de la separación de sus padres biológicos, por lo que su emotividad puede estar a flor de piel y sufren mucho con todo.

Entre los 3 y los 5 años

Cualquier niño de esa edad comienza a desarrollar la habilidad de explorar, de iniciar proyectos y de cuestionar todo lo que ve. Empieza a salir del mundo seguro y cerrado del hogar y comienza su interrelación con otras personas. Es en este momento cuando va a empezar a confrontar el hecho de su propia adopción. Puede que, debido a lo básico de su pensamiento en estos momentos, tenga problemas para entender todas las implicaciones del hecho de ser adoptado. Los cuentos, las historias en las que el niño es el protagonista y la representación de la situación a través de los juegos o muñecos son las mejores herramientas con las que los padres pueden facilitarle la comprensión de esta situación.

DE LOS 5 A LOS 7 AÑOS

Si el niño es adoptado a partir de esta edad, sí que es necesaria la ayuda de un profesional de la psicología durante las primeras fases de adaptación, ya que también coincide con el inicio de la etapa escolar, lo que hará que el niño tenga que interrelacionarse con otros compañeros que lo consideran «distinto». Los padres deben estar muy receptivos a todo lo que el niño les cuente acerca de su vida escolar, para evitar así que el niño se aísle.

A esta edad el niño empieza a diferenciar entre adopción y nacimiento como modos alternativos de formar una familia. En este momento también es frecuente que empiece a hacer preguntas acerca de sus padres biológicos; si esto ocurre, hay que evitar las evasivas y, por el contrario, mostrarle el material que se tenga sobre él: algunas fotografías, cartas o recuerdos de sus primeros meses de vida, de su etapa anterior a la adopción.

Según los expertos, si se permite que el niño piense sobre el tema e incluso se le deja que fantasee acerca de sus padres biológicos, se le induce a aceptar su rol en la familia y a desarrollar un grado positivo de autoestima. Se sentirá muy querido por su nueva familia y la relación con los padres adoptivos será muy enriquecedora.

A LOS 8 AÑOS

El niño comienza a reconocer que la familia normalmente se define en términos de consaguineidad y al ver que no tiene vinculación biológica con los padres con los que vive y que, en cambio, sí que la tiene con unos padres a los que desconoce, puede empezar a expresar confusión sobre el lugar que ocupa en su familia. Esta edad es un período delicado, que coincide con el desarrollo de la lógica recíproca y en el que el niño empieza a entender la adopción no sólo en términos de construcción sino también de pérdida familiar. También en esta etapa puede ser necesaria la ayuda de un psicólogo tanto para el niño como para los padres adoptivos.

A PARTIR DE LOS 9 AÑOS

El niño comprende de forma más profunda lo que significa el proceso de adopción. Está más capacitado para procesar información embarazosa. Es ahora el momento en el que los padres pueden sacar a relucir algunos aspectos que tal vez han ocultado al niño hasta ahora, por miedo a herir su sensibilidad, pero es muy importante que se converse con él acerca de estos hechos sin emitir juicios sobre ellos. A estas alturas ya no sirve contar cuentos o relatos más o menos suavizados de la realidad.

EN LA ADOLESCENCIA

La adopción de un niño de esta edad es poco frecuente y siempre requiere soporte profesional, tanto para la familia como para el adoptado. Suelen darse casos de acogida, pero casi siempre son temporales.

Está demostrado que la crisis de identidad que suelen padecer los adolescentes es mucho más profunda en el caso de los chicos adoptados. Además, es muy frecuente que éstos muestren durante esta etapa un interés inusitado por todos los temas referentes a la adopción y por obtener informes acerca de su familia biológica. Es un momento difícil que los padres deben sobrellevar con tacto y paciencia.

Celos entre hermanos: cómo manejar la situación

La llegada de un nuevo bebé altera todas las estructuras familiares y afecta a todos los miembros de la familia, pero sin duda, es al hermano/os del niño que está en camino a quienes más va a afectar la nueva situación. En muchas ocasiones, el hecho de tener un hermano supone abandonar la primogenitura para pasar a sufrir las consecuencias de lo que muchos expertos han denominado el «síndrome del príncipe destronado», que genera mucho sufrimiento a los hermanos mayores.

QUÉ SIGNIFICA ESTE SENTIMIENTO

Los celos respecto a un hermano surgen en el afán de un niño por tratar de conservar de manera exclusiva todo el afecto de uno o ambos progenitores.

Casi todos los niños interpretan el cariño como algo con unos límites cuantitativos, y creen por tanto que si comparten o dividen ese cariño la proporción que les llegará a ellos será menor.

A medida que tienen más edad, el conflicto entre hermanos suele ser una derivación de la lucha por el poder que libran en su búsqueda simultánea de atención, identidad y autoestima. De hecho, más de un niño entra en hostilidades para acaparar la atención de unos padres atareados. La frustra-

ción que siente cualquier hijo ante el desinterés paterno se canaliza rápidamente contra el hermano más próximo.

Sin embargo, los niños no se dan cuenta de este proceso, ni son conscientes de que actúan bajo los efectos de los celos. Cuando creen que su mundo se tambalea, el propio instinto de protección y de propiedad frente a los demás es lo que les induce a actuar de forma desconcertante, tanto para ellos mismos como para los que les rodean.

FACTORES QUE LOS DESENCADENAN

Hay diversas situaciones en la vida familiar que pueden llevar a que un niño sienta celos fraternales.

Fundamentalmente, se desencadenan cuando se dan dos circunstancias:

- *El nacimiento de un hermano.* Un recién nacido es un ser indefenso que requiere todas las atenciones de, al menos, un miembro de la familia, que suele ser la madre, de ahí que hasta que todo se normalice, es posible que los hermanos o hermanas que ya estaban en casa se sientan, en cierto modo, desplazados: creen que han dejado de ser el centro de atención de su familia y, lo que es peor, que han perdido el cariño de su madre, que a esas edades suele ser el ser más importante del mundo.

- *Los celos que se derivan de la vida familiar.* El hermano preferido, el hermano perfecto, el hermano más gracioso, el hermano que se parece a papá o a mamá, el hermano más sensible, el hermano siempre enfermo...

Lo cierto es que los celos son muy comunes en la relación entre hermanos, ya que se trata de una vía para expresar angustia ante la posibilidad de perder el afecto de los padres. Por tanto, se podría decir que la característica esencial de los celos es el miedo, y más concretamente, el miedo a perder el amor de papá o mamá.

¿SE PUEDE PREVENIR SU APARICIÓN?

■ La mejor manera de hacer frente a los celos infantiles es a través de la prevención, y para conseguirlo, los padres deben seguir una serie de pautas:

- *Preguntarse cuáles son las necesidades concretas del niño.* Lo que hay que in-

tentar sobre todas las cosas es que se sienta querido y que sus necesidades concretas estén cubiertas.

- *Acabar con el mito de que hay que tratar a todos igual.* Mientras que para un niño puede ser vital que su madre le dé un beso antes de irse a la cama, otro necesitará charlar con ella durante 5 minutos. Cada hijo es diferente y merece ser tratado de forma distinta según su carácter, su edad y sus necesidades.

- *No etiquetarlo nunca.* Si se nota que el niño está celoso, intentar que él no lo perciba como un defecto o una enfermedad, sobre todo teniendo en cuenta que a él tampoco le gusta tener este sentimiento, así que si los padres le dan importancia al tema y hacen comentarios al respecto, lo único que conseguirán es entrar en un círculo: el niño se sentirá peor y culpable, aumentará su inseguridad y, por tanto, sus celos serán mayores.

- *Buscar las causas.* Deberemos analizar si realmente el niño tiene motivos o no para sentirse celoso. Si los celos son infundados, no hay que entrar en explicaciones racionales porque no servirán para nada. La mayoría de las veces, los celos son ilógicos, pero si se intenta que el niño comprenda esto, de nuevo se entrará en ese círculo vicioso.

- *Comprenderlo, no juzgarlo.* Hay que hacer que el niño se sienta comprendido, sin juzgar sus sentimientos y tratando de llegar al fondo del asunto, recordándole siempre lo mucho que importa a los padres la forma en la que se siente en cada momento.

- *Evitar siempre las comparaciones, tanto entre los hijos entre sí como entre ellos y sus amiguitos.* En las comparaciones siempre hay uno que es menos que el otro, y ésta es la razón por la que los celos suelen presentar una mayor intensidad en los niños del mismo sexo y edades semejantes.

- *No caer en el chantaje.* Si el niño demuestra sus celos con conductas inadecuadas, no hay que intentar disminuir sus sentimientos con más atención de la normal. Si los padres entran en esta dinámica, el niño entonces aprenderá que siempre que recurre a esas conductas consigue directamente lo que quiere, y no se molestará en buscar conductas alternativas y adecuadas para conseguir destacar.

- *Crear un ambiente familiar en el que siempre esté presente y sea primordial la aceptación y el respeto.* Si un niño se siente seguro del puesto que ocupa en la familia, no tiene por qué sentir celos de nadie.

CÓMO SE MANIFIESTAN LOS CELOS

■ Los niños expresan sus sentimientos de celos de distintas maneras:

- *Experimentan cambios de conducta.* Se vuelven más rebeldes, desobedientes y agresivos al punto de llegar a morder o golpear a su nuevo hermanito, quitarle los juguetes o molestarle en cuanto tiene oportunidad.

- *Se vuelven llorones y mimosos, en un intento de llamar la atención.* Se sienten débiles y vulnerables, y son capaces de autoconvencerse de que ya no le importan a nadie.

- *Sus patrones de sueño o comida se ven alterados.* Puede negarse a comer, a jugar con los amigos y a acostarse cuando debe, adoptando además una actitud enrrabietada con las personas de su alrededor, en un intento de reproche por haber centrado su atención en el nuevo miembro de la familia.

- *Puede producirse una regresión en su desarrollo, llegando incluso a imitar las actitudes del recién nacido.* Tal vez pida de nuevo el chupete, quiera tomar los líquidos en biberón o vuelva a mojar la cama. Los hay que incluso vuelven a emplear un vocabulario infantil y piden ser paseados en sillita.

- *También es posible que se vuelva un poco agresivo,* oponiéndose siempre a las órdenes que se le dan y dejando de hacer hábitos como cepillarse los dientes, recoger su cuarto, ser ordenado, comerse todo lo que hay en el plato, gritar sin motivo, etc.

- *Es frecuente que se queje constantemente de que le duele la tripa, la cabeza, etc.* Con toda seguridad, ninguno de estos síntomas refleja que el niño esté enfermo, sino que en la casi totalidad de las ocasiones se trata de una forma de llamar la atención. No hay que tomarlo muy en serio.

- *A veces se niega a participar en cosas relacionadas con su nuevo hermano;* así pues, no querrá acompañar a su madre al pediatra ni al parque, y rechazará sistemáticamente participar en cualquier actividad que implique atención para el más pequeño. El niño actuará como si no existiera, como si siguiese siendo hijo único y no hubiese otro niño en la casa.

LA ACTITUD DE LOS PADRES

- Ante todo, deben mentalizarse de que no pueden evitar totalmente que el niño tenga celos; tan sólo serán capaces de evitar fomentarlos, hacer que sean menos dolorosos y no darles demasiada importancia para que las consecuencias no vayan más allá que alguna rabieta.

- La clave está en fomentar en el niño una alta autoestima y autoconfianza que lo ayuden a ser autosuficiente y le den una seguridad interna, con la cual nunca se sentirá inferior a sus hermanos, ni «destronado», ni que le están quitando parte de su territorio.

- Hay que explicarle que la llegada de un nuevo hermano no va a suponer ningún tipo de privaciones para él. Muy al contrario, hay que hacerle comprender los beneficios que esta situación puede aportarle: el nuevo hermano le va a reportar muchas ventajas, porque, al igual que sus amiguitos, ahora tendrá a alguien para jugar con él en casa a cualquier hora, por lo que supone un regalo familiar del que él será el principal beneficiario.

- Si observan cambios de conducta en el niño o una regresión en su desarrollo como consecuencia del nacimiento de un hermano, hay que tomárselo como una reacción normal de la crisis por la que está pasando y en la que no hay mucho que hacer. Los padres no deben alarmarse, intentar no regañarle o castigarle demasiado, y ponerse en su lugar para intentar comprender por lo que está pasando su hijo mayor. Es su protesta y hay que comprenderla con paciencia y cariño.

- Es importante que los padres pongan límites y reglas claros que «rijan» para todos los hermanos de forma que ninguno se sienta en inferioridad de condiciones, despreciado o beneficiado.

- Promover el espíritu de grupo y animar a que los hermanos se cuiden entre sí y confíen unos en otros es una de las mejores actitudes en las que se puede eseñar a los hijos para evitar celos y rencillas.

- Nunca hay que ridiculizar a un hermano en relación al otro (por ejemplo, en el tema de los estudios o en las aptitudes deportivas) y también hay que tener mucho cuidado con las etiquetas del tipo «el hijo mayor ejemplar», «el pequeño mimoso»...

CÓMO PREPARARLE PARA EL NACIMIENTO DE UN HERMANO

En vez de optar por la postura de rodear el nacimiento del bebé de una especie de misterio o silencio, lo mejor es informar al niño de todos los acontecimientos que están sucediendo en su familia. El temor se asocia siempre a lo desconocido, pero cuando se está bien informado se ahuyentan los temores de inmediato. Por tanto, es importante que el niño se implique desde el primer momento en el nacimiento de su hermano.

DURANTE EL EMBARAZO

Es fundamental informarle de lo que va a ocurrir, contándoselo siempre acorde a su edad. De esta manera, se adaptará a los acontecimientos más fácilmente porque ya habrá oído hablar de lo que va a suceder y de los cambios que se van a producir en la casa a partir del nacimiento del nuevo hermanito. Saber la causa de por qué su madre está más cansada o de los cambios que se están produciendo en la casa, así como irse mentalizando de que va a haber un bebé en el hogar hará que reaccione de una forma más positiva cuando llegue el momento. Además, de esta forma se le da la oportunidad de realizar preguntas, algo muy positivo porque permitirá testar su interés hacia el tema.

Es importante involucrarle en los preparativos, pidiéndole opinión sobre la habitación de su hermanito y potenciando su rol de hermano mayor. Hará que se sienta más seguro en sí mismo porque es partícipe en esta etapa.

DURANTE EL PARTO

Siempre que sea posible y haya tiempo suficiente para ello, la madre debe despedirse del niño antes de acudir al hospital. Es mejor que la persona que se vaya a encargar de él lo haga en el domicilio familiar, en vez de hacer que el niño cambie de entorno; si no puede ser, conviene que sea en alguna casa en la que ya haya dormido alguna vez, como puede ser la de los abuelos. Hay que explicar al niño el motivo de la ausencia de los padres y compartir con él todo lo que está pasando. Se debe estar en continuo contacto con él desde el hospital, preguntándole sobre sus actividades cotidianas y dándole la importancia que está requiriendo el niño.

Es importantísimo que acuda a visitar a su madre y a su hermano al hospital y también que allí se le tenga preparado un regalito (se le puede decir que es de parte de su nuevo hermanito).

DE VUELTA A CASA

Éste es el momento más delicado, de ahí que sea tan importante mostrarse receptivo y tener tiempo para escuchar todo lo que el niño cuente sobre lo que ha pasado en el período que ha estado fuera de casa. Es buena idea que vaya al hospital y regrese con los padres y el bebé en el mismo coche: de esta forma, no tendrá la sensación de que ha llegado un «extraño» a casa y de participar activamente en el «gran acontecimiento».

Es importante que, tras el nacimiento de su hermano, no se cambie la rutina del niño, y si hay que introducir alguna modificación, mejor hacerlo antes del parto que después de éste porque así ya estarán asumidos cuando el bebé llegue a casa.

Además, debe seguir yendo a la escuela, realizar sus actividades habituales e intentar «institucionalizar» un momento fijo diario para estar a solas con el niño. Una actitud frecuente pero no por ello recomendable es «disimular» las demostraciones de afecto del adulto al recién nacido delante del hermano mayor. Esto genera contradicciones y tiende más a evitar que a aceptar los celos.

CUÁNDO PREOCUPARSE

En la mayoría de los casos, los niños van superando los celos en la medida que pueden darse cuenta y verificar que sus padres los siguen queriendo a pesar de haber tenido otro hijo. Pero no siempre sucede así. En los casos en los que los celos no solamente no remiten sino que se intensifican y persisten en el tiempo, convirtiéndose en un verdadero problema familiar, es recomendable consultar con un profesional. Se trata de un problema muy serio que afecta a toda la armonía familiar.

Si el niño es incapaz de superar los celos hacia su hermano y los padres no encuentran la forma de ayudarlo a abordar el tema, es importante poner la situación en manos de alguien cualificado, una decisión que redundará en el bienestar de la familia, en la mejora de las relaciones entre hermanos y, sobre todo, en el hermano celoso, el cual, si no soluciona el problema de sus celos, correrá el riesgo de convertirse en una persona posesiva, celosa e insegura en su vida adulta. Las actitudes que indican que el problema puede derivar en una situación grave son las siguientes: uno de los hijos

El hermano que aparece ante sus padres como «víctima» de una pelea puede que sea quien la haya provocado.

lastima constantemente a su hermano (tanto física como emocionalmente); uno de los hijos compara constantemente lo que recibe el otro en relación a lo que recibe él mismo; o cuando los padres se dan cuenta de que no hay ningún momento en el que se les vea disfrutar de estar juntos como hermanos.

PELEAS ENTRE HERMANOS: CÓMO RESOLVERLAS

Todos los hermanos se pelean entre sí por muchas causas, pero los celos están detrás de ellas en no pocas ocasiones. Este tipo de actitudes deben tratarse con mucho cuidado por parte de los padres, ya que cualquier percepción de «favoritismo» hacia uno u otro (aunque no sea real) puede agravar el problema.

Estos son algunos consejos para lidiar con una situación que no siempre es fácil de aguantar:

- Siempre que sea posible, hay que mantenerse al margen de los desacuerdos entre los hijos. No hay que olvidar que a veces el niño que puede aparecer como «víctima» (generalmente es el más pequeño) puede ser el que ha provocado la situación. Si es una simple pelea, al igual que las tormentas, pasará y volverá la calma.

- Es importante propiciar situaciones que fomenten la colaboración entre los hermanos. Unas tareas caseras que exijan la ayuda de todos los miembros de la familia (cuidar a un animal doméstico, recaudar fondos para una buena causa) estimularán a los hermanos a trabajar juntos.

- Una medida que evita situaciones desagradables a causa de los celos es delimitar unas pautas claras de cómo han de tratarse los hermanos, con respeto y tolerancia.

- Si dos hermanos se llevan especialmente mal o no congenian, la mejor forma de resolver sus diferencias es en un foro familiar, en el que todos opinen y aporten soluciones. Durante las comidas hay que intentar que hablen sobre temas en los que puedan coincidir sus opiniones.

- Otra actitud que puede servir para reducir altercados es preservar la intimidad de cada uno de los niños. Si es posible, deben dormir en habitaciones separadas y, en cualquier caso, es importante que tengan lugares destinados única y exclusivamente para ellos o para sus cosas: un armario, una estantería, un cajón del baño, etc. Incluso si no se toleran, y en la casa hay sitio suficiente, tendrán mesas distintas para hacer los deberes y dejar sus libros y carpetas del colegio.

- A medida que van siendo mayores, y siempre que se pueda, hay que permitir que los hermanos diriman sus propios conflictos. Cuando los padres intervienen en los conflictos entre hermanos, a los niños les queda una sensación de fracaso por no haber solucionado el problema ellos mismos. Y además volverá a surgir el fantasma de los celos, si los padres dan la razón más a uno que a otro.

- Respetar la individualidad de los niños: cada uno tiene una personalidad dife-

rente y un modo distinto de abordar situaciones. Por encima de todo, hay que
eludir las comparaciones entre ellos; si
se hace, se empeorará la situación.

Homeopatía en niños:
¿una alternativa?

L a homeopatía es un método terapéutico que usa microdosis de sustancias naturales derivadas de plantas, animales y minerales para estimular las defensas naturales del cuerpo y sus sistemas curativos, algo muy importante en los niños, ya que su sistema inmune aún está en fase de desarrollo.

La homeopatía se basa en dos principios fundamentales: lo similar cura lo similar (el remedio más adecuado para curar cualquier enfermedad es aquella sustancia que en personas sanas produce síntomas semejantes a los que presenta el paciente que se quiere curar) y el uso de la mínima dosis efectiva. Esto último significa que se emplea la dosis mínima efectiva homeopática: las dosis infinitesimales. El remedio se usa diluido y se obtiene mediante un proceso de elaboración muy particular que consiste en tomar una gota del extracto original y se diluye con nueve gotas de alcohol. La mezcla es agitada en cada dilución sucesiva (dinamización) hasta obtener las diferentes diluciones de uso clínico como la D (decimales o una dilución en relación 1:100), CH (centesima-les, correspondientes a una dilución 1: 1.000) y LM o Q (cincuenta milesimales o una dilución 1: 50.000).

CÓMO FUNCIONA LA HOMEOPATÍA

Los remedios homeopáticos curan las enfermedades de las personas en un plano distinto a aquel en el que actúan los medicamentos convencionales. La homeopatía trata la persona y no el síntoma o la enfermedad. El tratamiento es individualizado y su objetivo es el paciente desde un punto de vista integral, considerando a la enfermedad como parte de un desequilibrio global que hay que corregir teniendo en cuenta no sólo los síntomas de la enfermedad local, sino también otros aspectos del paciente, como el psíquico y su estado emocional.

Con los remedios homeopáticos se trata a la persona como un todo, introduciendo un estímulo que activa la capacidad de autocuración y le ayuda a recuperar la armonía y la fuerza vital.

Para la homeopatía, «curar» no significa solamente eliminar una enfermedad concreta, sino fundamentalmente corregir las tendencias hereditarias que, de no modificarse, harían de ese paciente, en un futuro más o menos cercano, un asmático, un diabético, un hipertenso, un obeso o un enfermo de cáncer, por ejemplo.

Para hacer el diagnóstico homeopático se utiliza un examen minucioso y directo del niño mediante la historia clínica y el examen físico. Es muy importante que tanto el diagnóstico como la elección del tratamiento sea realizada por un especialista en homeopatía, ya que es necesario un estudio minucioso de los síntomas del niño.

REMEDIOS HOMEOPÁTICOS Y SALUD INFANTIL

Numerosas investigaciones han demostrado la eficacia de la homeopatía en el tratamiento de las enfermedades infantiles más habituales. Sin embargo, los especialistas en medicina alopática (la tradicional) se han mantenido escépticos respecto a este tema durante muchos años. Ha sido en los últimos tiempos cuando los pediatras alopáticos han comenzado a prescribir estos remedios como complemento a la medicación tradicional.

Recientemente, y por primera vez, una publicación médica americana, concretamente la revista de la Academia de Pediatría Americana, publicó los resultados de un estudio llevado a cabo de forma conjunta por expertos de la Universidad de Washington y la Universidad de Guadalajara (México) en el que se demostró la eficacia del tratamiento homeopático en los casos de diarrea aguda en la niñez. Las pruebas han sido lo suficientemente concluyentes, como también lo son los resultados de otros estudios realizados en todo el mundo y que han llegado a la conclusión de que algunos remedios homeopáticos son beneficiosos en el tratamiento de dolencias tan frecuentes en la infancia como las bronquitis y las alergias.

Además de su eficacia, estos remedios tienen otras ventajas para la salud de los niños, como es el hecho de que poseen muy pocos efectos secundarios y su fácil administración por vía oral, algo muy bien aceptado por los niños. A esto hay que unir la amplia variedad de remedios homeopáticos disponibles (aproximadamente unos 1.500, de los cuales unos 100-200 se emplean habitualmente), lo que ofrece muchas posibilidades para el tratamiento de enfermedades benignas. Concretamente en el caso de los niños, ayuda tanto en las infecciones agudas como en las crónicas, gripes y resfriados, dolencias estomacales, afecciones dermatológicas, alergias, asma y también otro tipo de problemas como la timidez.

Por otro lado, es importante saber que la homeopatía no resulta adecuada para el tratamiento de determinadas enfermedades que ponen en peligro la vida del niño y en las que se requiere un tratamiento más potente y de efecto inmediato, como es el caso de las crisis intensas de asma, la meningitis bacteriana y otras situaciones graves, aunque puede administrarse asociada al tratamiento médico tradicional o convencional para aumentar su potencia o mejorar el estado general del niño. También resulta ineficaz en aquellas enfermedades que requieran dieta o hábitos dietéticos o un régimen de vida determinado.

MANUAL DE USO

Los remedios homeopáticos pueden adquirirse en cualquier farmacia sin necesidad de receta, pero tanto el remedio como la dosis siempre deben ser indicados por un homeópata. El remedio se determina en función de la sintomatología: de entre los remedios considerados más efectivos para cada dolencia hay que seleccionar aquel que se ajuste más a los síntomas que presenta el niño.

Frente a los fármacos tradicionales, presentan la ventaja de ser muy baratos y, además, pueden conservarse durante muchos años si se mantienen en un lugar oscuro, fresco y seco.

Todos los remedios pueden obtenerse en distintas presentaciones, pero su efecto es el mismo. Los hay en comprimidos, en gotas, en gránulos (bolitas) y en polvo. Un comprimido corresponde a cinco gránulos o cinco gotas. Las posodologías más adecuadas para los niños son los gránulos y comprimidos, ya que las gotas contienen mucho alcohol.

No conviene administrar los remedios homeopáticos inmediatamente antes o después de las comidas, ya que, para que sean efectivos, la mucosa labial debe estar libre de sabores extraños. Hay que decirle al niño que deje que los gránulos o comprimidos se deshagan en su boca o, también, puede chuparlos. Si se trata de un bebé, hay que colocarle los gránulos debajo de la lengua para que la sustancia sea absorbida por las mucosas.

En caso de que el niño esté tomando otros medicamentos, no hay peligro de que se produzcan incompatibilidades, pero sí es posible que se reduzca la eficacia de la homeopatía.

Es el criterio de los padres el que debe escoger entre homeopatía o medicina tradicional porque en algunos tratamientos hay discrepancias entre ambas.

Si los síntomas se agravan, hay que interrumpir el tratamiento hasta que vuelvan a su estado inicial. Asimismo, si a pesar del tratamiento los síntomas persisten, hay que consultar con un homeópata competente.

HOMEOPATÍA EN LA LACTANCIA

■ Los expertos en medicina homeopática afirman que los productos homeopáticos se pueden dar incluso a los lactantes, ya que se pueden añadir gránulos en un biberón con un poco de agua removiendo el conjunto para que se disuelvan. Estas son algunas de las dolencias para las que pueden ser bastante efectivos los remedios homeopáticos durante este período:

● *Cólico del lactante.* Se recomienda la *Magnesia carbónica*, dos veces al día.

● *Deposiciones blandas o líquidas.* Un remedio bastante efectivo es la *Calcárea carbónica*, tomando cinco gránulos en días alternos.

● *Vómitos.* Si se producen después de tomar la leche: se aconseja darle cinco gránulos de *Aethusa cynapium* en un poco de agua, y un gránulo más sorbido antes de mamar o de tomar el biberón.

● *Dermatitis del pañal.* Dar al niño tres tomas diarias de cinco gránulos durante tres días de los siguientes remedios: *Chamomilla* (cuando la dermatitis se produce como consecuencia de las deposiciones líquidas derivadas de la dentición), *Sulphur* (si las zonas infectadas parecen estar en carne viva y al tocarlas se notan que están calientes), y *Rhus toxicodendron* (si la piel infectada aparece

hinchada y con pequeñas ampollas que escuecen mucho y pueden supurar).

● *Acetona.* Se le puede dar *Senna*, cinco gránulos en un biberón y otro sorbido cada media hora aproximadamente hasta que se note la mejoría.

● *Dolores producidos por la dentición.* Si tiene fuertes molestias en las encías, mostrándose muy agitado o irritable, es muy efectiva la *Chamomilla*, cinco gránulos dos o tres veces al día.

● *Diarrea.* Hay una serie de remedios muy efectivos que se administran según la causa que haya provocado el cuadro diarreico. La dosificación para todos los remedios es de tres tomas de cinco gránulos a intervalos de 30 minutos, esperando dos horas a que hagan efecto. *Arsenicum album* (es el principal remedio para los trastornos gastrointestinales producidos por los alimentos); *Pulsatilla* (si la causa es la ingesta de comidas grasas y pesadas); *Bryonia* (para las diarreas estivales); y *Colocynthis* (si hay espasmos estomacales).

● *Dermatitis seborreica.* Se debe administrar una toma diaria de cinco gránulos durante dos semanas de los siguientes remedios: *Calcium carbonicum* (si hay escamas amarillas y costras en el cuero cabelludo); *Graphites* (si el cuero cabelludo es muy grasiento); y *Dulcamara* (escamas gruesas y secas y costras marrones y duras).

● *Estreñimiento.* Administrar cinco gránulos de los siguientes remedios tres veces al día durante dos días: *Calcium carbonicum* (si el niño no suele tener ganas de evacuar); *Lycopodim* (si sufre cólicos con frecuencia); *Nux vomica* (tiene muchas ganas de evacuar, pero no lo consigue); *Natrium chloratum* (tiene dolores al defecar y sus excrementos son pequeñas bolitas, como las de las ovejas).

GRIPES, RESFRIADOS Y OTRAS DOLENCIAS FRECUENTES

Los niños pequeños son muy propensos a los catarros, resfriados y a las infecciones de las vías respiratorias debido a que su sistema inmune aún no ha aprendido a defenderse de los agentes patógenos. Existe un amplio «vademécum» de remedios homeopáticos que permiten tanto reforzar el sistema inmune como paliar los síntomas, los cuales, además, presentan la ventaja, frente a la medicina tradicional, de que ofrecen tratamiento para este tipo de enfermedades sin necesidad de administrar antibióticos.

Y es que la homeopatía tiene una larga historia de éxito clínico en el tratamiento de enfermedades infecciosas. De hecho, la razón principal por la que este tipo de medicina se hizo popular en Europa y Estados Unidos durante los primeros años del siglo XIX fue su eficacia en el tratamiento de las infecciones de aquella época, como la escarlatina, la fiebre amarilla, el tifus y el cólera.

GRIPE

Hay una serie de remedios que permiten reducir la fiebre y aliviar otros síntomas asociados al cuadro gripal. Se realizan tres tomas de cinco gránulos a intervalos de media hora de estos remedios: *Aconitum* (para la fiebre que se presenta de forma súbita por la tarde o por la noche); *Belladonna* (típico cuadro febril de fiebre súbita y elevada con el cuerpo muy caliente y manos y pies fríos); *Bryonia* (si se presentan escalofríos); *Chamomilla* (si el niño se muestra molesto por el dolor, irritable, impaciente o inquieto); *Ferrum phosphoricum* (si hay fiebre media o alta, sin otros síntomas claros que la acompañen); *Nux vomica* (si la fiebre va acompañada de constantes escalofríos, estornudos e irritabilidad).

RESFRIADO

Los remedios recomendados específicamente para los bebés son los siguientes: *Lycopodium*, si la nariz está constantemente taponada y la congestión nasal se acentúa por la noche; *Sambucus*, si el niño tiene que aspirar constantemente y suda mucho; y *Nux vomica*, si por la noche el niño tiene la nariz seca y taponada.

ANGINAS

Remedios como el *Aconitum* son efectivos si el niño tiene repentinamente dolor de garganta acompañado de fiebre; la *Belladonna* se emplea cuando las amígdalas están muy inflamadas y tienen un color rojo brillante; *Phytolacaca* se recomienda si al deglutir nota fuertes dolores que van desde la garganta hasta los oídos; *Apis* si las amígdalas están muy inflamadas y el niño no soporta el calor; y *Hepas sulphuris* si las anginas van acompañadas de escalofríos. La dosificación de todos estos remedios es de tres tomas de cinco gránulos a intervalos de 30 minutos.

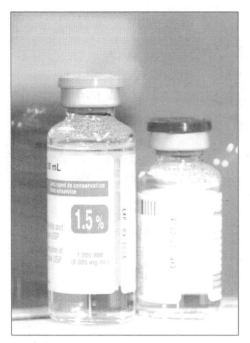

Los productos de homeopatía se pueden dar incluso a los lactantes.

BRONQUITIS

Si es aguda (tos seca que se agrava al mínimo movimiento, sed constante y poca tolerancia al calor) hay que dar al niño *Bryonia* (cinco gránulos cuatro veces al día). Si la tos va acompañada de expectoración amarillo-verdosa que se agrava por la noche, el remedio adecuado es el *Mercurius solubilis* (cinco gránulos cuatro veces al día). Si hay congestión de las mucosas bronquiales entonces se recomienda *Ferrum phosphoricum*.

OTITIS AGUDA

Si se presentan dolores de oído repentinos y constantes, acompañados de fiebre, administrar *Aconitum*, mientras que si el niño se queja de dolor intenso y pulsante, especial-mente en el lado derecho, el remedio es *Belladonna*. El remedio *Chamomilla* es eficaz si los síntomas se presentan por la noche de forma repentina, produciendo en el niño un dolor intenso que le hace gritar y llorar. Si la otitis ha tenido un desarrollo lento, el niño tiene poca fiebre, busca compañía y consuelo y tiene una mejilla roja y la otra pálida, administrar *Pulsatilla*. La dosificación para todos estos remedios es de tres tomas de cinco gránulos a intervalos de 15 minutos.

PROBLEMAS PSICOLÓGICOS

Muchas de las alteraciones psíquicas y emocionales que afectan a los niños pueden aliviarse mediante la homeopatía, ya que estos remedios estimulan la potenciación de su fuerza vital, permitiendo que el niño afronte las dificultades de forma positiva.

MIEDO AL COLEGIO

El *Lycopodium* es eficaz para conseguir que el niño se relaje ante el acontecimiento que le produce temor. Hay que empezar a administrar el remedio tres días antes del acontecimiento, en dos tomas diarias de cinco gránulos. El día en cuestión (por ejemplo, el primer día de colegio) se toman cinco gránulos en intervalos de 30 minutos.

INSEGURIDAD

Hay una serie de remedios que pueden favorecer la adaptación del niño a situaciones nuevas y desconocidas, en las que siente nostalgia de sus padres y de su entorno habitual.

Se pueden administrar de forma preventiva (dos tomas diarias de cinco gránulos dos días antes del acontecimiento) o en casos agudos (tres tomas de cinco gránulos a intervalos de una hora). El *Capsicum* es eficaz en los casos en los que el niño está muy triste, mientras que la *Ignatia* se recomienda cuando se muestra muy susceptible e irritable.

PROBLEMAS DURANTE EL SUEÑO

Si el pequeño padece insomnio, tiene un sueño inquieto o sufre de sudoraciones nocturnas y se despierta sobresaltado a causa de alguna pesadilla, se recomienda el remedio *Mercurius solubilis*.

CELOS

Hay remedios que pueden ayudar en el sentido de que elevan la autoestima del niño, aunque no eliminan la causa de los celos: *Lachesis, Pulsatilla* y *Nux vomica*, en una toma diaria de cinco gránulos durante dos semanas.

REMEDIOS PARA OTRAS ENFERMEDADES

Existe una serie remedios homeopáticos para las enfermedades infantiles clásicas como las paperas, el sarampión o la varicela, los cuales, si bien no previenen ni impiden la aparición de la patología, sí que acortan su evolución, reforzando el sistema inmune del niño.

SARAMPIÓN

Ante la aparición de los primeros síntomas, similares a los de un resfriado, administrar tres tomas al día de cinco gránulos a intervalos de 30 minutos, y en los días siguientes, administrar cinco gránulos diarios tres veces al día de los siguientes remedios: *Aconitum, Belladonna, Pulsatilla, Euphrasia, Bryonia* y *Gelsemium*.

VARICELA

El *Rhus toxicodendron* es el remedio más recomendable para aliviar el picor de las pústulas. Otros remedios efectivos son el *Mezereum, Sulphur, Antimonium crudum* y *Pulsatilla*. La posología es la misma que en el sarampión.

PAPERAS

En la misma dosis que para las enfermedades anteriores, se administran los siguientes remedios: *Belladonna, Mercurius solubilis, Rhus toxicondendron, Lachesis, Phytolacca, Pulsatilla* y *Jaborandi*.

CONJUNTIVITIS

El remedio varía según la causa que la produzca. Si está producida por un viento frío o corrientes de aire, administrar *Aconitum*. Si se produce dolor pulsante (martilleo) como consecuencia de una exposición solar prolongada, el remedio es *Belladonna*, mientras que si la conjuntiva está enrojecida e inflamada, los párpados hinchados y el niño nota escozor y picor acompañado de secreción, hay que administrar *Apis*. La dosis para estos tres remedios es de tres tomas de cinco gránulos a intervalos de 30 minutos. Si el niño nota en los ojos un escozor doloroso acompañado de sequedad, los párpados están hinchados y enrojecidos y amanece con ellos pegados, se debe administrar tres tomas de cinco gránulos de *Pulsatilla* durante un día.

Guía de los fármacos más utilizados en la infancia

A la hora de darle algún tipo de medicamento a un niño, tiene que ser siempre bajo prescripción médica. Los padres primerizos irán aprendiendo cuáles son los fármacos más utilizados y cuáles son las dosis convenientes. En este capítulo se detallan algunos de estos fármacos, que han sido clasificados según su uso.

ANALGÉSICOS/ANTITÉRMICOS

Son medicamentos que se emplean para disminuir el dolor y la fiebre. La mayoría actúan como antiinflamatorios, evitando la formación de sustancias responsables de la inflamación, del dolor y la fiebre.

AAS (ÁCIDO ACETILSALICÍLICO)

Indicado para el tratamiento o alivio sintomático del dolor en cefaleas, dolores dentales, etc. También en el tratamiento de la fiebre.

- Dosis. Niños de 2-4 años, uno o dos comprimidos de 100 mg cada 4 o 6 horas; niños de 4-6, dos comprimidos de 100 mg cada 4 o 6 horas; niños de 6 a 12 años, dos o cuatro comprimidos de 100 mg cada 4 o 6 horas.

- Efectos secundarios. Irritación gastrointestinal, erupciones cutáneas, dificultad respiratoria, somnolencia y vértigos. Se ha asociado la administración de aspirina al Síndrome de Reye, poco frecuente pero muy grave, por eso debe siempre ser prescrito por el médico en niños y adolescentes. Si hay vómitos o letargo debe interrumpirse el tratamiento.

PARACETAMOL

Indicado para el dolor leve o moderado, y en el tratamiento de todos los estados febriles.

- Dosis. De 0 a 3 meses, 60 mg/ 6 horas; de 4 a 11 meses, 120 mg/6 horas; de 12 a 23 meses, 160 mg/6 horas; de 2 a 3 años, 200 mg/6 horas; de 4 a 5 años, 280 mg/6 horas; de 6 a 8 años, 360 mg/6 horas; de 9 a 10 años, 480 mg/6 horas.

- **Efectos secundarios**. Toxicidad hepática con dosis altas y tratamientos prolongados. Reacciones cutáneas y alteraciones de la sangre como disminución de los leucocitos son raras. Debe manejarse con cuidado en los casos de insuficiencia hepática o renal, anemia y enfermedad cardiaca grave.

ANTIBIÓTICOS

Son capaces de destruir y eliminar los gérmenes causantes de una infección producida por bacterias como otitis, bronquitis, neumonía o meningitis. No son eficaces si los gérmenes causantes son virus. Cada tipo de antibiótico es efectivo para eliminar una clase de microorganismo. A veces, los gérmenes responsables de las infecciones se hacen resistentes a determinados antibióticos y por eso no son efectivos para controlar la infección.

Amoxicilina
Tratamiento de infecciones locales o generalizadas causadas por bacterias en el aparato respiratorio, digestivo, genitourinario, piel y tejidos blandos, neurálgicas y odontoestomatológicas.

- **Dosis**. 50 mg por kilo de peso y día repartidos en tres tomas con un intervalo de 8 horas.

- **Efectos secundarios**. Náuseas, vómitos, diarreas y mal sabor de boca. Urticaria y picor de piel. Ligero aumento de transaminasa GOT, anemia, disminución de leucocitos y disminución de plaquetas. Está contraindicada en alérgicos a penicilinas.

Amoxicilina + ácido clavulánico
Tratamiento de infecciones bacterianas cuando se sospecha que están causadas por cepas resistentes a amoxicilina: infecciones de las vías respiratorias superiores, oídos, tracto urinario, abdominales, piel y tejidos blandos.

- **Dosis**. Hasta 12 kg de peso, 40 mg/kg/día divididos en 3 dosis cada 8 horas; de 13 a 25 kg, 125 mg/kg/día; de 26 a 40 kg, 250 mg/kg/día; más de 40 kg, 500 mg/kg/día. El tratamiento debe durar de 7 a 14 días.

- **Efectos secundarios**. Poco frecuentes y similares a los de la amoxicilina. No se puede emplear en niños con mononucleosis.

Penicilina benzatina
Infecciones bacterianas como faringitis, amigdalitis, otitis, neumonía, escarlatina, faringoamigdalitis, endocarditis, meningitis y fiebre reumática.

- **Dosis**. En niños de menos de 25 kg de peso, se administran 50.000 UI/kg. Con más de 25 kg, 1.200.000 UI en una dosis única. Siempre se emplea por vía intramuscular.

- **Efectos secundarios**. Pueden producirse eacciones de hipersensibilidad (urticaria, ataque asmático, erupciones cutáneas), fiebre, descenso de leucocitos y plaquetas.

ERITROMICINA

Infecciones de vías respiratorias altas y bajas, de la piel y tejidos blandos. Suele ser el antibiótico alternativo para los alérgicos a las penicilinas. También está indicado para infecciones intestinales y en conjuntivitis del recién nacido por *Chlamydia*.

- **Dosis**. 30-50 mg/kg al día dividida en 3-4 tomas o bien en 2 tomas diarias.

- **Efectos secundarios**. Dolor abdominal, náuseas, vómitos, diarrea, disminución del apetito y pérdidas reversibles de la audición.

CEFUROXIMA

Infecciones bacterianas leves y moderadas del tracto respiratorio superior e inferior, otorrinolaringológicas, del tracto urinario y tejidos blandos.

- **Dosis**. De 3 meses a 5 años, 15 mg/kg/día, 1-2 veces al día; de 5 a 12 años, 125 mg/12 horas; mayores de 12 años, 250 mg/12 horas, y según la gravedad puede pasarse a 500 mg.

- **Efectos secundarios**. Reacciones de hipersensibilidad, erupciones cutáneas y fiebre. Diarreas, náuseas y vómitos.

CLOXACILINA

Infecciones sistémicas o localizadas causadas por bacterias estafilococos penicilin-resistentes, como septicemias, meningitis, endocarditis, osteoarticulares, pleuropulmonares, ORL, cutáneas, heridas y quemaduras.

- **Dosis**. Menores de 2 años, 125 a 250 mg cada 4-6 horas; de 2 a 10 años, 250-500 mg cada 4-6 horas; mayores de 10 años, 500 mg-1 g cada 4-6 horas.

- **Efectos secundarios**. Náuseas, vómitos, pesadez de estómago, fenómenos alérgicos como urticaria o picor en la piel.

AZITROMICINA

Infecciones causadas por microorganismos sensibles, tales como aparato respiratorio superior o inferior. Infecciones de piel y tejidos blandos y tratamiento de fiebre reumática.

- **Dosis**. En general se recomiendan 10 mg/kg/día en una sola toma durante 3 días consecutivos. Como alternativa se puede emplear una dosis el primer día y

La automedicación es contraproducente para la salud del niño.

la mitad de la misma durante 4 días más, totalizando 5 días de tratamiento. Esta pauta es para niños de menos de 15 kg de peso. Entre 15 y 25 kg, 200 mg/día; de 26 a 35 kg, 300 mg/día; de 36 a 45 kg, 500 mg/ dia, durante 3 días en todos los casos.

• **Efectos secundarios**. Anorexia, náuseas, vómitos, diarrea, molestias abdominales y estreñimiento. Alteraciones en la audición y en el gusto. Está contraindicada en niños con historia de reacciones alérgicas a este antibiótico.

MUCOLÍTICOS Y EXPECTORANTES

Son fármacos que disminuyen la viscosidad de las secreciones bronquiales (moco), facilitando su eliminación a través de la tos. Éstos actúan disminuyendo la producción y fluidificando las secreciones.

ACETILCISTEÍNA
Se emplea en todos los procesos donde hay secreciones mucosas y mucopurulentas como bronquitis agudas y crónicas, bronquitis asmática, bronconeumonías, bronquiolitis, fibrosis quística, sinusitis, rinofaringitis y tuberculosis pulmonar.

• **Dosis**. 1 gramo 3 o 4 veces al día (sobres).

• **Efectos secundarios**: No se han descrito.

ANTIASMÁTICOS Y BRONCODILATADORES

Se emplean para prevenir y controlar los síntomas asmáticos como ahogo, tos y pitos pulmonares.

SALBUTAMOL
Elimina el espasmo bronquial en asmáticos, bronquitis crónica y enfisema pulmonar.

• **Dosis**. De 2 a 6 años, 1-2 mg, 3-4 veces al día; de 6 a 12 años, 2 mg 3-4 veces al día; mayores de 12 años, 2-4 mg, 3-4 veces al día.

• **Efectos secundarios**. Temblor de manos, a veces con rigidez, ligero aumento de la frecuencia cardiaca y cefaleas.

TERBUTALINA TURBUHALER
Tratamiento del asma bronquial, bronquitis crónica, enfisema y otras afecciones respiratorias que suelen provocar broncoconstricción.

• **Dosis**. Niños de 3 a 12 años, 0.50 mg. En casos graves puede doblarse la dosis, pero sin exceder los 4 mg/día. En mayores de 12 años, 0,5 mg, según se necesite. En casos graves se puede llegar a 1,5 mg sin exceder los 6 mg/día.

• **Efectos secundarios**. Temblor, cefaleas, calambres musculares y hasta palpitaciones. Urticaria, alteraciones del sueño y del comportamiento, así como agitación. Como excepción, puede causar broncoespasmos.

BUDESONIDA AEROSOL
Asma bronquial que precisa tratamiento de mantenimiento con glucocorticoides para el control de la inflamación de las vías respiratorias.

• **Dosis**. Niños de 2 a 7 años, 200-400 mcg diarios, en 3-4 tomas; en niños mayores de 7 años, 200-800 mcg/día en 2-4 administraciones. La dosis de mantenimiento es individual y debe ser la menor posible.

- **Efectos secundarios.** Irritación de garganta, tos, ronquera, infección por el hongo cándida en boca y faringe.

CROMOGLICATO DISÓDICO

Tratamiento preventivo del asma bronquial y bronquitis asmatiformes, que pueden ser debidas a aire frío, alergias e irritantes químicos. Prevención de broncoespasmo producido por estos factores.

- **Dosis.** Una cápsula al acostarse y 3 más repartidas a lo largo del día. En casos graves puede llegarse a 6-8 cápsulas al día. Las cápsulas se administran mediante tubo-inhalador y nunca deben ser ingeridas.

- **Efectos secundarios.** Irritación de garganta, tos y ligero broncoespasmo transitorio en niños sensibles a la inhalación de polvo seco. No pueden ser empleados en niños menores de 5 años.

NEDOCROMIL SÓDICO

Tratamiento del asma bronquial y bronquitis asmáticas, asma inducida por ejercicio y broncoespasmo causado por diferentes estímulos.

- **Dosis.** Niños mayores de 6 años, 2 inhalaciones 2 o 4 veces al día.

- **Efectos secundarios.** Dolor de cabeza, náuseas, vómitos, dispepsias, dolor abdominal, erupciones cutáneas, picor e

irritación faríngea. Debe emplearse a diario, pero no como tratamiento sintomático.

ANTIHISTAMÍNICOS/ANTIALÉRGICOS

Son fármacos que reducen las reacciones alérgicas. Actúan evitando la formación de los compuestos responsables de la hinchazón y el picor.

KETOTIFENO

Prevención del asma bronquial en todas sus formas; prevención y tratamiento de la rinitis y afecciones cutáneas alérgicas, así como manifestaciones alérgicas múltiples.

- **Dosis.** Niños de 6 meses a 3 años, 0,5 mg o 2,5 ml de solución 2 veces al día; niños mayores de 3 años, 1 mg o 0.5 ml de solución 2 veces al día.

- **Efectos secundarios.** Sedación, sequedad de boca, ligeros vértigos. Estos efectos suelen desaparecer espontáneamente, sin necesidad de interrumpir el tratamiento.

HIDROXICINA

Tratamiento de la ansiedad, la irritabilidad y el insomnio; prurito de la piel, urticaria y dermatitis psicógenas.

- **Dosis.** Niños menores de 6 años, 50 mg/día divididos en varias dosis. En mayores de 6 años, 50-100 mg/día en varias dosis.

- **Efectos secundarios.** El más común es la somnolencia. También, dificultad de concentración, laxitud, vértigos, hipotensión, náuseas, vómitos, diarrea o estreñimiento.

ANTIINFLAMATORIOS (ORALES Y TÓPICOS)

Disminuyen la inflamación evitando la formación de sustancias que la provocan. Muchas veces, la inflamación es la causa del dolor, por lo que muchos de estos medicamentos son también analgésicos. Se diferencian dos grupos: antiinflamatorios no esteroideos (AINES) y corticoides, que son más potentes pero con graves efectos secundarios.

IBUPROFENO
Pertenece al grupo de los AINES, y está indicado para la fiebre, el dolor leve o moderado y artritis reumatoide juvenil.

- Dosis. La dosis media diaria es de 20 mg/kg de peso repartida en varias tomas.

- Efectos secundarios. Las náuseas y vómitos son poco frecuentes y se alivian tomando el medicamento con leche o con las comidas. También pueden producirse hemorragias digestivas e hinchazón. Administrarlo con cuidado en niños con problemas digestivos.

PREDNISONA
Pertenece al grupo de los corticoides. Está indicado en procesos articulares y musculares, agudos y crónicos. Asma bronquial, colitis ulcerosa, hepatitis, procesos alérgicos e inflamatorios de la piel; anemias hemolíticas, leucemias agudas y otros.

- Dosis. Generalmente se inicia con 20 mg diarios, repartidos en 3-4 tomas, preferentemente después de las comidas y al acostarse; cuando se observe alivio o mejoría, reducir gradualmente hasta alcanzar la dosis de mantenimiento alrededor de unos 5 mg al día.

- Efectos secundarios. Descenso de linfocitos, aumento de la glucosa, osteoporosis, hipertensión, acné, disminución del crecimiento. Se trata de un fármaco con bastantes contraindicaciones.

DEXAMETASONA
Es un corticoide que se emplea en todas las situaciones en las que interese combatir reacciones inflamatorias, enfermedades reumáticas, dermopatías, asma bronquial. Por vía parenteral se usa en afecciones agudas con edema y *shock* de cualquier causa, edema cerebral, alergias, cuadros infecciosos graves, quemaduras e intoxicaciones.

- Dosis. En procesos agudos, una ampolla (4 mg). Por vía oral, 2-4 tabletas de 1 mg, según cuadro médico causal. En tratamientos largos se emplea la menor dosis efectiva que puede oscilar entre 0,5 y 1,5 mg/diarios.

- Efectos secundarios. Descenso de linfocitos en sangre, hiperglucemia, osteoporosis, acné, disminución del crecimiento. Estados psicóticos, disminución de la resistencia a infecciones, cataratas y glaucoma. Tiene bastantes contraindicaciones.

MOMETASONA TÓPICA
Se emplea para el alivio de la inflamación y pruritos propios de las dermatosis, como

psoriasis, dermatitis atópicas, irritantes y/o alérgicas de contacto.

- **Dosis**. Aplicar una fina capa sobre las lesiones una vez al día. En solución, aplicarla también en gotas sobre las lesiones cutáneas o el cuero cabelludo. La forma de ungüento se emplea en lesiones secas y agrietadas.

- **Efectos secundarios**. Hormigueo, picor y signos de atrofia cutánea; foliculitis y reacciones acneiformes, pápulas y pústulas, hipopigmentación, infección secundaria. En los bebés y niños pequeños podría producir supresión de la función suprarrenal. Además, una terapia prolongada y de superficie extensa en niños puede interferir sobre su crecimiento.

LAXANTES

Los laxantes son medicamentos que favorecen la correcta evacuación de las heces. En los niños, los más comunes son los laxantes osmóticos, que actúan disminuyendo la consistencia de las heces al aumentar la cantidad de agua en la región intestinal. Además, su excipiente es ligeramente irritante, lo que facilita el estímulo de la eliminación. Otro grupo son los laxantes estimulantes, que ejercen una acción irritativa agresiva sobre la mucosa, aumentando su movimiento y favoreciendo después la eliminación.

Senosidos A + B

Indicados para el vaciado del colon y el recto, previo a exploraciones médicas: radiología, rectoscopia...

- **Dosis**. Fraccionar según el peso del niño 2 gotas por kg. Se ingiere con agua 12 a 14 horas antes de la exploración radiológica.

- **Efectos secundarios**. No existen a las dosis indicadas. Tan sólo están contraindicados en los casos de abdomen agudo, síntomas de apendicitis, obstrucción intestinal y hemorragia rectal.

Lactulosa

Este fármaco se emplea en el estreñimiento habitual y crónico, así como en el tratamiento y prevención de la encefalopatía hepática.

- **Dosis**. En lactantes, 5 ml/día de inicio y la misma dosis de mantenimiento; menores de 5 años, 10 ml/día de inicio y 5-10 ml/día de mantenimiento; de 5 a 10 años, 20 ml/día de inicio y 10 ml/día de mantenimiento. La dosis se reparte en dos tomas al día.

- **Efectos secundarios**. Meteorismo (gases) y flatulencia, que suele desaparecer a los pocos días; dolor abdominal y diarrea con posibilidad alta de pérdida de líquidos y descenso de potasio y sodio. Contiene lactosa, por lo que es posible que cause intolerancia.

ANTIEMÉTICOS

Son medicamentos que previenen las náuseas y vómitos producidos por diversas causas. También se utilizan para aumentar la movilidad dentro del intestino de manera que se facilita el vaciamiento completo del estómago.

METOCLOPRAMIDA

Tratamiento sintomático de náuseas y vómitos; trastornos funcionales de la motilidad digestiva; preparación de exploraciones del tracto digestivo.

- Dosis. Niños mayores de 3 años, 2,5-5 ml, 3 veces al día. En casos agudos o muy rebeldes pueden emplearse inyectables por vía parenteral a dosis pediátricas de media ampolla.

- Efectos secundarios. Espasmos en los músculos de la cara, cuello y lengua. Metahemoglobinemia del recién nacido, somnolencia o sedación.

DOMPERIDONA

Se emplea en el tratamiento sintomático de náuseas y vómitos de origen central y local de cualquier naturaleza. También en el tratamiento de trastornos dispépticos y la sintomatología asociada al retardo del vaciamiento gastroduodenal.

- Dosis. En niños mayores de 7 años, 10 ml, 3 veces al día, de 10 a 15 minutos antes de las principales comidas. En niños de 1 a 3 años, 2,5 ml 3 veces al día, y niños de hasta 1 año, 1,25 ml.

- Efectos secundarios. Espasmos intestinales pasajeros. No produce efectos sobre el SNC al no atravesar la barrera hematoencefálica.

TIROIDEOS Y ANTITIROIDEOS

En cuanto a los tiroideos, se trata de hormonas tiroideas para ser administradas en niños con carencias de las mismas o que no producen lo suficiente. Los antitiroideos serían el caso contrario: están dirigidos a aquellos niños que producen un exceso de estas hormonas, para bloquearlas.

LEVOTIROXINA

Es una terapéutica de reemplazo o sustitución cuando la función tiroidea está disminuida o falta por completo y se sufre: cretinismo, mixedema, bocio no tóxico, hipotiroidismo.

- Dosis. En los niños en crecimiento se recomiendan dosis de levotiroxina de hasta 400 mcg diarios, y es importante compensar cuanto antes el funcionamiento del tiroides, debido a sus posibles retrasos en el crecimiento y maduración de los tejidos.

- Efectos secundarios. Dolor en el pecho, palpitaciones, aumento de la frecuencia cardiaca, diarrea, insomnio, temblores, agitación, arritmias, adelgazamiento excesivo, cefaleas, intolerancia al calor y fiebre. Hay que tener precaución en niños con enfermedades cardiovasculares o hipertensión arterial.

METAMIZOL

Está indicado para el tratamiento del hipertiroidismo.

- Dosis. De 3 a 6 comprimidos diarios a intervalos de 8 horas inicialmente, y luego se pasa a la dosis de mantenimiento con 1-2 comprimidos al día.

- Efectos secundarios. Puede provocar alergia, urticaria, descenso de leucocitos en sangre.

ANTITUSÍGENOS

Se trata de medicamentos que eliminan la tos, pueden actuar sobre el sistema nervioso central, eliminando el reflejo de la tos o bien sobre el sistema nervioso periférico, actuando como anestésico sobre terminaciones nerviosas de los bronquios donde se inicia el reflejo de la tos.

CODEÍNA

Se emplea para el alivio de la tos improductiva y también por su acción analgésica y sedante leve.

- <u>Dosis</u>. En niños de 6 a 12 años, una cucharadita de 8 ml cada 4-6 horas, con un máximo de 4 dosis al día; en niños de 2 a 6 años, media cucharadita de 4 ml 3 veces al día.

- <u>Efectos secundarios</u>. Puede provocar estreñimiento, vómitos, náuseas, mareos, somnolencia, erupciones cutáneas, convulsiones y confusión mental. A dosis muy elevadas puede ocurrir depresión respiratoria. En recién nacidos puede causar ictericia.

DEXTROMETORFANO

Se emplea para el tratamiento sintomático de todas las formas improductivas de tos (irritativa y nerviosa), y la consecutiva a afecciones de las vías respiratorias (traqueítis, bronquitis o tuberculosis).

- <u>Dosis</u>. En el caso del jarabe, en aquellos niños que tengan más de 2 años, 15-60 mg al día, en 2-4 tomas. También existen presentaciones en forma de comprimidos y gotas.

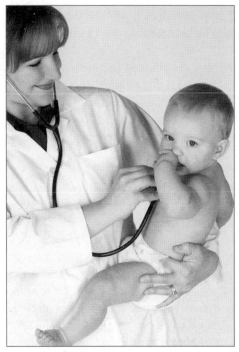

Los antitusígenos son a la vez analgésicos y sedantes leves.

- <u>Efectos secundarios</u>. Somnolencia o molestias gastrointestinales que suelen remitir al reducir la dosis. Está contraindicado en la insuficiencia respiratoria y en la tos asmática.

ESTIMULANTES DEL APETITO

Se trata de medicamentos que son capaces de actuar sobre el centro del apetito, estimulándolo de manera que el niño tendrá más hambre y comerá más. No se recomienda su empleo en niños menores de 2 años.

MOSEGOR

Está indicado para la delgadez condicionada por factores psíquicos o nerviosos. También para déficits o pérdidas de peso, sobre todo en la adolescencia y la pubertad.

- **Dosis**. En niños de 2 a 6 años, 2,5 a 5 ml, 2 veces al día; en niños de 6 a 12 años, 5 ml 3 veces al día. Es mejor administrarlo preferentemente en las comidas. También se puede encontrar disponible en forma de grageas.

- **Efectos secundarios**. Ligera sedación al comienzo del tratamiento, que a veces resulta útil en niños nerviosos. Esto puede evitarse con un aumento gradual de la dosis al inicio del tratamiento. La intoxicación puede tener efectos similares a los de los antihistamínicos. La solución (jarabe) contiene etanol, lo que debe tenerse en cuenta en niños con alteración del hígado o epilepsia.

Ciproheptadina

Estimulante del apetito y del desarrollo. Anabolizante fisiológico no hormonal.

- **Dosis**. En niños de hasta 3 años, 2,5 ml, 3 veces al día; de 3 a 6 años, 5 ml 3 veces al día; en mayores de 6 años, 5-10 ml, 3 veces al día.

- **Efectos secundarios**. Ligera somnolencia, que suele desaparecer a los 3-4 días de tratamiento. También puede rebajarse algo la dosis para controlarla. No se han descrito contraindicaciones ni interacciones con otros medicamentos.

ANTIFLATULENTOS

Son los medicamentos que destruyen las burbujas de gas que son las responsables de los cólicos en el lactante y dolores de tripa en los niños.

Dimeticona

Se trata de un antiflatulento que ademá nos sirve como coadyuvante en la radiología abdominal.

- **Dosis**. Una cucharadita 4 veces al día.

- **Efectos secundarios**. Carece de ellos. Tampoco tiene contraindicaciones. Se presenta en forma de emulsión.

COLIRIOS OFTÁLMICOS

Son medicamentos concebidos para aplicar directamente en los ojos y tratar aquellas enfermedades que afecten a los mismos. Deben mantenerse estériles para evitar infecciones oculares.

Diclofenaco colirio

Es un antiinflamatorio que se emplea para el tratamiento sintomático de las conjuntivitis crónicas no infecciosas y el tratamiento del dolor ocular.

- **Dosis**. En niños a partir de 1 año, una gota 3-4 veces al día. Si se tiene poca experiencia (los niños no suelen dejárselos aplicar fácilmente) se puede optar por la vía oral o los supositorios.

- **Efectos secundarios**. Escozor en el momento de la aplicación, visión borrosa transitoria, picor y enrojecimiento ocular, fotosensibilidad y en ocasiones queratitis de forma excepional. Una vez abierto debe emplearse como máximo durante 28 días y luego desprenderse de él.

Gentamicina + Dexametasona

Es un antibiótico asociado a un corticoide (es decir, antiinflamatorio), indicado para el tratamiento de las infecciones oculares causadas por gérmenes sensibles a la gentamicina, las conjuntivitis y las blefaroconjuntivitis infecciosas y alérgicas. También sirve para la infección corneal y en otitis externas.

- **Dosis**. Una o dos gotas cada 4 horas; es conveniente no superar las dos semanas de tratamiento. Cuando se aplica en el oído, 3-4 gotas, 3 veces al día.

- **Efectos secundarios**. Puede aumentar la presión intraocular, sobre todo en aquellos que tienen antecedentes familiares de glaucoma.

ANTIPARASITARIOS

Se emplean para atacar los parásitos de los cuales, los más frecuentes en los niños son, por un lado, los piojos, y, por otro, las lombrices intestinales. Actúan eliminando los parásitos y sus huevos o larvas, sin dañar el organismo del niño.

Lindano

Se indica para el tratamiento de las pediculosis humanas en sus tres fases: imago, larva y liendre de piojo de la cabeza, del cuerpo y del pubis.

- **Dosis**. En forma de champú, debe dejarse actuar 5 minutos y luego aclarar con abundante agua. En loción, dejar actuar un máximo de 10 minutos.

- **Efectos secundarios**. No se han descrito, siempre que se utilice correctamente y no se aplique en contacto con ojos, mucosas, heridas o zonas sensibles de la piel. Se recomienda no utilizarlo en niños menores de 6 años.

Pirantel

Está indicado en infestaciones por los siguientes parásitos intestinales: oxiuros (lombrices) y ascaris lumbricoide.

- **Dosis**. En niños de 6 meses a 2 años, 125 mg en comprimidos o 2,5 ml en suspensión; de 2 a 6 años, 250 mg en comprimidos o 5 ml en suspensión oral; de 6 a 12 años, 500 mg en comprimidos o 10 ml en suspensión oral; mayores de 12 años, 750 mg en comprimidos y 15 ml en suspensión oral.

- **Efectos secundarios**. Pérdida de apetito, cólicos intestinales, náuseas, vómitos, diarreas, cefaleas, mareos, somnolencia, insomnio o erupciones. Hay que tener precaución en aquellos niños con alteraciones hepáticas y también en menores de 2 años, ya que pueden presentarse efectos secundarios imprevistos, por lo que ha de ser el médico quien decida su empleo.

ANTIEPILÉPTICOS

Los antiepilépticos son medicamentos que evitan la aparición de las crisis epilépticas en niños que padecen esta enfermedad y, en caso de convulsiones febriles, las elimina.

No curan la patología; tan sólo previenen los ataques.

DIAZEPAM (MICROENEMAS RECTALES)

Están prescritos para convulsiones febriles en niños, convulsiones epilépticas, estados de ansiedad y angustia y, también, como sedante en cirugía menor.

- **Dosis.** Niños de 1 a 3 años, un microenema de 5 mg: en niños mayores de 3 años, un microenema de 10 mg. Es preciso leer cuidadosamente los pasos para la correcta administración.

- **Efectos secundarios.** Somnolencia, ataxia y ligero mareo. Otras veces se producen cefaleas, alteraciones visuales, náuseas, vértigos, alteraciones de memoria, incoordinación motora y erupciones cutáneas.

ÁCIDO VALPROICO

Se emplea el ácido valproico en epilepsias generalizadas o parciales; en las formas mixtas y epilepsias generalizadas secundarias; y también es efectivo en las convulsiones febriles infantiles y en los casos de tics en la infancia.

- **Dosis.** En lactantes y niños, 30 mg/kg/día en 1 o 2 tomas; en adolescentes, 20-30 mg/kg/día en 1 o 2 tomas.

- **Efectos secundarios.** Puede provocar hepatopatías, estados confusionales o convulsivos; hiperactividad o irritabilidad, trastornos digestivos, caída del cabello, temblores, anemias. En menores de 3 años hay un riesgo de hepatopatía muy alto.

CARBAMAZEPINA

Está indicado para crisis epilépticas parciales, con sintomatología compleja o simple. También en las crisis tónico-clónicas generalizadas, manía y terapia preventiva de la enfermedad maniaco-depresiva.

- **Dosis.** En menores de 4 años, una dosis inicial de 20-60 mg, aumentándola de 20 a 60 mg cada dos días. En mayores de 4 años, 100 mg de inicio, incrementándola 100 mg a intervalos semanales. La dosis de mantenimiento es de 10-20 mg/kg en dosis divididas.

- **Efectos secundarios.** Vértigos, cefaleas, somnolencia, fatiga, visión doble, náuseas y vómitos. También, urticaria y reacciones alérgicas cutáneas, descenso de leucocitos en sangre y de las plaquetas; retención de líquidos y aumento de peso. Antes de empezar el tratamiento, y luego, a intervalos regulares, se recomienda realizar hemogramas completos. Ocasionalmente, pueden exacerbar las crisis, lo que lleva a la suspensión del tratamiento.

LAMOTRIGINA

Se emplea en el tratamiento de la epilepsia como terapia añadida. En crisis parciales, con o sin generalización secundaria a tónico-clónicas; y en crisis primarias generalizadas.

- **Dosis.** En niños de 2 a 12 años: los que toman ácido valproico u otro antiepiléptico, la dosis inicial es de 0,15 mg/kg de peso al día, administrado una vez al día dos semanas seguido de 0,3 mg/kg día en las dos semanas siguientes. Luego se va incrementando 0,30 mg cada 1-2 semanas, hasta alcanzar la respuesta óptima. La dosis normal de mantenimiento es de 5 mg/kg/día en 2 tomas con un máximo de 200 mg/día.

- **Efectos secundarios**. Erupciones cutáneas, fiebre, linfoadenopatía, edema facial y alteraciones sanguíneas y hepáticas. Somnolencia, náuseas, mareos, cefalea y cansancio. También, visión doble o borrosa, inestabilidad, temblor, irritabilidad o agresividad. La retirada brusca del fármaco puede producir un efecto rebote, por lo que debe reducirse progresivamente.

ANTISÉPTICOS/DESINFECTANTES

Evitan el crecimiento de microorganismos sobre la piel o los destruyen si ya existen. Los antisépticos actúan sobre los tejidos vivos, y los desinfectantes, sobre los objetos. Se emplean para desinfectar heridas superficiales de la piel como grietas, rozaduras o llagas y quemaduras.

CLORHEXIDINA
Se emplea para la desinfección de pequeñas heridas superficiales, quemaduras leves, grietas y rozaduras.

- **Dosis**. Después de lavar bien y secar la herida, se aplica la solución 1 o 2 veces al día.

- **Efectos secundarios**. Reacciones cutáneas de hipersensibilidad y fotosensibilidad. No se debe aplicar en ojos, oídos ni boca. No debe emplearse en combinación con ácidos, sales de metales pesados y yodo.

Si el niño está nervioso en la visita médica, es aconsejable que lleve un juguete u objeto muy querido por él para sentirse más tranquilo.

POVIDONA YODADA
La povidona yodada es un desinfectante de la piel, las pequeñas heridas, los cortes superficiales, las quemaduras leves o las rozaduras. En los hospitales es el antiséptico del campo operatorio por excelencia. También se emplea en las dermatitis microbianas y micóticas.

- Dosis. Después de lavar y secar bien, aplicar este desinfectante directamente sobre el área afectada.

- **Efectos secundarios**. En raros casos se producen reacciones cutáneas locales. Al aplicar sobre áreas extensas puede ocasionar efectos sistémicos, como acidosis metabólica, aumento de sodio y trastornos de la disfunción renal. No emplear de forma bucal en niños menores de 6 años.

ANTIFÚNGICOS ORALES Y TÓPICOS

Son medicamentos empleados para tratar las infecciones por hongos. Suelen ser tratamientos prolongados.

NISTATINA

Tratamiento de las infecciones orales o intestinales causadas por el hongo *Cándida albicans* y otras especies de *Cándida*.

- Dosis. En la candidiasis oral, 2,5 a 5 ml/día en enjuagues bucales, impregnando la mucosa bucal y tragando el exceso; luego, se debe tardar todo lo que sea posible en ingerir otros líquidos. Esta dosificación se repite 2-4 veces al día. En la candidiasis intestinal, en el caso de los lactantes, 5-15 ml/día, repetidos en 4 tomas. En niños, 10-30 ml/día en 4 tomas.

- Efectos secundarios. En grandes dosis puede ocasionar diarrea y dolores gastrointestinales, que desaparecen al suspender la medicación.

MICONAZOL

El miconazol sirve para tratar las micosis de la piel causadas por dermatofitos, tiñas e infecciones cutáneas por diversos hongos, pitiriasis versicolor. También en las infecciones y sobreinfecciones por algunas bacterias, y en la candidiasis anal, de vulva y escroto.

- Dosis. En las infecciones cutáneas, aplicar la crema 1-2 veces al días; en las infecciones de las uñas, 1 vez al día, taponándolo con un esparadrapo, durante 2 a 6 meses. En el gel oral, mantenerlo en la boca el tiempo que se pueda antes de ingerirlo.

- Efectos secundarios. No están registrados en las aplicaciones tópicas. Con el gel oral se han descrito náuseas y diarreas en terapias prolongadas.

ANTIDIARREICOS

Se emplean en procesos diarreicos para prevenir la deshidratación, principalmente. Hay que tener precaución con su empleo, porque pueden facilitar complicaciones infecciosas, al mantener los gérmenes o toxinas más tiempo en contacto con el intestino.

LOPERAMIDA

En el tratamiento sintomático de la diarrea aguda inespecífica.

- Dosis. En niños mayores de 12 años, 20 ml como dosis inicial, seguida de 10 ml tras cada deposición hasta un máximo de 80 ml/día. También existe en comprimidos.

- Efectos secundarios. Erupciones cutáneas, megacolon tóxico, dolor y distensión abdominal, náuseas, vómitos, cansancio, somnolencia, mareo y sequedad de boca. Si no hay mejoría clínica en 48 horas o aparece fiebre, debe interrumpirse el tratamiento. En niños menores de 12 años puede haber deshidratación por pérdida de líquidos y lectrolitos.

ANTIACNÉ

Son fármacos empleados para controlar el acné, muy frecuente en los adolescentes, y que puede presentarse en ocasiones con bastante virulencia. Se emplean diferentes medicamentos que tratan de controlar las diversas causas que lo generan.

PERÓXIDO DE BENZOILO
Es uno de los fármacos más empleados para el tratamiento del acné.

- **Dosis**. Tras limpiar la piel con un limpiador suave y agua, se aplica sobre las áreas afectadas una o dos veces al día.

- **Efectos secundarios**. Dermatitis alérgica de contacto. Puede producir irritación de la piel que, si es intensa, lleva a suspender la medicación. No debe aplicarse en ojos, boca, labios ni zonas sensibles del cuello.

ISOTRETINOINA
Se emplea en el tratamiento sistémico de formas graves de acné y acnés resistentes a otros tratamientos.

- **Dosis**. Inicio a una dosis de 0,5 mg/kg/día a 1 mg/kg/día. Suele precisar terapia de 16 a 24 semanas por la remisión total. Las cápsulas se ingieren con las comidas en una toma si las dosis son pequeñas, o varias tomas a lo largo del día si son mayores.

- **Efectos secundarios**. Sequedad de piel y mucosas, epistaxis (hemorragia nasal), ronquera, conjuntivitis, erupción y prurito. También, hiperpigmentación e hirsutismo, dolor muscular y articular, cefaleas y alteraciones de la conducta, de la visión y de la audición. Asimismo, puede dar lugar a alteraciones gastroin-

testinales, aumento de las transaminasas, el colesterol y los triglicéridos.

ANTIDIABÉTICOS

Se emplean para paliar el déficit de insulina, aportando ésta en sus distintas formulaciones.

INSULINAS
Para el tratamiento de la diabetes mellitus tipo I y las tipo II que presentan descompensaciones o que no responden bien a la dieta y antidiabéticos orales. En diabetes de más de 10 años y en presencia de complicaciones vasculares.

- **Dosis**. El criterio más común y general es del tanteo y ajuste progresivo: 0,4-0,6 UI/kg/día, el 60 por ciento antes del desayuno y el 40 por ciento antes de la cena. Se inicia gradualmente, sin prisas, comenzando con insulinas intermedias. Planificar el tratamiento en relación con el horario de las comidas, administrándola 20-30 minutos antes de las mismas. Las modificaciones son suaves y lentas, de 1-2 UI cada vez, y esperando a ver la acción en 2-3 controles al menos. La dosis depende del tipo de insulina; todas ellas se administran por vía subcutánea:

  - Ultrarrápidas: comienzo, 15 minutos; pico máximo, 30-60 minutos; duración, 4 horas.
  - Rápidas: comienzo, 15-30 minutos; pico máximo, 2-4 horas; duración, 5-6 horas.
  - Intermedias: comienzo, 1-3 horas; pico máximo, 4-15 horas; duración, 18-24 horas.

– Retardadas: comienzo, 3-6 horas; pico máximo, 10-20 horas; duración, 26-28 horas.

– Mezclas (rápida + intermedias): comienzo, 30 minutos; pico máximo, 1-7 horas; duración, 14-18 horas.

• <u>Efectos secundarios</u>. La hipoglucemia es la reacción más frecuente y peligrosa, pudiendo ocasionar pérdida de consciencia e incluso la muerte. También puede producirse alergia local cutánea y, a veces, alergia sistémica con erupción por todo el cuerpo, dificultad respiratoria, hipotensión arterial, sudoración y aumento de la frecuencia cardiaca. Debe administrarse siempre bajo estricto control médico, tanto la instauración como las modificaciones de dosis o de tipo de insulina.

Términos usuales

A

ABSCESO. Formación de una cavidad rellena de material infeccioso sobre un órgano o debajo de la piel.

ACÚFENOS. Sonidos, normalmente en forma de pitidos, que percibe el individuo por alguna alteración en el sentido del oído.

ADENOMA. Tumor, habitualmente benigno, de estructura semejante a la de las glándulas que afecta.

ADENOPATÍA. Aumento del tamaño aislado de uno o varios ganglios linfáticos producido por una infección o un proceso canceroso.

AFASIA. Dícese de la pérdida de la capacidad del habla secundaria a un desorden cerebral.

AFTA. Pérdida de sustancia de la mucosa oral que se presenta de forma brusca y dolorosa por causas desconocidas en la mayoría de los casos.

AGENESIA. Ausencia congénita de un órgano o cualquier otro territorio corporal.

AGAROFOBIA. Miedo a los espacios abiertos o a cualquier situación en la que sea difícil o embarazoso recibir ayuda si fuera necesario.

ALALIA. Pérdida de la capacidad del habla secundaria a una afectación de los órganos vocales, especialmente la parálisis de sus nervios.

ALBUMINURIA. Pérdida a través de la orina de la proteína albúmina por alguna enfermedad renal.

ALERGENO. Agente que puede ser identificado como extraño por el sistema defensivo y provocar una reacción alérgica.

ALERGIA. Es una respuesta inmune o reacción exagerada a sustancias que generalmente no son dañinas.

ALERGIA ALIMENTARIA. Respuesta inmune exagerada desencadenada por el consumo de huevos, cacahuetes, leche o algún otro alimento específico.

ALOPECIA. Caída inapropiada del cuero cabelludo por diferentes causas.

AMAUROSIS. Pérdida de visión con inmovilidad permanente del iris.

AMBLIOPÍA. Oscurecimiento de la visión por afectación de la retina.

AMÍGDALAS. Órganos de tejido linfoide que rodean el paso de entrada del aire y de los alimentos en la garganta y que forman parte del sistema inmune o defensivo.

AMIGDALECTOMÍA. Se trata de la extirpación quirúrgica de las amígdalas.

AMNESIA. Fallo en el mecanismo de la memoria que puede ser global o parcial y referido únicamente a un episodio concreto o a grandes áreas de la personalidad.

AMNIOCENTESIS. Técnica de extracción de líquido amniótico durante el embarazo utilizada principalmente para el estudio de las células del feto que informe sobre la existencia de malformaciones genéticas en el mismo.

ANABOLISMO. Parte del metabolismo que contiene el conjunto de procesos formativos o de síntesis.

ANACUSIA. Pérdida total de la audición o sordera.

ANAFILAXIA. Reacción exagerada de tipo alérgico frente a una sustancia que puede poner en peligro la vida del individuo.

ANALGÉSICO. Dícese de cualquier fármaco o sustancia empleada para mitigar el dolor físico.

ANAMNESIS. Memoria detallada de los antecedentes del enfermo y de las manifestaciones subjetivas de la enfermedad que se obtiene mediante interrogatorio.

ANASTOMOSIS. Unión mediante cirugía de los extremos de un conducto a un órgano o de un conducto natural a uno artificial.

ANEMIA. Es la disminución del número de glóbulos rojos (eritrocitos) en la sangre por debajo de lo normal, normalmente medida por la reducción en la cantidad de hemoglobina, el pigmento rojo de los glóbulos rojos que transportan el oxígeno.

ANESTESIA. Privación general o parcial de la sensibilidad por afectación nerviosa de una región o de forma artificial.

ANEURISMA. Dilatación anormal en forma de saco de una zona de la pared vascular que puede estallar y provocar una hemorragia interna.

ANEXECTOMÍA. Extirpación quirúrgica de los ovarios.

ANGIOMA. Tumor formado por aglomeración de vasos sanguíneos generalmente congénito y benigno.

ANOREXIA NERVIOSA. Es un trastorno alimentario caracterizado por la renuencia a mantener el peso corporal mínimamente aceptable, miedo intenso a aumentar de peso y una imagen corporal distorsionada. El consumo inadecuado de calorías o el gasto excesivo de energía provoca una severa pérdida de peso.

ANOVULATORIOS. Dícese de los fármacos que tienen la capacidad de impedir la ovulación femenina. También llamados anticonceptivos.

ANOXIA. Déficit total de oxígeno en la sangre y en los órganos corporales.

ANSIOLÍTICO. Dícese de aquella sustancia que puede calmar o hacer desaparecer la ansiedad.

ANTIBIÓTICO. Dícese del medicamento empleado para destruir las bacterias o impedir su reproducción.

ANTICUERPO. Moléculas defensivas creadas por el sistema inmune con el fin de interceptar, bloquear y destruir una estructura extraña detectada.

ANTÍGENO. Cualquier sustancia, célula u objeto microscópico que estimula al sistema defensivo para la producción de anticuerpos frente a ellos.

ANTITÉRMICO. Fármaco que desciende la temperatura corporal mientras dura su efecto.

ANURIA. Cese total de la secreción de orina.

APGAR (TEST). La puntuación Apgar, diseñado en 1952 por la doctora Virginia Apgar en el Columbia University´s Babies Hospital, es un examen rápido que se realiza al primero y quinto minuto inmediatamente después del nacimiento del bebé para determinar su condición física. La proporción se basa en la escala de 1 a 10, en donde 10 corresponde al niño más saludable y los valores inferiores a 5 indican que el recién nacido necesita asistencia médica de inmediato para que se adapte al nuevo ambiente.

APNEA. Detención de la respiración que puede ocurrir en bebés prematuros y de poco peso.

APONEUROSIS. Membrana que envuelve a los músculos.

APOPLEJÍA. Pérdida brusca de la función cerebral por una hemorragia en el mismo.

ARACNOIDES. Una de las tres meninges que envuelven el sistema nervioso central, concretamente la situada en el medio.

ARRITMIA. Irregularidad en el ritmo de contracción de las cavidades cardiacas.

ARTRALGIA. Dolor de una o varias articulaciones.

ARTRITIS. Inflamación aguda o crónica de las articulaciones.

ARTROSIS. Proceso degenerativo de los cartílagos que protegen las articulaciones.

ASCITIS. Acumulación de líquido en el peritoneo de la cavidad abdominal, generalmente secundaria a enfermedades hepáticas o insuficiencia cardiaca.

ASEPSIA. Conjunto de medidas encaminadas a mantener libre de gérmenes un espacio o un material concreto.

ASMA INFANTIL. Tipo de asma que se presenta en los niños y que puede aparecer con síntomas más severos que los vistos generalmente en las personas adultas. Los medicamentos usados para tratar el asma infantil son los mismos que en los adultos, pero las dosis empleadas difieren enormemente.

ASTENIA. Cansancio o pérdida de fuerza sin motivo aparente para ello.

ASTIGMATISMO. Irregularidad congénita de la superficie anterior de la córnea que produce distorsión de la imagen y que puede tener un componente hereditario.

ASTRINGENTE. Dícese de aquello que provoca estreñimiento.

ATAXIA. Alteración a nivel del cerebelo que provoca inestabilidad así como incapacidad para coordinar los movimientos corporales.

ATEROMA. Placa de contenido graso que se forma sobre las lesiones de la pared arterial.

ATETOSIS. Incapacidad para permanecer quieto debido a trastornos nerviosos que provocan continuos movimientos involuntarios.

ATLAS. Primera vértebra cervical, así llamada por sostener directamente el peso del cráneo.

ATROFIA. Vuelta atrás en el desarrollo de un tejido u órgano por falta de utilización del mismo o malnutrición.

AUDIOGRAMA. Método diagnóstico de la agudeza auditiva del individuo.

AURA. Sensación visual, cutánea o de cualquier otro tipo que precede a la aparición de una crisis epiléptica o a una migraña.

AUTONOMÍA. Independencia; la etapa en que los niños desarrollan la habilidad de elegir y controlar sus acciones.

AUTOPSIA. Estudio detallado del cadáver con el fin de investigar la causa de la muerte. Necropsia.

AXIS. Del griego eje, nombre que recibe la segunda vértebra sobre la que gira la cabeza.

B

BACTERIAS. Organismos microscópicos autónomos, algunos de los cuales son capaces de vivir en el interior del cuerpo humano generando o efectos beneficiosos (fabricando vitaminas) o malignos (provocando enfermedades).

BALANITIS. Inflamación de la mucosa que recubre el bálamo o glande.

BILIRRUBINA. Glóbulos rojos destruidos, normalmente convertidos en sustancias no tóxicas por el hígado. Algunos recién nacidos tienen niveles muy altos de bilirrubina y el hígado no puede deshacerse de ellos, provocando la ictericia neonatal.

BIOPSIA. Examen biológico de un trozo de tejido vivo para confirmar un diagnóstico.

BLEFARITIS. Inflamación aguda o crónica de los párpados.

BOCIO. Glándula tiroidea aumentada de tamaño.

BRADICARDIA. Ritmo cardiaco inferior a lo normal en cada individuo y, en general, por debajo de 50 latidos por minuto.

BRONCODILATADORES. Medicamentos que relajan el músculo liso de las vías respiratorias para solucionar o evitar el estrechamiento de las mismas.

BRONQUIOLITIS. Inflamación de las pequeñas vías aéreas de los pulmones

BULIMIA. Enfermedad que se caracteriza por comilonas o episodios recurrentes de ingestión excesiva de alimento, acompañados de una sensación de pérdida de control. Luego, la persona utiliza diversos métodos, tales como vomitar o consumir laxantes en exceso, para evitar aumentar de peso.

—— C ——

CALOSTRO. Líquido amarillento secretado por la glándula mamaria antes de que se produzca la secreción de leche. Es muy rico en proteínas, sales minerales y anticuerpos maternos.

CANAL GALACTÓFORO. Canal que conduce la leche producida por la glándula mamaria.

CÁNDIDA. Infección por hongos que puede afectar a las membranas mucosas de la boca, genitales o pezones.

CARBOHIDRATOS. Uno de los principales componentes de la dieta. Se trata de una categoría de alimentos que abarcan azúcares, almidones y fibra.

CARCINÓGENO. Dícese del agente químico, físico o biológico que favorece la aparición de algún tipo de cáncer.

CARDIAS. Orificio de separación entre el esófago y el estómago.

CARIOTIPO. Estudio de la dotación genética de un individuo mediante la obtención y análisis de una de sus células.

CATABOLISMO. Parte del metabolismo que contiene el conjunto de procesos destructivos o de eliminación.

CATETERISMO. Introducción en un quirófano de una sonda que es guiada hasta el conducto o cavidad que se desea estudiar.

CEFALOHEMATOMA. Derrame sanguíneo situado entre el hueso del cráneo y el periosto, bastante frecuente incluso después de un parto normal. Se reabsorbe naturalmente después de una inyección de vitamina K.

CELIOSCOPÍA. Examen que se practica con un endoscopio para el análisis de los órganos internos. El endoscopio se introduce o bien a través de la pared abdominal o por las vías vaginales.

CÉLULAS GERMINALES. Son típicas de los ovarios y de los testículos. Su madurez acaba en los espermatozoides y el óvulo.

CESÁREA. Extracción de un feto a través de una incisión quirúrgica en la pared abdominal y el útero de la madre que se realiza cuando el parto eutócico o normal se complica o bien cuando éste es arriesgado por alguna circunstancia.

CETOSIS. Acumulación de ácido láctico en varios tejidos y fluidos y que suele venir indicada por acetona en la orina.

CIANOSIS. Coloración azulada o lívida de la piel producida por la mala oxigenación de la sangre.

CICLO MENSTRUAL. Manifestación fisiológica propia del aparato genital femenino. En la mayoría de los casos, el ciclo menstrual dura 28 días y acaba con la menstruación. Se trata de un mecanismo esencialmente gobernado por la hipófisis.

CISTITIS. Inflamación de la vejiga por razones químicas o a causa de una infección genitourinaria.

COLECISTECTOMÍA. Extirpación quirúrgica de la vesícula biliar.

COLESTEROL. Alcohol esteroídico que forma parte de la membrana celular y es precursor de hormonas esteroideas. Participa en la génesis de la arteroesclerosis.

COLONOSCOPIA. Endoscopia del tubo digestivo inferior.

COLOSTOMÍA. Comunicación artificial del colon con la piel del abdomen realizada mediante intervención quirúrgica cuando el tránsito normal de las heces se encuentra obstruido por cualquier motivo. Puede ser reversible o definitiva.

COLURIA. Orina especialmente oscura debida a una excesiva expulsión a través de la misma de pigmentos biliares.

COMA. Disminución grave del estado de conciencia, la sensibilidad y los reflejos.

CONGÉNITO. Que se posee desde el nacimiento.

CONJUNTIVITIS NEONATAL. Es una coloración roja del ojo en un recién nacido causada por irritación, obstrucción del conducto lacrimal o infección.

CONTRACTURA. Contracción espasmódica prolongada de un grupo muscular que provoca dolor y compresión en los nervios y vasos sanguíneos que lo atraviesan.

CONVULSIÓN FEBRIL. Es una convulsión en un niño que se desencadena por fiebre y en ausencia de una infección cerebral, de la médula espinal o de cualquier otra causa neurológica.

COORDINACIÓN VISO-MANUAL. La habilidad de dirigir los movimientos de los dedos, mano y muñeca para lograr tareas de motricidad fina, como por ejemplo, insertar una pieza en un orificio (hueco), o construir con bloques.

CORTICOIDES. Fármacos usados en el tratamiento de determinadas alteraciones de la piel, asma, fiebre del heno, reumatismo y artritis.

CREATININA. Sustancia producida por el metabolismo muscular cuya medición en sangre es utilizada para valorar el funcionamiento de los riñones.

CRIPTORQUIDIA. Testículo que no ha descendido de una forma natural de la parte baja del abdomen al escroto.

CROMOSOMA. Cada uno de los corpúsculos del interior del núcleo celular que contienen el material genético del individuo. El ser humano posee 23 pares.

CRUP. Se trata de una inflamación alrededor de las cuerdas vocales, una dificultad respiratoria acompañada por tos «perruna», común en bebés y en niños, y ocasionada por una variedad diversa de circunstancias y causas.

D

DACRIOCISTITIS. Inflamación del saco lagrimal del ojo.

DALTONISMO. Incapacidad congénita para distinguir entre diferentes colores, generalmente entre el rojo y el verde.

DECÚBITO LATERAL. Posición tumbada con el cuerpo girado completamente hacia un lado.

DECÚBITO PRONO. Posición tumbada con los miembros estirados y mirando hacia abajo.

DECÚBITO SUPINO. Posición tumbada con los miembros estirados y mirando hacia arriba.

DERMATITIS. Inflamación de la piel, normalmente caracterizada por picor y enrojecimiento.

DESARROLLO. Cambios que ocurren con el crecimiento y la experiencia del niño.

DESARROLLO COGNITIVO. Desarrollo de la habilidad de pensar y uso de la razón.

DESARROLLO FÍSICO. La toma de control gradual sobre los músculos grandes (gruesos) y pequeños (finos).

DESARROLLO SOCIAL. El proceso gradual a través del cual el niño aprende a llevarse bien con los demás y disfruta jugando y compartiendo con los otros.

DESHIDRATACIÓN. Importante pérdida de agua del cuerpo. Cuando le ocurre al lactante o niños muy pequeños puede ser grave.

DESMOPATÍA. Cualquier afectación de los ligamentos.

DESNUTRICIÓN. Significa que el cuerpo de una persona no está obteniendo los nutrientes suficientes. Esta condición puede resultar del consumo de una dieta inadecuada o mal balanceada, por trastornos digestivos, problemas de absorción u otras condiciones médicas.

DESÓRDENES DE HABLA Y LENGUAJE. Incapacidad o dificultad para comprender, procesar o expresar el lenguaje.

DESTREZAS DE MOTRICIDAD FINA. Movimientos que involucran el uso de los músculos pequeños del cuerpo, manos y muñecas, como por ejemplo, al alzar las piezas de un rompecabezas, cortar con tijeras o el uso de una cuchara para alimentarse.

DESTREZAS DE MOTRICIDAD GRUESA. Movimientos que involucran el uso de los músculos de todo el cuerpo o partes importantes de él, tales como correr, saltar o trepar.

DETECCIÓN PRECOZ. Utilización de técnicas de diagnóstico para detectar una enfermedad en edades tempranas o en estadios iniciales.

DIABETES. Incapacidad del organismo para metabolizar glucosa. Se detecta con un exceso de azúcar en la sangre.

DIAFRAGMA. Músculo que separa la cavidad torácica de la abdominal y que contribuye decisivamente al proceso de la respiración.

DIÁMETRO BIPARIETAL. Medida del cráneo entre ambos apriétales, situados a los lados del cráneo sobre la recta media que determinan el occipital detrás y el frontal delante.

DIARREA. Evacuación frecuente de heces poco formadas.

DIÁSTOLE. Relajación y expansión del corazón tras su contracción para permitir la entrada de sangre.

DIPLOPIA. Visión doble de los objetos, generalmente por afectación de la musculatura ocular.

DISARTRIA. Dificultad para articular las palabras por alguna enfermedad del sistema nervioso.

DISCO. Estructura fibrosa en forma de anillo con un núcleo central pulposo que separa y articula entre sí cada vértebra de la columna.

DISFAGIA. Dificultad al tragar.

DISLEXIA. Dificultad para comprender lo que se lee o para escribir frases con sentido completo.

DISMENORREA. Menstruación dolorosa o, en general, irregular.

DISNEA. Dificultad para respirar.

DISPEPSIA. Trastorno de la digestión que provoca que ésta sea más laboriosa y molesta.

DISPLASIA DE LA CADERA. Deformación ósea de la cadera debida a una malformación embrionaria.

DISTIMIA. Exageración del estado afectivo o del humor del individuo, bien por exceso o por defecto.

DISURIA. Micción dolorosa, dificultosa o incompleta.

DIURESIS. Acto fisiológico de producir y excretar la orina.

DIVERTÍCULO DE MECKEL. Es una formación congénita común que consiste en una bolsa pequeña llamada divertículo, localizada a la altura de la pared del intestino delgado y que puede contener tejidos estomacales o pancreáticos.

DOPPLER. Aparato para medir la velocidad de circulación de la sangre. Funciona por reflexión de rayos de ultrasonido sobre los glóbulos rojos.

DORSALGIA. Dolor de espalda a la altura de la columna vertebral.

E

ECCEMA. Enfermedad inflamatoria crónica de la piel que dura entre meses y años y que afecta habitualmente a codo, cuello, rodillas, muñecas, tobillos, manos y pies. Se caracteriza por erosiones rojas y superficiales en la piel y ampollas diminutas llenas de líquido transparente.

ECLAMPSIA. Enfermedad convulsiva que puede aparecer como complicación del embarazo.

ECOCARDIOGRAFÍA. Es un examen que emplea ondas sónicas para crear una imagen en movimiento del corazón. Dicha imagen es mucho más detallada que la de rayos X y no involucra exposición a la radiación.

ECOGRAFÍA. Método diagnóstico inocuo que emplea ultrasonidos que rebotan en el interior del organismo de diferentes maneras, según la composición y estructura de sus órganos, y cuya detección permite obtener una imagen.

ECTÓPICO. Dícese de cualquier componente del organismo que se encuentra situado fuera de su ubicación natural.

EDEMA. Afección en la que los tejidos del cuerpo contienen exceso de líquido en el espacio vacío que queda entre las células.

EFECTO SECUNDARIO. Consecuencia no intencionada de una terapia o intervención diagnóstica. Pueden ser beneficiosos aunque a menudo actúan en detrimento del paciente.

ELECTROCARDIOGRAMA. Registro de la actividad eléctrica del corazón.

ELECTROCHOQUE (o electroshock). Consiste en la descarga de una corriente eléctrica en el sistema nervioso con fines terapéuticos y psiquiátricos.

ELECTROENCEFALOGRAMA. Registro de la actividad cerebral mediante unos electrodos que se colocan sobre el cuero cabelludo.

EMBOLIA. Obstrucción de un vaso sanguíneo por cualquier circunstancia que deja sin riego a una región concreta del organismo.

EMÉTICO. Dícese de cualquier sustancia que provoca la náusea o el vómito.

ENCEFALITIS. Es una inflamación (irritación e hinchazón) del cerebro, causada generalmente por infecciones.

ENDEMIA. Enfermedad que afecta mayoritariamente a la población de un área geográfica con carácter permanente.

ENDOCARDIO. Capa interna del corazón que tapiza sus cavidades.

ENDOMETRIO. Capa mucosa que recubre el útero en su interior.

ENDOSCOPIA. Técnica exploratoria que consiste en la introducción de una cámara y una fuente de luz en el interior del tubo digestivo.

ENEMA. Dícese del fármaco utilizado para limpiar y vaciar el contenido del intestino mediante su introducción por vía anal.

ENFERMEDAD AGUDA. Una patología que se desarrolla con rapidez, dura un tiempo limitado, a veces puede ser prevenida y puede ser curada (como una gripe), a diferencia de las enfermedades crónicas.

ENFERMEDAD CRÓNICA: Una patología que puede desarrollarse lentamente y no ser detectada durante años. Por lo general dura toda una vida y rara vez tiene cura. Estas enfermedades pueden ser controladas a través de dietas, ejercicio y medicación. Algunas enfermedades crónicas que afectan a los niños son: asma, artritis juvenil, diabetes, epilepsia, la anemia falciforme, fibrosis cística, cáncer, sida.

ENURESIS. Es la micción involuntaria en los niños mayores de 4 o 5 años de edad, que por regla general se presenta durante la noche.

ENZIMA. Cualquier sustancia utilizada por el metabolismo como catalizador de sus diferentes reacciones químicas.

EPIDEMIA. Enfermedad que afecta a un limitado número de individuos de una población durante un período de tiempo relativamente corto.

EPILEPTÓGENO. Punto cerebral concreto que origina las descargas eléctricas de la epilepsia.

EPISIOTOMÍA. Incisión en el borde de la vagina durante el período expulsivo del parto con el fin de agrandar la parte inferior del canal y evitar el desgarro del mismo, que podría extenderse hacia el ano y que, en general, cicatriza peor.

EPÍSTAXIS. Hemorragia nasal.

ERGOMETRÍA. También llamada prueba de esfuerzo; consiste en la valoración del sufrimiento cardíaco a determinados niveles de esfuerzo físico.

ERITROCITO. Glóbulo rojo o hematíe; célula sanguínea que transporta el oxígeno en la sangre.

ERITROPOYETINA. Hormona producida en el riñón cuya función es la de estimular la producción de glóbulos rojos en la médula ósea.

ESCALOFRÍO. Se trata de la agitación espasmódica e incontrolable de todo el cuerpo, que tiene por finalidad mantener la temperatura corporal en condiciones de frío ambiental.

ESCÁNER. Técnica de registro de imágenes corporales en forma de cortes o planos mediante un sistema informático. También llamado TAC o tomografía axial computerizada.

ESCARA. Lesión de una parte de la piel que se desvitaliza por falta de riego sanguíneo o por una agresión de la misma, como una quemadura.

ESCLEROSIS. En general, cualquier endurecimiento y pérdida de elasticidad de un órgano.

ESCOLIOSIS. Desviación lateral de la columna vertebral.

ESCOTOMA. Zona oscura del campo visual normal producida por una lesión en la retina.

ESFINGOMANÓMETRO. Recibe este nombre el aparato utilizado para la medición de la tensión arterial.

ESFÍNTER. Cualquier músculo de forma anular del organismo que se abre o se cierra voluntariamente o no para permitir salir o retener una sustancia.

ESGUINCE. Lesión de los tejidos y ligamentos que rodean una articulación producida por una extensión excesiva de la misma.

ESPERMA. Secreción de los testículos que sirve de vehículo a los espermatozoides.

ESPINA BÍFIDA. Es un trastorno congénito (defecto de nacimiento) en el que la columna vertebral y el canal medular no se cierran antes del nacimiento, lo cual hace que la médula espinal y las membranas que la recubren protruyan por la espalda del niño.

ESPLÉNICO. Relativo al bazo.

ESPONDILITIS. Enfermedad inflamatoria de las articulaciones y los ligamentos situados entre las vértebras.

ESPORA. Estructura defensiva que pueden adquirir algunas bacterias para sobrevivir largo tiempo en un medio ambiente desfavorable.

ESTATURA BAJA. Se refiere a cualquier persona que es significativamente más baja que la talla promedio, al compararla con una persona de la misma edad y sexo. El término se puede referir a niños y adolescentes que se encuentren significativamente por debajo de la talla de los de su misma edad.

ESTEATOMA. Quiste de grasa benigno.

ESTEATORREA. Se conoce con este nombre al exceso de grasa en las heces.

ESTRÉS. Conjunto de reacciones psicológicas y físicas que se producen cuando el organismo se enfrenta a una situación agresiva para su integridad o cuando trata de adaptarse a un medio hostil.

ETIOLOGÍA. Causa de una enfermedad.

EXANGUINO TRANSFUSIÓN. Reemplazo de la sangre del niño en el momento de su nacimiento por la de un donante; se emplea sobre todo en casos de incompatibilidad de los RH de la madre y del feto. La operación se realiza por la intermediación de la vena umbilical.

EXPECTORANTE. Recibe este nombre el fármaco que tiene la propiedad de colaborar con la expulsión de las flemas de la vía respiratoria.

F

FALANGE. Cada uno de los huesos que forman los dedos de las manos y de los pies; comienzan a contarse desde el nacimiento del dedo.

FENOTIPO. Manifestación real del genotipo de un individuo influida por factores externos durante su desarrollo.

FIBROBLASTO. Célula del tejido conjuntivo responsable de su formación.

FIBROMA. Tumor benigno sólido formado por tejido muscular y fibroso que aparece sobre todo en la capa muscular del útero, donde se denomina mioma.

FIEBRE. Aumento controlado de la temperatura corporal como mecanismo defensivo frente a la infección por gérmenes.

FIMOSIS. Estrechez del prepucio que impide la salida correcta del glande.

FISIOLÓGICO. Cualquier proceso normal del funcionamiento del cuerpo humano.

FISIOTERAPIA. Técnica complementaria en el tratamiento de enfermedades que provocan alteraciones de la movilidad, que utiliza la manipulación, el masaje, el calor y otros métodos para aliviar el dolor y restaurar la funcionalidad.

FÍSTULA. Formación de un canal de comunicación anormal entre el interior y el exterior del cuerpo o entre dos órganos huecos entre sí.

FLATO. Se trata de una especie de calambre doloroso que se produce en los músculos intercostales durante un esfuerzo físico prolongado.

FLEMA. Conjunto de mucosidad bronquial que se adhiere a las paredes de las vías respiratorias y que tiene una función defensiva.

FONTANELAS. Son los espacios existentes entre los huesos craneales y que son parte del desarrollo normal. Las fontanelas anterior, posterior, esfenoidal y mastoidea son aberturas que se cierran solas durante el crecimiento normal.

FÓRMULAS INFANTILES. Se conoce bajo esta denominación a los productos alimenticios diseñados para suplir las necesidades nutricionales de los niños. Estos productos son, entre otros, la leche en polvo, los alimentos concentrados y los alimentos ya preparados.

FOTOFOBIA. Alergia a la luz normal o excesiva.

FOTOSENSIBILIDAD. Reacción anormal de la piel frente a la luz que provoca una erupción pruriginosa en la misma y que puede ser hereditaria o aparecer aisladamente durante la juventud.

FOTOTERAPIA. Tratamiento por exposición a la luz que puede utilizarse cuando el bebé tiene ictericia.

FRENULOPLASTIA. Intervención quirúrgica que consiste en cortar el frenillo del prepucio cuando éste impide la posición correcta del glande en la erección.

FRUCTOSA. Azúcar que contiene la miel y las frutas.

G

GALACTORREA. Expulsión anormal de leche en las mujeres bien por excesiva o por inapropiada.

GAMMAGLOBULINA. Anticuerpo de tipo proteínico que se usa para prevenir o tratar infecciones tipo hepatitis

GÁSTRICO. Relacionado con el estómago.

GEN. Parte integrante de los cromosomas que contiene información hereditaria.

GENOMA. Conjunto total de genes que contienen los cromosomas de una especie.

GENOTIPO. Carga genética de un individuo que predetermina sus características físicas y mentales.

GINECOMASTIA. Aumento del tamaño de las mamas en los varones de forma secundaria a un trastorno hormonal o a un tratamiento farmacológico.

GINGIVITIS. Inflamación de las encías por diferentes causas que produce dolor y sangrado de las mismas.

GLÁNDULA TIROIDES. Glándula localizada en la garganta que produce las hormonas encargadas de controlar el metabolismo.

GÓNADA. Órgano sexual masculino o femenino.

GONADOTROPINA. También llamada hormona gonadotrópica, está producida por la placenta y puede medirse en la orina.

GONALGIA. Dolor en la rodilla.

GONARTROSIS. Artrosis de la rodilla.

GRIPE. Infección vírica del sistema respiratorio que aparece en forma de epidemia durante los meses de invierno, normalmente acompañada por fiebre, cefalea, dolores musculares, escalofríos y tos.

—— **H** ——

HABÓN. Lesión sobreelevada en forma de placa rodeada de una zona más enrojecida que produce picor y que aparece típicamente en las reacciones alérgicas. También llamada roncha.

HALITOSIS. Mal olor en el aliento de forma casi permanente, secundario a mala higiene bucal o a trastornos digestivos.

HELIOSIS. Insolación.

HEMANGIOMA. Son grupos anormalmente densos de pequeños vasos sanguíneos dilatados (capilares) que pueden desarrollarse en la piel o en los órganos internos.

HEMATOMA. Es un área de decoloración de la piel que se presenta cuando se rompen pequeños vasos sanguíneos y filtran sus contenidos dentro del tejido blando que se encuentra debajo de la epidermis.

HEMIPLEJÍA. Parálisis parcial o total de una parte del cuerpo.

HEMATEMESIS. Vómito de contenido hemorrágico.

HEMATOCRITO. Proporción entre la parte sólida o celular de la sangre y la parte líquida.

HEMATURIA. Es la presencia de sangre en la orina.

HEMODIÁLISIS. Depuración de la sangre de forma artificial en individuos con grave afectación renal.

HEMOFILIA. Enfermedad hereditaria que se caracteriza por un defecto en la coagulación de la sangre por ausencia congénita de ciertos factores indispensables para la misma.

HEMOGLOBINA. Sustancia química que transporta el oxígeno en la sangre; la parte roja de los glóbulos rojos.

HEMOGRAMA. Estudio analítico de las diferentes células presentes en la sangre.

HEMOPTISIS. Expectoración de sangre proveniente del sistema respiratorio inferior.

HEMORROIDES. Varices formadas en las venas hemorroidales que rodean el ano.

HEMOSTASIA. Conjunto de medidas físicas y químicas tomadas para la detención de una hemorragia.

HEPATITIS. Inflamación del hígado normalmente provocada por una reacción a un fármaco o por infección viral.

HERNIA. Defecto en la estructura de la pared de un órgano o de una cavidad corporal, de tal modo que el contenido de dicha cavidad escapa a través de él.

HERPES. Afección de la piel de origen viral que se caracteriza por pequeñas vesículas.

HIDROCEFALIA. Se trata del aumento del volumen de líquido en el interior de la cavidad craneal.

HIPERGLICEMIA. Tasa anormalmente alta de glucosa en sangre, que revela la existencia de diabetes.

HIPERPLASIA. Crecimiento excesivo de un tejido u órgano por aumento de la reproducción de las células que lo forman.

HIPERTERMIA. Aumento descontrolado de la temperatura corporal, normalmente grave, que aparece en respuesta a la exposición a una fuente de calor externa durante cierto tiempo.

HIPERTONÍA. Tono del músculo en reposo excesivo o inadecuado.

HIPNÓTICOS. Dícese de las sustancias empleadas como inductores del sueño.

HIPO. Desequilibrio entre la expansión torácica y el movimiento del diafragma durante la inspiración, que normalmente siguen un movimiento acompasado.

HIPOACUSIA. Disminución de la capacidad auditiva en uno o ambos oídos.

HIPÓFISIS. Glándula situada en la base del cráneo, en la zona llamada silla turca, que secreta ciertos factores precursores de hormonas.

HIPOGLUCEMIA. Descenso brutal de la tasa de glucosa en la sangre, que puede provocar malestar diverso.

HIPOTÁLAMO. Área cerebral que controla y estimula la hipófisis a través de un tallo nervioso que los une.

HIPOTERMIA. Descenso de la temperatura por debajo de los límites normales por circunstancias ambientales adversas.

HIPOTONÍA. Tono del músculo en reposo muy débil. Flacidez.

HIPOXIA. Déficit parcial de oxígeno en la sangre y en los órganos corporales.

HIRSUTISMO. Crecimiento anormal del vello de forma secundaria a una afectación hormonal.

HORMONA. Mensajero químico producido por diversas glándulas corporales que actúan a distancia entre otros órganos llamados órganos diana.

—— I ——

ICTERICIA. Es una coloración amarillenta de la piel, de las membranas mucosas o de los ojos. El pigmento amarillo proviene de la bilirrubina, un subproducto de los glóbulos rojos viejos.

ICTERICIA FISIOLÓGICA DEL RECIÉN NACIDO. La ictericia del recién nacido es una condición ocasionada por altos niveles de bilirrubina en la sangre, a partir de lo que se produce una coloración amarillenta en la piel y el globo ocular de los bebés.

ICTUS. Trastorno cerebral brusco producido por la falta de riego sanguíneo que puede ser leve, grave con secuelas o incluso mortal. También denominado accidente isquémico transitorio o AIT.

IDIOPÁTICO. Dícese de cualquier proceso de origen desconocido o que se produce sin causa aparente.

IMPÉTIGO. Infección cutánea muy contagiosa producida por estafilococos que aparece como manchas rojas en la piel, formándose con posterioridad ampollas y finalmente escaras.

INCUBACIÓN. Período de tiempo que necesita un microorganismo para asentar y multiplicarse en el cuerpo antes de comenzar a producir los signos y síntomas de la infección.

INFECCIÓN. Invasión del cuerpo por organismos que causan enfermedades.

INFILTRACIÓN. Introducción mediante una aguja de corticoides y/o anestésicos en una articulación para tratar la inflamación y el dolor.

INFRARROJO. Segmento de espectro electromagnético que acompaña a la luz visible y que calienta la superficie corporal al contactar con ella.

INMUNIDAD. Capacidad de resistencia a una enfermedad infecciosa o parasitaria.

Puede ser natural o adquirida (generalmente por vacunación).

INMUNOGLOBULINA. Anticuerpos que aseguran la inmunidad. Está presente en la sangre en estado natural.

INSULINA. Hormona cuyo efecto consiste en reducir la tasa de glicemia. Se emplea en el tratamiento de la diabetes.

ISOTÓNICO. Dícese de cualquier líquido o solución que posee el mismo pH de la sangre.

ISQUEMIA. Déficit de riego sanguíneo de un área corporal determinada por cualquier alteración de los vasos que la irrigan y que puede ser reversible o provocar la muerte celular.

INTOLERANCIA A LA LACTOSA. Es la incapacidad para digerir la lactosa, un tipo de azúcar que se encuentra en la leche y otros productos lácteos y es causada por una deficiencia de la enzima lactasa

K

KINESTÉSICO. Relativo a la kinesia, es decir, a la actividad de los músculos (masajes, gimnasia).

L

LACTANCIA MATERNA. Es la alimentación de los bebés con leche materna para satisfacer sus requerimientos nutricionales.

LANUGO. Suave vello corporal del feto que se cae a los pocos días de nacer.

LAPAROSCOPIA. Técnica quirúrgica que no requiere de la apertura total de la cavidad abdominal, sino que sólo son necesarios pequeños cortes para introducir la cámara y el instrumental.

LAPAROTOMÍA. Técnica quirúrgica con incisión amplia de la región a tratar.

LEOUCOCITO. Célula de aspecto esferoidal de color claro que llega a la sangre producida por el sistema defensivo.

LEUCOPENIA. Disminución del número de leucocitos en la sangre.

LEUCORREA. Flujo de aspecto lechoso producido por los genitales femeninos en caso de infección.

LIBIDO. Apetito sexual.

LINFA. Líquido proveniente del plasma sanguíneo que sale de los vasos al llegar a los tejidos y que limpia a éstos de desechos para después ser recogido en los vasos linfáticos.

LINFAGITIS. Dícese de la inflamación de los vasos linfáticos.

LINFOCITO. Tipo de leucocito.

LIPOMA. Tumor benigno formado por tejido graso.

LÍQUIDO CEFALORRAQUÍDEO. Líquido que baña los ventrículos cerebrales y la médula espinal.

LÍQUIDO SINOVIAL. Sustancia viscosa que forma una membrana que lubrica y protege las articulaciones.

LITIASIS. Formación de cálculos o piedras en la vía urinaria o biliar.

LITOTRICIA. Destrucción de cálculos mediante ultrasonidos.

LUXACIÓN. Desplazamiento de las superficies articulares por un traumatismo o por la debilidad de los ligamentos que protegen la articulación.

M

MACRÓFAGO. Célula defensiva del sistema inmune que fagocita o engulle agentes extraños y trata de destruirlos.

MÁCULA. Alteración de la coloración de la piel, de pequeño tamaño, debida a diferentes causas como alteraciones de la melanina, defectos de la circulación o intoxicaciones.

MASTITIS. Inflamación del tejido mamario, en la mayoría de los casos producida por una infección.

MATRIZ. Útero.

MECONIO. Excremento del feto en el interior del líquido amniótico antes del parto.

MELANINA. Pigmento en forma de gránulos que colorea la piel y sus anejos.

MELENAS. Heces negras y brillantes (como carbón) y especialmente malolientes que contienen sangre procedente del tubo digestivo superior.

MENARQUIA. Comienzo de la menstruación en las mujeres.

MENINGITIS. Es una infección que causa inflamación de las membranas que cubren el cerebro y la médula espinal. La meningitis no bacteriana con frecuencia es denominada «meningitis aséptica», mientras que la meningitis bacteriana se puede denominar «meningitis purulenta».

MENINGOCELE. Hernia del líquido cefalorraquídeo sobre las meninges que envuelven el sistema nervioso.

MENORREA. Ausencia de la menstruación durante la fase de la madurez sexual que se prolonga más de 3 meses sin estar embarazada.

METABOLISMO. Conjunto de reacciones tanto de síntesis como de degradación que se producen en el organismo humano. Incluye el anabolismo y el catabolismo.

METADONA. Derivado de la morfina comúnmente utilizado como tratamiento de la deshabituación a determinadas drogas.

METÁSTASIS. Es el movimiento o diseminación de las células cancerosas de un órgano o tejido a otro, por lo general a través del torrente sanguíneo o del sistema linfático.

METRORRAGIA. Hemorragia ginecológica no relacionable con la menstruación.

MIALGIA. Se trata de dolor o pesadez de la musculatura.

MIASTENIA. Cansancio muscular no justificable por el esfuerzo previo.

MICOSIS. Cualquier tipo de infección producida por hongos.

MIDRIASIS. Aumento anormal del diámetro de las pupilas que no responde al estímulo luminoso.

MIELINIZACIÓN. Desarrollo de la sustancia que rodea a las fibras nerviosas. Se trata de un proceso que no está acabado en el momento del nacimiento y que prosigue durante varios años.

MILLIUM. Son pequeñas protuberancias o granos blanquecinos que se presentan cuando la piel muerta, que se muda normalmente, queda atrapada en pequeñas cavidades en la superficie cutánea o la boca. Los milios son comunes en los bebés recién nacidos y aparecen como protuberancias blanquecinas nacaradas, más comúnmente a través de las mejillas superiores, la nariz y el mentón.

MIOCARDIO. Capa muscular del corazón.

MIOMA. Tumor benigno de la pared muscular de un órgano.

MIOSIS. Disminución anormal del diámetro de las pupilas que no responde a la oscuridad.

— N —

NECROSIS. Muerte de las células que forman un tejido.

NEFRECTOMÍA. Extirpación quirúrgica de un riñón.

NEFRÍTICO. Relacionado con el riñón.

NEONATO. Es un recién nacido hasta de un mes de edad.

NEOPLASIA. Dícese de la formación de un tejido nuevo a partir de una estirpe celular cancerosa que crece descontroladamente en torno a un órgano hasta desplazarlo. Tumor.

NEUMOCONIOSIS. Enfermedad pulmonar producida por la inhalación de aire contaminado por polvo proveniente de sustancias minerales.

NEUMOTÓRAX. Se trata de una acumulación aguda de aire entre el pulmón y la pleura, lo que dificulta la respiración y por lo que exige intervención.

NEURALGIA. Dolor producido por la afectación directa de un nervio principal o de sus ramas.

NEUROMA. Es el tumor que aparece en un nervio.

NEURONA. Célula nerviosa que comprende un cuerpo central (denominado axón) y las prolongaciones (conocidas como dendritas).

NISTAGMO. Oscilación espasmódica del globo ocular en alguno de sus ejes de movimiento cuando se fuerza la mirada hacia los diferentes ángulos.

NICOSOMIAL. Relacionado con el hospital.

NUTRICIÓN PARENTERAL. Administración de los alimentos directamente al torrente sanguíneo del niño (o adulto), suministrándole todos los nutrientes necesarios para el organismo como los hidratos de carbono, electrolitos, proteínas, minerales, vitaminas y grasas, sin utilizar el tubo digestivo

O

OBNUBILACIÓN. Trastorno del estado de conciencia.

OCENA. Infección de la pituitaria nasal que provoca una secreción fétida.

ODINOFAGIA. Dolor que se produce en la garganta al tragar.

OLIGOELEMENTOS. Son los elementos minerales que están presentes en el organismo, algunos de los cuales tienen un importante papel en el funcionamiento de las células.

OLIGOFRENIA. Dícese del retraso o la deficiencia mental.

ONICOFAGIA. Hábito exagerado de comerse las uñas.

ORQUITIS. Es la inflamación de uno o ambos testículos, causada con frecuencia por infección.

ORTOPNEA. Dificultad para respirar en posición de decúbito o tumbado.

ORZUELO. Inflamación de las glándulas sebáceas del párpado por infección de las mismas u obstrucción de los conductos por los que expulsan la grasa.

OSTEOMALACIA. Reblandecimiento de los huesos por afectación de su estructura mineral.

OTITIS. Inflamación de alguna de las porciones del oído, normalmente debida a un proceso infeccioso.

ÓVULO. Célula nacida en el ovario depués de la maduración de un folículo.

OXITOCINA. Hormona de origen posthipofisario, que en general refuerza las contracciones de los músculos y en particular las del músculo uterino.

——— P ———

PALPITACIÓN. Apercibimiento del latido cardiaco, normalmente acelerado, por parte del individuo.

PALUDISMO. Enfermedad infecciosa muy extendida en todo el planeta, transmitida por el mosquito Anópheles, que puede ser grave en individuos no inmunizados o que no tomen la quinina para prevenirlo. También llamado malaria.

PANADIZO. Infección sobre la matriz de la uña que forma un acceso purulento.

PANCITOPENIA. Disminución de todos los grupos celulares que se encuentran en la sangre.

PANDEMIA. Epidemia masiva que se extiende a muchas áreas geográficas.

PÁPULA. Es una lesión de la piel que se caracteriza sobre todo por ser pequeña, sólida y abultada.

PAPILA. Zona en la retina por donde el nervio óptico llega hasta la misma.

PARACENTESIS. Punción de la cavidad abdominal con fines diagnósticos o para evacuar una gran cantidad de líquido acumulado y aliviar la sintomatología.

PARÁLISIS CEREBRAL. Es un grupo de trastornos caracterizados por pérdida del movimiento u otras funciones nerviosas. Estos trastornos son causados por lesiones en el cerebro que ocurren durante el desarrollo fetal o cerca del momento del nacimiento.

PARANOIA. Dícese del desarrollo de un delirio psicótico.

PARAPLEJIA. Parálisis absoluta de la mitad inferior del cuerpo

PARENTERAL. Que se hace a través del sistema circulatorio.

PARESTESIA. Adormecimiento u «hormigueo» de la piel, generalmente en los miembros.

PAROTIDITIS. Es una enfermedad viral aguda contagiosa que causa un aumento doloroso de las glándulas parótidas o salivales.

PATOLÓGICO. Cualquier proceso orgánico no fisiológico o fuera de la normalidad.

PEDICULOSIS. Infección por pequeños insectos llamados piojos o ladillas.

PELAGRA. Enfermedad causada por el déficit de una vitamina llamada ácido nicotínico o niacina.

PEPSINA. Enzima producida en el estómago que destruye y digiere las proteínas.

PERICARDIO. Membrana doble que recubre el corazón.

PERINÉ. Región del cuerpo comprendida entre los órganos sexuales y el ano.

PERIOSTIO. Membrana que recubre los huesos y colabora en el mantenimiento de sus funciones vitales.

PERITONITIS. Inflamación grave, generalmente de origen infeccioso, del peritoneo o membrana que reviste la cavidad abdominal y rodea a los órganos que se encuentran en su interior.

PETEQUIA. Pequeña lesión de la piel producida por un sangrado capilar localizado.

PH. Relación entre la acidez o la alcalinidad de una solución.

PIE ZAMBO. Es un trastorno en el que el pie se curva hacia adentro y hacia abajo en el momento de nacer y permanece rígido en esta posición, resistiéndose al realineamiento.

PÍLORO. Orificio de separación entre el estómago y el duodeno.

PIORREA. Producción de secreciones purulentas en las encías que retrae a éstas y deja sin protección la base de los dientes de forma progresiva.

PIROSIS. Sensación de ardor o quemazón detrás o debajo del esternón debida normalmente al reflujo del contenido gástrico.

PITIRIASIS. Lesión cutánea de color rosado típica de los niños y jóvenes que puede ser múltiple y que tiene un origen infeccioso por virus.

PLACEBO. Dícese de cualquier actuación terapéutica que puede producir la mejoría de una enfermedad sin que exista justificación científica para ello.

PLACENTA. Órgano formado en el interior del útero durante el embarazo que realiza el intercambio de sustancias vitales entre la madre y el feto. Su expulsión durante el parto se denomina alumbramiento.

PLAQUETA. Célula sanguínea que interviene en la coagulación al adherirse a los extremos de la herida vascular para tratar de taponar la hemorragia. También llamada trombocito.

PLASMA. Parte líquida de la sangre que arrastra a las células que se vierten a ella.

PLEURA. Membrana doble de tipo fibroso que recubre los pulmones (pleura visceral) y tapiza interiormente a la cavidad torácica (pleura parietal).

POLIDIPSIA. Necesidad constante de beber que aparece con frecuencia en el inicio de la diabetes.

PÓLIPO. Tumor generalmente benigno que crece en el interior de ciertas vísceras huecas.

POSOLOGÍA. Dosis a las que deben administrarse los medicamentos según las características del paciente y de la enfermedad producida.

PREMATURO. Niño nacido antes de completar la semana 37 de gestación.

PROBLEMAS DE DESARROLLO. Incapacidad para adquirir las habilidades esperadas correspondientes a una edad determinada. Esta incapacidad puede incluir problemas de coordinación motriz, sociales, del lenguaje y los trastornos del aprendizaje.

PRÓDROMOS. Dícese de los síntomas iniciales o que preceden al comienzo de una enfermedad.

PROFILAXIS. Prevención del desarrollo de una enfermedad.

PROGESTERONA. Hormona sexual femenina secretada por el ovario después de la ovulación.

PROLACTINA. Hormona de la lactancia.

PROLAPSO. Nombre científico que se da al descenso de órganos: descenso del útero y de la vagina después de la relajación de los músculos del perineo.

PROTEÍNA. Sustancia constituida por ácidos aminados.

PROTEÍNA PLASMÁTICA. Proteína contenida en el plasma sanguíneo.

PRÓTESIS. Dícese de cualquier tipo de artilugio utilizado sobre el cuerpo humano para sustituir una estructura del mismo.

PRURIGINOSO. Lo que produce prurito o picor.

PRURITO. Es un «hormigueo» peculiar o irritación incómoda en la piel que provoca deseo de rascar el área afectada.

PUBERTAD. Se refiere al inicio de la maduración sexual. Es el momento cuando el niño experimenta cambios físicos, hormonales y sexuales, para lograr la capacidad de reproducirse. La pubertad está asociada con un crecimiento rápido y la aparición de las características sexuales secundarias.

PUBERTAD PRECOZ. Es el desarrollo prematuro de características corporales que normalmente ocurren en la pubertad, el momento de la vida cuando el cuerpo cambia rápidamente y se desarrolla la capacidad reproductiva. La pubertad normalmente ocurre entre los 13 y 15 años de edad en los hombres, y entre los 9 y 16 años en las mujeres.

PUNCIÓN LUMBAR. Técnica diagnóstica en la que se extrae el líquido cefalorraquídeo (LCR) mediante la introducción de una aguja a través del espacio entre dos vértebras lumbares, hasta la zona que contiene ese líquido.

PÚRPURA. Conjunto de pequeñas lesiones de aspecto rojizo en la piel que han sido producidas por hemorragias en los capilares de la misma.

PUS. Humor o sustancia blanquecina secretada por los tejidos infectados que contiene células defensivas junto con los restos del agente infeccioso neutralizado.

PÚSTULA. Lesión elevada y circunscrita de la piel con contenido purulento.

Q

QUELOIDE. Exceso de tejido fibroso durante el proceso de cicatrización que deja como secuela una cicatriz grande y además sobreelevada. Existe una predisposición individual para producir este tipo de cicatrices.

QUERATINA. Sustancia proteica rica en azufre que forma las estructuras duras de los anejos de la piel como el pelo y las uñas.

QUIMIOTERAPIA. Son los medicamentos que se utilizan para matar los microorganismos (bacterias, virus, hongos) y las células cancerosas. El término se refiere más frecuentemente a los medicamentos «para combatir el cáncer».

QUISTE. Tumor benigno que es de contenido líquido.

R

RABIETAS. Son comportamientos destructivos e indeseables en respuesta a deseos o necesidades no satisfechas o arrebatos emocionales cuando no se le permite al niño hacer o tener algo que él desea. También corresponden a la incapacidad para controlar las emociones debido a una frustración y dificultad para expresar una necesidad o deseo particular.

RADIOTERAPIA. Es un tratamiento que utiliza radiación para destruir las células cancerígenas.

RECTORRAGIA. Sangrado rojo intenso a través del ano, generalmente con la defecación por problemas hemorroidales o por tumores del colon.

RECHAZO. Interrupción del proceso de adaptación a un órgano trasplantado por una reacción incontrolable del sistema inmune contra las células del mismo.

RESONANCIA. Técnica computerizada de registro de imágenes en diferentes planos.

RESPUESTA INMUNE. Es la forma en que el cuerpo reconoce y se defiende a sí mismo contra las bacterias, virus y sustancias que parecen extrañas y dañinas para el organismo.

RETINA. Membrana fotosensible que recubre el interior de la parte posterior del ojo que transforma el estímulo luminoso en corriente eléctrica hasta el nervio óptico.

RETRASO EN EL CRECIMIENTO. Se refiere al crecimiento anormalmente lento, poco aumento de peso o ambos en niños menores de 5 años de edad.

REUMA. Nombre vulgar con el que se define el dolor articular o muscular que se produce como consecuencia de una enfermedad reumática.

RINITIS. Inflamación de la mucosa que tapiza el interior de las fosas nasales.

RINOPLASTIA. Corrección quirúrgica de la estructura ósea de la nariz.

RINORREA. Secreción nasal excesiva que desemboca en la acumulación de mucosidad en las fosas nasales y su goteo molesto hacia el exterior.

RUBÉOLA. La enfermedad es causada por un virus que se propaga a través del aire o por contacto directo; también puede ser transmitida de la madre con infección activa al feto causándole así enfermedad severa. Esta condición suele ser leve en niños y adultos e incluso puede pasar inadvertida.

S

SABAÑONES. Áreas de la piel rojas y tumefactas que incluso llegan a ulcerarse como consecuencia del frío y la humedad severa durante cierto tiempo y que producen dolor y picor.

SALPINGITIS. Inflamación de las trompas de Falopio de origen infeccioso habitualmente.

SARAMPIÓN. Es una enfermedad viral altamente contagiosa, caracterizada por fiebre, tos, erupciones propagadas y conjuntivitis (enrojecimiento e irritación de las membranas del ojo).

SARCOMA. Tumor maligno que afecta al tejido conectivo del cuerpo humano que incluye los músculos, los huesos y el tejido fibroso.

SARNA. Infección de la piel ocasionada por un tipo concreto de ácaros que producen una erupción con abundante picor y que se contagia con cierta facilidad.

SARPULLIDO POR CALOR. El sarpullido por calor ocurre en los bebés cuando se obstruyen los poros de las glándulas sudoríparas y sucede generalmente cuando el clima es cálido o húmedo. A medida que el bebé suda, se forman pequeñas protuberancias rojas y, posiblemente, pequeñas ampollas, debido a que las glándulas obstruidas no pueden eliminar el sudor.

SEBORREA. Aumento de la secreción de las glándulas sebáceas de la piel.

SEDACIÓN. Adormecimiento inducido por sustancias administradas con este fin o como efecto secundario.

SEPSIS. Complicación grave de un proceso infeccioso caracterizado por el paso a la sangre de los agentes infecciosos o gérmenes.

SEPTICEMIA. Es la presencia de bacterias en la sangre (bacteremia) y suele estar asociada con una enfermedad grave

SHOCK. También denominado «choque» en castellano. Ordinariamente se utiliza para referirse a un evento súbito que produce una pérdida de conciencia aunque también se refiere a la complicación del transcurso de una enfermedad que compromete la vida del enfermo.

SIALORREA. Aumento de la formación de saliva en la boca.

SIBILANCIAS. Sonidos similares a silbidos que se producen cuando la respiración se obstruye parcialmente por un estrechamiento de las vías aéreas o una acumulación de mucosidad en las mismas.

SIGNO. Fenómeno objetivo detectado por el individuo que lo padece o por cualquier otro mediante la exploración física o con ayuda instrumental, como, por ejemplo, la fiebre.

SINAPSIS. Parte de la célula nerviosa que asegura el contacto entre dos neuronas.

SÍNCOPE. Pérdida brusca de la conciencia por diferentes causas.

SÍNDROME. Conjunto de signos y síntomas que forma parte de una enfermedad. A su vez, una enfermedad puede estar formada por uno o varios síndromes.

SÍNDROME DE MUERTE SÚBITA. El síndrome de muerte súbita del lactante

(SMSL) es la muerte repentina e inesperada de cualquier lactante o bebé menor de 12 meses, en la cual una autopsia no revela una causa explicable de muerte.

SÍNFISIS. Unión ligamentosa que acomoda dos estructuras óseas.

SINOVITIS. Inflamación de la membrana sinovial articular.

SÍNTOMA. Fenómeno subjetivo referido por el individuo que delata la presencia de una enfermedad como, por ejemplo, el dolor o el mareo.

SISTEMA INMUNE. Conjunto de órganos y células del cuerpo humano que tienen la función de defender a éste de las agresiones externas por agentes que son reconocidos como extraños.

SISTEMA LINFÁTICO. Es una red de órganos, ganglios linfáticos, conductos y vasos linfáticos que producen y transportan linfa desde los tejidos hasta el torrente sanguíneo. El sistema linfático es uno de los componentes principales del sistema inmunológico del cuerpo.

SISTEMA NERVIOSO CENTRAL (SNC). El sistema nervioso central se refiere al núcleo del sistema nervioso, el cual consta del cerebro, la médula espinal y los nervios raquídeos.

SÍSTOLE. Contracción acompasada de las cavidades cardiacas que desplazan la sangre a través de ellas y hacia el exterior.

SOLUCIÓN. Cualquier líquido que posee ciertas sustancias disueltas de forma homogénea en su interior.

SOPLO. Sonido producido por la turbulencia de la sangre a su paso por las cavidades cardiacas que pueden indicar una lesión estructural del corazón y que se detecta mediante la auscultación.

SONDA NASOGÁSTRICA. Catéter flexible que pasa por la nariz y llega al estómago. Se usa para introducir alimentos en el tracto digestivo o para drenar los fluidos digestivos.

SUDOR. Líquido formado por agua y sales minerales producido por unas glándulas especiales de la piel (sudoríparas) con el fin de enfriar ésta tras el esfuerzo o exceso de calor.

SUERO. Se trata de la parte de la sangre que permanece líquida cuando se ha coagulado ésta al ser extraída del sistema circulatorio.

T

TABLAS DE ESTATURA Y PESO. Son cuadros de medidas que permiten valorar y comparar el crecimiento del niño con relación a un rango estándar. Los parámetros que se miden son: estatura, peso y circunferencia de la cabeza.

TALASEMIA. Anemia de origen hereditario producida por una malformación genética de la hemoglobina que puede tener formas leves o más graves.

TAQUICARDIA. Ritmo cardiaco superior a 100 latidos por minuto.

TAQUIPNEA. Aumento del ritmo de respiraciones.

TEMPERAMENTO. La naturaleza o carácter de un niño; la manera en que un niño responde e interactúa con las personas, los materiales y las situaciones en su mundo.

TENDÓN. Banda de tejido fibroso que sirve de inserción para los músculos en los huesos que posee una envoltura protectora llamada vaina tendinosa.

TERAPIA. Conjunto de medidas tomadas para el tratamiento de una enfermedad.

TESTOSTERONA. Hormona masculina secretada por las células de Leydis situadas en los testículos.

TÉTANOS. Es una enfermedad causada por la toxina de la bacteria *Clostridium tetani* que afecta al sistema nervioso central y que algunas veces provoca la muerte.

TETRACICLINAS. Nombre de un conjunto de antibióticos.

TETRAPLEJIA. Parálisis total del cuerpo humano por debajo del cuello.

TIMO. Glándula endocrina situada en la región cervical que forma parte del sistema inmune.

TÍMPANO. Membrana tensa que separa el oído externo del medio y que vibra de forma acorde con los sonidos.

TIROXINA. Hormona producida por la glándula tiroides.

TÓPICO. Dícese de cualquier medicamento que se administra directamente sobre el lugar afectado, como por ejemplo la piel, los ojos o el conducto auditivo.

TORACOTOMÍA. Apertura quirúrgica de las costillas de la cavidad torácica para intervenir en su interior.

TOS FERINA. Es una enfermedad bacteriana altamente contagiosa que afecta al sistema respiratorio y produce espasmos de tos que pueden terminar en una inspiración profunda con un sonido chillón (el «estertor de la tos ferina»).

TOXICOMANÍA. Hábito enfermizo de introducirse sustancias tóxicas de manera prolongada con el fin de obtener placer o evadirse de las circunstancias.

TOXINA. Sustancia venenosa producida por los seres vivos como sistema defensivo que actúa negativamente en el organismo.

TRANSAMINASAS. Enzimas producidas por el hígado cuya elevación se traduce en afectación del mismo.

TRAQUEOTOMÍA. Incisión en la tráquea para permitir la ventilación del individuo que puede ser reversible o permanente.

TROMBO. Coágulo o formación del interior vascular que puede desprenderse y obturar un vaso.

TROMBOCITOPENIA. Descenso del número de plaquetas o trombocitos por diferentes causas.

TROMBOFLEBITIS. Es la inflamación de una vena como consecuencia de un trombo que obstruye la circulación normal de la misma.

TROMBOPENIA. Disminución del número de plaquetas en la sangre.

TROMBOSIS. Se trata de la oclusión de un vaso por el enclavamiento de un trombo, lo que provoca un daño mayor o menor, dependiendo del tiempo de oclusión, así como de la naturaleza del órgano que se vea afectado.

TSH. Es un examen que mide la cantidad de la hormona estimulante de la tiroides en la sangre.

— U —

ULTRASONIDO. Es la vibración de alta frecuencia que es inaudible para el ser humano y que es utilizada en medicina como un eficaz método diagnóstico o terapéutico.

ULTRAVIOLETA. Segmento del espectro electromagnético que acompaña a la luz visible producida por el sol y que si por un lado actúa beneficiosamente sobre la piel bronceándola y transformando la vitamina D en su forma activa, por otro lado, su exceso es potencialmente cancerígeno.

UMBRAL. Valor mínimo que debe tener un estímulo para que se produzca un determinado efecto secundario a aquél.

UREMIA. Síndrome que afecta a diversos aparatos del organismo producido por el acúmulo de sustancias nocivas nitrogenadas que debían haber sido expulsadas por el riñón.

URTICARIA. Se trata de la aparición de lesiones pruriginosas en la piel de cualquier parte del cuerpo que tiene aspecto de sarpullido y que generalmente es de naturaleza alérgica.

— V —

VARICOCELE. Tumoración producida por la dilatación de las venas del aparato genital masculino que crece de forma progresiva, a veces sin producción de dolor.

VAGINITIS. Inflamación de la mucosa de la vagina.

VASOCONSTRICCIÓN. Es el estrechamiento (constricción) de los vasos sanguíneos. Cuando los vasos sanguíneos se constriñen, el flujo de sangre se restringe o se torna más lento.

VERNIX CASEOSA. Sustancia blanca y grasa que cubre la piel del recién nacido.

VIRIASIS. Infección producida por algún tipo de virus.

VIRUELA. Infección vírica letal hasta hace pocos años que se encuentra erradicada en la actualidad, aunque aún se conservan cepas del virus en algunos laboratorios por si reapareciera de nuevo y fuera necesaria una vacuna.

VIRUS SINTICIAL RESPIRATORIO. Es un virus muy común que ocasiona síntomas leves similares a los de la gripe en los adultos y en los niños sanos mayores. Esta enfermedad puede ocasionar infecciones serias de las vías respiratorias en los bebés menores, especialmente en los prematuros con enfermedades pulmonares o cardíacas o que están inmunocomprometidos.

VITAMINA. Es la sustancia obtenida de los alimentos que no puede ser sintetizada por nuestro organismo y que resulta vital para el funcionamiento correcto del metabolismo.

VITÍLIGO. Pérdida de melanina en forma de placas que se extienden por ciertas áreas de la piel, a veces como consecuencia de una exposición excesiva al sol, que no supone una amenaza para la salud aunque sí un deterioro estético.

X

XERODERMIA. Afección cutánea que produce sequedad de la piel.

XEROFTALMIA. Es la sequedad de la mucosa ocular.

Y

YATROGÉNICO. Cualquier estado patológico producido por una actuación médica o farmacológica de forma negligente o no.

Z

ZOONOSIS. Cualquier enfermedad o infección que puede ser transmitida al hombre por los animales.

Declaración de los Derechos del Niño

DECLARACIÓN DE LOS DERECHOS DEL NIÑO

Fue proclamada por la Asamblea General de la Naciones Unidas en su resolución 1386 (XIV), del día 20 de noviembre de 1959.

PREÁMBULO

Considerando que los pueblos de las Naciones Unidas han reafirmado en la Carta su fe en los derechos fundamentales del hombre en la dignidad y el valor de la persona humana, y su determinación de promover el progreso social y elevar el nivel de vida dentro de un concepto más amplio de la libertad.

Considerando que las Naciones Unidas han proclamado en la Declaración Universal de Derechos Humanos que toda persona tiene todos los derechos y libertades enunciados en ella, sin distinción alguna de raza, color, sexo, idioma, opinión política o de cualquier otra índole, origen nacional o so- cial, posición económica, nacimiento o cualquier otra condición.

Considerando que el niño, por su falta de madurez física y mental, necesita protección y cuidados especiales, incluso la debida protección legal, tanto antes como después del nacimiento.

Considerando que la necesidad de esta protección especial ha sido enunciada en la Declaración de Ginebra de 1924 sobre los Derechos del Niño y reconocida en la Declaración Universal de Derechos Humanos y en los convenios constitutivos de los organismos especializados y de las organizaciones internacionales que se interesan en el bienestar del niño.

Considerando que la humanidad debe al niño lo mejor que puede darle,

LA ASAMBLEA GENERAL

Proclama la presente Declaración de los Derechos del Niño a fin de que éste pueda tener una infancia y gozar, en su propio bien y en bien de la sociedad, de los dere-

chos y libertades que en ella se enuncian, e insta a los padres, a los hombres y mujeres individualmente y a las organizaciones particulares, autoridades locales y gobiernos nacionales a que reconozcan esos derechos y luchen por su observancia con medidas legislativas y de otra índole adoptadas progresivamente en conformidad con los siguientes principios:

PRINCIPIO 1

El niño disfrutará de los todos los derechos enunciados en esta Declaración. Esos derechos serán reconocidos a todos los niños sin excepción alguna ni distinción o discriminación por motivos de raza, color, sexo, idioma, religión, opiniones políticas o de otra índole, origen nacional o social, posición económica, nacimiento u otra condición, ya sea del propio niño o de su familia.

PRINCIPIO 2

El niño gozará de una protección especial y dispondrá de oportunidades y servicios, dispensado todo ello por la ley y por otros medios, para que pueda desarrollarse física, mental, moral, espiritual y socialmente en forma saludable y normal, así como en condiciones de libertad y dignidad. Al promulgar leyes con este fin, la consideración fundamental a que se atenderá será el interés superior del niño.

PRINCIPIO 3

El niño tiene derecho desde su nacimiento a un nombre y a una nacionalidad.

PRINCIPIO 4

El niño debe gozar de los beneficios de la seguridad social. Tendrá derecho a crecer y desarrollarse en buena salud; con este fin deberán proporcionarse, tanto a él como a su madre, cuidados especiales, incluso atención prenatal y postnatal. El niño tendrá derecho a disfrutar de alimentación, vivienda, recreo y servicios médicos adecuados.

PRINCIPIO 5

El niño física o mentalmente impedido o que sufra algún impedimento social debe recibir el tratamiento, la educación y el cuidado especiales que requiere su caso particular.

PRINCIPIO 6

El niño, para el pleno y armonioso desarrollo de su personalidad, necesita amor y comprensión. Siempre que sea posible, deberá crecer al amparo y bajo la responsabilidad de sus padres y, en todo caso, en un ambiente de afecto y de seguridad moral y material; salvo circunstancias excepcionales, no deberá separarse al niño de corta edad de su madre. La sociedad y las autoridades públicas tendrán la obligación de cuidar especialmente a los niños sin familia o que carezcan de medios adecuados de subsistencia. Para el mantenimiento de los hijos de familias numerosas conviene conceder subsidios estatales o de otra índole.

PRINCIPIO 7

El niño tiene derecho a recibir educación, que será gratuita y obligatoria por lo menos en las etapas elementales. Se le dará una educación que favorezca su cultura general y le permita, en condiciones de igualdad de oportunidades, desarrollar sus aptitudes y su juicio individual, su sentido de responsabilidad moral y social, y llegar a ser un miembro útil de la sociedad. En interés superior del niño debe ser el principio rector de quienes tienen la responsabilidad de su educación y orientación; dicha responsabilidad incumbe, en primer término, a sus padres. El niño debe disfrutar plenamente de juegos y recreaciones, los cuales deben estar orientados hacia los fines perseguidos por la educación; la sociedad y las autoridades públicas se esforzarán por promover el goce de este derecho.

PRINCIPIO 8

El niño debe, en todas las circunstancias, figurar entre los primeros que reciban protección y socorro.

PRINCIPIO 9

El niño debe ser protegido contra toda forma de abandono, crueldad y explotación.

El niño no será objeto de ningún tipo de trata. No deberá permitirse al niño trabajar antes de una edad mínima adecuada; en ningún caso se le dedicará ni se le permitirá que se dedique a ocupación o empleo alguno que pueda perjudicar su salud o su educación o impedir su desarrollo físico, mental o moral.

PRINCIPIO 10

El niño debe ser protegido contra la discriminación racial, religiosa o de cualquier otra índole. Debe ser educado en un espíritu de comprensión, tolerancia, amistad entre los pueblos, paz y fraternidad universal, y con plena conciencia del servicio de sus semejantes.